S0-BLU-157

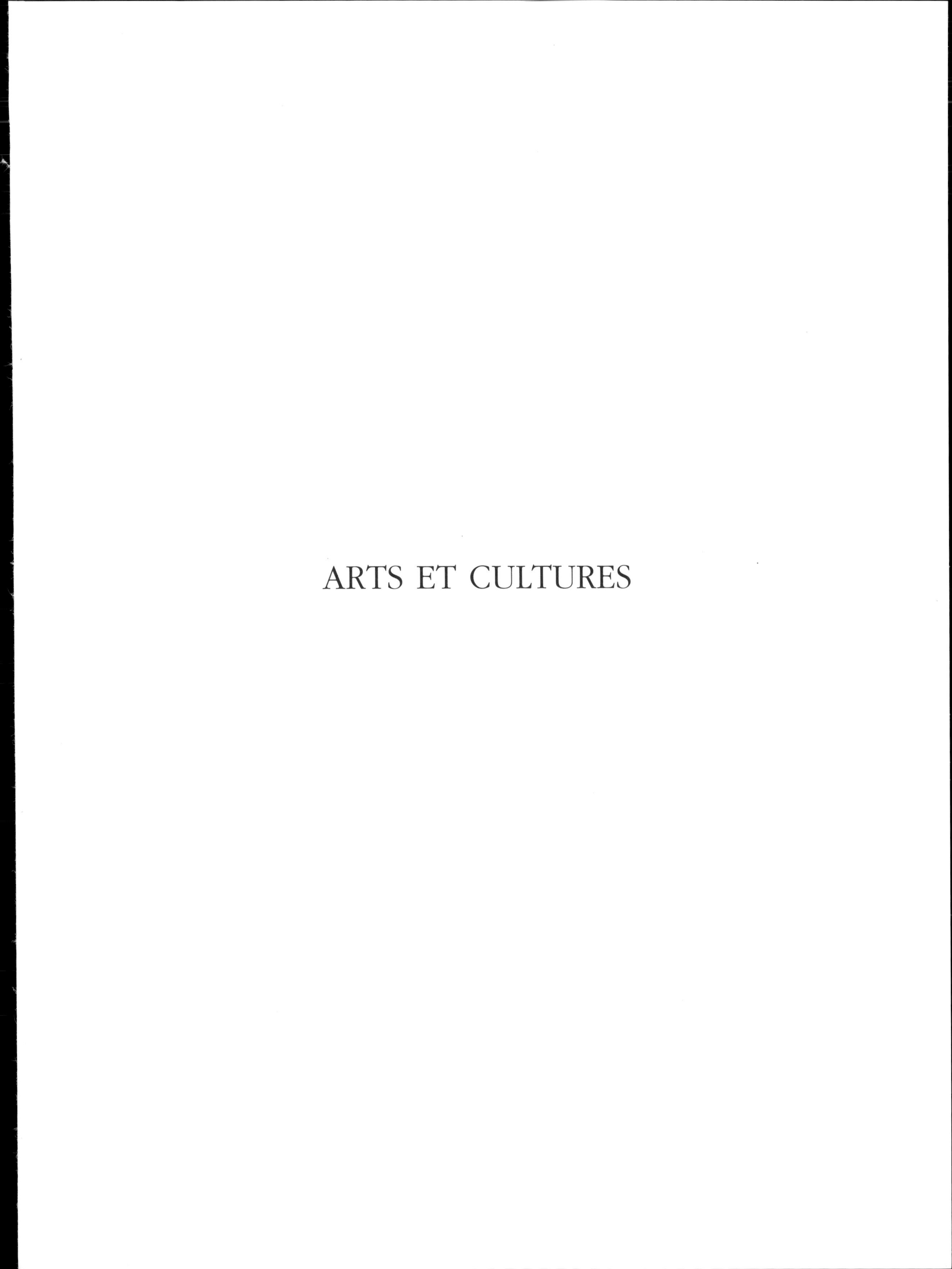

ARTS ET CULTURES

Henri Pirenne, Bryce Lyon, André Guillou,
Francesco Gabrieli, Heiko Steuer

HAUT MOYEN-AGE

Byzance - Islam - Occident

L'Aventurine

Traduction de Hélène Seyrès.

SOMMAIRE

Henri Pirenne

MAHOMET ET CHARLEMAGNE

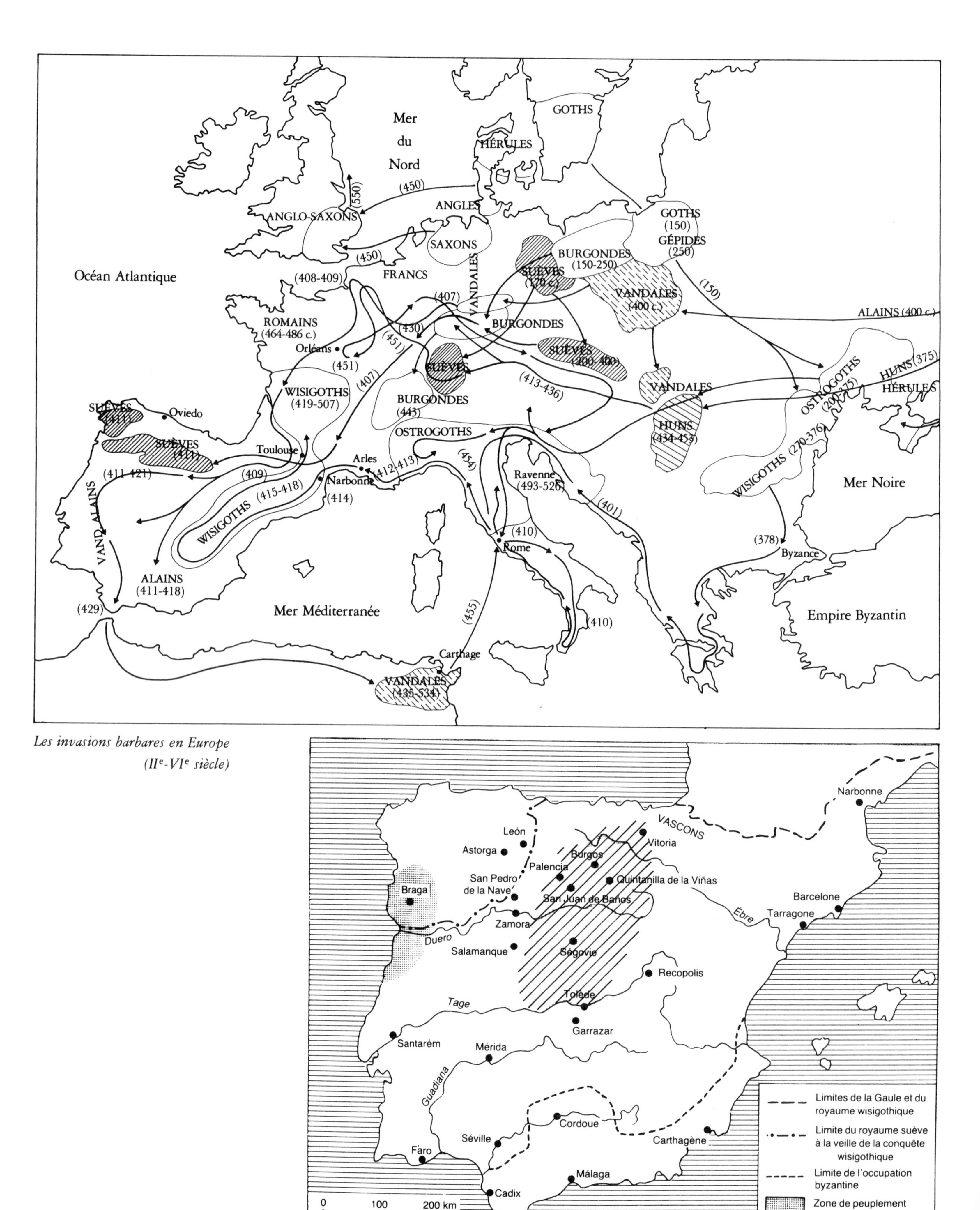
Mer du Nord
Océan Atlantique
GOTHS
HÉRULES
ANGLES
ANGLO-SAXONS
(550)
(450)
SAXONS
(450)
FRANCS
(408-409)
VANDALES
GOTHS (150)
GÉPIDES (250)
BURGONDES (150-250)
SUÈVES (170 c.)
VANDALES (400 c.)
(150)
ALAINS (400 c.)
(407)
ROMAINS (464-486 c.)
Orléans
(451)
(430)
(451)
BURGONDES
SUÈVES (200-400)
SUÈVES
(407)
(413-436)
OSTROGOTHS (200-375)
HUNS (375)
HÉRULES
VANDALES
WISIGOTHS (419-507)
BURGONDES (443)
SUÈVES (411)
Oviedo
SUÈVES (411)
HUNS (434-453)
OSTROGOTHS
Toulouse
Arles
(412-413)
(454)
Ravenne (493-526)
(401)
WISIGOTHS (270-376)
Mer Noire
(411-421)
(409)
Narbonne
WISIGOTHS (415-418)
(414)
VAND ALAINS
WISIGOTHS
(410)
Rome
(378)
Byzance
ALAINS (411-418)
(429)
Mer Méditerranée
(455)
(410)
Empire Byzantin
Carthage
VANDALES (435-534)
Narbonne
VASCONS
León
Vitoria
Astorga
Burgos
Palencia
San Pedro de la Nave
Quintanilla de la Viñas
Braga
San Juan de Baños
Barcelone
Zamora
Tarragone
Èbre
Duero
Salamanque
Ségovie
Recopolis
Tolède
Tage
Garrazar
Santarém
Mérida
Guadiana
Cordoue
Séville
Carthagène
Faro
Málaga
Cadix
0 100 200 km
Tanger
Ceuta
Limites de la Gaule et du royaume wisigothique
Limite du royaume suève à la veille de la conquête wisigothique
Limite de l'occupation byzantine
Zone de peuplement suève
Zone de peuplement wisigothique

Les invasions barbares en Europe (IIe-VIe siècle)

L'Espagne wisigothique

Chapitre I

Continuation de la civilisation méditerranéenne en Occident
après les invasions germaniques

I. La «Romania» avant les Germains

De tous les caractères de cette admirable construction humaine que fut l'Empire romain[1], le plus frappant et aussi le plus essentiel est son caractère méditerranéen. C'est par là que, quoique grec à l'Orient, latin à l'Occident, son unité se communique à l'ensemble des provinces. La mer, dans toute la force du terme la *Mare nostrum*, véhicule des idées, des religions, des marchandises[2]. Les provinces du Nord, Belgique, Bretagne, Germanie, Rhétie, Norique, Pannonie, ne sont que des glacis avancés contre la barbarie. La vie se concentre au bord du grand lac. Il est indispensable à l'approvisionnement de Rome en blés d'Afrique. Et il est d'autant plus bienfaisant que la navigation y est absolument en sécurité, grâce à la disparition séculaire de la piraterie. Vers lui converge aussi, par les routes, le mouvement de toutes les provinces. A mesure qu'on s'écarte de la mer, la civilisation se fait plus raréfiée. La dernière grande ville du Nord est Lyon. Trèves ne dut sa grandeur qu'à son rang de capitale momentanée. Toutes les autres villes importantes, Carthage, Alexandrie, Naples, Antioche, sont sur la mer ou près de la mer.

Ce caractère méditerranéen s'affirme davantage depuis le IVe siècle, car Constantinople, la nouvelle capitale, est, avant tout, une ville maritime. Elle s'oppose à Rome, qui n'est que consommatrice, par sa nature de grand entrepôt, de fabrique, de grande base navale. Et son hégémonie est d'autant plus grande que l'Orient est plus actif; la Syrie est le point d'arrivée des voies qui mettent l'Empire en rapport avec l'Inde et la Chine; par la mer Noire, elle correspond avec le Nord.

L'Occident dépend d'elle pour les objets de luxe et les fabricats.

L'Empire ne connaît ni Asie, ni Afrique, ni Europe. S'il y a des civilisations diverses, le fond est le même partout. Mêmes mœurs, mêmes coutumes, mêmes religions sur ces côtes qui, jadis, ont connu des civilisations aussi différentes que l'Égyptienne, la Tyrienne, la Punique.

C'est en Orient que se concentre la navigation[3]. Les Syriens, ou ceux qu'on appelle ainsi, sont les routiers des mers. Par eux le papyrus, les épices, l'ivoire, les vins de luxe se répandent jusqu'en Bretagne. Les étoffes précieuses arrivent d'Égypte tout comme les herbes pour ascètes[4]. Il y a partout des colonies de Syriens. Marseille est un port à moitié grec.

En même temps que ces Syriens, se rencontrent des Juifs, éparpillés ou plutôt, groupés, dans toutes les villes. Ce sont des marins, des courtiers, des banquiers dont l'influence a été aussi essentielle dans la vie économique du temps que l'influence orientale qui se décèle à la même époque dans l'art et dans les idées religieuses. L'ascétisme est arrivé d'Orient en Occident par la mer comme, avant lui, le culte de Mithra et le christianisme.

Sans Ostie, Rome est incompréhensible. Et si, d'autre part, Ravenne est devenue la résidence des empereurs *in partibus occidentis*, c'est à cause de l'attraction de Constantinople.

Par la Méditerranée l'Empire forme donc, de la manière la plus évidente, une unité économique. C'est un grand territoire avec des péages, mais sans douanes. Et il bénéficie de l'avantage immense de l'unité monétaire, le sou d'or constantinien, pièce de 4,55 g d'or fin, ayant cours partout[5].

On sait que, depuis Dioclétien, il y a eu un fléchissement économique général. Mais il paraît certain que le IVe siècle a connu un redressement et une plus active circulation monétaire.

Pour assurer la sécurité de cet Empire entouré de Barbares, il a suffi, pendant longtemps, de la garde des légions aux frontières: le long du Sahara, sur l'Euphrate, sur le Danube, sur le Rhin. Mais derrière la digue, l'eau s'accumule. Au IIIe siècle, les troubles civils aidant, il y a des fissures, puis des brèches. De toutes parts, c'est une irruption de Francs, d'Alamans, de Goths, qui pillent la Gaule, la Rhétie, la Pannonie, la Thrace, descendent même jusqu'en Espagne.

Le coup de balai des empereurs illyriens refoule tout cela et rétablit la frontière. Mais du côté des Germains, il ne suffit plus du *limes*, il faut maintenant une résistance en profondeur. On fortifie les villes de l'intérieur, ces villes, qui sont les centres nerveux de l'Empire. Rome et Constantinople deviennent deux places fortes modèles.

Et il n'est plus question de se fermer aux Barbares. La population diminue, le soldat devient un mercenaire. On a besoin des Barbares pour le travail des champs et pour la troupe. Ceux-ci ne demandent pas mieux que de s'embaucher au service de Rome. Ainsi, l'Empire, sur ses frontières, se germanise par le sang, mais non pour le reste, car tout ce qui y pénètre se romanise[6]. Tous ces Germains qui y entrent, c'est pour le servir en en jouissant. Ils ont pour lui le respect des Barbares pour le civilisé. A peine y sont-ils qu'ils adoptent sa langue, et aussi sa religion, c'est-à-dire le christianisme, depuis le IVe siècle; et en se christianisant, en perdant leurs dieux nationaux, en fréquentant les mêmes églises, ils se confondent peu à peu avec la population de l'Empire.

Bientôt l'armée presque tout entière sera composée de Barbares et beaucoup d'entre eux, tels le Vandale Stilicon, le Goth Gaïnas ou le Suève Ricimer y feront carrière[7].

II. Les invasions

C'est au cours du Ve siècle, on le sait, que l'Empire romain a perdu ses parties occidentales au profit des Barbares germaniques.

Ce n'est pas la première fois qu'il avait été attaqué par eux. La menace était ancienne et c'est pour y parer que la frontière militaire Rhin-*limes*-Danube avait été établie. Elle avait suffi à défendre l'Empire jusqu'au IIIe siècle; mais après la première grande ruée des Barbares, il avait fallu renoncer à la belle confiance de jadis, adopter une attitude défensive, réformer l'armée en affaiblissant les unités pour les rendre plus mobiles et la constituer finalement presque entièrement de mercenaires Barbares[8].

Grâce à cela, l'Empire s'est encore défendu pendant deux siècles.

Pourquoi finalement a-t-il cédé?

Il avait pour lui ses forteresses, contre lesquelles les Barbares étaient impuissants, ses routes stratégiques, la tradition d'un art militaire plusieurs fois séculaire, une diplomatie consommée qui savait diviser et acheter les ennemis — ce fut un des côtés essentiels de la résistance — et l'incapacité de ses agresseurs à s'entendre. Il avait surtout pour lui la mer dont on verra le parti qu'il sut tirer jusqu'à l'établissement des Vandales à Carthage.

Je sais bien que la différence d'armement entre l'Empire et les Barbares n'était pas ce qu'elle serait aujourd'hui, mais tout de même la supériorité romaine était éclatante contre des gens sans intendance, sans discipline apprise. Les Barbares avaient sans doute la supériorité du nombre, mais ils ne savaient pas se ravitailler: qu'on se souvienne des Wisigoths mourant de faim en Aquitaine après avoir vécu sur le pays, et d'Alaric en Italie!

Mais l'Empire avait contre lui — outre l'obligation d'avoir des armées sur ses frontières d'Afrique et d'Asie pendant qu'il devait faire front en Europe — les troubles civils, les usurpateurs nombreux qui n'hésitaient pas à s'entendre avec les Barbares, les intrigues de cour qui, à un Stilicon, opposaient un Rufin, la passivité des populations incapables de résistance, sans esprit civique, méprisant les Barbares, mais prêtes à en subir le joug. Il n'y avait donc pas l'appoint, pour la défense, de la résistance morale, ni chez les troupes, ni à l'arrière. Heureusement, il n'y avait pas non plus de forces morales du côté de l'attaque. Rien n'animait les Germains contre l'Empire, ni motifs religieux, ni haine de race, ni moins encore de considérations politiques. Au lieu de le haïr, ils l'admiraient. Tout ce qu'ils voulaient, c'était s'y établir et en jouir. Et leurs rois aspiraient aux dignités romaines. Rien de semblable au contraste que devaient présenter plus tard Musulmans et Chrétiens. Leur paganisme ne les excitait pas contre les dieux romains et il ne devait pas les exciter davantage contre le Dieu unique. Dès le milieu du IVe siècle, un Goth, Ulfila, converti à Byzance à l'arianisme, l'avait transporté chez ses compatriotes du Dniéper qui l'avaient eux-mêmes introduit chez d'autres Germains, Vandales et Burgondes[9]. Hérétiques sans le savoir, leur christianisme les rapprochait néanmoins des Romains.

Ces Germains orientaux n'étaient pas, d'autre part, sans initiation à la civilisation. Descendus au bord de la mer Noire, les Goths étaient entrés en contact avec l'ancienne culture gréco-orientale des Grecs et Sarmates de Crimée; ils y avaient appris cet art ornemental, cette orfèvrerie chatoyante qu'ils devaient répandre en Europe sous le nom d'*Ars barbarica.*

La mer les avait mis en rapport avec le Bosphore où venait en 330 de se fonder Constantinople, la nouvelle grande ville, sur l'emplacement de la grecque Byzance (11 mai 330)[10]. C'est d'elle, qu'avec Ulfila, leur était venu le christianisme, et il faut certainement admettre qu'Ulfila ne fut pas le seul d'entre eux qui fut attiré par la brillante capitale de l'Empire. Le cours naturel des choses les destinait à subir par la mer l'influence de Constantinople comme, plus tard, devaient la subir les Varègues.

Ce ne fut pas spontanément que les Barbares se jetèrent sur l'Empire. Ils y furent poussés par la ruée hunnique qui devait ainsi déterminer toute la suite des invasions. Pour la première fois, l'Europe devait ressentir, à travers l'immense trouée de la plaine sarmate, le contrecoup des chocs de populations dans l'extrême Asie.

L'arrivée des Huns refoula les Goths sur l'Empire. Il semble que leur manière de combattre, leur aspect peut-être, leur nomadisme si terrible pour les sédentaires, les aient rendus invincibles[11].

Les Ostrogoths défaits furent rejetés sur la Pannonie, et les Wisigoths fuirent sur le Danube. C'était en 376, en automne. Il fallut les laisser passer. Combien étaient-ils[12]? Impossible de rien préciser. L. Schmidt suppose 40 000 âmes dont 8 000 guerriers[13].

Ils franchirent la frontière avec leurs ducs, comme un peuple, du consentement de l'empereur, qui les reconnut comme fédérés obligés de fournir des recrues à l'armée romaine.

C'est là un fait nouveau d'une extrême importance. Avec eux, un corps étranger entre dans l'Empire. Ils conservent leur droit national. On ne les divise pas, mais on les laisse en groupe compact. C'est une opération bâclée. On ne leur a pas assigné de terre et, installés dans de mauvaises montagnes, ils se révoltent dès l'année suivante (377). Ce qu'ils convoitent, c'est la Méditerranée, vers laquelle ils déferlent.

Le 9 août 378, à Andrinople, l'empereur Valens, battu, est tué. Toute la Thrace est pillée, sauf les villes que les Barbares ne peuvent prendre. Ils viennent jusque sous Constantinople qui leur résiste, comme plus tard elle résistera aux Arabes.

Sans elle, les Germains pouvaient s'installer aux bords de la mer et toucher ainsi le point vital de l'Empire. Mais Théodose les en éloigne. En 382, il les établit en Mésie après les avoir vaincus. Mais ils continuent à y former un peuple. Ils ont remplacé durant la guerre, et sans doute pour des motifs militaires, leurs ducs par un roi: Alaric. Rien de plus naturel qu'il ait voulu s'étendre et risquer la prise de Constantinople qui le fascine. Il ne faut pas voir là, comme le fait L. Schmidt, sur la foi d'Isidore de Séville (!)[14], une tentative de constituer en Orient un royaume national germanique. Quoique leur nombre ait dû être considérablement augmenté par des arrivages d'au-delà du Danube, le caractère germanique des Goths s'est déjà bien affaibli par l'appoint des esclaves et des aventuriers qui sont venus se joindre à eux.

Contre eux, l'Empire n'a pris aucune précaution, si ce n'est sans doute la loi de Valentinien et Valens, de 370 ou 375, défendant sous peine de mort le mariage entre Romains et Barbares. Mais, en empêchant ainsi leur assimilation par la population romaine, il les a maintenus à l'état de corps étranger dans l'Empire et a contribué probablement à les jeter dans de nouvelles aventures.

Trouvant le champ libre devant eux, les Goths pillent la Grèce, Athènes, le Péloponnèse. Stilicon, par mer, va les combattre et les refoule en Épire. Ils restent dans l'Empire cependant et Arcadius les autorise à s'installer, toujours comme fédérés, en Illyrie; espérant sans doute ainsi le soumettre à l'autorité de l'empereur, il décore Alaric du titre de *Magister militum per Illyricum*[15]. Voilà du moins les Goths écartés de Constantinople. Mais proches de l'Italie qui n'a pas encore été ravagée, ils s'y lancent en 401. Stilicon les bat à Pollenza et à Vérone et les refoule en 402. D'après L. Schmidt, Alaric aurait envahi l'Italie, pour la réalisation de ses «plans universels». Il suppose donc qu'avec les 100 000 hommes, qu'il lui prête, il aurait eu l'idée de substituer à l'Empire romain un Empire germanique.

En réalité, c'est un condottiere qui cherche son profit. Il a si peu de convictions qu'il se met à la solde de Stilicon moyennant 4 000 livres d'or, pour agir contre cet Arcadius avec lequel il a traité.

L'assassinat de Stilicon vient à point pour ses affaires. Avec son armée grossie d'une grande partie des troupes de ce dernier, il reprend en 408 le chemin de l'Italie[16]. Déjà en Alaric, le Barbare se mue en un intrigant militaire romain. En 409, Honorius refusant de traiter avec lui, il fait proclamer empereur le sénateur Priscus Attalus[17], qui le hausse au grade supérieur de *Magister utriusque militiae praesentialis*. Puis, pour se rapprocher d'Honorius, il trahit sa créature. Mais Honorius ne veut pas devenir un second Attalus. Alors Alaric pille Rome dont il s'empare par surprise et ne la quitte qu'en emmenant avec lui Galla Placidia, sœur de l'empereur. Sans doute va-t-il se tourner dès lors contre Ravenne? Au contraire. Il s'enfonce vers le sud de l'Italie qui reste à piller, comptant de là passer en Afrique, le grenier de Rome et la plus prospère des provinces occidentales. C'est toujours une marche de pillages pour vivre. Alaric ne devait pas atteindre l'Afrique; il mourut à la fin de l'année 410. Ses funérailles, dans le Busento, furent celles d'un héros d'épopée[18].

Son beau-frère Athaulf, qui lui succède, reprend le chemin du Nord. Après quelques mois de pillage, il marche vers la Gaule où l'usurpateur Jovin vient de prendre le pouvoir. A tout prix, il lui faut un titre romain. Brouillé avec Jovin, qui sera tué en 413[19], éconduit par Honorius qui reste inébranlable, il épouse en 414 à Narbonne la belle Placidia, qui fait de lui le beau-frère de l'empereur. C'est alors qu'il aurait prononcé la fameuse phrase rapportée par Orose[20]: «J'ai d'abord désiré avec ardeur effacer le nom même des Romains et changer l'Empire romain en Empire gothique. La *Romania*, comme on dit vulgairement, serait devenue *Gothia*; Athaulf eût remplacé César Auguste. Mais une expérience prolongée m'a appris que la barbarie effrénée des Goths était incompatible avec les lois. Or, sans lois il n'y a pas d'État (*respublica*). J'ai donc pris le parti d'aspirer à la gloire de restaurer dans son intégrité et d'accroître le nom romain grâce à la force gothique. J'espère passer à la postérité comme le restaurateur de Rome, puisqu'il m'est impossible de la supplanter»[21].

C'était une avance à Honorius. Mais l'empereur, inébranlable, refuse de traiter avec un Germain qui, de Narbonne, peut prétendre dominer la mer.

Alors Athaulf, incapable de se faire conférer à lui-même la dignité impériale, refait Attalus empereur d'Occident, pour reconstruire l'Empire avec lui.

Le malheureux est cependant forcé de continuer ses razzias, car il meurt de faim. Honorius ayant fait bloquer la côte, il passe en Espagne, se dirigeant peut-être vers l'Afrique, et y meurt assassiné en 415 par un des siens, recommandant à son frère Wallia de rester fidèle à Rome.

Affamé lui aussi en Espagne par le blocus des ports, Wallia cherche à passer en Afrique, mais est rejeté par une tempête. L'Occident est, à ce moment, dans un état désespéré. En 406, les Huns, avançant toujours, avaient poussé devant eux, au-delà du Rhin cette fois, les Vandales, Alains, Suèves et Burgondes qui, bousculant Francs et Alamans, étaient descendus à travers la Gaule jusqu'à la Méditerranée, et atteignaient l'Espagne. Pour leur résister, l'empereur fit appel à Wallia. Poussé par la nécessité, il accepta. Et, ayant reçu de Rome 600 000 mesures de blé[22], il se retourna contre le flot des Barbares qui, comme ses Wisigoths, cherchaient à se frayer un chemin vers l'Afrique.

En 418, l'empereur autorisait les Wisigoths à s'établir en Aquitaine Seconde, reconnaissant à Wallia, comme jadis à Alaric, le titre de fédéré.

Fixés entre la Loire et la Garonne, au bord de l'Atlantique, écartés de la Méditerranée qu'ils ne menacent plus, les Goths obtiennent enfin les terres qu'ils n'avaient cessé de réclamer[23].

Cette fois, ils sont traités comme une armée romaine et les règles du logement militaire leur sont appliquées[24]. Mais cela à titre permanent. Les voilà donc fixés au sol et éparpillés au milieu des Romains. Leur roi ne règne pas sur les Romains. Il n'est que roi de son peuple, *rex Gothorum*, en même temps qu'il est leur général; il n'est pas *rex Aquitaniae*. Les Goths sont campés au milieu des Romains et réunis entre eux par l'identité du roi. Au-dessus l'empereur subsiste, mais pour la population romaine, ce roi germain n'est qu'un général de mercenaires au service de l'Empire. Et la fixation des Goths ne fut considérée par la population que comme une preuve de la puissance romaine.

En 417, Rutilius Namatianus vante encore l'éternité de Rome[25].

La reconnaissance des Wisigoths comme «fédérés de Rome», leur installation légale en Aquitaine, ne devaient pas cependant amener leur pacification. Vingt ans après, alors que Stilicon a dû rappeler les légions de Gaule pour défendre l'Italie, et que Genséric a réussi la conquête de l'Afrique, les Wisigoths se jettent sur Narbonne (437), battent les Romains à Toulouse (439), et cette fois obtiennent un traité qui, probablement, les a reconnus comme indépendants, et non plus comme fédérés[26].

Le fait essentiel, qui détermina cet effondrement de la puissance impériale en Gaule, avait été le passage des Vandales en Afrique sous Genséric.

Réalisant ce que les Goths n'avaient pu faire, Genséric réussit, en 427, grâce aux bateaux de Carthagène, à passer le détroit de Gibraltar et à débarquer 50 000 hommes sur la côte africaine. Ce fut pour l'Empire le coup décisif. C'est l'âme même de la République qui disparaît, dit Salvien. Quand Genséric en 439 a pris Carthage, c'est-à-dire la grande base navale de l'Occident, puis, peu après, la Sardaigne, la Corse et les Baléares, la situation de l'Empire en Occident est ébranlée à fond. Il perd cette Méditerranée qui avait été pour lui jusqu'alors le grand instrument de sa résistance.

L'approvisionnement de Rome est en péril, comme aussi le ravitaillement de l'armée, et ce sera le point de départ du soulèvement d'Odoacre. La mer est au pouvoir des Barbares. En 441, l'empereur envoie contre eux une expédition qui, cette fois, échoue, car entre les forces en présence la partie est égale, les Vandales combattant sans nul doute la flotte de Byzance avec celle de Carthagène. Et Valentinien ne peut que reconnaître leur établissement dans les parties les plus riches de l'Afrique, à Carthage, dans la Byzacène et la Numidie (442)[27].

Mais ce n'est qu'une trêve.

On a considéré Genséric comme un homme de génie. Ce qui explique son grand rôle, c'est sans doute la position qu'il occupe. Il a réussi là où Alaric et Wallia ont échoué. Il tient la province la plus prospère de l'Empire. Il vit dans l'abondance. Il est casé et du grand port qu'il domine, il peut dès lors se livrer à une fructueuse piraterie. Il menace autant l'Orient que l'Occident, et se sent assez redoutable pour braver l'Empire dont il n'ambitionne pas les titres.

Ce qui explique l'inaction de l'Empire vis-à-vis de lui pendant plusieurs années après la trêve de 442, ce sont les Huns.

En 447, des plaines du Theiss, Attila pille la Mésie et la Thrace jusqu'aux Thermopiles. Puis il se retourne contre la Gaule, franchit le Rhin au printemps de 451 et dévaste tout jusqu'à la Loire.

Aétius, appuyé par les Germains, Francs, Burgondes et Wisigoths[28], qui agissent en bons fédérés, l'arrête aux environs de Troyes. L'art militaire romain et la vaillance germanique ont collaboré. Théodoric Ier, roi des Wisigoths, réalisant le mot de Wallia sur la gloire de restaurer l'Empire, se fait tuer. La mort d'Attila en 453 ruine son œuvre éphémère et libère l'Occident du péril mongol. L'Empire alors se retourne vers Genséric. Celui-ci se rend compte du danger et prend les devants.

En 455, il profite de l'assassinat de Valentinien pour refuser de reconnaître Maximus. Il entre à Rome le 2 juin 455 et met la ville au pillage[29].

Saisissant le même prétexte, Théodoric II, roi des Wisigoths, (453-466) rompt avec l'Empire, favorise l'élection de l'empereur gaulois Avitus, se fait envoyer par lui contre les Suèves, en Espagne, et aussitôt entreprend sa marche vers la Méditerranée. Vaincu et pris par Ricimer, Avitus devient évêque[30], mais la campagne des Wisigoths n'en continue pas moins. De leur côté les Burgondes qui, après avoir été vaincus par Aétius, avaient été établis comme fédérés en Savoie en 443[31], s'emparent de Lyon (457).

Majorien, qui vient de monter sur le trône, fait face au danger. Il reprend Lyon en 458, puis, allant au plus pressé, se tourne contre Genséric. Pour le combattre, il passe en 460 les Pyrénées afin de gagner l'Afrique par Gibraltar, mais meurt assassiné en Espagne (461).

Aussitôt Lyon retombe aux mains des Burgondes qui s'étendent dans toute la vallée du Rhône jusqu'aux limites de la Provence.

De son côté, Théodoric II reprend ses conquêtes. Après avoir échoué devant Arles, dont la résistance sauve la Provence, il s'empare de Narbonne (462). Après lui, Euric (466-484) attaque les Suèves d'Espagne, les rejette en Galice et conquiert la Péninsule. Une trêve feinte et des brûlots en eurent raison devant le cap Bon. La partie, dès lors, est perdue.

Pour résister, il faut coûte que coûte que l'Empire reprenne la maîtrise de la mer. L'empereur Léon, en 468, prépare une grande expédition contre l'Afrique. Il y aurait dépensé 9 millions de *solidi* et équipé 1 100 vaisseaux.

A Ravenne, l'empereur Anthemius est paralysé par le maître de la milice Ricimer. Tout ce qu'il peut, c'est retarder par des négociations (car il n'a plus de flotte), l'occupation de la Provence menacée par Euric. Celui-ci est déjà maître de l'Espagne et de la Gaule qu'il a conquise jusqu'à la Loire (en 469).

La chute de Romulus Augustule livrera la Provence aux Wisigoths (476); toute la Méditerranée occidentale dès lors sera perdue.

En somme, on se demande comment l'Empire a pu durer si longtemps et on ne peut s'empêcher d'admirer son obstination à résister à la fortune. Un Majorien, qui reprend Lyon aux Burgondes et marche sur Genséric par l'Espagne, est encore digne d'admiration. Pour se défendre, l'Empire n'a que des fédérés qui ne cessent de le trahir, comme les Wisigoths et les Burgondes, et des troupes de mercenaires dont la fidélité ne supporte pas le malheur et que la possession de l'Afrique et des îles par les Vandales empêche de bien ravitailler.

L'Orient, menacé lui-même le long du Danube, ne peut rien. Son seul effort se porte contre Genséric. Sûrement si les Barbares avaient voulu détruire l'Empire, ils n'avaient qu'à s'entendre pour y réussi[32]. Mais ils ne le voulaient pas.

Après Majorien († 461), il n'y a plus à Ravenne que des empereurs falots vivant à la merci des maîtres barbares et de leurs troupes de Suèves: Ricimer († 472), le Burgonde Gundobald qui, retourné en Gaule pour y devenir roi de son peuple, est remplacé par Oreste d'origine hunnique, lequel dépose Julius Nepos, et donne le trône à son propre fils Romulus Augustule.

Mais Oreste, qui refuse des terres[33] aux soldats, est massacré et le général Odoacre[34] est proclamé roi par les troupes. Il n'a en face de lui que Romulus Augustule, créature d'Oreste, qu'il envoie à la villa de Lucullus au cap Misène (476).

Zénon, empereur d'Orient, faute de mieux, reconnaît Odoacre comme patrice. En fait, rien n'est changé. Odoacre est un fonctionnaire impérial.

En 488, pour détourner les Ostrogoths de la Pannonie où ils sont menaçants[35], Zénon les lance sur l'Italie pour la reconquérir, employant Germains contre Germains, après avoir accordé à leur roi Théodoric le titre de patrice. Et c'est alors en 489 Vérone, puis en 490 l'Adda, et enfin en 493 la prise et l'assassinat d'Odoacre à Ravenne. Théodoric, avec l'autorisation de Zénon, prend le gouvernement de l'Italie en restant roi de son peuple qui est casé suivant le principe de la *tercia*.

C'en est fait, il n'y aura plus d'empereur en Occident (sauf un moment, au VIe siècle) avant Charlemagne. En fait, tout l'Occident est une mosaïque de royaumes barbares: Ostrogoths en Italie, Vandales en Afrique, Suèves en Galice, Wisigoths en Espagne et au sud de la Loire, Burgondes dans la vallée du Rhône. Au nord de la Gaule, ce qui restait encore de romain sous Syagrius est conquis par Clovis en 486, qui écrase les Alamans dans la vallée du Rhin et rejette les Wisigoths en Espagne. Enfin, en Bretagne, se sont fixés les Anglo-Saxons. Ainsi, au commencement du VIe siècle, il n'y a plus un pouce de terre en Occident qui obéisse à l'empereur. La catastrophe semble énorme à première vue, si énorme qu'on date de la chute de Romulus comme un second acte du monde. A y regarder de plus près, cependant, elle apparaît moins importante.

Car l'empereur n'a pas disparu en droit. Il n'a rien cédé en souveraineté. La vieille fiction des fédérés continue. Et les nouveaux parvenus eux-mêmes reconnaissent sa primauté.

Les Anglo-Saxons seuls l'ignorent. Pour les autres, il reste comme un souverain éminent. Théodoric gouverne en son nom. Le roi burgonde Sigismond lui écrit en 516-518: *Vester quidem est populus meus*[36]. Clovis se fait gloire de recevoir le titre de consul[37]. Pas un n'ose prendre le titre d'empereur[38]. Il faudra attendre pour cela Charlemagne. Constantinople reste la capitale de cet ensemble. C'est elle que les rois wisigoths, ostrogoths et vandales prennent comme arbitre de leurs querelles. L'Empire subsiste en droit par une sorte de présence mystique; en fait — et ceci est beaucoup plus important — survit la *Romania*.

III. Les Germains dans la «Romania»

En réalité, ce qui a été perdu par la *Romania* est peu de chose. C'est une bande frontière au nord et la Grande-Bretagne, où les Anglo-Saxons se sont substitués aux Bretons, plus ou moins romanisés, dont une partie émigre en Bretagne. La partie perdue au nord[39] peut s'évaluer en comparant l'ancienne ligne *limes*-Rhin-Danube avec la frontière linguistique actuelle entre la langue germanique et la langue romane. Là, il y a eu glissement de la Germanie sur l'Empire. Cologne, Mayence, Trèves, Ratisbonne, Vienne sont aujourd'hui des villes allemandes et les *extremi hominum* sont en pays flamand[40]. Sans doute, la population romanisée n'a pas disparu d'un coup. Si elle semble s'être complètement effacée à Tongres, à Tournai ou à Arras, en revanche il subsiste des Chrétiens, donc des Romains, à Cologne et à Trèves, mais ceux qui ont subsisté se sont peu à peu germanisés. Les *Romani*, visés par la Loi Salique, attestent la présence de ces survivants et la *Vita Sancti Severini* permet de surprendre, dans le Norique, l'état intermédiaire[41]. On sait, de plus, que des Romains se sont maintenus longtemps dans les montagnes du Tyrol et de la Bavière[42]. Ici, il y a donc eu colonisation, substitution d'une population à une autre, germanisation. L'établissement en masse des Germains occidentaux, sur leurs propres frontières, contraste étrangement avec les formidables migrations qui ont amené les Goths du Dniéper en Italie et en Espagne, les Burgondes de l'Elbe au Rhin, les Vandales de la Theiss en Afrique. Les premiers se sont bornés à passer le fleuve où César les avait fixés. Est-ce là une question de race? Je ne le crois pas du tout. Les Francs, au IIIe siècle, s'étaient bien avancés jusqu'aux Pyrénées et les Saxons ont envahi l'Angleterre.

Je croirais plus volontiers que cela s'explique par la situation géographique. En s'installant sur les frontières de l'Empire, ils ne menaçaient pas directement Constantinople, Ravenne, l'Afrique, les points vitaux de l'Empire. On a donc pu les laisser s'établir sur le sol, s'y fixer, ce que les empereurs ont toujours refusé aux Germains orientaux avant le cantonnement des Wisigoths en Aquitaine. Pour les maintenir aux frontières, Julien d'ailleurs fit des expéditions contre les Francs et les Alamans; la population romaine recule devant eux, ils ne sont pas installés, comme des troupes mercenaires, suivant le système de la *tercia*, mais colonisent lentement le pays occupé, s'y fixent au sol, comme un peuple qui prend racine. C'est pourquoi lorsqu'en 406, les légions eurent été retirées, ils se sont laissé arrêter pas les petits postes et *castella* de la frontière romaine de la ligne Bavai-Courtrai-Boulogne et Bavai-Tongres[43]. Ce ne fut que très lentement qu'ils avancèrent vers le sud, pour s'emparer de Tournai en 446. Ils ne constituent pas une armée conquérante, mais un peuple en mouvement qui s'installe au fur et à mesure sur les terres fertiles qui s'offrent à lui. C'est dire qu'ils ne se mélangent pas à la population gallo-romaine qui, peu à peu, leur cède la place; c'est ce qui explique qu'ils conservent ce qu'on pourrait appeler l'esprit germanique, leurs mœurs, leurs traditions épiques. Ils importent leur religion et leur langue, donnent aux localités du pays des noms nouveaux. Les vocables germaniques en *ze(e)le*, en *inghem*, rappellent les noms des familles des premiers colons.

Au sud du territoire qu'ils submergent entièrement, ils s'infiltrent lentement, créant ainsi une zone de population mélangée qui correspondrait plus ou moins à la Belgique wallonne, au nord de la France, à la Lorraine; là, les noms de lieux attestent en beaucoup d'endroits la présence d'une population germanique qui devait plus tard se romaniser[44].

Cette infiltration a pu s'avancer jusque vers la Seine[45].

Mais, en somme, la germanisation ne s'est faite en masse que là où la langue s'est conservée. La *Romania* n'a disparu que dans les dernières conquêtes de Rome, le long du glacis avancé qui protégeait la Méditerranée: les deux Germanies, une partie des Belgiques, la Rhétie, le Norique et la Pannonie.

A part cela, la *Romania* s'est conservée intacte et il n'en pouvait pas être autrement. L'Empire romain est resté romain comme les États-Unis d'Amérique, malgré l'immigration, restent anglo-saxons.

Les nouveaux venus n'étaient en effet qu'une infime minorité. Il faudrait pouvoir donner des chiffres pour permettre quelque précision scientifique. Mais nous n'avons aucun document qui nous le permette. Quelle était la population de l'Empire[46]? 70 millions d'habitants? Il ne semble pas que l'on puisse suivre C. Jullian qui attribue à la Gaule une population de 40 à 20 millions d'âmes[47]. Toute précision est impossible. Ce qui seulement est évident, c'est que les Germains disparaissaient dans la masse.

Dahn[48] estime que les Wisigoths, admis dans l'Empire par Valens, auraient compté un million d'habitants; d'après Eutrope, en se fondant sur les chiffres donnés pour la bataille d'Andrinople, L. Schmidt admet 8 000 guerriers et en tout 40 000 âmes[49]. Il est vrai qu'ils ont dû se grossir, dans la suite, de Germains, d'esclaves, de mercenaires, etc. Schmidt admet que, quand Wallia est entré en Espagne (416), les Wisigoths étaient 100 000.

Gautier[50] évalue les tribus réunies des Vandales et des Alains, hommes, femmes, vieillards, enfants, esclaves, lorsqu'elles franchirent le détroit de Gibraltar, au nombre de 80 000. Le chiffre est donné par Victor de Vita: *Transiens quantitas universa*[51]. Gautier[52] le croit exact parce qu'il a été facile d'évaluer la capacité de la flotte[53]. Il[54] admet d'autre part, assez vraisemblablement, que l'Afrique romaine a pu compter une population égale à celle d'aujourd'hui; elle aurait donc en de 7 à 8 millions d'habitants, c'est-à-dire que la population romaine aurait été cent fois plus nombreuse que les bandes des envahisseurs vandales.

Il est difficile d'admettre que les Wisigoths aient été beaucoup plus nombreux dans leur royaume qui s'étendait de la Loire à Gibraltar, ce qui peut donc rendre vraisemblable le chiffre de 100 000 donné par Schmidt.

Les Burgondes[55] ne semblent guère avoir compté plus de 25 000 âmes dont 5 000 guerriers.

Au Ve siècle, d'après Doren[56], on estime la population totale de l'Italie à 5 ou 6 millions. Mais sans en rien savoir. Quant au nombre d'Ostrogoths, Schmidt[57] l'évalue à 100 000 âmes, dont 20 000 guerriers[58].

Tout cela est conjectural. On sera sans doute au-dessus de la vérité si, pour les provinces occidentales en dehors du *limes*, on estime l'apport germanique à 5% de la population.

A vrai dire, une minorité peut transformer un peuple quand elle veut le dominer effectivement, quand elle n'a pour lui que mépris, et le considère comme une matière à exploiter; ce fut le cas pour les Normands en Angleterre, pour les Musulmans partout où ils apparurent, et même pour les Romains dans les provinces conquises. Mais les Germains ne voulaient ni détruire, ni exploiter l'Empire. Au lieu de le mépriser, ils l'admiraient. Ils n'avaient rien à lui opposer comme forces morales. Leur période héroïque a cessé avec leur installation. Les grands souvenirs poétiques qui devaient en rester[59], tels les Niebelungen, ne se sont développés que plus tard et dans la Germanie. Aussi les envahisseurs triomphants font-ils partout aux provinciaux une situation juridique égale à la leur. C'est qu'en tous domaines ils ont à apprendre de l'Empire. Comment résisteraient-ils à l'ambiance?

Encore s'ils formaient des groupes compacts! Mais, sauf les Vandales, ils sont dispersés par «l'hospitalité» au milieu des Romains. Le partage des domaines les oblige à se plier aux usages de l'agriculture romaine.

Et les mariages ou les rapports avec les femmes? Il est bien vrai qu'il y eut absence de *connubium* jusqu'au VIe siècle, sous Reccared. Mais cet obstacle juridique n'était pas un obstacle social. Le nombre d'unions entre Germains et femmes romaines a dû être constant et l'enfant parle, on le sait, la langue de sa mère[60]. Evidemment, ces Germains ont dû se romaniser avec une étonnante rapidité. On admet que les Wisigoths ont conservé leur langue, mais on l'admet parce que l'on veut l'admettre[61]. On ne peut rien citer qui le confirme. Pour les Ostrogoths, on sait par Procope, qu'il y en avait encore qui parlaient gothique dans l'armée de Totila, mais ce devaient être quelques rares isolés du Nord.

Pour que la langue se conservât, il eût fallu une culture comparable à celle que l'on trouve chez les Anglo-Saxons. Or, elle fait totalement défaut. Ulfila n'eut pas de successeur. Nous n'avons pas un texte, pas une charte en langue germanique. La liturgie dans les Églises anciennes se faisait en langue germanique et cependant elle n'a rien laissé. Seuls, peut-être, les Francs ont-ils rédigé la Loi Salique, à l'époque anté-mérovingienne, en langue vulgaire; les gloses malbergiques en seraient les vestiges. Mais Euric, le plus ancien législateur germanique dont nous soient parvenus quelques textes, écrit en latin et tous les autres rois germains en firent autant.

Quant à un art ornemental original, on n'en trouve plus trace chez les Wisigoths après l'adoption du catholicisme en 589, et encore Zeiss[62] admet qu'il n'a existé que dans le peuple.

Sans doute l'arianisme a pu, durant un certain temps, empêcher un contact intime entre Romains et Germains. Il ne faut pas cependant en exagérer l'importance. Les seuls rois qui aient vraiment favorisé l'arianisme sont des Vandales, pour des motifs militaires. Gondobald est soupçonné d'avoir été catholique. Sigismond l'est dès 516. Il y a cependant encore des Ariens en 524. Et puis il y a la conquête franque qui marque le triomphe du catholicisme orthodoxe. En somme, l'arianisme a été faible même chez les Burgondes[63]. Partout il a disparu très tôt. Les Vandales l'abandonnent avec la conquête de Justinien en 533; chez les Wisigoths, il est aboli par Reccared (586-601)[64]. Cet arianisme d'ailleurs était à fleur de peau, car on ne vit nulle part d'agitation quand on le supprima. D'après Dahn[65], la langue gothique aurait disparu lors de l'adoption du catholicisme par Reccared, ou du moins n'aurait plus végété depuis que dans le petit peuple.

On ne voit donc pas comment l'élément germanique aurait pu se maintenir. Il aurait au moins fallu pour cela un appoint constant de forces fraîches venues de la Germanie. Or, il n'y en a pas. Les Vandales ne reçoivent aucun apport; ni les Wisigoths, coupés de tout contact avec la Germanie. Peut-être les Ostrogoths restèrent-ils quelque peu en liaison avec les Germains par les Alpes? Pour les Francs de Gaule, la conquête achevée, l'apport barbare n'augmente plus. Il suffit de lire Grégoire de Tours pour s'en convaincre.

Il y a d'ailleurs un argument irréfutable. Si la langue s'était conservée, elle aurait laissé des traces dans les langues romanes. Or, à part l'emprunt de certains mots, cela ne se constate pas. Ni la phonétique, ni la syntaxe n'indiquent la moindre influence germanique[66].

On peut dire la même chose du type physique. Où donc retrouve-t-on le type vandale en Afrique[67], le wisigothique en Italie? Il y a des blonds en Afrique, mais Gautier[68] a fait observer qu'il y en avait déjà avant l'arrivée des Barbares. Pourtant, dira-t-on, il y a le droit qui est personnel, romain pour les Romains, germanique pour les Germains, et c'est vrai. Mais ce droit germanique est déjà tout interpénétré de romanisme dans la législation d'Euric. Et, après lui, l'influence romaine ne cesse de s'accentuer.

Chez les Ostrogoths, il n'y a pas de code spécial pour les Ostrogoths qui sont soumis au droit territorial romain. Mais comme soldats, ils ne relèvent que des tribunaux militaires qui sont purement gothiques[69]. C'est là le fait essentiel. Les Germains sont soldats et ariens et c'est peut-être pour les maintenir soldats que les rois ont protégé l'arianisme.

Chez les Burgondes et les Vandales, l'influence du droit romain sur le droit germanique est aussi manifeste que chez les Wisigoths[70]. Comment, d'ailleurs, admettre la conservation du pur droit germanique là où la famille consanguine, la *sippe*, cellule essentielle de l'ordre juridique, a disparu?

En fait, il a dû en être de la personnalité des lois comme du *connubium*. Il ne s'est conservé de droit germanique que dans les pays colonisés par les Anglo-Saxons, les Francs Saliens et Ripuaires, les Alamans et les Bavarois[71].

Croire que la Loi Salique a été le droit de la Gaule après Clovis est une erreur certaine. En dehors de la Belgique, il n'y avait presque pas de Saliens, sauf les grands dans l'entourage du roi. On ne voit pas une seule allusion à cette loi et à sa procédure dans Grégoire de Tours. Il faut donc restreindre sa sphère d'application à l'extrême Nord.

On ne trouve point, en effet, de rachimbourgs au sud de la Seine. Y voit-on des *sculteti* ou des *grafiones*? La glose malbergique prouve d'ailleurs que nous avons à faire à un code établi pour une procédure qui se fait en germanique. Combien de comtes, presque tous romains, auraient pu la comprendre? Tout ce qu'elle nous apprend sur les usages agraires, sur la disposition des maisons, ne vaut que pour le nord, colonisé par les Germains. Il faut être aveuglé par le préjugé pour supposer qu'une loi aussi rudimentaire que la Loi Salique ait pu être appliquée au sud de la Loire.

Dira-t-on que les Germains apportaient avec eux la moralité d'un peuple jeune, c'est-à-dire d'un peuple chez qui les liens personnels de fidélité l'emportent sur la sujétion à l'État? C'est un thème convenu. C'est en même temps un thème romantique et un dogme chez certaine école germanique. Et on a beau jeu à citer Salvien et son parallèle entre la décadence morale des Romains et les vertus des Barbares. Mais ces vertus n'ont pas résisté au casement des Germains au milieu des romanisés. *Mundus senescit*, lit-on, au début du VIIe siècle, dans la chronique du pseudo-Frédégaire[72]. Et il suffit de parcourir Grégoire de Tours pour trouver chez lui, à chaque pas, les traces de la plus grossière décadence morale: ivrognerie, débauche, cupidité, adultères, meurtres, cruautés abominables, et une perfidie qui règne de haut en bas de l'ordre social. La cour des rois germanique atteste autant de crimes que celle de Ravenne. Hartmann[73] fait observer que la *Germanische Treue* est une fable convenue. Théodoric fait assassiner Odoacre, après lui avoir juré la vie sauve. Gontran demande au peuple de ne pas l'assassiner. Tous les rois wisigoths, sauf de rares exceptions, meurent par le couteau.

Chez les Burgondes, en 500, Godégisile trahit son frère Gondebaud en faveur de Clovis[74]. Clodomir, fils de Clovis, fait jeter dans un puits son prisonnier Sigismond, roi des Burgondes[75]. Le roi wisigoth Théodoric Ier trahit les Romains. Et voyez comment Genséric se conduit à l'égard de la fille du roi des Wisigoths, sa bru.

La cour des Mérovingiens est un lupanar; Frédégonde, une mégère épouvantable. Théodahat fait assassiner sa femme. Ce ne sont que guets-apens; partout règne un manque de moralité presque incroyable. L'histoire de Gondebaud est, à cet égard, caractéristique. L'ivrognerie semble être la manière d'être de tous. Des femmes font assassiner leur mari par leur amant. Tout le monde est à vendre pour de l'or. Et tout cela sans distinction de race, aussi bien chez les Romains que chez les Germains. Le clergé même — et jusqu'aux religieuses[76] — est corrompu, encore que ce soit chez lui que la moralité se soit réfugiée. Mais, dans le peuple, la religiosité ne s'élève pas au-dessus d'une grossière thaumaturgie. Ce qui a disparu en partie, ce sont les vices urbains, les mimes, les courtisanes, et encore pas partout. Tout cela se conserve chez les Wisigoths et, surtout, en Afrique chez les Vandales, les plus germaniques pourtant des Barbares du Sud. Ils sont efféminés, amateurs de bains, de luxueuses villas. Les poésies composées sous Hunéric et Thrasamund sont émaillées de traits priapesques.

On peut conclure que, dès leur établissement dans l'Empire, tous les côtés héroïques et originaux du caractère barbare disparaissent pour faire place à une imbibition romaine. Le sol de la *Romania* a bu la vie barbare. Et comment aurait-il pu en être autrement quand l'exemple vient d'en haut? Au début, sans doute, les rois ne se sont qu'assez imparfaitement romanisés. Euric et Genséric savent mal le latin. Mais que dire du plus grand de tous, Théodoric? On en a fait Dietrich von Bern au-delà des Alpes, mais ce qui domine en lui, c'est le Byzantin.

Il a été donné à sept ans comme otage par son père à l'empereur[77] et a été élevé à Constantinople jusqu'à l'âge de dix-huit ans. Zénon le fait *magister militum* et patrice et va même, en 474, jusqu'à l'adopter. Il épouse une princesse impériale[78]. En 484, il est fait consul par l'empereur. Puis après une campagne en Asie Mineure, on lui élève une statue à Constantinople. Sa sœur est dame d'honneur de l'impératrice.

En 536, Evermud, son beau-fils, se rend tout de suite à Bélisaire, préférant aller vivre en patricien à Constantinople, plutôt que de défendre la cause de ses compatriotes barbares[79]. Sa fille Amalasonthe est toute Romaine[80]. Théodahat, son gendre, se vante d'être platonicien[81].

Et même chez les Burgondes, quel beau type de roi national que Gondebaud (480-516) qui, en 472, après la mort de Ricimer, lui a succédé comme patrice d'Olybrius et fait nommer à la mort de celui-ci, Glycères[82], puis, en 480, succède lui-même à son frère Chilpéric comme roi des Burgondes!

D'après Schmidt[83], il est hautement cultivé, éloquent,

instruit, s'intéresse aux questions théologiques et est en rapports constants avec saint Avit.

Il en est de même des rois vandales.

Chez les Wisigoths, la même évolution se remarque. Sidoine vante la culture de Théodoric II. Il cite parmi ses courtisans le ministre Léon qui avait été historien, juriste et poète, Lampridius, professeur de rhétorique et poète[84]. C'est Théodoric II qui, en 455, fait Avitus empereur. Ces rois sont entièrement détachés des vieux souvenirs de leurs peuples que Charlemagne fera rassembler.

Et chez les Francs, il y a le roi-poète Chilpéric[85].

Plus on avance, plus la romanisation s'accentue. Gautier[86] remarque qu'après Genséric, les rois vandales rentrent dans l'orbite de l'Empire. Chez les Wisigoths, les progrès de la romanisation sont incessants. L'arianisme a disparu partout à la fin du VIe siècle.

Encore une fois, ce n'est qu'au nord que le germanisme se maintient, en même temps que le paganisme qui ne s'y effaçera qu'au VIIe siècle. Quand les armées d'Austrasie viennent en Italie au secours des Ostrogoths, elles font horreur à ces derniers[87]; vraisemblablement, ils aiment encore mieux appartenir à Byzance qu'aux Francs.

En somme donc la *Romania*, légèrement réduite vers le nord, subsiste dans son ensemble[88]. Évidemment, elle est fort atteinte. Dans tous les domaines, arts, lettres, sciences, la régression est manifeste. *Pereunte... liberalium cultura litterarum*, dit très bien Grégoire de Tours[89]. La *Romania* vit par sa masse. Mais rien ne l'a remplacée. Personne ne proteste contre elle. On ne conçoit pas, ni les laïques, ni l'Église, qu'il y ait une autre forme de civilisation. Au milieu de la décadence, il n'y a qu'une force morale qui résiste: l'Église, et pour l'Église, l'Empire subsiste encore. Grégoire le Grand écrit à l'empereur qu'il règne sur des hommes, les Barbares sur des esclaves[90]. L'Église a beau avoir maille à partir avec les empereurs de Byzance, elle leur reste fidèle. Ne sait-elle pas, par ses Pères, que l'Empire romain est voulu par Dieu et qu'il est indispensable au christianisme? N'a-t-elle pas modelé sur lui son organisation? N'en parle-t-elle pas la langue? N'en conserve-t-elle pas le droit et la culture? Et ses dignitaires ne se recrutent-ils pas tous dans les anciennes familles sénatoriales?

IV. Les États germaniques en Occident

Il est trop évident pour qu'il faille y insister, que les institutions tribales des Germains n'ont pu se conserver dans les nouveaux royaumes fondés sur le sol de l'Empire[91], au milieu d'une population romaine. Elles ne pouvaient se maintenir que dans de petits royaumes, comme ceux des Anglo-Saxons, peuplés de Germains.

Sans doute, les rois germaniques installés dans l'Empire ont été des rois nationaux pour leurs peuples, des *reges gentium*, comme dit Grégoire le Grand[92]. Ils s'appellent *reges Gothorum, Vandalorum, Burgondionum, Francorum.* Mais, pour les Romains, ils sont des généraux romains auxquels l'empereur a abandonné le gouvernement de la population civile. C'est sous cette étiquette romaine qu'ils leur apparaissent[93]. Et ils sont glorieux de l'afficher devant eux: il suffit de rappeler la cavalcade de Clovis quand il a été fait consul honoraire.

L'état de choses le plus simple apparait sous Théodoric. Il est, en fait, un vice-roi romain. Il ne publie que des édits et non des lois.

Les Goths ne forment que l'armée[94]. Toutes les magistratures civiles sont romaines et toute l'administration romaine est conservée autant qu'il se peut. Le Sénat subsiste. Mais tout le pouvoir est concentré dans le roi et dans sa cour, c'est-à-dire dans le sacré palais. Théodoric ne prend même que le simple titre de *rex*, comme s'il voulait faire disparaître son origine barbare. Il réside à Ravenne comme les empereurs. La division des provinces avec leurs *duces, rectores, praesides,* la constitution municipale avec les *curiales* et *defensores*, l'organisation des impôts, tout est conservé. Il frappe monnaie, mais au nom de l'empereur. Il adopte le nom de Flavius[95], signe qu'il prend la nationalité romaine. Des inscriptions l'appellent *semper Augustus, propagator Romani nominis*. La garde du roi est organisée sur le modèle byzantin, ainsi que tout le cérémonial de la cour. L'organisation judiciaire est toute romaine, même pour les Goths; l'édit de Théodoric est tout romain. Pas de droit spécial pour les Goths. En fait, Théodoric combat les guerres privées et la barbarie germanique. Le roi n'a pas protégé le droit national de son peuple[96]. Les Goths forment les garnisons des villes, vivant de leurs revenus en terre[97], recevant une solde. Ils ne peuvent revêtir d'emplois civils. Pas la moindre action ne leur est possible sur le gouvernement, si ce n'est à ceux qui font partie, avec les Romains, de l'entourage du roi. Dans ce royaume où leur roi commande, ils sont en réalité des étrangers, mais des étrangers bien rentés, une caste militaire vivant grassement de son emploi. C'est cela, ce n'est pas un soi-disant caractère national, qui les relie les uns aux autres et expliquera l'énergie de leur résistance sous Justinien. L. Schmidt[98] reconnaît que, dès son établissement en Italie, la conception gothique de la royauté est perdue[99]. Théodoric n'est plus qu'un fonctionnaire de Zénon. A peine est-il arrivé en Italie, que l'Église et la population le reconnaissent comme le représentant de la légalité. Le pouvoir personnel du roi s'exerce par des *sajones* dont le nom gothique n'empêche pas qu'ils soient une imitation des *agentes in rebus* romains[100]. En somme, les Goths sont la base militaire du pouvoir royal qui, à part cela, est romain.

Sans doute, on ne trouve pas d'empreinte romaine aussi profonde chez les autres Barbares. Chez les Vandales, en dépit de la rupture avec l'Empire, tout caractère germanique est absent de l'organisation de l'État. Pourtant ici, malgré la fiction des traités, il y a bien rupture complète avec l'Empire et ce serait se moquer que de voir en Genséric un fonctionnaire. Il fait contraste avec Théodoric. Au lieu de ménager et de flatter comme lui la population romaine, il la traite avec rigueur et persécute sa foi. Pas de *tercia* ici. Les Vandales sont établis en masse dans la Zeugitane (Tunisie septentrionale), dont ils dépossèdent ou exproprient les propriétaires romains. Ils vivent de leurs colons, en rentiers. Ils sont exempts de l'impôt. Leur organisation en *tausendschaften*[101], que Procope appelle *chiliarques*, est toute militaire.

Mais tout droit germanique, toute institution plutôt, a disparu quand, en 442, Genséric, après avoir vaincu une insurrection de la noblesse qui cherchait à maintenir à son profit des restes d'organisation tribale, a établi la monarchie absolue[102]. Son gouvernement est romain. Il frappe des monnaies à l'effigie d'Honorius. Les inscriptions sont romaines. Genséric s'établit à Carthage comme Théodoric à Ravenne; il y a un *palatium*. Il ne touche ni à la vie économique, ni aux réalités de l'existence quotidienne.

Il semble même que les rois vandales continuent à verser à Rome et à Constantinople les prestations d'huile[103]. Quand Genséric établit l'ordre de succession au trône, il le fait par un codicille rédigé suivant les prescriptions de la législation romaine[104].

Les Berbères romanisés ont continué à vivre sous les Vandales la même vie qu'à l'époque antérieure[105]. La chancellerie est romaine[106]; à sa tête, il y a un *referendarius*, Petrus, dont on a conservé quelques vers. Sous Genséric sont construits les thermes de Tunis. La littérature reste vivante[107]. Victor Tonnennensis croit encore à l'immortalité de l'Empire[108]. Les rois marchent dans les sentiers de Rome comme la Restauration dans les sentiers de Bonaparte. Par exemple, en 484, l'édit de Genséric contre les catholiques est copié sur celui d'Honorius de 412 contre les Donatistes[109]. Et l'on voit, par ce même édit, que les classes de la population sont restées exactement les mêmes. Bref, chez les Vandales, il y a encore moins de traces de germanisme que chez les Ostrogoths. Il est vrai que l'Afrique, au moment où ils s'y sont établis, était la plus vivante des provinces de l'Occident et qu'elle s'est tout de suite imposée à eux.

L'Espagne et la Gaule avaient autrement souffert des invasions et n'étaient pas d'ailleurs romanisées autant que l'Italie et l'Afrique. Et pourtant, le caractère germanique des envahisseurs y cède également devant les mœurs et les institutions romaines. Chez les Wisigoths, avant la conquête de Clovis, les rois vivent à la romaine dans leur capitale de Toulouse; plus tard, ce sera Tolède. Les Wisigoths, établis selon «l'hospitalité», ne sont pas considérés comme juridiquement supérieurs aux Romains. Le roi appelle l'ensemble de ses sujets *populus noster*. Mais chacun conserve son droit et il n'y a pas entre Romains et Germains de *connubium*. Peut-être la différence de culte, les Wisigoths étant Ariens, est-elle une des raisons de cette absence d'union légale entre les anciens citoyens romains et les envahisseurs. L'interdiction du *connubium* disparaîtra sous Léovigild († 586), et l'arianisme sous Reccared. La communauté du droit entre Romains et Goths est établie sous Reccesvinth.

Les *sortes* des Goths sont libres d'impôts. Les provinces sont conservées avec leurs *rectores*, ou *judices provinciarum, consulares, praesides*; elles sont divisées en *civitates*. Rien de germanique non plus, d'après Schmidt, dans l'organisation agricole.

Le roi est absolu: *dominus noster gloriosissimus rex*. Il est héréditaire et le peuple ne participe pas au pouvoir. Les traces d'assemblées de l'armée que Schmidt signale, faute de pouvoir découvrir de vraies assemblées nationales, sont des faits divers comme on en trouve beaucoup, d'ailleurs, sous le Bas-Empire.

Le roi nomme tous ses agents. Il y a, à sa cour, des grands germaniques et romains; ceux-ci beaucoup plus nombreux d'ailleurs. Le Premier Ministre d'Euric et d'Alaric II, Léon de Narbonne, unit les fonctions de *questor sacri palatii* et de *magister officiorum* de la cour impériale. Le roi n'a pas de «truste» guerrière, mais des *domestici* à la romaine. Les ducs des provinces, les *comites* des cités, sont surtout des Romains.

Dans les villes, la *curia* subsiste avec un *defensor* ratifié par le roi. Les Wisigoths se divisent en *Tausendschaften, Fünfhundertschaften, Hundertschaften, Zehnschaften*, avec des chefs militaires sur les attributions desquels on est très mal renseigné. Aussi longtemps qu'a duré le royaume de Toulouse, il ne semble pas que les Romains aient été soumis au service militaire. La situation est donc la même que chez les Ostrogoths. Il semble que, pendant un temps, les Wisigoths ont eu dans le *millenarius* un magistrat à part, comme les Ostrogoths. Mais déjà sous Euric, ils sont soumis à la juridiction du *comes* qui juge à la romaine avec des *assessores*, légistes. Pas la plus petite trace de germanisme dans l'organisation du tribunal[110].

Le code d'Euric, promulgué en 475 pour régler les rapports des Goths avec les Romains, est rédigé par des juristes romains; ce document est tout romanisé. Quant au Bréviaire d'Alaric (507), fait pour les Romains, c'est du droit romain à peu près pur. Il y a continuation de l'impôt romain et le système monétaire lui aussi est romain.

Les fonctionnaires du roi sont soldés. Quant à l'Église, elle est soumise au roi, qui ratifie l'élection des évêques. Il n'y a pas de vraie persécution contre les catholiques, sauf par exception. A mesure qu'on avance, la romanisation augmente. Léovigild (568-586) supprime les restes de la juridiction spéciale qui existait pour les Goths, autorise le mariage entre les deux races, introduit la parenté romaine pour les Wisigoths.

Le roi a eu, au début, les insignes germaniques qu'il échange plus tard contre des insignes romains[111]. Son autorité est un pouvoir public et non une simple tyrannie personnelle. L'ancien caractère militaire des Barbares, lui aussi, s'efface. Les Wisigoths sont tellement amenuisés, qu'en 681, Ervige oblige les propriétaires à amener à l'armée le dixième de leurs esclaves en armes.

Sous Reccared (586-608), l'amalgame judiciaire est complet. Le *Liber judiciorum*, promulgué par Reccesvinth en 634, l'atteste. L'esprit en est romain et ecclésiastique, car depuis la conversion de Reccared, l'Église joue un rôle énorme. Les dix-huit conciles, qui se réunissent de 589 à 701, sont convoqués par le roi. Il y appelle d'ailleurs des laïques de la cour à côté des évêques. On consulte les conciles, non seulement en matière ecclésiastique, mais civile[112].

Cette Église, dont le roi continue à nommer les dignitaires, est très royaliste, même à l'égard des rois ariens.

Quand Athanagild se révolte contre Léovigild, elle reste fidèle à celui-ci. Elle proclame l'électivité du roi par elle et les grands (633), et introduit le sacre[113].

Ceci ne change d'ailleurs en rien l'absolutisme royal que l'Église soutient: *Nefas est in dubium deducere ejus potestatem cui omnium gubernatio superno constat delegata judicio*[114].

Chindasvinth, élu en mai 642, fait mettre à mort ou réduire en esclavage 700 aristocrates qui prétendent s'opposer à sa toute-puissance[115].

Le roi ne s'est appuyé sur l'Église que pour tenir tête à l'aristocratie[116]. Mais cette Église, dont il nomme les évêques, est servile à son égard. Il n'y a pas de théocratie. La royauté évolue vers le système byzantin. Le roi légifère comme les empereurs en matière religieuse. Leur élection, que Lot[117] semble prendre au sérieux, est considérée par Ziegler comme une fantasmagorie. En réalité, il y a là, comme à Byzance, un mélange d'hérédité, d'intrigues, de coup de force. Léovigild épouse une princesse byzantine, ce qui ne l'empêche pas de repousser les Byzantins. Et ces rois wisigoths ont des *spatharii* tout comme les empereurs[118].

Les rois burgondes, dont l'éphémère royaume fut annexé par les rois francs en 534[119], sont dans les meilleurs termes avec l'Empire, après avoir réussi à s'emparer de Lyon. Les Burgondes sont établis, comme les Ostrogoths et les Wisigoths, suivant l'*hospitalitas*[120].

Au moment de leur établissement, Sidoine les décrit comme des barbares naïfs et brutaux. Mais leurs rois sont absolument romanisés. Gondebaud a été *magister militum praesentialis*. A leur cour abondent les poètes et les rhéteurs. Le roi Sigismond se vante d'être un soldat de l'Empire et dit que son pays est une partie de l'Empire[121]. Ces rois ont un *questor palatii* et des *domestici*. Sigismond est un instrument de Byzance qui reçoit de l'empereur Anastase le titre de patrice. Les Burgondes sont les soldats de l'empereur contre les Wisigoths.

Aussi se considèrent-ils comme faisant partie de l'Empire. Ils datent par année des consuls, c'est-à-dire des empereurs; le roi est *magister militum* au nom de l'empereur.

Pour le surplus, le pouvoir royal est absolu et unique. Il ne se partage pas; quand le roi a plusieurs fils, il en fait des vice-rois[122]. La cour surtout est composée de Romains. Aucune trace de bande guerrière; à la tête des *pagi* ou *civitates*, se trouve un *comes*. A côté de lui pour rendre la justice, il y a un *judex deputatus*, également nommé par le roi et jugeant suivant l'usage romain.

La *Sippe* primitive a disparu, bien que son souvenir subsiste dans le nom de *Faramanni* (libres). L'organisation municipale romaine subsiste à Vienne et à Lyon. De même, l'organisation des impôts et celle de la monnaie sont entièrement romaines.

Le roi burgonde, comme le roi wisigothique, paie des traitements à ses agents. Dans ce royaume si profondément romanisé, les Burgondes et les Romains ont la même condition juridique «*una conditione teneantur*»[123]. Il semble qu'à la différence des autres États germaniques, dits fédérés, les Romains servent dans l'armée et ont le *connubium* avec les Burgondes.

Ainsi donc Ostrogoths, Wisigoths, Vandales, Burgondes gouvernent à la romaine. De «principes germaniques» pas trace, ou si peu que rien. C'est, sous des rois nouveaux, l'ancien régime qui dure, avec bien des pertes sans doute. Une seule nouveauté: l'armée gratuite grâce au partage des terres. L'État est allégé de ce terrible budget de la guerre qui écrasait les populations.

L'administration, d'ailleurs devenue rudimentaire, coûte moins aussi. L'Église se charge du reste. Mais encore une fois, tout ce qui vit et fonctionne est romain. Des institutions germaniques, des assemblées d'hommes libres, il ne subsiste rien. Tout au moins trouve-t-on, çà et là, dans le droit, des infiltrations germaniques telle que le *Wehrgeld*. Mais c'est un petit ruisseau qui se perd dans le fleuve de la romanisation juridique: procédure civile, contrats, testament, etc. L'Occident rappelle ces palais italiens devenus maisons de location et qui, si dégradés qu'ils soient, conservent leur ancienne architecture. Décadence certes, mais décadence romaine dans laquelle aucun germe de civilisation nouvelle ne paraît. La seule caractéristique des Germains, l'arianisme, est lui-même une vieille hérésie sans rien d'original et qui n'a eu guère de portée que chez les Vandales au début.

On croit qu'il en a été autrement chez les Francs[124], auxquels on attribue dès le début des invasions une importance extraordinaire parce qu'ils ont, en effet, refait l'Europe à l'époque carolingienne. Mais en est-il ainsi dès le VIe siècle? Je crois qu'il faut répondre non très nettement.

Sans doute, l'État franc est le seul qui, dans ses régions du Nord, ait conservé une population purement germanique. Mais durant la période mérovingienne, elle ne joue aucun rôle. A peine la conquête entamée, les rois s'installent au sud, en pays romain, à Paris[125], à Soissons, à Metz, à Reims, à Orléans et dans leurs banlieues[126]. Et s'ils ne vont pas plus au sud, c'est sans doute pour pouvoir mieux résister à la Germanie, vis-à-vis de laquelle ils adoptent l'attitude défensive des empereurs romains[127].

En 531, Thierry, avec l'aide des Saxons, détruit les Thuringiens[128]. En 555, Clotaire fait une expédition en Saxe et en Thuringe et soumet la Bavière[129]. En 556[130] et en 605[131], de nouvelles guerres sont entreprises contre les Saxons. En 630-631 a lieu l'expédition de Dagobert contre Samo[132]. En 640, la Thuringe se soulève et redevient indépendante. En 689, Pépin combat les Frisons[133].

De ces pays germaniques n'est venue durant la période mérovingienne aucune influence. L'État franc jusqu'à sa soumission aux Carolingiens, est essentiellement neustrien et roman, depuis le bassin de la Seine jusqu'aux Pyrénées et à la mer. Les Francs qui se sont établis là sont d'ailleurs très peu nombreux.

Nous n'avons de renseignements sur les institutions mérovingiennes qu'après l'époque de la conquête des terres wisigothiques et burgondes. Il est certain que l'état de choses trouvé là, ainsi que dans le territoire que gouvernait Syagrius, aura exercé une influence sur les institutions franques[134]. Une grande différence pourtant sépare les Francs des Wisigoths et des Burgondes; ils n'ont pas connu l'*hospitalitas*, ni, par conséquent, de défense du *connubium* avec les Romains. Et, de plus, les Francs sont catholiques. Leur fusion avec la population gallo-romaine se fait donc avec la plus grande facilité.

Et pourtant, il est vrai que leur romanisation fut moins effective parce que leurs rois vécurent à Paris dans un milieu moins romanisé que ne l'étaient les villes de Ravenne, Toulouse, Lyon ou Carthage. En outre, la Gaule septentrionale venait de traverser une période de guerre et d'invasions successives qui y avaient accumulé les ravages.

Pourtant, des anciennes institutions romaines, ils conservent tout ce qu'ils peuvent et ce n'est pas la bonne volonté qui leur manque. Leur État est plus barbare, mais il n'est pas plus germanique[135]. Ici aussi l'organisation des impôts[136] et de la monnaie est conservée. Ici aussi il y a des comtes dans chaque cité, les provinces ayant disparu.

Le *grafio*, le *thunginus*, les *rachimburgi* n'existent que dans le Nord[137]. Le *leudesamio*, germanique d'après Waitz, est d'origine romaine d'après Brunner[138]; la *commendatio* aussi est d'origine romaine[139].

Presque tous les agents du roi, si pas tous, sont recrutés parmi les Gallo-Romains. Même le meilleur général de l'époque, Mummolus, semble avoir été un Gallo-Romain[140].

Et jusque dans les bureaux qui l'entourent, le roi a des *referendarii* gallo-romains[141].

Il ne subsiste pas de trace d'assemblées publiques[142]. Le roi lui-même semble, certes, plus germanique que les rois des autres peuples barbares. Et pourtant, qu'a-t-il de spécifiquement germain? Ses longs cheveux[143]? Le préjugé est si fort qu'on a été jusqu'à invoquer en faveur de sa nature germanique la caricature qu'a faite Éginhard des derniers rois mérovingiens. De tous les Mérovingiens, seul Thierry, fils aîné de Clovis († 534), a laissé son nom dans la poésie germanique, sans doute à cause de sa terrible expédition de Thuringe. Il est le Hugdietrich de l'épopée[144]. Les autres n'ont pas laissé, dans la mémoire de leur peuple, le souvenir de héros nationaux.

Le pouvoir royal, d'ailleurs, est bien dans la conception impériale. Le roi franc, comme les autres rois germaniques, est le centre de toute autorité[145]. C'est un despote absolu. Il inscrit dans ses *praeceptiones: Si quis praecepta nostra contempserit oculorum evulsione multetur*[146], affirmant ainsi cette notion romaine entre toutes du *crimen laesae majestatis*[147].

S'il est vrai que le roi se considère comme le propriétaire de son royaume, la royauté n'a pourtant pas un caractère aussi privé qu'on l'a soutenu. Le roi distingue sa fortune privée du fisc public[148]. Sans doute, la notion du pouvoir royal est plus primitive que chez les Wisigoths. A la mort du roi, ses États se partagent entre ses fils, mais c'est là une conséquence de la conquête, et qui n'a rien d'ailleurs de germanique[149].

Sans doute aussi, les rois francs n'ont pas de titres romains, sauf sporadiquement sous Clovis. Mais ils cherchent à maintenir le contact avec les empereurs de Byzance[150].

Ainsi donc, même chez les Francs, le romanisme traditionnel se conserve.

Si l'on envisage l'ensemble de ces royaumes barbares, on y trouve trois traits communs. Ils sont absolutistes, ils sont laïques et les instruments du règne y sont le Fisc et le Trésor.

Et ces trois caractères sont romains ou, si l'on veut, byzantins. Sans doute, l'absolutisme est venu de lui-même. Le roi était déjà très puissant comme chef militaire lors de l'établissement. Après celui-ci, cette force n'a pu, à cause des provinciaux, que prendre la forme de l'absolutisme[151]. Pour qu'il en fût autrement, il eût fallu que le roi fût dans la situation des souverains anglo-saxons. Rien n'est moins germanique que la royauté de ces chefs militaires. C'est le pouvoir personnel, c'est-à-dire exactement ce qui existe dans l'Empire.

Dans tous ces royaumes, l'absolutisme du roi s'explique par sa puissance financière. Partout, comme succédant à l'empereur, il dispose du fisc et des impôts. Or, la fortune du fisc est immense. Ce sont les domaines impériaux, les forêts, les terres vagues, les mines, les ports, les routes. Et ce sont aussi les impôts et la monnaie. Ainsi, le roi est un immense propriétaire foncier et il jouit en même temps d'un formidable trésor en or monnayé. Aucun prince en Occident, avant le XIIIe siècle, n'a dû être aussi fourni d'argent que ces rois-là. La description de leurs trésors est un ruissellement de métal jaune. Avant tout, ils permettent au roi de payer leurs fonctionnaires[152]. Les rois mérovingiens donnent, sur leur trésor, des assignations importantes: avant 695, l'abbé de Saint-Denis obtient une rente de 200 sous d'or sur le trésor et une autre de 100 sous sur les magasins du fisc (*cellarium fisci*)[153]; ils font des prêts aux villes[154], payent les missionnaires, corrompent ou achètent qui ils veulent. La conservation de l'impôt romain et le tonlieu sont les sources essentielles de leur pouvoir. Les considérer, comme on le fait souvent, en ne voyant en eux que de grands propriétaires fonciers, est une erreur manifeste qui ne s'explique que parce qu'on les a vus sous l'aspect des rois postérieurs[155]. Non, ils ressemblent beaucoup plus par leur richesse monnayée aux rois byzantins qu'à Charlemagne.

Et ils font tout pour augmenter ce trésor qui les soutient. De là, les innombrables confiscations. Chilpéric fait faire, dans tout son royaume, des *discriptiones novas et graves*[156]. Il y a là toute une administration financière compliquée avec des registres, des réviseurs, etc. C'est pour s'emparer de leurs trésors que les rois se massacrent[157].

De plus, ils disposent des subsides byzantins qui sont énormes; l'empereur Maurice envoie 50 000 sous d'or à Childebert pour payer son alliance contre les Lombards[158]. La dot donnée à Rigunthis en 584[159], l'aumône de 6 000 sous faite par Childebert à l'abbaye de Saint-Germain pour les pauvres[160], la munificence de Dagobert Ier qui recouvre d'argent l'abside de Saint-Denis[161] donnent une idée de la richesse des rois francs. Comme les Byzantins, ils utilisent largement leur trésor à des fins politiques; c'est ainsi que Brunehilde, en 596, détourna par *pecunia* une attaque des Avars sur la Thuringe[162].

Il est donc impossible de dire que les rois ne thésaurisent que pour eux.

Mais les souverains ostrogoths sont encore plus riches. Il suffit de penser aux somptueuses constructions érigées par Théodoric. Et il en est de même des Wisigoths: en 631, le prétendant Sisenand offre 200 000 sous d'or à Dagobert pour obtenir son appui contre Svinthila[163]; et Léovigild en promet 30 000 au lieutenant de l'empereur pour qu'il se range à son parti contre son fils[164].

L'importance du revenu du tonlieu chez les Wisigoths se déduit de ce que les abus des fermiers sont punis de mort comme dans le droit romain[165]. Les livres d'impôts se retrouvent toujours chez eux[166] et les rois payent leurs fonctionnaires[167]. La description par Venantius Fortunatus des trésors apportés par Galswinthe permet de se rendre compte de leur grandeur[168].

Bref, l'intervention de l'or est continuelle dans cette politique comme dans celle de Byzance; les rois achètent et se font acheter.

Mais il est encore un autre aspect par lequel les États barbares continuent la tradition antique: c'est leur caractère laïque. Toute l'administration, à tous les degrés, est séculière. Si les rois s'entendent généralement bien avec les évêques, pas un de ceux-ci, à la différence de ce qui se passera au Moyen Age, n'a revêtu un office. Au contraire, quantité d'évêques sont d'anciens référendaires royaux[169]. Il y a là un contraste éclatant avec la politique de Charlemagne basée sur les *missi* dont la moitié sont nécessairement des évêques, ou avec celle d'Othon qui confia les rênes du gouvernement aux évêques impériaux.

C'est que, au lendemain des invasions, les laïques comme on le verra plus loin, sont encore instruits[170].

L'État profane mérovingien s'oppose ainsi très nettement à l'État religieux carolingien. Et ce qui est vrai des Mérovingiens, l'est aussi de tous les autres: Ostrogoths, Wisigoths, Vandales, Burgondes. A cet égard donc, et il est essentiel, l'ordre ancien des choses continue. Le roi est lui-même un pur laïque et aucune cérémonie religieuse ne concourt à son pouvoir.

L'Église lui est soumise. Si en théorie les évêques sont nommés par le clergé, en fait, très souvent, le roi les nomme directement. Ici encore, c'est la tradition antique de l'Église d'État. Comme en Orient, les évêques francs marchent avec leurs souverains, la main dans la main[171]. Les rois convoquent les conciles. Et si les Mérovingiens s'abstiennent de les diriger, chez les Wisigoths en revanche, les conciles sont, depuis Reccesvinth, associés au gouvernement. L'Église n'en reste pas moins très servilement soumise au roi[172].

Mais cette Église qu'ils dominent, les rois ont pour elle le plus grand respect. L'idéal royal est, d'après Grégoire de Tours, de favoriser les églises et les pauvres[173]. Ils la comblent de faveurs et de richesses, l'entourent de marques de respect, encore que, sauf quelques femmes, ils n'entrent pas au cloître. Il ne paraît pas que leur piété personnelle soit grande. Mais ils voient dans les évêques les chefs de l'Église, c'est-à-dire d'une très grande force divine. Et, de plus, ces évêques jouissent auprès du peuple d'un prestige immense. Ils peuvent être et ils sont chez les Wisigoths par exemple, un utile contrepoids à l'aristocratie laïque.

V. Justinien (527-565)

Il n'y a pas de plus grande erreur que de croire que l'idée de l'Empire ait disparu après le dépècement des provinces occidentales par les Barbares. Personne ne peut douter que le βασιλεύς qui règne à Constantinople n'étende encore son autorité théorique à tout l'ensemble. Il ne gouverne plus, mais il règne encore et c'est vers lui que se tournent tous les yeux.

L'Église, surtout, pour qui l'Empire est une construction providentielle, ne peut se passer de lui. Son chef à Rome, et la ville de Rome le reconnaissent comme le souverain légitime de l'*ecclesia*[174].

Sauf le roi des Vandales, les rois barbares le considèrent comme leur maître, frappent son effigie sur leurs monnaies, sollicitent et obtiennent de lui, titres et faveurs. Justinien adopte Théodebert[175] comme Maurice adoptera Childebert.

C'est à Constantinople que les rois soumettent leurs différends ou cherchent à nouer des intrigues. De son côté, l'empereur n'a rien cédé. Il est donc tout naturel que l'occasion se présentant, il cherche à reprendre son bien. Et à cette volonté s'ajoute pour Justinien le souci du rétablissement de l'orthodoxie religieuse. Malgré la perte de presque toutes les côtes méditerranéennes, Byzance est de taille à tenter la grande entreprise de la reconstitution de l'Empire.

Elle a une flotte qui lui donne la mâitrise de la mer. Elle est appuyée par l'Église, avec laquelle Théodoric vient de se brouiller. En Italie, elle peut compter sur l'appui des grandes familles romaines, en Afrique sur la clientèle des réfugiés de l'aristocratie vandale qui ont cherché à la cour impériale un refuge contre les persécutions royales; peut-être escomptait-elle aussi le soulèvement des populations provinciales.

Afin de mettre de son côté le maximum de chances de succès, Justinien, avant d'entreprendre ses campagnes, fait la paix avec l'Empire perse (532) et fixe, par des subsides, les Barbares de toutes sortes qui rôdent aux frontières.

Byzance n'a pas à faire face à un front unique. Il n'y a aucune politique germanique. Théodoric avait bien essayé de grouper sous son hégémonie les autres États. Mais son but avait été tout simplement de sauvegarder l'Italie. Il avait pour cela soutenu les Wisigoths contre les Francs et empêché leur écrasement complet après la bataille de Vouillé; il s'était fait céder en 509 la Provence par Clovis, et en 523 était intervenu pour empêcher les Francs d'anéantir la Bourgogne[176].

Loin de lui concilier les rois francs, sa politique avait fait des Mérovingiens ses irréductibles ennemis.

Si Byzance n'était pas intervenue pour empêcher Théodoric de s'établir aussi fortement en Italie, c'est parce qu'elle ne s'en était pas senti la force. Elle en avait toléré l'occupation, avait entretenu avec Théodoric des rapports pacifiques, mais n'avait pas accepté le fait accompli.

Contre les Ostrogoths, Byzance allait trouver des alliés naturels dans les Francs.

En 526, Théodoric mourut. Comme un empereur romain[177], et en contradiction absolue avec la coutume germanique, il avait, en mourant, désigné pour son successeur, son petit-fils Athalaric, âgé de 10 ans, sous la régence de sa mère Amalasonthe.

Celle-ci n'avait pris le pouvoir qu'avec le consentement de Justinien, et elle lui avait marqué à cette occasion une telle déférence qu'il avait pu envisager, peut-être, le retour de l'Italie à l'Empire sans tirer l'épée.

Ce fut donc contre les Vandales que Justinien dirigea son offensive. En 533, en une seule campagne. Bélisaire triomphe de l'usurpateur Gélimer qui occupait le trône à ce moment, et s'empare de toute la côte d'Afrique jusqu'à Ceuta.

Justinien se hâte d'y établir un *limes*. Pour le surplus, il reprend immédiatement en main le gouvernement du pays dans lequel tout le système administratif romain avait été conservé.

Les Vandales ne réagirent pas. Ils se fondirent immédiatement dans la masse de la population romaine et, plus jamais, il ne devait être question d'eux.

L'Afrique, la plus riche des provinces de l'Empire, lui était rattachée. Seuls les Maures résistèrent encore pour être enfin soumis en 548[178].

Comme Justinien venait de s'emparer de l'Afrique (533), le jeune roi des Ostrogoths, Athalaric, mourut (534). Sa mère Amalasonthe, pour conserver le pouvoir, épousa son cousin Théodahat; mais, dès l'année suivante (535), celui-ci la faisait périr.

Aussitôt Justinien intervient. Bélisaire s'empare de la Sicile (535), complétant ainsi la conquête de l'Afrique; acclamé par la population, il marche au nord, se rend maître de Naples et entre à Rome dès 536.

La dynastie romanisée des Ostrogoths n'offrit pas de résistance. Théodahat se piquait d'être platonicien et de dédaigner les armes, et son frère Evermud se rendit tout de suite à Bélisaire, préférant aller vivre en patricien à Rome plutôt que de défendre la cause de ses compatriotes barbares[179].

Et pourtant, brusquement, Bélisaire se heurta à une résistance acharnée.

Se sentant menacés dans la possession des terres qui leur avaient été allouées, les soldats ostrogoths élèvent sur leurs boucliers un de leurs officiers, Vitigès, et l'acclament roi.

Aussitôt il marche sur Rome où Bélisaire s'est enfermé (537), mais il ne peut forcer la ville et, bientôt contraint de se retirer, il se retranche dans Ravenne.

Craignant d'être assailli au nord par les Francs, il leur cède la Provence, que Justinien s'empresse de leur reconnaître[180].

Puis, incapable de se défendre contre les troupes de Bélisaire, Vitigès négocie.

A condition qu'il leur laisse la vie et leurs terres, les Goths offrent à Bélisaire la couronne royale. Bélisaire accepte ou feint d'accepter et entre dans la ville (540). Un traité est signé. Les garnisons gothiques prêtent serment à leur nouveau roi. Et Bélisaire, ayant terminé sa mission, est rappelé par l'empereur. A la stupéfaction des Goths, qui ne comprennent pas qu'il aille reprendre du service quand il peut être un roi indépendant, Bélisaire obéit. Il emmène Vitigès et une quantité de Goths qui le suivent et qui participeront avec lui aux guerres contre les Perses.

Cette conduite de Bélisaire, qui amène en Italie un préfet du prétoire et le gouvernement régulier de Rome, constitue une trahison aux yeux des Goths. Ceux du nord de l'Italie, dont le territoire n'a pas encore été occupé par les impériaux, se soulèvent, offrent la couronne à un officier, Uraias, qui la refuse, puis à Ildibald, neveu du roi wisigoth Theudis[181], celui-ci va entreprendre de reconquérir l'Italie.

A ce moment, la population italienne est écrasée d'impôts. Bélisaire a emmené la plus grande partie des troupes; ce qu'il en reste est réparti dans des garnisons, sans commandement général.

Parti de Pavie avec mille hommes, Ildibald, grâce à l'hostilité de la population contre le nouveau gouvernement impérial, remporte de sérieux succès.

Il triomphe de l'armée romaine commandée par le *magister militum per Illyricum*, mais à ce moment périt assassiné[182].

Son successeur Eraric, qui n'est pas un Goth, mais un Rugue, cherche aussitôt à négocier avec Justinien, lui offrant de trahir son armée et d'aller vivre à Constantinople, moyennant l'obtention du titre de patrice. Assassiné avant d'avoir pu mettre son projet à exécution (541), il eut pour successeur Totila, un cousin de Ildibald. Prêt à reconnaître l'autorité de Justinien avant son accession au trône, il devait, une fois roi, déployer une remarquable énergie[183].

Son armée se grossit de déserteurs impériaux, d'esclaves, de colons italiens que son hostilité aux grands propriétaires lui amène. Avec elle, il s'empare de Rome (17 décembre 546). Il essaye alors de négocier avec Justinien qui le considère comme un tyran et ne daigne pas l'entendre. Il ne demanderait qu'à faire la paix si Justinien voulait accepter qu'il paye tribut et lui fournisse le service militaire[184]. Il semble difficile, dans ces conditions, de voir en lui un héros national. Mais il est certainement un des plus intelligents et des plus civilisés des rois germaniques et ses succès sont dus, en grande partie, à son humanité qui lui concilie les populations romaines aigries et malheureuses.

Obligé à la guerre par le refus de l'empereur de négocier avec lui, il reprend la Sicile, la Sardaigne, la Corse, se fait une flotte au moyen des navires byzantins capturés, tient grâce à elle l'Adriatique, et ayant reconquis toute l'Italie, il la gouverne comme Théodoric.

Justinien n'avait pas renoncé cependant à l'Italie. En 551, Narsès y débarque avec 20 000 hommes. Il écrase Totila qui périt dans la bataille. Son successeur Teias, après avoir lutté en désespéré, est vaincu et tué en 553, au pied du Vésuve.

A bout de forces, les Goths s'adressent aux Francs et aux Alamans.

Mais les bandes franques et alamaniques qui répondent à leur appel, après avoir pillé indifféremment Goths et Romains, sont écrasées par les Byzantins près de Capoue en 554. Le reste des Goths se soumet enfin et est envoyé en Asie combattre les Perses.

L'Italie est réorganisée en province romaine. L'exarque ou patrice s'installe à Ravenne. Mais le pays est exsangue.

Pendant cette lutte de vingt ans entre les Byzantins et les Ostrogoths, la politique franque ne cherche qu'à profiter de la situation. En 532, les Francs s'emparent de la Bourgogne; en 535, la menace qu'ils font peser sur Vitigès, leur vaut la cession de la Provence que Justinien leur reconnaît aussitôt.

Malgré cela, dès 539, Theudebert descend en Italie avec une grande armée et, Vitigès étant assiégé dans Ravenne, s'empare de la plus grande partie de la Vénétie et de la Ligurie. Obligé de se retirer à cause des maladies qui déciment ses troupes, Theudebert conserve néanmoins une partie de la Vénétie et y laisse un duc qu'il fait plus tard reconnaître par Totila. Peut-être pensait-il de là attaquer Constantinople[185].

C'est de Vénétie que se répandirent en Italie, en 552-553, les bandes franco-alamaniques qui se firent enfin écraser par les Byzantins. La Vénétie, du même coup, fut perdue pour les Francs.

Pas un moment, une alliance ne fut envisagée entre Francs et Ostrogoths pour faire bloc contre l'Empire, qui ne rencontra, pour lui résister, aucune solidarité germanique.

L'Afrique et l'Italie reconquises, Justinien se tourne vers l'Espagne. Ce fut une lutte intestine qui lui permit d'intervenir. Appelé par Athanagild contre le roi Agila, il donne ordre à Libère qui vient de reconquérir la Sicile, de débarquer en Espagne. Agila, battu à Séville, est tué par ses soldats qui acclament Athanagild, fidèle serviteur de l'empereur, en 554.

Les Romains occupent maintenant toutes les côtes de la mer Tyrrhénienne, sauf la Provence. La royauté wisigothique, qui reconnaît d'ailleurs la suzeraineté impériale[186], est coupée de la mer.

La Méditerranée est redevenue un lac romain.

L'Empire avait réalisé un prodigieux effort. Pour triompher, il avait dû faire face sur tous les fronts: pendant qu'il combattait en Italie, les Perses[187], sollicités par les Ostrogoths, étaient entrés en guerre contre lui; dans les Balkans, les Slaves avaient dû être refoulés des frontières qu'ils attaquaient.

Au milieu de ces incessantes guerres victorieuses, l'Empire, d'autre part, s'adaptait à l'évolution profonde qui transformait la société et les mœurs. Le Code, qui porte le nom de Justinien, est une des grandes œuvres juridiques de tous les temps.

De nouveau, la civilisation romaine brille du plus vif éclat, et pour commémorer cette admirable renaissance de l'Empire, Sainte-Sophie est élevée au milieu de la capitale comme un immense arc de triomphe érigé à la gloire de Dieu et de Byzance.

A la mort de Justinien, l'Empire est reconstitué, entouré de forteresses, mais profondément épuisé. Et pourtant il va être obligé de faire face à de nouvelles et terribles luttes.

La période qui suit le règne de Justinien, et qui s'étend de 565 à 610, est une des plus désolées de l'histoire byzantine[188]. La guerre sévit à toutes les frontières: les Perses, les Slaves et les Avars se jettent sur l'Empire et, en 568, les Lombards envahissent l'Italie du Nord.

Pourtant, pour les contemporains, Byzance ne paraît pas déchue; personne ne prévoit la catastrophe. En somme, elle a repris pied dans tout l'Occident et elle dispose de puissants moyens d'action: sa flotte, grâce à laquelle elle maintient le contact avec Ravenne, l'Afrique et l'Espagne, son trésor, sa diplomatie. Et puis, elle a pour elle l'incapacité où se trouvent ses adversaires de s'entendre entre eux.

Pourtant, l'Empire cède bientôt sur tous les fronts. L'événement le plus important de cette période est sans conteste l'invasion lombarde.

Les Lombards envahissent l'Italie, et bien que, dès 575, ils atteignent Spolète et Bénévent, ils ne parviendront à s'emparer ni de Rome, ni de Ravenne, ni de Naples.

D'autre part, les Wisigoths reconquièrent l'Espagne; en 614, l'Empire ne conserve que les îles Baléares[189].

La Méditerranée pourtant n'est pas perdue: l'Afrique, la Sicile, le sud de l'Italie restent romains.

Les Lombards qui sont entrés en Italie sont à peu près aussi germaniques que les Anglo-Saxons fixés en Bretagne. Ce sont, pour la première fois sur le continent, de purs envahisseurs n'ayant rien d'une armée romaine, ni de *foederati*. Ils s'imposent à la population, prennent ses terres, la réduisent à la condition de vaincue. Leur occupation forme un contraste frappant avec celle des Goths de Théodoric. Leurs ducs et leurs rois, élus par l'armée, sont purement germaniques. Le peuple vit encore sous le régime des *farae*, c'est-à-dire des *sippen*. Ses coutumes, son droit, n'ont subi aucune influence romaine.

Ils ont la partie belle, Byzance étant paralysée par la guerre contre les Perses et par les invasions slaves. Mais ils ne forment que des bandes de pillards, incapables de s'emparer des places fortes romaines, et qui soulèvent contre eux, par leurs déprédations et la stupidité de leur politique, et l'Église et les Francs.

Leur arrivée en Italie rejette vers Byzance la papauté qui ne voit plus d'appui possible que dans l'empereur. Le pape devient sans doute à partir de ce moment, dans la ville ruinée, le vrai gouverneur de Rome, mais il la garde pour l'Empire. Il applaudit à l'élection de l'abominable Phocas. Grégoire le Grand prodigue les promesses de dévouement à l'empereur. Ce rapprochement du pape et de l'empereur se fait d'autant plus facilement que depuis le schisme Acace (489-519), il n'y a plus eu de conflits religieux grâce à Justinien. Il n'y en aura d'ailleurs plus avant la crise du monophysisme (640-681). L'élection du pape est ratifiée par l'exarque, ce qui indique bien sa subordination à l'Empire. Il continue à vivre dans l'Empire et à s'en considérer comme un sujet.

De même, l'invasion lombarde a resserré les liens entre l'empereur et les Francs dont la conduite avait été si hostile sous Justinien. Les expéditions malheureuses des Lombards en Gaule, de 569 à 571, amènent une entente des Francs avec Byzance. En 576, le Sénat romain demandant des secours à l'empereur, celui-ci ne peut envoyer que des troupes insuffisantes et conseille d'appeler les Francs à l'aide et de corrompre par l'or les ducs lombards.

En 574, une nouvelle attaque des Lombards contre la Gaule[190], qui aboutit d'ailleurs à une défaite totale, les amène à signer un traité de paix avec Gontran de Bourgogne et son allié Childebert II d'Austrasie. C'était un danger grave pour l'Empire.

La diplomatie impériale — qui ne ménage pas l'or — s'efforce d'entretenir entre les Francs et les Lombards l'antagonisme qui seul peut conserver l'Italie pour Byzance. Appuyé par le pape, l'empereur entre en relation avec Chilpéric de Neustrie qui, en 581, détache Childebert de Gontran. En même temps, le prétendant Gondovald qui vit à Constantinople, est envoyé bien argenté en Gaule pour disputer le trône à Gontran.

De son côté, le duc Grasulf de Frioul, gagné à prix d'or, se met en rapport avec Childebert, et avec sa mère Brunehaut à laquelle, en 583, l'empereur envoie 50 000 sous d'or[191].

Il détermine ainsi Childebert à entreprendre une campagne en Italie contre les Lombards; celui-ci en revient après avoir fait, à prix d'argent, la paix avec eux.

A ce moment, de nombreux ducs lombards sont acquis à Byzance. Ceux des ducs qui sont restés indépendants, sentant sans doute le danger que leur fait courir l'alliance de l'Empire avec les Francs, reconstituent en 584 la royauté en faveur d'Authari qui reprend aussitôt la lutte et, sans l'intervention de la flotte impériale, se serait rendu maître de Ravenne.

Mais Authari menace autant les Francs que l'empereur. Aussi, en 588-589, Childebert et sa mère Brunehaut envoient-ils des ambassadeurs à Constantinople pour préparer avec l'empereur la guerre contre les Lombards[192].

Et, dès 590, une grande armée franque, sous le commandement de vingt-deux ducs, descend en Lombardie.

De son côté, l'exarque de Ravenne marche contre Authari qui se réfugie dans Pavie. Le royaume lombard, à un doigt de sa perte, fut sauvé par le manque d'entente entre ses ennemis. A ce moment en effet, la guerre contre les Perses vient de finir et l'exarque a repris l'offensive et s'est emparé d'Altinum, de Modène et de Mantoue[193].

L'Empire, libre de ses forces, espérant la possibilité du retour complet de l'Italie à l'Empire[194], se détacha des Francs. Ce fut une manœuvre néfaste.

La fin de l'alliance active entre Byzance et les Francs ouvrit une période de grand succès pour les Lombards. L'Empire d'ailleurs fut obligé de se retourner de nouveau contre les Perses et de faire face à l'invasion des Avars, laissant ainsi le champ libre aux Lombards.

Les Francs, de leur côté, cessèrent d'intervenir en Italie. Une expédition, organisée par eux en 662-663, échoua; ce devait être la dernière avant Charlemagne.

Une série de trêves avait préparé la paix, signée au plus tard en 680 entre l'empereur et les Lombards, qui consacrait le partage de l'Italie entre eux.

Ce demi-échec de l'Empire en Italie ne l'empêcha pas de maintenir intact son formidable prestige. En 629, Héraclius triomphe des Perses et Dagobert lui envoie une ambassade pour l'en congratuler[195]. Grégoire le Grand se fait l'intermédiaire de l'empereur auprès des Wisigoths catholiques[196]. Ebroïn († 680-683) permet le passage de pèlerins anglo-saxons à travers la Gaule, quand il s'est convaincu qu'il ne s'agit pas d'une *legatio imperatorum contra regnum*[197].

C'est vers Constantinople que convergent tous les intrigants de la politique et de l'Église[198], comme vers un grand centre international et intellectuel[199].

En somme, l'Empire est resté, malgré ses pertes, la seule puissance mondiale[200], comme Constantinople est la plus grande ville civilisée. Sa politique s'étend à tous les peuples. Elle domine absolument celle des États germaniques. Il n'y a, jusqu'au VIIIe siècle[201], d'autre élément positif dans l'histoire que l'influence de l'Empire. Et il est certain que cet Empire-là est devenu oriental.

Le processus d'orientalisation, qui se manifeste sans trêve depuis Dioclétien est, en fait, de plus en plus dominant. Et il s'observe jusque dans l'Église, où il provoque d'ailleurs des craquements dangereux.

Pourtant, il ne faut pas exagérer. A part des ruptures momentanées, Rome reste la capitale de l'Église, et dès que les empereurs ne soutiennent pas l'hérésie, les papes leur reviennent.

Par Constantinople, le byzantinisme se répand peu à peu vers l'Occident qui n'a rien à lui opposer. Ses modes et son art s'y propagent par la navigation. Il prend pied à Rome, où il y a une foule de moines grecs, et dans toute l'Italie du Sud. Son influence est visible en Espagne. Elle gagne naturellement toute l'Afrique. En Gaule, le *cellarium fisci* fait penser aux commerciaires byzantins. Venise gravite dans l'orbite de Constantinople. Les Pères grecs sont indispensables à la pensée religieuse de l'Occident. Sans doute, au VIIIe siècle, quand l'empereur sera devenu Βασιλεὺς τῶν Πωμαίων, la fissure sera définitive entre Grecs et Latins; on peut dater du monophysisme (640-681) et surtout de l'Iconoclastie (726-843) le début de la grande crise, mais que de tergiversations avant la rupture complète!

L'influence des Syriens grandit considérablement à Rome où ils arrivent en grand nombre; plusieurs papes même seront Syriens. Évidemment une byzantinisation de l'Occident, plus ou moins mitigée d'irlandisme et d'anglo-saxonisme, était dans la direction de l'avenir. La différence des langues n'y eût rien fait. La supériorité d'une culture sur l'autre était trop grande. Du moment que la Méditerranée restait le plus grand véhicule entre l'Orient et l'Occident, et elle le restait, la prépondérance du premier sur le second était inévitable. La mer, que les Byzantins continuèrent à dominer, répandait partout leur influence. Et c'est par la mer que vivait aussi bien en Occident qu'en Orient toute la civilisation de l'époque. Du germanisme en soi, il n'y avait encore rien à attendre. Les Lombards, au VIIe siècle, étaient à leur tour en plein processus de romanisation. Un nouveau foyer de culture cependant venait de s'animer chez les Anglo-Saxons, mais il leur venait directement de la Méditerranée.

Notes

1 C'est au IVe siècle qu'apparaît le mot *Romania* pour désigner tous les pays conquis par Rome. Eug. Albertini, *L'Empire romain*, dans la collection «Peuples et civilisations», publiée ous la direction de L. Halphen et Ph. Sagnac, t. IV, Paris, 1929, p. 388. Cf. le compte rendu par A. Grenier, de Holland Rose, *The Mediterranean in the ancient world*, 2e éd., 1934, *Revue historique*, t. 173, 1934, p. 194.

2 C'est elle qui, sans doute, a empêché la diarchie après Théodose de donner lieu à deux empires.

3 Cette suprématie de l'Orient, depuis le IIIe siècle (mais déjà avant), est mise en relief par Bratianu, dans son article: La distribution de l'or et les raisons économiques de la division de l'Empire romain, *Istros, Revue roumaine d'archéologie et d'histoire ancienne*, t. I, 1934, fasc. 2. Il y voit le point de départ de la séparation de l'Occident et de l'Orient que l'Islam achèvera. Cf. aussi l'étude de Paulova sur L'Islam et la civilisation méditerranéenne, dans les *Vestnik ceské Akademie (Mémoires de l'Académie tchèque)*, Prague, 1934.

4 P. Perdrizet, Scété et Landevenec, dans *Mélanges N. Jorga*, Paris, 1933, p. 745.

5 Albertini, *op. cit.*, p. 365.

6 Cependant, en 370 ou 375 (?), une loi de Valentinien et Valens interdit les mariages entre *provintiales* et *gentiles*, sous peine de mort (*Code Theod.*, III, 14, 1). Cf. F. Lot, *Les invasions germaniques*, Paris, 1935 (Bibl. hist.), p. 168.

7 Albertini, *op. cit.*, p. 412; F. Lot, Pfister et Ganshof, *Histoire du Moyen Age*, t. I, p. 79-90, dans l'«Histoire générale», publiée sous la direction de G. Glotz. Déjà sous Théodose, Arbogast est maître des soldats. Cf. Lot, *ibid.*, p. 22.

8 Albertini, *op. cit.*, p. 332.

9 L. Halphen, *Les Barbares*, dans «Peuples et civilisations», t. V, 1926, p. 74.

10 Albertini, *op. cit.*, p. 359.

11 On verra sur le nomadisme les excellentes remarques de E.-F. Gautier, *Genséric, roi des Vandales*, Paris, 1932, *in fine*.

12 F. Dahn, *Die Könige der Germanen*, t. VI, 1871, p. 50.

13 L. Schmidt, *Geschichte der deutschen Stämme bis zum Ausgang der Völkerwanderung. Die Ostgermanen*, 2e éd., Munich, 1934, p. 400-403.

14 L. Schmidt, *op. cit.*, p. 426.

15 L. Halphen, *op. cit.*, p. 16.

16 Alaric voudrait bien s'arrêter, mais il ne le peut pas; il lui faudrait l'autorisation de l'empereur et celui-ci se garde bien de laisser les Barbares disposer de l'Italie, pas plus qu'en Orient on ne les a laissé disposer de la Thrace.

17 F. Lot, Pfister et Ganshof, *Histoire du Moyen Age* (coll. Glotz), t. I, p. 35.

18 Voy. C. Dawson, *The Making of Europe* (New York, 1932), trad. franç. *Les origines de l'Europe* (Paris, 1934), p. 110.

19 F. Lot, Pfister et Ganshof, *Histoire du Moyen Age* (coll. Glotz), t. I, p. 43.

20 Orose, *Adversus Paganos*, VII, 43, éd. K. Zangemeister, 1882, p. 560. L. Schmidt, *op. cit.*, p. 453, attribue à Athaulf l'idée d'une *antirömische, nationalgotische Politik*. E. Stein, *Geschichte des Spätrömischen Reiches*, t. I, 1928, p. 403, ne dit pas un mot de ceci; mais il observe qu'Athaulf donne, depuis son mariage, une allure Römerfreundlich à sa politique.

21 F. Lot, Pfister et Ganshof, *Histoire du Moyen-âge*, t. I, p. 44. C'est certainement sur un mot célèbre que L. Schmidt bâtit sa thèse du «germanisme» d'Athaulf . Mais si Athaulf a pensé à substituer à l'Empire un Etat «Gothique», il ne dit pas «un état d'esprit germanique»; en fait, c'eût été un Empire romain dont lui et les Goths auraient exercé le gouvernement. S'il ne l'a pas fait, c'est parce qu'il a vu que les Goths étaient incapables d'obéir aux lois, ce qui veut dire aux lois romaines. Maintenant, il veut mettre la force de son peuple au service de l'Empire, ce qui prouve bien que l'idée de détruire la *Romania* lui est étrangère.

[22] E. Stein, *op. cit.*, p. 404.

[23] Au début, on cantonne les fédérés dans de mauvaises provinces: les Wisigoths en Mésie et plus tard en Aquitaine Seconde, les Burgondes en Savoie, les Ostrogoths en Pannonie. On comprend qu'ils aient voulu en sortir.

[24] Suivant H. Brunner, *Deutsche Rechtsgeschichte* (Leipzig, 2e éd., 1906), t. I, p. 67, l'application des règles de la *tercia* aux Goths serait postérieure en date.

Sur le règlement de partage, voyez E. Stein, *op. cit.*, p. 406.

[25] F. Lot, Pfister et Ganshof, *Histoire du Moyen Age*, t. I, p. 51, constatent qu'en 423, quand meurt Honorius, l'Empire a rétabli son autorité en Afrique, Italie, Gaule, Espagne.

[26] E. Stein, *op. cit.*, p. 482.

[27] F. Lot, Pfister et Ganshof, *Histoire du Moyen Age*, t. I, p. 63.

[28] L. Halphen, *op. cit.*, p. 32.

[29] E. Gautier, *Genséric*, p. 233-235.

[30] A. Coville, *Recherches sur l'histoire de Lyon du Ve siècle au IXe siècle (450-800)*, Paris, 1928, p. 121.

[31] Leur établissement en Savoie se fait suivant le principe de la *tercia*. Comme le fait observer Brunner, *op. cit.*, t. I, 2e éd., p. 65-66, ce sont des vaincus. Ce genre d'établissement, étendu aux Wisigoths et aux Ostrogoths, est donc d'origine romaine.

[32] L. Halphen, *op. cit.*, p. 35, parle à tort des efforts «méthodiques» des Barbares.

[33] L. Schmidt, *op. cit.*, p. 317. C'est parce que les magasins impériaux ne peuvent les ravitailler. Toujours la Méditerranée! Ils voulaient être casés tout en restant soldats romains.

[34] Le 23 août 476, Odoacre commande, non à un peuple, mais à toutes sortes de soldats. Il est roi mais non national. Il s'empare du pouvoir par un pronunciamiento militaire. Odoacre renvoie les insignes impériaux à Constantinople; il ne les prend pas pour lui.

[35] L. Halphen, *op. cit.*, p. 45. Quoiqu'ils y aient été établis comme fédérés après la mort d'Attila, ils avaient en 487 menacé Constantinople (*ibid.*, p. 46).

[36] *Lettres de Saint-Avit*, éd. Peiper, M.G.H.SS. Antiq., t. VI2, p. 100.

[37] Grégoire de Tours, *Hist. Franc.*, II, 38.

[38] Pas même Odoacre ne l'osa. Et ceci prouve qu'il est inexact de croire avec Schmidt, qu'Alaric et Wallia auraient voulu substituer un empire germanique à l'Empire romain. Tous ceux qui ont eu la force, Ricimer, etc., ont fait nommer comme empereurs des fantoches romains. Odoacre est le premier qui y ait renoncé pour reconnaître l'empereur de Constantinople.

[39] F. Lot, *Les invasions*, p. 128, l'estime pour la Gaule à 1/7. Et il faut remarquer qu'elle ne comprend aucune région essentielle.

[40] A. Demangeon et L. Fèbvre, *Le Rhin. Problèmes d'histoire et d'économie*, Paris, 1935, p. 50 et ss.

[41] Ed. H. Sauppe, M.G.H.SS. Antiq. , t. I2, 1877.

[42] Sur les vestiges romains en Alsace, Suisse, Bavière, voyez Lot, *Les invasions*, p. 217 et 220.

[43] G. des Marez, *Le problème de la colonisation franque et du régime agraire dans la Basse-Belgique*, Bruxelles, 1926, p. 25.

[44] Ce sont les noms en *baix, stain (stein)*, etc. Cf. F. Lot, De l'origine et de la signification historique et linguistique des noms de lieux en ville et en court, *Romania*, t. LIX (1933), p. 199 et ss. Voir aussi les observations de M. Bloch dans les *Annales d'histoire économique et sociale*, 1934, p. 254-260, et de J. Vannérus, dans la *Revue belge de philologie et d'histoire*, t. XIV, 1935, p. 541 et ss. G. Kurth, dans ses *Études franques*, t. I, p. 262, ne relève presque pas de noms francs en Touraine.

[45] Gamillscheg, *Romania Germanica*, t. I, 1934, p. 46: *Das Land zwischen Seine und Loire ist fränkisches Kulturgebiet, aber nicht mehr Siedlungsgebiet.*

[46] E. Stein, *op. cit.*, p. 3, dit 50 millions à la fin du IIIe siècle.

[47] C. Jullian, *Histoire de la Gaule*, t. V, p. 27, estime à 40 millions la population de la Gaule au IIe siècle; il admet qu'au IVe siècle ce chiffre avait diminué de moitié (*ibid.*, t. VII, p. 29).

[48] Dahn, *Die Könige der Germanen*, t. VI, p. 50.

[49] L. Schmidt, *op. cit.*, p. 403.

[50] E. Gautier, *Genséric*, p. 97.

[51] *Historia persecutionis Africanae provinciae*, 1, I, éd. Halm, M.G.H.SS. Antiq., t. III1, p. 2.

[52] *Ibid.*, p. 138.

[53] E. Stein, *Gesch. des Spät. Röm. Reiches*, t. I, 1928, p. 477, admet aussi ce chiffre.

[54] E. Gautier, *Genséric*, p. 141.

[55] L. Schmidt, *op. cit.*, p. 168. En 406, ils étaient établis en Germanie. Cf. à ce propos la théorie récente exposée par M.H. Grégoire, La patrie des Nibelungen, *Byzantion*, t. IX, 1934, p. 1-40, et les objections formulées par M.F. Ganshof dans la *Revue belge de philologie et d'histoire*, t. XIV, 1935, p. 195-210. Leur roi Gundachar, ayant voulu s'étendre en Belgique, fut écrasé en 435-436 par Aétius. En 443, Aétius transporte ce qui en reste, en *Sapaudia*. Cf. Lot, Pfister et Ganshof, *Histoire du Moyen Age*, t. I, p. 58-59. Coville, *op. cit.*, p. 153 it sr., aboutit à 263.700 têtes par des combinaisons arbitraires.

[56] Doren, *Italienische Wirtschaftsgeschichte* (coll. Brodnitz), t. I, 1934, p. 29.

[57] L. Schmidt, *op. cit.*, p. 293.

[58] Pour L. Hartmann, *Das Italienische Königreich*, t. I, p. 72 (dans *Geschichte Italiens im Mittelalter*, t. I), qui suit Dahn, Théodoric doit avoir conduit des centaines de milliers d'hommes avec lui.

[59] Dawson, *The making of Europe*, 1932, p. 98.

[60] Pour la disparition de la langue chez les Wisigoths, voir Gamillscheg, *Romania Germanica*, t. I, 1934, p. 394 et suiv., et L. Schmidt, *op. cit.*, p. 527.

[61] Martroye, *Genséric. La conquête vandale en Afrique et la destruction de l'Empire d'Occident*, Paris, 1907, p. 308.

[62] H. Zeiss, *Die Grabfunde aus dem Spanischen Westgotenreich*, Berlin, 1934, p. 126 et p. 138.

[63] Coville, *op. cit.*, p. 167 et ss.

[64] La conversion de Reccared est de 589.

[65] *Op. cit.*, t. V, p. 170.

[66] Pour ce qui est du vocabulaire emprunté, on ne le trouve qu'en français (cf. Lot, *Invasions*, p. 225 et ss., et Gamillscheg, *op. cit.*, t. I, p. 293-295), c'est-à-dire là où, depuis le IVe siècle, la population est en contact avec les Germains. Rien de tel en Aquitaine, en Espagne (Wisigoths), Afrique (Vandales), Italie (Ostrogoths). Pour le français, l'apport germanique serait de 300 mots.

[67] L'Espagne ne nous montre pas de population ayant conservé le type germanique. E. Pittard, *Les races et l'histoire*, 1924, p. 135.

[68] Gautier, *op. cit.*, p. 316.

[69] Hartmann, *op. cit.*, t. I, p. 93.

[70] H. Brunner, *Deutsche Rechsgeschichte*, t. I, 2e éd., 1906, p. 504. Remarquez que, quoique cinquante ans à peine se soient passés entre l'établissement des Burgondes en Gaule et la rédaction de la *Lex Gundobada*, celle-ci trahit les *Starke Einflüsse der Römischen Kultur* et elle manque de cette *frischen germanischen Ursprünglichkeit*, qui se rencontrera plus tard dans les lois lombardes.

[71] Ce que dit F. Lot, dans F. Lot, Pfister et Ganshof, *Histoire du Moyen Age*, t. I, p. 390, de l'interpénétration de la population à l'époque mérovingienne, me paraît tout à fait inexact. Il se contredit quand, dans *Les invasions*, p. 274, il dit: «Si ethniquement, la France (contemporaine) renferme quelques éléments germaniques, ils sont antérieurs à la conquête de la Gaule par Clovis.»

[72] Ed. B. Krusch, M.G.H.SS. rer. Merov., t. II, p. 123.

[73] *Das Italienische Königreich*, t. I, de la *Geschichte Italiens*, p. 76.

[74] L. Schmidt, *op. cit.*, p. 151.

[75] *Ibid.*, p. 163.

[76] Grégoire de Tours, *Hist. Franc.*, X, 15.

[77] Hartmann, *op. cit.*, t. I, p. 64.

[78] Voyez sa lettre au roi des Thuringiens en lui envoyant sa nièce. Cassiodore, *Variae*, IV, 1, 2, éd. Th. Mommsen, M.G.H.SS. Antiq., t. XII, p. 114. Cf. Schmidt, *op. cit.*, p. 340.

[79] Hartmann, *op. cit.*, t. I, p. 261.

[80] *Ibid.*, p. 233.

[81] Procope, éd. Dewing (*The Loeb classical Library*), t. III, p. 22-24.

[82] Coville, *op. cit.*, p. 175 et ss.

[83] Schmidt, *op. cit.*, p. 146 et 149.

[84] Schmidt, *op. cit.*, p. 527-528.

[85] Grégoire de Tours, *Hist. Franc.*, V, 44 et VI, 46.

[86] Gautier, *op. cit.*, p. 270.

[87] Hartmann, *op. cit.*, t. I, p. 284.

[88] D'emprunts aux Germains, il n'y a que les noms propres, qui ne prouvent rien pour la nationalité. Ils sont donnés par courtisanerie.

[89] *Hist. Franc. Praefatio*, éd. Arndt, M.G.H.SS. rer. Merov., t. I, p. 7.

[90] Grégoire le Grand, *Regist.*, XIII, 34, éd. Hartmann, M.G.H. Epist., t. II, p. 397.

[91] Il ne peut être question de parler, comme le font certains auteurs, de la politique sociale de ces rois et de leur *Konservative Haltung* à l'égard des institutions impériales.

[92] Jaffé-Wattenbach, *Regesta pontificum Romanorum*, t. I, 2e éd., p. 212, no 1899.

[93] On a vainement cherché à leur conserver un caractère germanique. Voir la joyeuse histoire du char à bœufs. H. Pirenne, Le char à bœufs des derniers Mérovingiens. Note sur un passage d'Eginhard, *Mélanges Paul Thomas*, 1930, p. 555-560.

[94] Cassiodore les appelle officiellement: *barbari* ou *milites*. Cf. L. Schmidt, Zur Geschichte Rätiens unter der Herrschaft der Ostgoten, *Zeitschrift für Schweizerische Geschichte*, t. XIV, 1934, p. 451.

[95] Son titre est *Flavius Theodoricus rex*.

[96] Schmidt, op. cit., p. 387.

[97] Les Goths sont soumis à l'impôt foncier. Mais le roi veille à ce qu'ils aient le blé à bon marché.

[98] Schmidt, *op. cit.*, p. 292: *das gotische Volkskönigtum Theoderichs war erloschen*.

[99] Pourtant, les Ostrogoths étaient plus germaniques que les Wisigoths quand ils se sont établis en Italie.

[100] Hartmann, *op. cit.*, t. I, p. 100.

[101] Gautier, *op. cit.*, p. 207.

[102] Schmidt, *op. cit.*, p. 113.

[103] Albertini, Ostrakon byzantin de Négrine (Numidie), dans *Cinquantenaire de la Faculté des Lettres d'Alger*, 1932, p. 53-62.

[104] Martroye, Le testament de Genséric, dans *Bulletin de la Société des Antiquaires de France*, 1911, p. 235.

[105] Albertini, Actes de vente du Ve siècle, trouvés dans la région de Tébessa (Algérie), *Journal des Savants*, 1930, p. 30.

[106] R. Heuberger, *Über die Vandalische Reichskanzlei und die Urkunden der Könige der Vandalen*, Mitteilungen des Öster. Institut für Geschichtsforschung, XI Ergänzungsband, O. Redlich... Zugeeignet, 1929, p. 76-113.

[107] Voir plus bas, p. 120 et suiv.

[108] *Chronicon*, éd. Mommens, M.G.H.SS. Antiq., t. XI, p. 184-206.

[109] Ch. Saumagne, Ouvriers agricoles ou rôdeurs de celliers? Les Circoncellions d'Afrique, *Annales d'histoire économique et sociale*, t. VI, 1934, p. 353.

[110] M.M. Bloch a signalé, dans la *Revue historique* de mars-avril 1930, p. 336, combien est grotesque la croyance à certaines pseudo-persistances du germanisme.

Sur la romanisation extraordinairement rapide des Wisigoths, voyez Gamillscheg, *Romania Germanica*, t. I, p. 394 et ss.

[111] Lot, *La fin du monde antique et le début du Moyen Age*, dans la collection «L'Evolution de l'humanité», Paris, 1927, p. 329. Reccesvinth, vers 630, adopte le costume byzantin.

[112] Lot, *op. cit.*, p. 329.

[113] L'onction royale est attestée par Wamba en 672, mais elle est sans doute plus ancienne et remonte peut-être à Reccared (586-608), M. Bloch, *Les rois thaumaturges*, 1924, p. 461.

[114] Texte du 30e canon du VIe Concile de Tolède, cité par Ziegler, *Church and State in Visigothic Spain*, 1930, p. 101.

[115] F. Lot, *op. cit.*, p. 329.

[116] Ziegler, *op. cit.*, p. 126.

[117] *Op. cit.*, p. 329.

[118] P. Guilhiermoz, *Essai sur l'origine de la noblesse en France au Moyen Age*, 1902, p. 13, n. 55.

[119] Voir les récits très détaillés dans Coville, *op. cit.*, p. 77-238.

[120] En 443, en *Sapaudia*, Coville, *op. cit.*, p. 109.

[121] Hartmann, *op. cit.*, t. I, p. 218-219.

[122] L. Schmidt, *op. cit.*, p. 169 et p. 178.

[123] *Lex Gundobada*, X, éd. R. de Salis, M.G.H. Leges, t. II[1], p. 50.

[124] C'est le point de vue que défendent notamment H. Brunner dans sa *Deutsche Rechtsgeschichte*, et G. Waitz dans sa *Deutsche Verfassungsgeschichte*.

[125] Quand un roi d'Austrasie devient roi de tout le royaume, il se hâte d'aller s'établir à Paris. F. Lot, *Les invasions*, p. 208. Les remarques archéologiques d'Aberg, *Die Franken und Westgothen in der Völkerwanderungszeit*, Upsala, 1922, et philologiques de Gamillscheg, *Romania Germanica*, t. I, p. 294, prouvent que, depuis le milieu du VIe siècle, les Francs de Gaule n'exercent plus d'influence sur les régions de la Germanie.

[126] R. Buchner, *Die Provence in Merowingischer Zeit*, 1933, p. 2, n. 5. D'après cet auteur, Clovis diffère des autres rois germains purement méditerranéens, parce qu'il vise à la fois la Méditerranée et la Germanie. Il ne voit pas que, de ce côté, son attitude, et surtout celle de ses successeurs, est purement défensive.

[127] G. Richter, *Annalen des fränkischen Reichs im Zeitalter der Merowinger* (1873), p. 48, et F. Lot, Pfister et Ganshof, *Histoire du Moyen Age*, t. I, p. 205.

[128] Richter, *op. cit.*, p. 61.

[129] *Ibid.*, p. 63.

[130] *Ibid.*, p. 102.

[131] *Ibid.*, p. 160.

[132] *Ibid.*, p. 165.

[133] *Ibid.*, p. 177.

[134] Les agents du roi mérovingien s'appellent *judices* comme ceux de l'empereur.

[135] H. von Sybel, *Entstehung des Deutschen Königthums*, 2e éd., 1881, a bien vu cela. Voyez la polémique soutenue contre lui par G. Waitz, *Deutsche Verfassungsgeschichte*, t. II, Ire partie, 3e éd., 1882, p. 81 et ss.

[136] Waitz, *op. cit.*, t. II, 2e partie, 3e éd., p. 273, allègue le refus des Germains de payer l'impôt personnel parce qu'il est considéré comme incompatible avec l'*ingenuitas*. Mais cela n'a rien de germanique. Il cite, n. 3, un texte de concile qui le prouve jusqu'à l'évidence.

[137] Waitz, *op. cit.*, t. II, 2e partie, 3e éd., p. 122 et ss., s'efforce de prouver que les fonctionnaires mérovingiens ne sont pas Romains. Il n'y a plus de séparation du militaire et du civil; le roi leur donne le ban, ils n'ont pas de traitement! Il avoue d'ailleurs que l'administration était étrangère aux Germains (p. 124), et oublie les fonctionnaires esclaves et romains.

[138] Brunner, *op. cit.*, t. II, 2e éd., p. 77-80.

[139] *Ibid.*, p. 364-365.

[140] F. Lot, Pfister et Ganshof, *Histoire du Moyen Age*, t. I, p. 271.

[141] H. Bresslau, *Handbuch der Urkundenlehre*, t. I, 2e éd., 1912, p. 360-362.

[142] Waitz, *op. cit.*, t. II, 2e partie, 3e éd., p. 241.

[143] Ce que Waitz, *op. cit.*, t. II, Ire partie, 3e éd., p. 205 et ss., dit du caractère germanique du roi est sans aucune pertinence.

[144] Lot, Pfister et Ganshof, *Histoire du Moyen Age*, t. I, p.200, n. 98.

[145] Quoique le mot «ban» désigne le pouvoir, celui-ci n'est pas germanique. Le vieux mot militaire s'est conservé et c'est tout.

[146] Grégoire de Tours, *Hist. Franc.*, VI, 46; Waitz, *op. cit.*, t. II, Ire partie, 3e éd., p. 212, cite Grégoire de Tours, *Hist. Franc.*, IX, 8: *agendo contra voluntate vestram atque utilitatem publicam*.

[147] Grégoire de Tours, *Hist. Franc.*, V, 25; VI, 37; IX, 13; IX, 14; X, 19.

[148] Cf. la situation chez les Anglo-Saxons. Voyez W. Stubbs, *Histoire constitutionnelle de l'Angleterre*, éd. et trad. franç. par G. Lefèbvre et Ch. Petit-Dutaillis, t. I, 1907, p. 183.

[149] Les partages ne se rencontrent que chez les Francs, peut-être parce qu'au moment de la succession de Clovis il n'y a plus d'empereur en Occident et qu'en tout cas les Francs ne se souviennent pas, en ce moment, de l'empereur.

[150] Théodebert aurait songé à attaquer Byzance. Lot, Pfister et Ganshof, *Histoire du Moyen Age*, t. I, p. 208.

[151] Aucune hérédité des fonctions. Le roi choisit qui il veut, comme l'empereur.

[152] Dahn, *op. cit.*, t. VI, p. 290.

[153] H. Pirenne, Le cellarium fisci, Académie royale de Belgique, *Bulletin de la Classe des Lettres et des Sciences morales et politiques*, 5e série, t. XVI, 1930, nos 5-7, p. 202.

[154] Grégoire de Tours, *Hist. Franc.*, III, 34.

[155] H. Pirenne, Liberté et propriété en Flandre du VIIe au XIe siècle, Académie royale de Belgique, *Bulletin de la Classe des Lettres*, 1911, p. 522-523.

[156] Grégoire de Tours, *Hist. Franc.*, V, 28.

[157] Fustel de Coulanges, *Les transformations de la royauté pendant l'époque carolingienne*, p. 19.

[158] Grégoire de Tours, *Hist. Franc.*, *VI, 42.*

[159] *Ibid.*, VI, 45; VII, 9; VII, 15.

[160] S. Dill, *Roman society in Gaul in the Merovingian Age*, 1926, p. 280.

[161] *Gesta Dagoberti regis*, c. 17, M.G.H.SS. rer. Merov., t. II, p. 406.

[162] Richter, *op. cit.*, t. I, p. 98.

[163] *Ibid.*, p. 161.

[164] Grégoire de Tours, *Hist. Franc.*, V, 38.

[165] Dahn, *Könige der Germanen*, t. VI, p. 290.

[166] Dahn, *op. cit.*, t. VI, p. 260.
[167] *Ibid.*, p. 275.
[168] *Carmina*, VI, 5, éd. Krusch, M.G.H.SS. Antiq., t. IV, p. 136 et ss.
[169] Didier de Cahors a été trésorier du roi et préfet de Marseille, saint Ouen référendaire en Neustrie.
[170] H. Bresslau, *op. cit.*, t. I, 2e éd., p. 364-367, cite des référendaires devenus évêques. Voir aussi H. Sproemberg, *Marculf und die fränkische Reichskanzlei*, Neues Archiv, t. XLVII, 1927, p. 124-125.
Loening, *Geschichte des Deutschen Kirchenrechts*, t. II, 1878, p. 262, voit fort bien que l'Etat est laïque, encore qu'il se trompe dans l'explication du fait. Voir aussi Dawson, *op. cit.*, p. 221-222.
[171] L. Duchesne, *L'Eglise au VIe siècle*, 1925, p. 528.
[172] Cf. la curieuse anecdote contée par Grégoire de Tours, *Liber vitae patrum*, VI, 3, M.G.H.SS. rer. Merov., t. I, p. 681-682. Il y a là une combinaison d'élection cassée par le roi qui nomme cependant le candidat désiré, moyennant de grands présents et fait célébrer un banquet dans la ville épiscopale. En somme, tout dépend du roi. Voyez *ibid.*, p. 727 et ss., la vie de saint Nicet, évêque de Trèves, nommé par un roi, envoyé en exil par un autre, rétabli par un troisième.
[173] Grégoire de Tours, *Hist. Franc.*, III, 25.
[174] Voyez l'œuvre de Grégoire le Grand, qui date, il est vrai, d'après Justinien. Il suffit de lire les écrits de Marius d'Avenches († 594), de Victor Tonnennensis († 569), de Jean de Biclaro († 590) pour voir que, pour eux, l'Empire continue. Cf. Ebert, *Histoire de la littérature du Moyen Age en Occident*, trad. Aymeric et Condamin, t. I, 1883, p. 618.
[175] Théodebert écrit aussi humblement que possible à Justinien. A. Vasiliev, *Histoire de l'Empire byzantin*, trad. franç., Paris, 1932, t. I, p. 203, n. 2.
[176] Buchner, *Die Provence in Merowingischer Zeit*, 1933, p. 3.
[177] Hartmann, *op. cit.*, t. I, p. 229; F. Lot, *La fin du monde antique*, p. 303.
[178] A. Vasiliev, *op. cit.*, t. I, p. 178.
[179] Hartmann, *op. cit.*, t. I, p. 261.
[180] F. Kiener, *Verfassungsgeschichte der Provence*, 1900, p. 22.
[181] Hartmann, *op. cit.*, t. I, p. 289-290.
[182] *Ibid.*, p. 301.
[183] Lot, Pfister et Ganshof, *Histoire du Moyen Age*, t. I, p. 157, le disent chevaleresque et ne songeant qu'à sauver son peuple. Hartmann, *op. cit.*, t. I, p. 302, me semble mieux voir en disant qu'il ne s'est identifié avec le peuple que dans la mesure de ses intérêts.
[184] Hartmann, *op. cit.*, t. I, p. 328.
[185] Richter, *op. cit.*, p. 57-58.
[186] Léovigild, successeur d'Athanagild (567), sollicite de l'empereur Justin II qu'il confirme son accession au trône. F. Lot, *La fin du monde antique*, p. 310.
[187] Vasiliev, *op. cit.*, t. I, p. 181.
[188] Vasiliev, *op. cit.*, t. I, p. 220-221.
[189] *Ibid.*, p. 261.
[190] Hartmann, *Geschichte Italiens im Mittelalter*, t. II, Ire partie, 1900, p. 58 et ss.
[191] Gasquet, *L'Empire byzantin et la monarchie franque*, p. 198.
[192] En 587 déjà, le duc Gontran avait été envoyé en ambassade à l'empereur Maurice. Voyez Gasquet, *L'Empire byzantin et la monarchie franque*, p. 185 et ss.
[193] Hartmann, *op. cit.*, t. II, Ire partie, p. 72.
[194] En Italie même, ce retour semblait probable puisque, en 590, le patriarche d'Aquilée propose de remettre jusqu'à ce moment, la solution de la difficulté qui existait entre lui et Rome à propos des trois chapitres. Hartmann, *op. cit.*, t. II, p. 89.
[195] Vasiliev, *op. cit.*, t. I, p. 263.
[196] Hartmann, *op. cit.*, t. II, p. 176.
[197] Hartmann, *op. cit.*, t. II, 2e partie, 1903, p. 198, n. 2.
[198] Grégoire de Tours, *Hist. Franc.*, VI, 24.
[199] Il semble qu'on aille faire à Constantinople des études médicales. Grégoire de Tours, *Hist. Franc.*, X, 15.
[200] Hartmann, *op. cit.*, t. II, Ire partie, p. 85.
[201] Dawson, *op. cit.*, p. 221.

Chapitre II

La situation économique et sociale
après les invasions et la navigation méditerranéenne

I. Les personnes et les terres

Tel le régime des personnes et des terres était avant les invasions, tel il est demeuré après elles dans la *Romania*. Il y a eu des pillages sans doute, des violences. Le *Carmen de providentia divina*, qui a été écrit dans le sud de la Gaule à l'arrivée des Wisigoths d'Athaulf, compare leurs ravages à ceux d'une inondation de l'océan[1]. Mais le calme revint après la tempête. Paulin de Pelle, que l'invasion a ruiné et qui a fui devant elle, raconte qu'il fut sauvé par un Goth qui acheta un petit bien dont il était resté propriétaire auprès de Marseille[2]. On ne peut mieux illustrer le fait de l'équilibre se substituant au pillage. Voilà donc un bien abandonné dont les envahisseurs ne s'emparent pas. Dès «l'hospitalité», dès l'établissement des Germains, la stabilité reparaît. Comment s'est faite l'opération? On peut supposer que les Germains s'y sont fait la part belle. Mais elle n'amena pas de véritable bouleversement. Elle n'entraînait aucun remaniement de terres. Elle n'introduisait aucun mode nouveau de culture. Les colons romains restaient fixés au sol où l'impôt les avait attachés. Au lieu de payer à un maître romain, ils payaient à un Germain. Les esclaves étaient partagés. Quant aux paysans, ils ne durent pas s'apercevoir d'un grand changement. On ne remarque dans aucune des contrées de la *Romania* la substitution, si visible en Angleterre, d'un système de culture à un autre.

Les domaines impériaux passèrent au fisc royal, sans autre changement[3]. La grande propriété - gallo ou hispano - ou italo-romaine subsista. Il continua d'y avoir d'immenses propriétés. On en connaît qui comptaient 1 200 esclaves. Les grands propriétaires conservèrent leurs *villae*, leurs châteaux forts. Quant aux terres d'Église, déjà si importantes à l'époque romaine, elles subsistèrent sans changement. On ne voit pas que l'arianisme ait en rien modifié la situation antérieure.

Même chez les Vandales, il y a eu simple substitution de nouveaux venus aux anciens propriétaires. Les Vandales vécurent dans les villes romaines, comme avant eux les Romains.

M. Albertini a montré que le régime des terres, les prestations d'huile, versées au Trésor, n'ont pas varié en Afrique durant la conquête[4].

S'il y eut des changements de régime, si des usages communautaires inconnus des Romains s'implantèrent, ce fut seulement dans les pays de colonisation, tout au nord de l'Empire.

Ainsi tout subsiste sur le même pied. Les impôts fonciers qui se conservent, attestent d'ailleurs qu'aucun bouleversement profond n'a eu lieu.

Quant à l'organisation de la grande propriété, elle se maintient telle quelle. Elle est confiée à des *conductores* qui la prennent à ferme et perçoivent les redevances des colons.

D'autre part, tout le système des tenures romaines subsiste aussi, sous la forme des précaires et bénéfices. Les formules nous montrent des baux perpétuels, tout un système de possession identique ou à peu de chose près, au système romain.

La grande propriété foncière reste pleine de vigueur. Grégoire de Tours[5] parle d'un Chrodinus qui fonde des *villae*, plante des vignes, construit des bâtiments et organise des cultures pour les donner aux évêques.

Grégoire le Grand, remettant en ordre les biens de l'Église romaine, reconstitue exactement le système antérieur.

Les grands domaines de l'Église sont administrés par des *conductores* qui payent une rente, de sorte que les moines n'ont à s'occuper que *de sola anima*[6].

Ces *conductores*, comme les *juniores* des domaines de l'évêque du Mans à Ardin[7] en Poitou, sont des laïques; ils sont responsables des redevances, avancent leur montant au propriétaire, rendent des comptes, savent donc écrire.

Presque toujours, les prestations sont en argent, ce qui démontre qu'il y a encore circulation des biens, ventes au marché. On ne voit pas encore apparaître l'économie propre aux *curtes* du Moyen Age.

En Provence, à l'époque mérovingienne, le système des tenures est tout romain[8]. Il n'y a là, semble-t-il, que de petites exploitations de colons. Mais dans le Nord, par contre, on voit le rôle que joue la *terra indominicata*. Le cartulaire de Saint-Vincent de Mâcon donne pour l'époque du roi Gontran (561-592) une liste des *servientes* de ce domaine qui est exploité par des esclaves et par les corvées des tenanciers[9].

Le transport en grand des céréales se fait encore. En 510, Théodoric envoie des masses de grains en Provence à cause des ravages qu'y a faits la guerre[10], et on sait que Grégoire le Grand centralisait les produits des domaines de l'Église.

Il est certain que la grande propriété à cette époque produit encore des revenus importants en argent. En 593, Dinamius envoya de Provence à Grégoire le Grand, 400 *solidi*[11]; deux ans après, le même pape attend l'arrivée de vêtements et d'esclaves anglo-saxons qui seront achetés en Provence avec les produits de ses domaines[12]. De même, en 557, le pape Pelage avait attendu de la Provence des secours pour alléger la misère de Rome[13].

Il y a, d'ailleurs, un commerce normal du blé. Malgré ses immenses ressources, Grégoire le Grand en achète[14].

En 537-538, on voit qu'en Istrie un *peregrinus acceptor* se livre à des achats importants; ce ne peut être qu'un marchand de blé[15].

L'Afrique a dû conserver sous les Vandales la prospérité que lui donne la culture de l'huile et des céréales, puisqu'on y retrouve cette prospérité après le retour des Byzantins.

Il ne paraît pas que la Gaule ait repris un aspect plus sauvage. Il semble que la culture des vignes se soit conservée là où elle existait du temps des Romains. A lire Grégoire de Tours, on n'a pas du tout l'impression d'une campagne en décadence; on ne comprendrait pas, sans cela, la richesse des propriétaires.

La conservation de la livre romaine est d'ailleurs une preuve indirecte de la stabilité de la situation économique.

Quant aux classes sociales, elles sont restées les mêmes. Au-dessus il y a des libres (*ingenui*)[16], qui comprennent notamment une aristocratie de grands propriétaires (*senatores*)[17].

La classe des libres proprement dits ne forme d'ailleurs très probablement qu'une minorité.

Puis, en dessous, on trouve les colons, nombreux surtout chez les Wisigoths, les lites, les affranchis[18].

Il y a encore beaucoup d'esclaves. Comme on le verra plus loin, ce sont surtout des Barbares étrangers, anglo-saxons ou autres, prisonniers de guerre.

Il y a de plus une population urbaine dont nous parlerons plus tard.

Dans les grandes propriétés se trouvent des ateliers, où les femmes filent et où d'autres artisans, esclaves ou serfs domaniaux, exercent divers métiers. Il en était déjà ainsi durant les derniers siècles de l'Empire[19].

La population a gardé l'empreinte que lui a donnée la fiscalité, quoique la fiscalité ait bien diminué par la réduction presque complète des dépenses militaires et administratives. En ce sens, la conquête germanique a peut-être été un bienfait pour le peuple. En somme, à cette époque, c'est le grand domaine qui est resté l'élément économique et social essentiel. Par lui, la base économique de la féodalité est déjà constituée. Mais les rapports de subordination qui se sont établis, pour la grande majorité des hommes, vis-à-vis des grands propriétaires, ne se manifestent encore que dans le droit privé. Entre le roi et ses sujets, le *senior* ne s'est pas encore interposé. Et puis, si la constitution de la société est surtout agraire, elle ne l'est pas entièrement. Le commerce et les villes jouent dans l'ensemble de la vie économique, sociale et intellectuelle, un rôle considérable.

II. La navigation orientale. Syriens et Juifs

Des deux parties de l'Empire, la grecque a toujours été plus avancée en civilisation que la latine. Inutile d'insister sur ce fait évident.

Par la mer, elle correspond avec l'Occident et la Vénétie. C'est particulièrement la Syrie, où arrivent les caravanes de l'Inde, de Chine et d'Arabie, qui est active.

Les Syriens sont alors les rouliers de la mer comme les Hollandais le seront au XVIIe siècle. C'est par eux que s'exportent les épices et les produits industriels des grandes villes orientales, Antioche, Damas, Alexandrie, etc. Ils sont dans tous les ports; mais on les trouve aussi à l'intérieur.

Sous l'Empire, ils ont des établissements à Alexandrie, à Rome, en Espagne, en Gaule, en Grande-Bretagne et jusqu'à Carnuntum sur le Danube[20].

Les invasions n'ont en rien changé cette situation. Peut-être Genséric, par ses pirateries, a-t-il un peu gêné la navigation, mais en tout cas elle reparaît en pleine activité après lui.

Salvien († c. 484), généralisant sans doute ce qu'il voit à Marseille, parle des *negociatorum et Syricorum omnium turbas quae majorem ferme civitatum universarum partem occupant*[21].

L'archéologie confirme d'ailleurs cette expansion syrienne, et les textes sont plus significatifs encore[22].

Au VIe siècle, les Orientaux abondent dans le sud de la Gaule. La vie de saint Césaire, évêque d'Arles († 542), dit qu'il composa pour le peuple des hymnes en grec et en latin[23]. Il y en avait quantité aussi dans le Nord, puisque Grégoire de Tours parle des marchands grecs d'Orléans qui s'avancent en chantant à la rencontre du roi[24]. D'après la vie de sainte Geneviève († 512), saint Siméon Stylite († 460) aurait interrogé sur elle les *negociatores euntes ac redeuntes*[25].

Mais, à côté de ces marchands allant et venant, il y en avait beaucoup qui s'établissaient[26]. Il en est fait mention dans plusieurs inscriptions; l'une provient de la chapelle Saint-Éloi dans l'Eure[27], proche de l'embouchure de la Seine; le Syrien qu'elle concerne faisait sans doute le commerce avec la Bretagne.

Il y avait parmi ces marchands des gens très riches qui se fixaient dans le pays après fortune faite. Grégoire de Tours raconte l'histoire d'un *negociator* de Bordeaux[28], qui possédait une grande maison dans laquelle se trouvait une chapelle contenant des reliques et qui offre 100, puis 200 sous d'or pour qu'on ne les lui enlève pas. Tel encore à Paris cet Eusebius *negotiator, genere Syrus*[29] qui, à force d'or, achète la dignité épiscopale, puis, reprenant la *scola* de son prédécesseur, constitue la sienne avec les Syriens. C'est donc que ceux-ci abondaient. Mais naturellement ils grouillaient surtout dans le Sud.

La population de Narbonne en 589[30] est composée de Goths, de Romains, de Juifs, de Grecs et de Syriens.

Le hasard nous a refusé de semblables renseignements pour l'Italie, l'Afrique et l'Espagne, mais personne ne croira que ce qui est vrai de la Gaule ne le soit pas aussi de ces contrées. Il devait y avoir des Syriens et des Grecs parmi les commerçants d'outre-mer (*transmarini negociatores*), dont parlent Théodoric et la loi des Wisigoths. On sait, par la *Vita Patrum Emeritensium*, que des commerçants grecs arrivent par mer d'Orient en Espagne (*negociatores graecos in navibus de Orientibus advenisse*) (c. 570)[31].

Procope signale l'existence à Naples, au temps de Bélisaire, d'un grand marchand Syrien, Antiochus, qui y est le chef du parti romain[32]. On sait, d'autre part, que plusieurs de ces Syriens se trouvent aux environs de Paris[33]. Duchesne[34] cite un prêtre syrien monophysite, circulant en Gaule vers 560 et en rapport avec saint Nizier, évêque de Lyon († 573), qui se laisse persuader par lui que l'empereur est nestorien.

Il y a aussi des influences égyptiennes qui s'exercent en Gaule: elles expliquent la popularité dans le pays de certains saints égyptiens[35], le fait que les églises des Gaules jouissaient d'un droit d'asile aussi étendu que celui des églises d'Égypte et sans doute aussi la présence d'un stylite à Yvoy[36].

Mais les Syriens et les Grecs ne sont pas les seuls Orientaux en Occident. A côté d'eux et presque aussi nombreux, il y a les Juifs. Eux aussi étaient répandus partout dès avant les invasions, et ils y restent après elles.

A Naples, lors du siège par Bélisaire, ils forment une grande partie de la population marchande de la ville[37]. Mais, déjà sous Théodoric, ils sont nombreux; à Rome et à Ravenne, le peuple ayant détruit leur synagogue, le roi intervient en leur faveur et condamne les catholiques à restaurer les dommages qu'ils ont causés[38]. Plus tard, on en trouve à Palerme (598)[39], à Terracine (591)[40], à Cagliari, en Sardaigne (598); et ils y sont nombreux, car partout ils possèdent des synagogues.

De même en Espagne, il y en a à Merida et l'évêque les reçoit au même titre que les chrétiens[41].

La *Lex Wisigothorum* s'occupe d'eux[42]. Elle se borne à empêcher qu'ils ne fassent de la propagande. On voit qu'ils ont la même situation qu'ils avaient dans l'Empire, puisque la loi des Wisigoths dit qu'ils vivent sous la loi romaine[43]. Plus tard, les lois sur la persécution montrent que leur nombre était considérable. Il en fut de même en Italie[44]. Mais naturellement grâce à Grégoire de Tours, nous sommes mieux renseignés sur la Gaule. Il y en a à Clermont, à Paris, à Orléans, à Tours, à Bourges, à Bordeaux, à Arles[45]. Leur centre est Marseille. C'est là qu'ils se réfugient quand on les persécute[46]. On peut apprécier leur nombre quand on pense qu'ils furent 500 à Clermont qui se convertirent[47]. Après le VIe siècle la situation reste la même. Au milieu du VIIe siècle, la *Vita Sancti Sulpicii*[48] les mentionne à Bourges.

Si le peuple ne les aime pas[49], ils ne sont pas inquiétés, tout d'abord, par les autorités. En 582 cependant, le roi, en Gaule, en fait convertir de force[50]. Héraclius aurait fait prier Dagobert de les faire baptiser[51]. Les uns acceptaient de se convertir[52], d'autres fuyaient à Marseille où on les laissait tranquilles. On leur reproche parfois un sacrilège[53]. A Bourges, dans la première moitié du VIIe siècle, saint Sulpice en fait baptiser un grand nombre[54]. A Clermont, l'évêque Avit en fait baptiser plusieurs, sans cependant recourir à la contrainte[55]. Chilpéric en fit aussi baptiser[56]; l'un d'eux, ayant refusé, fut emprisonné. Mais Grégoire le Grand, en 591, réprimande les laïques d'Arles et de Marseille qui font baptiser les Juifs de force[57]. De même, il blâme l'évêque de Terracine qui les a expulsés de leurs synagogues. Il faut, dit-il, les amener par la douceur[58]. Il ne veut même pas que l'évêque de Naples les empêche de travailler les jours de fête[59]. La seule restriction qu'il veuille leur imposer, c'est d'avoir des esclaves chrétiens[60]. Il demande à Brunehaut de promulguer une loi pour le leur interdire[61].

Des conciles, comme celui de Clermont, en 535, défendent qu'ils soient juges[62]. Beaucoup de stipulations de conciles mérovingiens interdisent les mariages entre Juifs et Chrétiens, la présence des Chrétiens aux banquets des Juifs, la possession par les Juifs de *mancipia Christiana*. Un édit de 614 leur défend d'intenter des actions publiques contre les Chrétiens[63].

En Espagne, après la conversion de Reccared, la législation contre eux devient sévère. Sisebut (612-621) force certains d'entre eux à se faire chrétiens, ce qui lui attire le blâme d'Isidore[64]. Chrutela (636-640) ordonne qu'il n'y ait plus que des catholiques dans le royaume. Reccesvinth (649-672) interdit la circoncision, le sabbat, les fêtes juives. Ervige (680-687) ordonne aux Juifs d'abjurer dans l'année sous peine de confiscation et d'exil. Egica (687-702) leur interdit le commerce avec l'étranger et avec les Chrétiens. Une révolte populaire éclate contre les Juifs; à la suite de celle-ci, tous sont déclarés esclaves des Chrétiens (696). Isidore de Séville a d'ailleurs composé contre eux un *contra Judaeos*[65]. Ils avaient offert de l'argent à Reccared qui le refusa[66]. Lors de la persécution de Sisebut, quantité de Juifs se réfugièrent en Gaule[67].

Certains Juifs étaient marins ou du moins propriétaires de bateaux[68]; d'autres possédaient des terres cultivées par des colons ou des *originarii*[69]; d'autres encore étaient médecins[70]. Mais l'immense majorité d'entre eux s'adonnaient au commerce et surtout au prêt à intérêt. Beaucoup étaient marchands d'esclaves, par exemple à Narbonne[71].

Il y en a qui font le commerce maritime[72]. Grégoire de Tours en cite plusieurs qui vendent des épices à Tours à trop haut prix avec la complicité de l'évêque[73]. A Paris, le juif Priscus, qui est *familiaris* du roi Chilpéric, est son fournisseur d'épices[74], à moins qu'il ne soit son banquier, car le mot *species* qu'utilise Grégoire de Tours, semble bien, dans certain passage, avoir le sens de numéraire[75]. Les *Gesta Dagoberti*[76] parlent d'un *negociator* Salomon qui est Juif. Mais beaucoup — sans doute la plupart — s'occupent de banque et un grand nombre parmi eux paraissent très riches.

A côté des Syriens et des Juifs, il y avait sans doute des Africains parmi les *transmarini negociatores* dont parlent Cassiodore et la loi des Wisigoths. Carthage était une grande ville, étape de la navigation vers l'Orient et c'est de là que venaient probablement les chameaux utilisés comme bêtes de somme en Gaule[77].

Si la navigation est surtout active en Méditerranée, elle est importante également à Bordeaux et à Nantes, d'où elle se dirige par l'Atlantique vers les îles Britanniques — avec lesquelles se fait un commerce d'esclaves saxons — et vers la Galice[78]. La navigation de la Belgique, si vivante sous les

Romains[79], a dû souffrir beaucoup de l'envahissement de l'Angleterre par les Anglo-Saxons. Mais elle subsiste. Tiel, Duurstede et Quentowic conservent un mouvement maritime qu'alimente peut-être la draperie flamande[80]. Mais ici, il semble que le commerce soit aux mains des gens du pays[81]. Sur la Méditerranée, la Gaule a plusieurs ports. A côté de Marseille, il y a Fos[82], Narbonne, Agde, Nice.

L'organisation romaine semble s'y être conservée. Le long des quais — *cataplus*[83] — semble se tenir une sorte de bourse. A Fos, par exemple, on y trouve un entrepôt du fisc. En Italie, nous savons que sous le règne de Théodoric, toutes sortes de fonctionnaires se préoccupaient de la régularisation du commerce[84]. De même en Espagne, il y a des *thelonearii* constitués spécialement pour les *transmarini negociatores*. Les commerciaires byzantins, introduits à Carthage après la reconquête[85], ont dû exercer sans doute quelque influence dans toute la mer Tyrrhénienne.

Toutes ces mentions prouvent que ce serait une erreur de vouloir considérer ce commerce, comme n'intéressant que les objets de luxe. Sans doute, l'archéologie ne nous a conservé que ceux-ci et le *Liber Judiciorum* wisigothique parle du *transmarinus negociator* qui apporte de l'or, de l'argent, des vêtements et toutes espèces d'objets de luxe[86]. Mais on pourrait encore citer ici bien des choses: les ivoires de provenance égyptienne représentés dans nos trésors[87], la tunique liturgique historiée de Saqqesara[88], les bourses de Phénicie[89], qui, d'après Grégoire, étaient d'usage courant chez les marchands et les voiles orientaux dont on ornait les autels[90]. Sans doute, le grand luxe était tout oriental et la mode de Constantinople donnait le ton comme aujourd'hui celle de Paris; on sait que le luxe était très grand chez les Mérovingiens[91]. Les textes abondent qui nous renseignent sur le port de la soie tant chez les hommes que chez les femmes[92]. Et cette soie d'où peut-elle donc venir, sinon d'Orient? Elle y était acheminée de la Chine jusqu'au moment où Justinien en établit la fabrication dans l'Empire.

Le luxe de la table était également approvisionné par l'Orient. Grégoire[93] parle des vins de Syrie exportés par le port de Gaza[94]. On en trouvait partout et en masse. Grégoire de Tours raconte qu'une veuve en apportait tous les jours un setier à Lyon sur la tombe de son mari[95] et signale, d'autre part, qu'à Tours, il en fait chercher à la boutique pour régaler un hôte[96]. On en trouvait donc dans le commerce courant. C'est peut-être de ce vin-là qu'il est question dans une lettre de Didier de Cahors annonçant à Paul, évêque de Verdun, qu'il lui envoie dix tonneaux de Falerne[97], ce qui indique, soit dit en passant, un fort trafic intérieur[98].

Il y avait encore d'autres boissons de luxe. En 597, Grégoire le Grand écrit à l'évêque d'Alexandrie à propos d'une boisson appelée *Cognidium*[99]; celle-ci est exportée par des marchands certainement établis à Alexandrie, comme il faut l'inférer du destinataire de la lettre.

Et il y avait, sans doute, aussi des produits d'alimentation importés d'Orient. En tout cas, les ascètes mangeaient durant le carême des herbes amères importées d'Égypte. Grégoire de Tours parle d'un ermite de la région de Nice qui ne se nourrissait que de racines qu'on lui apportait d'Alexandrie[100].

Ceci suppose déjà un commerce dont l'ampleur va au-delà de la simple importation de bijoux et de vêtements. Mais la grande affaire du commerce oriental et ce qui en faisait un commerce vraiment lié à la vie journalière, c'était l'importation des épices[101]. On ne peut trop insister sur leur importance. L'Empire romain en avait reçu de toutes sortes de l'Inde, de l'Arabie, de la Chine. Ce sont les épices qui avaient fait la prospérité de Palmyre et d'Apamée. Pline l'Ancien estime à au moins 100 millions de nos francs la somme que l'Empire versait annuellement, pour les acquérir, à l'Inde, l'Arabie et la Chine. Leur diffusion dans l'Empire romain ne fut pas interrompue par les invasions. Elles continuent, après comme avant, à faire partie de l'alimentation courante[102].

On peut déjà s'en rendre compte par le traité d'Anthime, médecin grec banni de Byzance en 478, et qui fut envoyé par Théodoric comme ambassadeur auprès de Thierry Ier, roi d'Austrasie (511-534)[103].

Un diplôme, donné à l'abbaye de Corbie le 29 avril 716 par Chilpéric II, jette sur ce commerce une éclatante lumière[104]. Cet acte confirme des documents analogues délivrés à Corbie par Clotaire III (657-673) et Childéric II (673-675). Le souverain donne à cette église l'autorisation de prélever des marchandises au *cellarium fisci* de Fos. Et j'y lis l'énumération suivante:

10 000 livres d'huile;
30 muids de *garum* (sorte de condiment)[105];
30 livres de poivre;
150 livres de cumin;
2 livres de girofle;
1 livre de cannelle;
2 livres de nard;
30 livres de *costum* (plante aromatique)[106];
50 livres de dattes;
100 livres de figurs;
100 livres d'amandes;
30 livres de pistaches;
100 livres d'olives;
50 livres de *hidrio* (sorte d'aromate)[107];
150 livres de pois chiches;
20 livres de riz;
10 livres d'*auro pimento*;
10 peaux *seoda* (peaux huilées?)[108];
10 peaux de Cordoue;
50 mains de papyrus.

Sans doute toutes ces marchandises, l'huile par exemple, ne constituent pas des épices venant d'Orient. Mais c'en sont pour la plupart. Et l'acte nous permet de tirer diverses conclusions. D'abord que le cellier du fisc était toujours abondamment fourni de ces épices, puisque la permission accordée aux moines ne spécifie pas d'époque: ils viennent quand ils veulent. Puis on croira difficilement que nous ayons affaire ici à une libéralité accordée au seul monastère de Corbie. Mais quand bien même il en serait ainsi, il faut en déduire que les épices étaient d'un emploi tellement répandu que la cuisine même des moines ne pouvait s'en passer.

Cela est tellement vrai que le roi prévoit l'emploi par les *missi* du monastère, à Fos, d'une livre de *garum*, d'une once de poivre, et de deux onces de cumin. Ainsi, même de pauvres diables ne pouvaient pas plus se passer de poivre que de sel.

Ces prestations aux *missi* devaient se faire à toutes les étapes ou, si l'on veut, dans tous les relais de poste à l'aller et au retour, ce qui revient à dire qu'on en trouvait partout.

On peut faire une constatation analogue en lisant la *tractoria* que Marculf nous a conservée[109]. On y retrouve à peu près les mêmes épices que dans l'acte pour Corbie. Je sais bien que Krusch[110] a prétendu que la formule de Marculf est tout simplement copiée sur le diplôme pour Corbie. Il s'amuse en disant que les fonctionnaires royaux n'ont pas mangé tout cela et il a sans doute raison[111]. Mais il est impossible d'admettre, d'autre part, que Marculf ait pu introduire l'énumération de toutes ces épices dans sa formule, si lesdites épices étaient rares. Pour lui, tout cela devait être d'usage courant et cela est d'autant plus significatif qu'il écrit dans le Nord. D'ailleurs, est-il exact que Marculf n'ait fait que copier le diplôme de Corbie[112]? On observa qu'il ajoute des animaux comestibles à la liste qui figure dans l'acte de Corbie. Et s'il avait tout simplement copié cette pièce, pourquoi aurait-il omis la mention relative au papyrus[113].

En tout cas, le diplôme de Corbie et ce que l'on peut en conclure, suffisent pour souligner l'importance essentielle du trafic des épices à l'époque mérovingienne. Et il n'y a pas de doute que ce qui est vrai de la Gaule l'est aussi des autres côtes de la mer Tyrrhénienne.

Un autre article de grande consommation venant de l'Orient est le papyrus[114]. L'Égypte a le monopole de fournir dans tout l'Empire le matériel courant de l'écriture, le parchemin étant réservé aux écrits de luxe. Or, après les invasions comme avant elles, la pratique de l'écriture s'est conservée dans tout l'Occident. Elle fait partie de la vie sociale. Toute la vie juridique, toute la vie administrative, je veux dire le fonctionnement de l'État, la suppose, ainsi que les relations sociales. Les marchands ont des commis, des *mercenarii litterati.* Il faut des masses de papyrus pour la tenue des registres du fisc, pour les notaires des tribunaux, pour les correspondances privées, pour les monastères. Celui de Corbie — on l'a vu — consomme par an, cinquante mains (*tomi*) de papyrus prélevé au *cellarium fisci* de Fos. Manifestement, c'est par chargements entiers que cette denrée se déverse sur les quais des ports.

L'apostrophe de Grégoire à son collègue de Nantes, dont les injures ne pourraient être inscrites sur tout le papyrus qu'on débarque au port de Marseille[115], est une preuve frappante de l'abondance des arrivages. D'ailleurs, on employait encore le papyrus pour la confection de mèches de chandelles et aussi, semble-t-il, pour en garnir les parois des lanternes après l'avoir huilé[116]; le fait qu'on pouvait s'en approvisionner aux boutiques de Cambrai atteste qu'il s'en trouvait dans tout le pays[117]. C'était donc un objet de grande consommation et la matière par conséquent d'un commerce en gros, rayonnant d'Alexandrie sur toute la Méditerranée. On sait que nous en avons encore la preuve matérielle dans les beaux diplômes royaux conservés aux Archives nationales de Paris[118] et dans quelques fragments de chartes privées; débris des innombrables *scrinia* dans lesquels les particuliers conservaient leurs papiers d'affaires et leur correspondance comme les villes gardaient les actes insérés aux *gesta municipalia.*

La fragilité du papyrus dans les climats du Nord explique facilement qu'il en reste si peu; ce qui ne doit pas nous faire illusion sur la quantité qui fut jadis en usage. Et le nombre de renseignements que, grâce à Grégoire de Tours, nous possédons sur la Gaule, ne doit pas nous faire oublier la consommation certainement plus importante qui s'en faisait en Italie et en Espagne, et que devait donc alimenter une importation singulièrement active.

Une autre denrée figurait aussi très largement dans le commerce du temps. C'était l'huile. Elle était de besoin courant pour l'alimentation tout d'abord, car il semble bien que dans la Gaule méridionale la cuisine se faisait surtout à l'huile, comme en Espagne et en Italie. Les oliviers indigènes ne suffisaient pas à la consommation. Il fallait s'adresser au-dehors. Il le fallait d'autant plus que le luminaire des églises à cette époque, et sans doute justement à cause de l'abondance de l'huile, exigeait, non pas de la cire comme plus tard, mais de l'huile. Or, l'Afrique en était le grand producteur dans l'Empire et devait le rester jusqu'à la conquête musulmane. On l'expédiait d'Afrique dans des *orcae.* Théodoric, entre 509 et 511, écrit à l'évêque de Salone[119] pour lui recommander le marchand Johannes qui a fourni à cet évêque *sexaginta orcas olei ad implenda luminaria* et qui demande à être payé. Et la suite de la lettre montre que ce n'était là qu'une *parvitas*, c'est-à-dire une bagatelle. Grégoire de Tours donne des renseignements sur le commerce de l'huile à Marseille[120]; il parle d'un marchand à qui on a volé sur le quai 70 *orcae* d'huile[121]. Un diplôme de Clovis III de 692, renouvelé en 716, mais qui remonte à Dagobert Ier († 639), donne au monastère de Saint-Denis une rente annuelle de 100 sous, avec laquelle les *actores regii* achèteront de l'huile au *cellarium fisci*, suivant l'*ordo cataboli*[122]. Une formule de Marculf cite Marseille comme le port où on a coutume d'acheter l'approvisionnement des *luminaria*[123].

Cette huile remontait donc jusque dans le Nord. Le texte de Corbie de 716, relatif aux 10 000 livres d'huile, établit la même chose. Or, on ne peut penser qu'il s'agit ici de l'huile de Provence, puisqu'elle se trouve entreposée dans le *cellarium fisci*[124]. Un texte qui parle d'exportation d'huile par Bordeaux permet de croire que cette huile était expédiée de Marseille[125].

Tout ceci atteste d'actives relations avec l'Afrique. Mais le fait, très curieux, que des chameaux sont employés comme animaux de transports en Espagne et en Gaule, jette aussi sur ces rapports une vive lumière. Car ces chameaux ne peuvent venir que d'Afrique, où Rome les a introduits au IIe siècle. Évidemment, ils se seront répandus de ce côté-ci de la mer avant les invasions. Grégoire de Tours[126] mentionne les chameaux et les chevaux chargés *cum ingenti pondere auri atque argenti* et abandonnés par l'armée de Gondevald pendant sa retraite. De même, Brunehaut avant son supplice est, devant l'armée, promenée sur un chameau[127]. Ce qui prouve, semble-t-il, par comparaison avec le texte précédent, que les armées transportaient leurs bagages sur des chameaux. La *Vita Sancti Eligii*[128] parle d'un chameau qui accompagne l'évêque en voyage. En Espagne, le roi Wamba fait amener à Tolède le rebelle Paulus *abrasis barbis pedibusque nudatis, sub squalentibus veste vel habitu induti, camelorum vehiculis imponuntur*[129].

De tout cela résulte jusqu'à l'évidence l'existence d'un mouvement très actif de navigation sur la mer Tyrrhénienne, avec l'Orient et avec les côtes d'Afrique. Carthage semble avoir été l'étape de relâche pour l'Orient. Il se faisait aussi une navigation de cabotage le long des côtes d'Italie, de la Provence et d'Espagne. Les gens du Nord allant à Rome s'embarquaient à Marseille pour Porto, à l'embouchure du Tibre[130]. Les voyageurs pour Constantinople allaient par mer. La route de terre par le Danube, encombrée de Barbares, n'était pas fréquentée[131]. On pouvait aussi aller par Ravenne et Bari. Peut-être y avait-il une navigation régulière entre Marseille et l'Espagne, analogue à celle de nos cargos. On peut le conclure de l'expression *negotio solito* utilisée par Grégoire de Tours[132]. Je crois qu'on peut dire que la navigation est restée au moins aussi active que sous l'Empire. Après Genséric, on n'entend plus parler de piraterie. Et de toute évidence, le commerce auquel on s'adonne est le grand commerce de gros. Il est impossible d'en douter si l'on tient compte du genre de ses importations, de sa régularité et de la fortune à laquelle arrivent les marchands.

Le seul port que nous connaissions bien, Marseille, nous donne tout à fait l'impression d'un grand port. C'est une ville cosmopolite. Son importance se déduit du désir que montrent les rois de posséder la ville lors des partages du royaume[133]. On y trouve des Juifs et des Syriens en quantité, sans compter des Grecs et bien sûrement aussi des Goths. Les *Annales Petaviani*[134] nous parlent d'un *negociator* anglo-saxon, Botto, qui, son fils étant mort en 790, doit y avoir été établi au commencement du VIIIe siècle, c'est-à-dire à une époque où la décadence commence. La ville devait être très peuplée et avoir encore conservé de ces grandes maisons à étages comme celles dont les ruines subsistent à Ostie. Grégoire de Tours[135] parle de huit personnes qui meurent dans une seule maison, ce qui permet sans doute de croire à une sorte de caserne de louage. On arrivera encore à la même conclusion, si l'on remarque la fréquence des épidémies dans cette ville maritime sous l'évêque Théodore (c. 566-c. 591). Un navire venant d'Espagne y amène une épidémie qui dure deux mois[136]. Elle se répand dans l'arrière-pays jusqu'aux environs de Lyon[137]. D'autres épidémies sont fréquemment citées[138] en Provence, à Narbonne. En 598-599, Frédégaire décrit une épidémie qui fait penser à la peste noire[139].

III. Le commerce intérieur

Il est naturellement impossible d'admettre que les marchands orientaux, Juifs et autres, se bornaient à importer dans le bassin de la mer Tyrrhénienne sans en rien exporter. Leurs bateaux emportaient évidemment du fret de retour. Le principal doit avoir consisté en esclaves. On sait que l'esclavage domestique et rural est encore extrêmement répandu après le Ve siècle. Je serais même tenté, pour ma part, de croire que les invasions germaniques lui ont donné un regain de prospérité. Les Germains le connaissaient comme les Romains et auront amené avec eux pas mal d'esclaves. Leurs guerres contre les Barbares d'outre-Rhin et contre les Lombards y auront encore contribué.

D'autre part, si l'Église en admettant l'esclave aux Sacrements et en lui reconnaissant le droit, ou pour mieux dire l'obligation de se marier, a relevé sa condition, elle n'a cependant pas, en principe, condamné ni attaqué l'institution servile[140]. Les *mancipia* se rencontraient donc partout, non seulement dans les grands domaines, mais au service de tous les particuliers de quelque fortune. On avait beau en affranchir, il en restait toujours, et leur nombre s'alimentait par des arrivages continuels[141].

La grande source en était les peuples barbares. C'était certainement un marchand d'esclaves que ce Samo, dont Frédégaire[142] rapporte qu'il arrive chez les Wendes à la tête d'une troupe de marchands aventuriers en 623-624. Ces marchands allaient là comme les Varègues du IXe siècle en Russie, pour razzier des esclaves et sans doute aussi pour ramener des fourrures. Les Wendes étant païens pouvaient être achetés et vendus sans scrupules, car les conciles ne mettaient d'obstacles qu'à la vente des esclaves chrétiens hors du royaume, ce qui prouve justement qu'il se vendait des esclaves à l'étranger[143].

Samo n'était d'ailleurs pas seul de son espèce puisque, devenu roi des Wendes, il fit massacrer des marchands francs, ce qui provoqua la guerre entre lui et Dagobert. Son accession à la royauté rend frappante l'assimilation entre lui et les Varègues. On peut, d'autre part, supposer qu'il vendait lui-même aux Barbares des armes, ainsi que le faisaient les marchands interlopes de la frontière contre lesquels les capitulaires ont tant légiféré. Au reste, bien que Frédégaire appelle Samo *negucians*, ainsi que ses compagnons *neguttiantes*, on ne peut voir en lui un marchand de profession, mais bien un aventurier.

On vendait aussi en Gaule des esclaves maures; d'autres étaient thuringiens, d'autres encore provenaient d'Angleterre[144].

Il y avait quantité d'esclaves anglais sur le marché de Marseille où, en 595, Grégoire le Grand en fait acheter pour être envoyés à Rome aux fins de conversion[145]. Probablement étaient-ce des prisonniers faits pendant les guerres des Bretons avec les Saxons et que la navigation transportait en Gaule. Peut-être était-ce de ces gens-là que saint Amand († 674-675) rachetait dans le pays de Gand[146]. Sans doute étaient-ce aussi des gens du Nord que ces esclaves conduits par un marchand dans les environs de Cambrai, dont nous parle la *Vita Gaugerici*[147].

On trouvait partout à acheter des esclaves. Grégoire de Tours[148] parle d'esclaves saxons appartenant à un marchand de l'Orléanais.

Frédégaire raconte[149] que Bilichildis, qui devint la femme de Theudebert, avait été achetée à des *negociatores* par Brunehaut, sans doute à cause de sa beauté.

Les tonlieux d'Arras et de Tournai révèlent également le passage des esclaves pour lesquels les marchands doivent acquitter des droits[150].

Tous ces esclaves, razziés[151] par les émules de Samo ou apportés en Bretagne, étaient dirigés vers les ports de la Méditerranée[152]. On les trouve mis en vente à Narbonne[153]. On les rencontre à Naples[154] d'où ils venaient sans doute de Marseille qui en était le grand marché[155].

Quantité de marchands s'occupaient de ce commerce d'esclaves[156]. Il semble qu'ils aient été surtout des Juifs. Le Concile de Mâcon, en 583, permet aux Chrétiens de racheter aux Juifs leurs esclaves pour 12 sous, soit pour leur donner la liberté, soit pour les prendre à leur service. On cite des marchands juifs d'esclaves à Narbonne[157] et à Naples[158].

Nous pouvons conclure de tout ceci qu'un important commerce d'esclaves existait sur le côtes de la mer Tyrhénienne; et il ne paraît pas douteux que les bateaux qui amenaient les épices, la soie, le papyrus, les exportaient comme fret de retour vers l'Orient.

La Gaule d'ailleurs semble avoir livré à l'Orient, outre des esclaves, des vêtements, des tissus, du bois de construction, peut-être aussi de la garance: Grégoire le Grand achète des vêtements à Marseille et à Arles, et fait expédier à Alexandrie des bois achetés en Gaule[159].

En tout cas, la grande circulation de l'or nous force à admettre une exportation importante.

A côté de ce commerce international auquel les étrangers ont pris une part prépondérante, sinon exclusive, le commerce intérieur jouait un rôle important dans la vie économique de l'Occident. Ici, le spectacle change. Évidemment, nous venons de le voir, les Juifs s'y distinguaient et il en était certainement de même des Syriens établis dans le pays et que l'on a signalés plus haut. Mais à côté d'eux, les indigènes occupaient une place considérable. Il est évident que l'on rencontrait parmi eux non seulement des boutiquiers, mais aussi des marchands de profession[160].

L'anecdote que Grégoire de Tours rapporte sur les marchands de Verdun[161] est caractéristique à cet égard: la misère accablant la ville sous l'évêque Desideratus (première moitié du VIe siècle), celui-ci emprunte 7 000 *aurei* au roi Théodebert et les distribue aux *cives* «*at illi negotia exercentes divites per hoc effecti sunt et usque hodie magni habentur*». Cela prouve sans doute un commerce très vivant[162]. Et il est remarquable que l'évêque parle au roi de relever le commerce de sa cité *sicut reliquae habent*; il faut conclure de là que l'activité commerciale est propre à toutes les villes[163].

Grégoire de Tours[164] relate, entre autres, un fait divers qui jette un jour très vif sur la vie commerciale de l'époque: «Pendant une disette, le marchand Christoforus de Tours a appris qu'un grand stock de vin venait d'arriver à Orléans. Il part aussitôt, bien muni d'argent par son beau-père, sans doute marchand lui aussi, achète le vin et le fait charger sur des barques. Puis il se dispose à rentrer chez lui à cheval, mais il est tué en route par deux esclaves saxons qui l'accompagnent.» Voilà un exemple de spéculation mercantile qui n'a rien de moyenâgeux. Ce Christoforus est évidemment un grand marchand, je veux dire un marchand de gros qui veut faire un beau coup en nettoyant le marché à son profit. Et remarquez qu'il est seul. Rien dans ce commerce ne rappelle les gildes ou les bourses; c'est du commerce individualiste à la romaine[165]. Et Grégoire de Tours signale que d'autres marchands se livraient aux mêmes spéculations[166].

La fraude était aussi de bon rapport. Le même Grégoire de Tours[167] raconte l'histoire d'un marchand qui, avec un *trians*, gagne 100 *solidi* en falsifiant son vin. Il s'agit sans doute ici d'un détaillant.

Qu'il y ait eu aussi en Italie des marchands de profession, cela n'est pas douteux; on n'en veut pour preuve que les mentions des marchands lombards qui servent à l'armée. Ils forment donc bien une classe sociale indépendante, vivant de vente et d'achat. La preuve qu'ils sont très nombreux, c'est que leur service militaire est réglementé à part[168].

Il n'est pas douteux que le commerce ait procuré de grands bénéfices. Il semble que le butin fait en Poitou sur des marchands pillés par les fils de Wado ait été très considérable[169].

Mais nous avons des preuves plus certaines. L'épitaphe d'un marchand de Lyon dit qu'il était «la consolation des affligés et le refuge des pauvres»; il devait donc être fort riche[170].

En 626, le marchand Jean lègue des propriétés à l'abbaye de Saint-Denis et à diverses églises du diocèse de Paris[171]. Comme le roi confirme cette donation, c'est qu'il s'agit de biens importants. Fortunat écrit une épitaphe pour le marchand Julianus, connu pour ses larges aumônes[172]. En 651, Léodebode, abbé de Saint-Aignan à Orléans, lègue à l'abbaye de Saint-Pierre à Fleury-sur-Loire des propriétés urbaines qu'il a jadis achetées à un marchand; celui-ci était donc propriétaire de maisons sises en ville[173].

Le *Rodulfus negotiens*, dont le nom est inscrit sur une livre romaine est certainement un marchand mérovingien[174]. Grégoire de Tours parle encore d'un marchand de Comminges, dans lequel je serais tenté de voir un propriétaire de boutiques[175].

Nous connaissons aussi un marchand de Poitiers qui va à Trèves et à Metz[176], où il rencontre un autre marchand qui achète et vend du sel et navigue sur la Moselle.

En voilà assez pour que l'on puisse affirmer comme non douteuse, certainement jusqu'à la fin du VIIe siècle, la présence de nombreux marchands indigènes à côté de Juifs et de marchands orientaux; parmi eux, il y en avait certainement de très riches; il faudra attendre longtemps pour en retrouver d'aussi importants.

Le commerce, tel qu'il existait dans l'Empire avant les invasions, s'est donc certainement maintenu après elles.

Où se faisait le commerce? Évidemment dans les villes. D'après tous les renseignements que nous avons, c'est là qu'habitent les *negociatores*. Ils y sont installés à l'intérieur de l'enceinte, dans l'*oppidum civitatis*[177].

Les villes avaient à la fois un aspect ecclésiastique et commercial. On y trouvait, même dans des villes du Nord comme Meaux, des rues à arcades qui se prolongeaient parfois jusque dans le faubourg[178]. Ces maisons à arcades devaient donner, même dans le Nord, un aspect italien aux villes. Elles servaient sans doute à abriter les boutiques qui étaient généralement groupées; c'était notamment, aux dires de Grégoire de Tours, le cas à Paris[179].

Dans ces villes, à côté des commerçants, vivaient des artisans sur lesquels on est très mal renseigné. Saint Césaire en mentionne à Arles, au VIe siècle[180]. L'industrie du verre paraît avoir été importante: les tombes mérovingiennes contiennent nombre d'objets en verre.

Le *curator civitatis* et le *defensor civitatis* avaient la police des marchés et des denrées[181]. A Ravenne semblent s'être conservés quelques restes des collèges d'artisans de l'Antiquité.

Est-il possible d'établir l'importance des villes après les invasions? Nous n'avons, à ce sujet, que des renseignements sporadiques. En Gaule, les enceintes des villes étaient fort peu développées. Vercauteren[182] évalue leur population à 6 000 âmes et souvent à beaucoup moins.

La population devait cependant être bien resserrée et

peut-être les grandes maisons, comme à Marseille, n'étaient-elles pas rares[183]; il y avait, à Paris, des maisons construites sur les ponts[184].

Les villes du sud sont plus considérables. A Fréjus, d'après les ruines, on voit que la ville antique devait être cinq fois plus grande que la ville actuelle. Nîmes couvrait un espace de 320 hectares environ[185]. L'enceinte romaine de Toulouse aurait eu un périmètre de 3 kilomètres[186]. Et Hartmann admet encore pour Milan, à l'époque de Théodoric, 30 000 habitants[187].

Certes, les villes avaient souffert des invasions. Des ponts avaient croulé et avaient été remplacés par des ponts de bateaux. Mais les villes subsistaient encore toutes. Les évêques d'ailleurs les avaient restaurées. Et il n'est pas douteux que, de même qu'elles étaient les centres de l'administration religieuse et civile, elles étaient aussi des centres permanents de commerce. A ce point de vue encore, l'économie antique continue. On ne trouve rien qui ressemble aux grandes foires régulatrices du Moyen Age comme celles de Champagne.

Cependant il y a des foires, mais ce sont sans doute des foires locales[188]. Dans le Nord, de nouvelles foires se créent: celle de Saint-Denis est citée pour la première fois en 709[189]. Mais ces foires n'ont qu'un rôle secondaire. D'après L. de Valdeavellano[190], on n'en rencontre pas en Espagne. Et en tout cas, on ne trouve nulle part ces petits marchés qui abonderont à la période carolingienne. Il ne faut pas voir là une preuve de faiblesse commerciale. Au contraire. Les marchés ne sont pas un élément essentiel dans les villes où il y a des marchands de profession, et qui sont des places de commerce permanentes. C'est quand le commerce aura disparu que seront organisés tous ces petits centres économiques de ravitaillement, avec leur aire restreinte et que ne fréquentent que des marchands occasionnels. On a au contraire l'impression, en lisant Grégoire de Tours, qu'on se trouve à une époque de commerce urbain. Les *conventus* des marchands se font dans les villes[191]. On n'en trouve point à la campagne. C'est certainement une erreur, comme Waitz[192] l'a déjà fait remarquer, de considérer comme des lieux de marché les innombrables endroits inscrits sur les monnaies mérovingiennes par les *monetarii*. Ce qu'on trouve à la période mérovingienne comme dans l'Antiquité, ce sont des *portus*, c'est-à-dire des étapes et des débarcadères, mais non des marchés. Le roi prélève des tonlieux dans les villes, dans les *portus*[193]. Ce sont les anciens tonlieux romains, conservés aux mêmes endroits[194]. Certes, on constate déjà des abus. Des comtes cherchent à établir de nouveaux tonlieux à leur profit, ce qui amène Clotaire II, en 614, à intervenir en ordonnant que les tonlieux subsistent tels qu'ils étaient sous son prédécesseur[195].

Théodoric écrit de même à ses agents en Espagne, afin d'empêcher les fraudes du tonlieu au détriment des *transmarini*[196].

Le tonlieu comprend toutes sortes de taxes: *portaticum, rotaticum, pulveraticum*, etc. Le caractère du tonlieu est nettement fiscal et non économique. Il semble avoir été levé exclusivement en argent[197]. Le roi peut le relaxer pour des abbayes, mais, sauf à la période de décadence, il n'en fait pas cession. Le tonlieu est un impôt au profit du roi. Il rapporte gros d'ailleurs. La preuve en est fournie par l'importance des rentes constituées par le roi sur le *cellarium fisci* au profit de certaines abbayes notamment.

La perception en était encore possible parce que le roi disposait d'agents sachant lire et écrire, les *telonearii*. Sans doute prenaient-ils le tonlieu à ferme et c'est probablement pour cela que les Juifs, malgré la réprobation des conciles, en recevaient la perception[198].

Dans les grands ports, il y avait des entrepôts[199] et des fonctionnaires attachés aux ports, comme nous l'apprend la législation de Théodoric.

Quant à la poste, elle subsiste dans tout le bassin de la mer Tyrrhénienne.

La circulation se fait par les routes romaines. Des ponts de bateaux remplacent les anciens ponts romains en ruines. L'autorité veille à ce que les rives des cours d'eau soient laissées libres sur un espace d'au moins une *pertica legalis* sur chaque bord, pour permettre le halage des chalands.

IV. La monnaie et la circulation monétaire.

Le sou d'or romain, réajusté par Constantin, était l'unité monétaire dans tout l'Empire au moment des invasions[200]. Ce système monétaire, que les Barbares connaissaient depuis longtemps grâce aux subsides que l'Empire leur avait versés, ils se gardèrent bien d'y toucher.

Dans aucun des pays occupés par eux, on n'observe, au début, le moindre changement dans la circulation monétaire. Bien plus même, c'est à l'effigie des empereurs que les rois germaniques frappent monnaie[201].

Il n'est rien qui atteste mieux la persistance de l'unité économique de l'Empire. Il était impossible de lui enlever le bienfait de l'unité monétaire. Jusqu'au cataclysme contemporain des Carolingiens, l'Orient grec comme l'Occident conquis par les Germains communièrent dans le monométallisme or qui avait été celui de l'Empire. Les navigateurs syriens en débarquant dans les ports de la mer Tyrrhénienne y retrouvaient les monnaies auxquelles ils étaient accoutumés dans la mer Égée. Bien plus même, les espèces monétaires des nouveaux royaumes barbares adoptèrent les changements introduits dans la monnaie byzantine[202].

Naturellement, il y a des monnaies d'argent et de bronze, mais on ne peut y voir avec Dopsch[203] la preuve de l'introduction du bimétallisme. L'or seul est la monnaie officielle. Le système monétaire des Barbares est celui de Rome. Le système carolingien, qui sera le monométallisme argent, est celui du Moyen Age.

Il n'y a d'exception que chez les Anglo-Saxons où le métal argent joue le rôle principal. On a pourtant frappé quelques monnaies d'or dans les parties méridionales de l'île, c'est-à-dire dans celles qui sont en rapports commerciaux avec la Gaule, et il semble bien que ces monnaies soient l'œuvre de monétaires mérovingiens[204].

Dans le royaume de Mercie, par exemple, plus éloigné, on n'a trouvé que des monnaies d'argent dont certaines avec des légendes runiques[205].

Les rois mérovingiens ont frappé des monnaies pseudo-impériales, dont la série se clôt avec le règne d'Héraclius (610-641), le premier empereur qui ait eu maille à partir avec les Arabes[206].

Elles se distinguent, en général, au premier coup d'œil du

monnayage impérial. En revanche, elles se ressemblent fort entre elles. On ne peut souvent dire si elles ont été frappées par les Wisigoths, les Burgondes ou les Francs[207]. C'est la nécessité économique qui fit conserver la monnaie romaine par les Barbares[208]. Ce qui le prouve, c'est que l'imitation des espèces romaines continua à Marseille et dans les régions voisines plus longtemps qu'ailleurs[209]. Il est rare de trouver le nom des rois francs sur les monnaies. On le rencontre pour la première fois, au grand scandale de Procope, lors de la guerre de Théodebert Ier en Italie contre Justinien, en 539-540. Elles portent même le mot «Victor», qui est d'un usage exceptionnel dans la numismatique romaine[210]. Ces monnaies, étant beaucoup plus belles que toutes les autres monnaies franques, Prou[211] suppose que Théodebert les a fait frapper pendant son expédition d'Italie, ou plutôt qu'elles l'ont été dans les régions qu'il y a conservées pendant quelque temps après cette expédition. C'est seulement à partir de Clotaire II (584-629/630) que le nom royal se substitue au nom de l'empereur dans les ateliers de Marseille, Viviers, Valence, Arles et Uzès. La formule *Victoria Augustorum* y est remplacée par *Victoria Chlotarii*[212].

En Gaule, sous Justin II (565-578), les monétaires, en Provence d'abord, adoptèrent pour le sou d'or le poids de 21 siliques au lieu de 24. Ce sont peut-être là les *solidi Gallicani* dont une lettre de Grégoire le Grand semble bien dire qu'ils n'ont pas cours en Italie[213].

Le monnayage or des Barbares est surtout abondant chez les Francs et les Wisigoths. Pour les Vandales, on n'a pas de monnaies or; pour les Ostrogoths, on n'en a guère que de Théodoric. Il faut sans doute expliquer cela par la grande diffusion des monnaies d'or romaines qui devait exister chez eux. Car, du moins pour les Vandales, on sait que leur pays a été fort riche.

Le monnayage a conservé naturellement son caractère royal, mais l'organisation des ateliers monétaires est, si l'on peut dire, décentralisée. Les rois wisigoths ouvrirent des ateliers monétaires dans différentes villes[214].

Chez les Francs, il y a un atelier au palais et dans diverses cités. Mais il existe aussi des monnaies frappées par les églises et par une infinité de *monetarii*. Sans doute, cette diversité de monnaies est-elle née du mode de perception de l'impôt.

Il «était commode d'autoriser le collecteur d'un impôt particulier, le fermier d'une saline, le régisseur d'un domaine royal, l'économe d'un monastère, etc., à recevoir au besoin en paiement, des prestations en nature, des monnaies étrangères ou anciennes, des métaux au poids, et à rendre le montant de ses recettes ou de ses fermages en espèces monnayées sur place et portant avec elles une signature qui servait de garantie à leur titre et à leur valeur, et un nom de lieu qui en rappelait l'origine»[215].

Luschin[216] croit discerner, dans ce monnayage de l'or fourni par l'impôt, un usage romain. Pour lui, les monétaires ne sont pas de petites gens, mais les fermiers de l'impôt.

Il faut supposer avec Luschin qu'un contrôle était exercé sur la frappe de ces monnaies, car il n'est pas résulté de cette diversité le désordre des monnaies féodales qu'a connu le Moyen Age.

Pour Prou[217], les monétaires sont des ouvriers échappés des anciens ateliers impériaux, qui se sont mis à travailler pour le public.

On lit sur quelques monnaies frappées par les monétaires les mots *ratio fisci* ou *ratio domini*[218], ce qui paraît bien indiquer que la monnaie a été frappée sous le contrôle du fisc. Le fait que les monétaires frappent non seulement dans un grand nombre de cités, mais dans des *vici, castra, villae*, semble d'autre part confirmer l'hypothèse que ces monnaies ont été frappées à l'occasion de la perception de l'impôt. Il est impossible de croire, avec Prou[219], qu'il y ait eu dans tous ces endroits autant d'ateliers monétaires. Or, il reconnaît lui-même que les monétaires n'étaient pas des fonctionnaires publics[220]. Très rares depuis Pépin, ils disparaissent définitivement en 781[221], c'est-à-dire à l'époque où s'efface également l'impôt romain.

Il n'y a pas de concession de la frappe de la monnaie à l'époque mérovingienne[222]. D'après Mgr Lesne, les Églises auraient frappé monnaie tout simplement pour mobiliser leurs ressources. «Le monnayage ecclésiastique, écrit-il, paraît être l'exercice moins d'un droit régalien que de la faculté laissée au clergé et aux moines de transformer leur épargne en valeurs d'échange et en espèces liquides»[223].

Ces frappes constantes et ce que nous savons d'autre part de la richesse en or des rois[224], de l'Église et des particuliers[225], prouvent qu'il y avait un stock d'or vraiment considérable en Occident. Et pourtant on n'y dispose pas de mines d'or, et il faut compter pour bien peu de chose ce qu'on pouvait tirer des sables aurifères. Comment pourrait-on parler d'«économie naturelle» en présence de ces trésors considérables et si mobiles?

Que de faits caractéristiques à cet égard[226]! L'évêque Baudouin de Tours distribue 20 000 sous d'or aux pauvres. L'or abonde dans les vêtements, il abonde aussi chez les particuliers, comme le prouvent les confiscations continuelles du roi[227].

Le Trésor royal, alimenté en outre par l'impôt, l'est aussi par les subsides considérables des empereurs qui lui envoient jusqu'à des 50 000 sous d'or. C'est une formidable pompe aspirante. Mais c'est aussi une pompe foulante, car l'or du roi ne stagne pas dans ses coffres. Il sert à constituer d'opulentes rentes, des dots à ses filles, des dons à ses fidèles, de larges aumônes aux pauvres; il sert aussi à consentir des prêts à intérêt comme celui que le roi consent à l'évêque de Verdun, à assigner des rentes, comme nous le faisons par chèque sur un compte courant, au profit d'ecclésiastiques nécessiteux, à fournir d'argent saint Amand qui va évangéliser les Francs, à acheter, comme le fait Brunehaut, la paix à des Barbares[228], à couvrir d'argent, comme le fit Dagobert, l'abside de Saint-Denis, à acheter des *missoria* à Constantinople, à payer les frais de la chancellerie, de la *scola* et que sais-je encore? Je veux bien qu'une partie de toutes ces immenses ressources ait été produite par le butin de guerre conquis sur les Germains et les Slaves, par les subsides byzantins, par des tributs payés par les Goths après Théodoric et plus tard par les Lombards[229], mais tout cela ne suffit pas encore à expliquer leur abondance. Je ne vois que le commerce qui ait pu continuellement amener autant d'or en Occident. Il faut donc le considérer comme bien plus important qu'on ne l'a fait jusqu'à présent, et surtout se refuser à admettre qu'il se soit borné à une importation contre argent comptant.

On a voulu expliquer le trésor d'or des rois comme une accumulation entre leurs mains de tout l'or du pays. Prou[230], pour défendre cette thèse, invoque une loi des empereurs Gratien, Valentinien et Théodose défendant de payer les Barbares en or. Mais il est visible que cette loi ne pouvait être appliquée chez les Barbares qui étaient indépendants de l'empereur. D'après Luschin, le stock d'or des rois barbares aurait consisté en monnaies romaines et en orfèvreries. S'il en avait été ainsi, il est certain que la réserve d'or de la Gaule n'aurait pu se maintenir de Clovis à Charles Martel au moins, c'est-à-dire pendant deux siècles et demi[231]. Il a dû y avoir des arrivages d'or. Comment? Par le commerce.

Les rois barbares ont d'ailleurs importé de l'or. La loi wisigothique le prouve[232]. Grégoire de Tours montre le roi en achetant à Constantinople[233] et raconte l'histoire d'un naufrage devant Agde, qui établit aussi le transport de l'or par mer. La vente du blé, d'autre part, amène certainement de l'or dans le pays[234]. Le passage de l'or, comme celui des esclaves, est signalé dans les tarifs de tonlieux[235].

Nous avons cité déjà ce texte montrant le pape Grégoire le Grand ordonnant au prêtre Candidus d'acheter en Provence des vêtements et des esclaves anglo-saxons avec des pièces d'or gauloises qui n'ont pas cours à Rome et qu'il lui a remises.

Sans doute, nous possédons peu de textes, mais si les historiens avaient dû s'en tenir aux seules sources littéraires du Moyen Age, comment auraient-ils pu connaître le grand développement de son commerce? Il ne leur apparaît que par les sources d'archives. Or, pour la période mérovingienne, à part quelques diplômes royaux et un très petit nombre de chartes privées, toutes les archives ont disparu. On doit donc raisonner par analogie.

La présence de ce grand stock d'or doit pouvoir s'expliquer. S'il avait été drainé par le commerce étranger, on devrait le voir diminuer avec le temps. Or, c'est ce qui ne se voit pas.

Il est certain qu'il existe une grande circulation monétaire. Il faut renoncer à l'idée que l'époque mérovingienne a vécu sous le régime de l'économie naturelle. Lot[236], pour soutenir ce point de vue, cite l'exemple de la cité de Clermont payant l'impôt en céréales et en vin. Mais précisément cet impôt en nature fut changé en un impôt-monnaie à la demande de l'évêque. Ajoutons que cette histoire, racontée par Grégoire de Tours, se rapporte au IVe siècle, donc à l'époque impériale. Grégoire se borne à la rappeler en soulignant que l'intervention de l'évêque fut un bienfait, ce qui prouve que de son temps encore l'impôt se payait normalement en monnaie. Jamais d'ailleurs, dans Grégoire de Tours, il n'est question de paiements faits autrement qu'en argent, et nous avons montré plus haut que tous les versements d'impôts au roi se faisaient en or.

Au surplus, il y avait certainement de grandes quantités de numéraire en circulation et que l'on cherchait à faire fructifier. On ne pourrait sans cela comprendre comment une quantité d'ambitieux offrent au roi des sommes considérables pour devenir évêques. La coutume de donner la recette des impôts à ferme prouve la même chose[237]. Une anecdote, racontée par Grégoire de Tours[238], met bien en lumière l'importance du commerce de l'argent. Le Juif Armentarius, avec un coreligionnaire et deux Chrétiens, s'étaient rendus à Tours pour exiger les cautions qu'ils avaient avancées, comme fermiers de l'impôt sans doute (*propter tributa publica*), au *vicarius* Injuriosus et au comte Eonomius. Ceux-ci leur avaient promis de les leur rembourser avec les intérêts (*cum usuris*). Ces fermiers de l'impôt avaient, en outre, prêté de l'argent au *tribunus* Medard, à qui ils demandaient également le remboursement de sa dette. Ces puissants débiteurs ne trouvèrent rien de mieux que d'inviter leurs créanciers à un banquet au cours duquel ils les firent assassiner.

Suivant toute apparence, ces Juifs et Chrétiens associés, qui se trouvaient être les créanciers de ces hauts fonctionnaires, avaient constitué leur capital au moyen du commerce. Et remarquons qu'ils le prêtent à intérêt: *cum usuris*. C'est une preuve, et de la plus grande importance, de ce que, sous les Mérovingiens, l'intérêt est considéré comme licite. Tout le monde le pratique, même le roi, qui consent à la ville de Verdun un prêt à intérêts[239].

D'après une formule de Marculf[240], l'intérêt était de 1 *triens* par sou, ce qui représentait 33,5%. D'après le Bréviaire d'Alaric, il n'aurait été que de 12,5%[241]. Peut-être faudrait-il en conclure à une restriction des capitaux entre les deux dates. Mais est-il bien certain que nous nous trouvions ici en présence d'intérêts commerciaux?

L'Église, il est vrai, ne cesse de défendre aux clercs et même aux laïques de pratiquer l'intérêt usuraire, ce qui semble bien indiquer que le taux de l'intérêt a une tendance à augmenter[242].

Ce sont les Juifs surtout qui se mêlaient de ce commerce d'argent[243]. Nous avons signalé déjà qu'il y avait des Juifs parmi les percepteurs du tonlieu, et il semble même qu'il dut y en avoir beaucoup, puisque les conciles protestèrent à ce sujet[244]. Il y en avait aussi parmi les monétaires et on trouve les noms de certains d'entre eux sur les monnaies[245]. Leur clientèle, comme celle des prêteurs d'argent en général, devait être fort considérable. Car, outre les percepteurs d'impôt, elle devait s'étendre encore aux *locatores* des domaines de l'Église qui, eux aussi, prenaient leur recette à ferme. Le crédit devait sans doute aussi pénétrer le commerce. Sidoine[246] rapporte l'histoire d'un clerc (*lector*) de Clermont qui va à Marseille pour faire des achats en gros aux importateurs de la place au moyen d'argent emprunté; il revend en détail à Clermont et, avec son bénéfice, rembourse son créancier et fait encore un beau profit.

C'est sans doute là un exemple de ce *turpe lucrum* que les conciles interdirent au clergé[247].

De tout cela résulte donc jusqu'à l'évidence la continuation de la vie économique romaine à l'époque mérovingienne dans tout le Bassin tyrrhénien. Car il n'est pas douteux que ce que nous venons de constater pour la Gaule se passe aussi en Afrique et en Espagne.

Tous les traits y sont: prépondérance de la navigation orientale et importation de ses produits, organisation des ports, du tonlieu, de l'impôt, circulation et frappe de la monnaie, continuation du prêt à intérêts, absence de petits marchés, persistance d'une activité commerciale constante dans les villes, entretenue par des marchands de profession. Il y a sans doute dans le domaine commercial comme dans les autres, un recul dû à la «barbarisation» des mœurs, mais il n'y a pas de coupure avec ce qu'avait été la vie économique de l'Empire. Le mouvement commercial méditerranéen se continue avec une singulière insistance. Et il en est de même pour l'agriculture qui, sans doute, reste la base de la vie économique, mais à côté de laquelle pourtant le commerce conserve un rôle essentiel aussi bien dans la vie quotidienne — par la vente des épices, des vêtements, etc. — que dans la vie de l'État — par les ressources que lui procure le tonlieu — et dans la vie sociale, — par la présence de marchands et par l'existence du crédit[248].

Notes

[1] Migne, *Patr. Lat.*, t. 51, c. 617.
[2] *Eucharisticos*, éd. Brandes, *Corp. Script. Eccles. Latin.*, t. XVI, 1888, p. 311.
[3] H. Pirenne, Le fisc royal de Tournai, dans *Mélanges F. Lot*, 1925, p. 641.
[4] Voir plus haut, p. 37.
[5] Grégoire de Tours, *Hist. Franc.*, VI, 20.
[6] E. Lesne, *La propriété ecclésiastique en France aux époques romaine et mérovingienne*, Paris-Lille, 1910, p. 309. Voir aussi le texte de saint Césaire d'Arles, cité dans F. Kiener, *Verfassungsgeschichte der Provence*, p. 37, n. 84.
[7] Département des Deux-Sèvres, arrondissement de Niort, canton de Coulonges-sur-Autise.
[8] F. Kiener, *Verfassungsgeschichte der Provence*, Leipzig, 1900, p. 34 et ss.; R. Buchner, *Die Provence in Merowingischer Zeit*, Stuttgart, 1933, p. 30, croit que l'agriculture est encore bien développée et rentable.
[9] F. Kiener, *op. cit.*, p. 34.
[10] R. Buchner, *op. cit.*, p. 30, n. 1.
[11] Grégoire le Grand, *Registr.*, III, 33, éd. Ewald-Hartmann, M.G.H. Epist., t. I, p. 191.
[12] *Ibid.*, VI, 10, p. 388-389.
[13] Jaffé-Wattenbach, *Regesta*, n° 947; cf. Buchner, *op. cit.*, p. 31.
[14] Hartmann, *Geschichte Italiens im Mittelalter*, t. II, p. 159, n. 16.
[15] Cassiodore, *Variae*, XII, 22, M.G.H.SS. Antiq., t. XII, p. 378.
[16] Il ne faut pas se laisser aller à la prétendue sous-estimation du nombre des libres. Leur caractéristique essentielle est qu'ils doivent le service militaire. Cf. dans les *Leges Visigothorum*, IX, 2, 9, M.G.H. Leges, t. I, éd. Zeumer, p. 377, la loi d'Ervige, aux termes de laquelle chacun doit amener à l'armée le dixième de ses esclaves. Verlinden, L'esclavage dans le monde ibérique médiéval, dans *Anuario de Historia del Derecho Español*, t. XI, 1934, p. 353-355.
[17] Pour la survivance des grandes familles, voir par exemple celle des Syagrii, étudiée par A. Coville, *Recherches sur l'histoire de Lyon du Ve siècle au IXe siècle*, p. 5 et ss.
[18] Verlinden, *op. cit.*, dans *Anuario*, t. XI, p. 347. D'après Verlinden, les colons ne jouent guère de rôle important.
[19] Grégoire de Tours, *Hist. Franc.*, IX, 38, signale l'existence de gynécées. Cf. Fustel de Coulanges, *L'alleu et le domaine rural*, p. 375.
[20] P. Charlesworth, *Trade-routes and commerce of the Roman Empire*, Cambridge, 2e éd., 1926, p. 178, 202, 220, 238.
[21] Cf. d'une manière générale, P. Scheffer-Boichorst, Zur Geschichte der Syrer im Abendlande, dans *Mitteilungen des Österr. Instit. für Geschichtsforschung*, t. VI, 1885, p. 521 et ss.; L. Bréhier, Les colonies d'Orientaux en Occident au commencement du Moyen Age, dans *Byzant. Zeitschr.*, t. XII, 1903, p. 1 et ss.; Fustel de Coulanges, *La monarchie franque*, p. 257; J. Ebersolt, *Orient et Occident*, 1928-1929, 2 vol.
[22] Grégoire de Tours, *Hist. Franc.*, VII, 22; cf. Bréhier, *L'art en France des invasions barbares à l'époque romane*, p. 36 et p. 38.
[23] I, 19, SS. rer. Merov., t. III, p. 463.
[24] *Hist. Franc.*, VIII, 1.
[25] SS. rer. Merov., t. III, p. 226. Krusch, l'éditeur de ce texte, considère ce fait comme *non credibile*!
[26] E. Leblant, *Inscriptions chrétiennes de la Gaule*, t. I, p. 207 et p. 328. Cf. nos 225 et 613 *a*. Cf. Héron de Villefosse, Deux inscriptions chrétiennes trouvées à Carthage, dans *Comptes rendus des séances de l'Académie des Inscriptions et Belles-Lettres*, 1916, p. 435.
[27] E. Leblant, *op. cit.*, t. I, p. 205, n° 125.
[28] Grégoire de Tours, *Hist. Franc.*, VII, 31.
[29] *Ibid.*, X, 26.
[30] Concile de Narbonne, Mansi, *Sacrorum Conciliorum... Collectio*, t. IX, c. 1015 et c. 1017.
[31] A.A.S.S. Boll. Nov., t. I, p. 323. Le P. de Moreau, *Les missions médiévales* (*Histoire générale comparée des missions*, publiée par le baron Descamps), 1932, p. 171, signale vers 585 la présence de Grecs à Cordoue. La reconquête de Justinien au VIe siècle a beaucoup contribué à augmenter cette navigation.
[32] Procope, V, 8, 21, éd. Dewing, t. III, 1919, p. 74.
[33] Compte rendu par R. Dussaud de l'ouvrage de P. Perdrizet, Le calendrier parisien à la fin du Moyen Age (1933), dans *Syria*, t. XV, 1934, p. 210.
[34] Mgr L. Duchesne, *L'Eglise au VIe siècle*, Paris, 1925, p. 191, n. 2.
[35] Perdrizet, *Le calendrier parisien à la fin du Moyen Age*, 1933, p. 35 et p. 287-289. Adamnan, le biographe de saint Columban, rapporte que des moines irlandais allaient en Syrie pour y étudier l'architecture des monastères. J. Baum, *Aufgaben der frühchristlichen Kunstforschung in Britannien und Irland*, 1934, cité par les *Forschungen und Fortschritte*, t. XI, 1935, c. 223.
[36] Grégoire de Tours, *Hist. Franc.*, VIII, 15.
[37] Hartmann, *op. cit.*, t. I, p. 262.
[38] Hartmann, *op. cit.*, t. I, p. 222.
[39] Jaffé-Wattenbach, *Regesta*, n° 1564.
[40] *Ibid.*, n° 1104.
[41] *Vita patrum Emeritensium*, Migne, *Patr. Lat.*, t. 80, col. 139.
[42] XII, 2, 14, M.G.H. Leges, t. I, éd. K. Zeumer, p. 420.
[43] XII, 2, 13, éd. Zeumer, *loc. cit.*, p. 419.
[44] Jaffé-Wattenbach, *Regesta*, n° 1157.
[45] F. Kiener, *op. cit.*, p. 28; F. Vercauteren, *Etude sur les Civitates de la Belgique Seconde*, 1934, p. 446.
[46] Grégoire de Tours, *Hist. Franc.*, V, 11.
[47] *Ibid.*
[48] M.G.H.SS. rer. Merov., t. IV, p. 374-375.
[49] Grégoire de Tours, *Hist. Franc.*, V, 11.
[50] *Ibid.*, 17.
[51] *Chronique du pseudo-Frédégaire*, IV, 65, M.G.H.SS. rer. Merov., t. II, p. 153.
[52] Grégoire de Tours, *Hist. Franc.*, V, 11.
[53] Grégoire de Tours, *Liber in Gloria Martyrum*, chap. 21, éd. Krusch, M.G.H.SS. rer. Merov., t. I, p. 501.
[54] Voir p. 52.
[55] Grégoire de Tours, *Hist. Franc.*, V, 11. Sur les Juifs de Lyon, voir Coville, *op. cit.*, p. 538 et ss.
[56] Grégoire de Tours, *Hist. Franc.*, VI, 17.
[57] Jaffé-Wattenbach, *Regesta*, n° 1115.
[58] *Ibid.*, n° 1104.
[59] *Ibid.*, n° 1879.
[60] *Ibid.*, n° 1157.
[61] *Ibid.*, n° 1743-1744.
[62] M.G.H. Concilia, éd. Maasen, t. I, p. 67.
[63] M.G.H. Capit., éd. Boretius-Krause, t. I, p. 22.
[64] Ziegler, *Church und state in Visigothic Spain*, 1930, p. 189.
[65] A. Ebert, *op. cit.*, trad. franç. Aymeric et Condamin, t. I, 1883, p. 631.
[66] Jaffé-Wattenbach, *Regesta*, n° 1757.
[67] J. Aronius, *Regesten der Geschichte der Juden*, p. 21, n° 59.
[68] Jaffé-Wattenbach, *op. cit.*, n° 1564.
[69] *Ibid.*, n° 1293.
[70] Grégoire de Tours, *Hist. Franc.*, V, 6.
[71] Aronius, *Regesten zur Geschichte der Juden*, p. 19, n° 53.
[72] Grégoire de Tours, *Liber in Gloria Confessorum*, c. 95, éd. Krusch, M.G.H.SS. rer. Merov., t. I, p. 809.
[73] Grégoire de Tours, *Hist. Franc.*, IV, 12.
[74] *Ibid.*, VI, 5.
[75] Grégoire de Tours, *ibid.*, IV, 35. On remarquera que le mot a, en français, donné à la fois naissance aux mots «épices» et «espèces».
[76] Ed. Krusch, M.G.H.SS. rer. Merov., t. II, p. 413. Il faut observer cependant que ces *Gesta* n'ont été écrites qu'au IXe siècle.
[77] Grégoire de Tours, *Hist. Franc.*, VII, 35; *Vita S. Eligii*, SS. rer. Merov., t. IV, p. 702.

[78] Venantius Fortunatus, *Vita Sancti Germani*, c. 47, M.G.H.SS. rer. Merov., t. VII, p. 401-402.

[79] Fr. Cumont, *Comment la Belgique fut romanisée*, 2e éd., Bruxelles, 1919, p. 25-29.

[80] H. Pirenne, Draps de Frise ou draps de Flandre?, dans *Vierteljahrschr. für Soz. und Wirtschaftsgeschichte*, t. VI, 1909, p. 313.

[81] Les rares pièces d'or anglo-saxonnes, frappées dans le Sud, attestent une certaine activité commerciale.

[82] Pauly-Wissowa, *Real-Encyclopädie*, t. VII, c. 75, nº 12.

[83] F. Vercauteren, Cataplus et Catabolus, dans *Bulletin Ducange*, t. II, 1925, p. 98.

[84] Cassiodore, *Variae*, V, 39, publie un règlement du tonlieu pour les *transmarini*, éd. Mommsen, M.G.H.SS. Antiq., t. XII, p. 164.

[85] Diehl, *L'Afrique byzantine*, p. 500; G Millet, Sur les sceaux des commerciaires byzantins, dans *Mélanges G. Schlumberger*, t. II, 1924, p. 324-326.

[86] «*Si quis transmarinus negociator aurum, argentum, vestimenta vel quelibet ornamenta... vendiderit*», *Lex Visigothorum*, XI, 3, 1, éd. K. Zeumer, M.G.H. Leges, t. I, p. 404.

[87] M. Laurent, *Les ivoires prégothiques conservés en Belgique*, 1912, p. 9, 17, 20, 84.

[88] *Coopertorium Sarmaticum*. Grégoire de Tours, *Liber Vitae Patrum*, c. 11, éd. Krusch, SS. rer. Merov., t. I, p. 701.

[89] Grégoire de Tours, *Liber in Gloria Confess.*, c. 110, éd. Krusch, *loc. cit.*, p. 819.

[90] Fustel de Coulanges, *La monarchie franque*, p. 257.

[91] Pour le luxe mérovingien, voir *Vita S. Eligii episcopi Noviomagensis*, I, 12, éd. Krusch, M.G.H.SS. rer. Merov., t. IV, p. 678.

[92] Grégoire de Tours, *Hist. Franc.*, VI, 10; VI, 35; X, 16; *Liber in gloria martyrum*, SS. rer. Merov., t. I, p. 491, 535, 549; *Liber de virtutibus S. Martini*, I, 11, *ibid.*, p. 595; II, 23, *ibid.*, p. 617.

[93] Grégoire de Tours, *Hist. Franc.*, VII, p. 29.

[94] Sur ces vins, voir la *Vie de Porphyre, évêque de Gaza*, par Marc le Diacre, publiée par H. Grégoire et M.-A. Kugener, Paris, 1930, p. 124-126.

[95] Grégoire de Tours, *Liber in Gloria Confessorum*, c. 64, éd. Krusch, *loc. cit.*, p. 785.

[96] Grégoire de Tours, *Hist. Franc.*, VII, 29.

[97] M.G.H. Epist. Merov., t. I, p. 209, vers 630-647.

[98] Fortunat cite également le vin de Gaza. Vita S. Martini. II, v. 81, éd. Leo, M.G.H.SS. Antiq., t. IV², p. 316.

[99] Jaffé-Wattenbach, *Regesta*, nº 1483.

[100] *Hist. Franc.*, VI, 6.

[101] F. Cumont, *Fouilles de Doura-Europos*, 1926, p. XXXIII.

[102] Lot, Pfister et Ganshof, *Hist. du Moyen Age*, t. I, p. 356, estiment qu'elles n'étaient d'usage qu'à la cour et dans l'aristocratie.

[103] *Epistula de observatione ciborum*, éd. Ed. Liechtenhan, 1928 (*Corpus Medicorum Latinorum*, t. VIII¹).

[104] L. Levillain, *Examen critique des chartes... de Corbie*, 1902, p. 235, nº 15.

[105] Ducange, *Glossarium, verbo garum.*

[106] E. Jeanselme, Sur un aide-mémoire de thérapeutique byzantin, dans *Mélanges Ch. Diehl*, t. I, 1930, p. 150, n. 12; Ducange, *op. cit.*, *costum*, vin cuit.

[107] Ducange, *verbo hidrio*. On ne trouve ce mot qu'ici; peut-être est-ce une faute de lecture?

[108] Ducange, *sub verbo seoda.*

[109] *Formulae*, I, II, éd. Zeumer, p. 49.

[110] Krusch, *Ursprung und Text von Markulfs Formelsammlung*, Nachrichten von der Gesellschaft der Wissenschaften zu Göttingen, 1916, p. 256.

[111] En revanche, aucune épice n'est, à l'époque carolingienne, prévue dans la nourriture des fonctionnaires. G. Waitz, *Deutsche Verfassungsgeschichte*, t. IV, 2e éd., p. 23.

[112] Sproemberg, Marculf und die Fränkische Reichskanzlei, *Neues Archiv*, t. 47, 1927, p. 89, admet le point de vue de Krusch.

[113] Par les épices, le commerce mérovingien ressemble à celui auquel se livrent les villes italiennes depuis le XIIe siècle. Grégoire de Tours signale qu'on vend des épices chez les marchands à Paris (*Hist. Franc.*, VI, 32).

[114] H. Pirenne, Le commerce du papyrus dans la Gaule mérovingienne, *Comptes rendus des séances de l'Académie des Inscriptions et Belles-Lettres*, 1928, p. 178-191.

[115] Grégoire de Tours, *Hist. Franc.*, V, 5: *O si te habuisset Massilia sacerdotem! Numquam naves oleum aut reliquas species detulissent, nisi cartam tantum, quo majorem opportunitatem scribendi ad bonos infamandos haberes. Sed paupertas cartae finem imponit verbositati.*

[116] Grégoire de Tours, *Liber in gloria martyrum*, M.G.H.SS. rer. Merov., t. I, p. 558; *Liber de virtutibus S. Martini, ibid., p. 644; Liber Vitae Patrum, ibid.*, p. 698.

[117] F. Vercauteren, *Etude sur les Civitates*, p. 211-212.

[118] Lauer et Samaran, *Les diplômes originaux des Mérovingiens*, Paris, 1908.

[119] Cassiodore, *Variae*, III, 7, éd. Mommsen, M.G.H.SS. Antiq., t. XII, p. 83. Ce texte m'a été obligeamment communiqué par M. Kugener.

[120] Buchner, *Die Provence*, p. 44-45. Il s'appuye notamment sur Grégoire de Tours, *Hist. Franc.*, V, 5.

[121] Grégoire de Tours, *Hist. Franc.*, IV, 43.

[122] R. Buchner, *op. cit.*, p. 44-45.

[123] Marculf, *Supplementum*, 1, éd. Zeumer, p. 107.

[124] Le calcul de Buchner, *op. cit.*, p. 45, qui estime que l'importation d'huile à Fos s'élève à 200 000 livres par an, ne peut être pris en considération.

[125] *Vita S. Filiberti abbatis Gemeticensis*, M.G.H.SS. rer. Merov., t. V, p. 602.

[126] Grégoire de Tours, *Hist. Franc.*, VII, 35.

[127] Pseudo-Frédégaire, *Chronica*, IV, 42, SS. rer. Merov., t. II, p. 141; *Vita Columbani*, I, 29, *ibid.*, t. IV, p. 106; *Liber Historiae Francorum*, c. 40, *ibid.*, t. II, p. 310.

[128] *Vita S. Eligii*, II, 13, M.G.H.SS. rer. Merov., t. IV, p. 702.

[129] Julien de Tolède, *Historia Wambae*, SS. rer. Merov., t. V, p. 525. Ducange, *sub verbo* Camelus, cite un texte de la *Vita SS. Voti et Felicis* relatif à l'Espagne où il faut lire *Camelus* et non pas corriger en *rupicapra* (chamois) comme le fait Ducange.

[130] R. Buchner, *op. cit.*, p. 32.

[131] *Ibid.*, p. 33.

[132] Grégoire de Tours, *Hist. Franc.*, IX, 22.

[133] Lot, Pfister et Ganshof, *Hist. du Moyen Age*, t. I, p. 258 et 259.

[134] *Annales Petaviani*, M.G.H.SS., t. I, p. 17.

[135] Grégoire de Tours, *Hist. Franc.*, IX, 22.

[136] Grégoire de Tours, *Hist. Franc.*, IX, 21 et 22.

[137] *Ibid.*, X, 25.

[138] *Ibid.*, VIII, 39 et VI, 14.

[139] *Chronica*, IV, 18, SS. rer. Merov., t. II, p. 128: *Eo anno cladis glandolaria Marsilia et reliquas Provinciae civitates graviter vastavit.*

[140] Son point de vue est resté absolument ce qu'il était dans l'Empire romain. Cf. Verlinden, *op. cit.*, *Annuario de Historia del derecho Español*, t. XI (1934), p. 312.

[141] La *Lex Wisigothorum*, III, 4, 17, éd. Zeumer, M.G.H. Leges, t. I, p. 157, mentionne même des esclaves chez des *pauperes*. On leur abandonne, en effet, les prostituées récidivistes pour qu'elles soient *in gravi servitio.*

[142] Frédégaire, *op. cit.*, IV, 48, M.G.H.SS. ser. Merov., t. II, p. 144. Cf. Ch. Verlinden, Le franc Samo, *Revue belge de philologie et d'histoire*, t. XII, 1933, p. 1090-1095. Fustel de Coulanges, *La monarchie franque*, p. 258, compare Samo au chef d'une grande compagnie commerciale!

[143] Le Concile de Chalon de 639-654, M.G.H. Concilia, éd. Maasen, t. I, p. 210, défend de vendre des esclaves hors du royaume franc.

[144] *Vita S. Eligii*, M.G.H.SS. rer. Merov., t. IV, p. 676. Verlinden, *op. cit.*, p. 379, pense qu'on en vendait probablement aussi en Espagne. Sainte Bathilde avait été de *partibus transmarinis... vili pretio venundata*, SS. rer. Merov., t. II, p. 482, cf. Lesne, *La propriété ecclésiastique en France*, I, 1910, p. 359. A Clermont, Sigivaldus avait comme esclave (*in cujus servitio erat adolescens quidam nomine Brachio*), un valet pour la chasse au sanglier qui était thuringien. Grégoire de Tours, *Liber Vitae Patrum*, M.G.SS. rer. Merov., t. I, p. 712. Guilhiermoz, *Essai sur l'origine de la noblesse en France au Moyen Age*, 1902, p. 74, a certainement tort de vouloir en faire un soldat privé.

[145] Jaffé-Wattenbach, *Regesta*, nº 1386.

[146] De Moreau, *Saint Amand*, 1927, p. 133. Sur ces achats de captifs, voir Lesne, *op. cit.*, p. 357 et p. 369.

[147] *Vita S. Gaugerici*, éd. Krusch, M.G.H.SS. rer. Merov., t. III, p. 656. Cf. Vercauteren, *Etude sur les Civitates*, p. 213.

[148] Grégoire de Tours, *Hist. Franc.*, VII, 46.

[149] *Op. cit.*, M.G.H.SS. rer. Merov., t. II, p. 134 et p. 135.

[150] Le tonlieu d'Arras, qui figure dans le *Cartulaire de Saint-Vaast* de Guiman, éd. Van Drival, p. 167, laisse encore reconnaître sous son revêtement du XIIe siècle son vieux fond mérovingien. Le texte l'attribue à un *rex Theodericus* (p. 165). Or, la vente du *servus* et de l'*ancilla* est

mentionnée dans le paragraphe intitulé *De Bestiis*. On observe la même chose dans le tarif du tonlieu de Tournai: *si servus vel ancilla vel auri uncia vendantur...*, P. Rolland, *Deux tarifs du tonlieu de Tournai*, Lille, 1935, p. 17.

151 Paul Diacre, *Historia Langobardorum*, éd. Bethmann & G. Waitz, I, 1, M.G.H.SS. rer. Langob. et Ital., p. 48, dit que de la populeuse Germanie quantité de barbares sont emmenés pour être vendus aux peuples du Sud.

152 Sur la vente des esclaves à Marseille, voir *Vita Boniti*, M.G.H.SS. rer. Merov., t. VI, p. 121. Sur le commerce des esclaves, voir A. Dorsch, *Wirtschaftliche und soziale Grundlagen der Europäischen Kulturentwicklung*, Vienne, 2e éd., 1924, t. II, p. 175; Br. Hahn, *Die Wirtschaftliche Tätigkeit der Juden im Fränkischen und Deutschen Reich bis zum zweiten Kreuzzug*, Fribourg, 1911, p. 23; Fustel de Coulanges, *L'alleu et le domaine rural*, p. 279.

153 Jaffé-Wattenbach, *Regesta*, no 1467.

154 *Ibid.*, no 1409.

155 La *Vita S. Eligii*, I, 10, M.G.H.SS. rer. Merov., t. IV, p. 677, parle des captifs libérés par saint Eloi au nombre tantôt de vingt ou trente, tantôt de cinquante: *nonnumquam vero agmen integrum et usque ad centum animas, cum navem egrederentur utriusque sexus, ex diversis gentibus venientes, pariter liberabat Romanorum scilicet, Gallorum atque Brittanorum necnon et Maurorum, sed praecipue ex genere Saxonorum, qui abunde eo tempore veluti greges a sedibus propriis evulsi in diversa distrahebantur.* Cf. Buchner, *op. cit.*, p. 47.

156 Une formule de Sens, M.G.H. Formulae, éd. Zeumer, p. 189, no 9, est relative à l'achat d'un esclave par un *homo negotians*. Une formule d'Angers, *ibid.*, p. 22, no 51, est un mandat de recherche pour l'esclave fugitif d'un *negociens*.

157 Jaffé-Wattenbach, *Regesta*, no 1467.

158 Jaffé-Wattenbach, *op. cit.*, no 1629, et aussi les nos 1409 et 1242, de l'année 593, où il est encore question de l'achat d'esclaves chrétiens par un Juif.

159 *Registr.*, VI, 10, M.G.H. Epist., t. I, p. 388. Un texte de Lydus signale encore les tissus d'Arras, *De Magistratibus*, I, 17, éd. Wuensch, Teubner, 1903, p. 21. Voyez toutefois les réserves que fait F. Vercauteren, *Etude sur les Civitates*, p. 183.

160 A. Dopsch, *Wirtschaftliche Grundlagen*, t. II, 2e éd., p. 439, réfute l'idée qu'il n'y aurait eu que des marchands étrangers.

161 Grégoire de Tours, *Hist. Franc.*, III, 34.

162 Les évêques s'intéressaient au commerce. A Nantes, l'évêque Félix fait agrandir le port, Venantius Fortunatus, *Carmina*, III, 10, M.G.H.SS. Antiq., t. IV1, p. 62.

163 Lot, dans Lot, Pfister et Ganshof, *Histoire du Moyen Age*, t. I, p. 365, cite justement l'exemple de Verdun, pour prouver l'insignifiance du capitalisme. Mais si on fait des comparaisons semblables entre notre époque et le XIIIe siècle, on aboutira pour cette dernière période à des conclusions identiques. Il est bien certain d'ailleurs qu'il est ici question de détaillants et donc de détaillants très actifs.

164 Grégoire de Tours, *Hist. Franc.*, VII, 46.

165 Il y a cependant aussi des marchands qui voyagent en bande au VIe siècle; voir ci-après ce qui est dit de Wado.

166 Grégoire de Tours, *Hist. Franc.*, VII, 45.

167 Grégoire de Tours, *Liber in Gloria Confessorum*, c. 110, SS. rer. Merov., t. I, p. 819.

168 *Leges Ahistulfi regis*, éd. F. Bluhme, M.G.H. Leges, t. III, in-fo, p. 196, ao 750. Ces marchands sont évidemment les successeurs de ceux en faveur desquels Théodoric légiférait en 507-511: «*ne genus hominum, quod vivit lucris, ad necem possit pervenire dispendiis*». Cassiodore, *op. cit.*, II, 26, M.G.H.SS. Antiq., t. XII, p. 61. Cf. A. Dopsch, *Wirtschaftliche Grundlagen*, t. II, 2e éd., p. 437; Doren, *Italienische Wirtschaftsgeschichte*, 1934, p. 122, fait observer que ces lois d'Astolphe doivent remonter à des textes plus anciens, car les marchands y apparaissent déjà divisés en plusieurs catégories.

169 Grégoire de Tours, *Hist. Franc.*, X, 21.

170 Leblant, *Inscriptions*, t. I, p. 41. Cf. Coville, *op. cit.*, p. 534.

171 J. Havet, *Œuvres*, t. I, 1896, p. 229 (texte définitif).

172 Leblant, *Inscriptions*, t. II, p. 520, no 645.

173 «*Quod de heredibus Pauloni negociatoris, quondam visus sum comparasse, areas scilicet in oppido civitatis Aurelianensium cum domibus desuper positis, acolabus ibidem residentibus*», Prou et Vidier, *Recueil des chartes de Saint-Benoît-sur-Loire*, t. I, 1900, p. 7. Cf. sur ce même marchand, Fustel de Coulanges, *La monarchie franque*, p. 256, n. 5.

174 M. Prou, *Catalogue des monnaies carolingiennes de la Bibliothèque nationale*, Paris, 1896, p. XXXVIII.

175 Grégoire de Tours, *Hist. Franc.*, VII, 37: «*Chariulfus valde dives ac praepotens, cujus adpotecis ac prumtuariis urbi valde referta erant.*»

176 Grégoire de Tours, *Liber de virtutibus S. Martini*, IV, 29, M.G.H.SS. rer. Merov., t. I, p. 656.

177 J. Havet, *Œuvres*, t. I, p. 230, et le texte cité à la p. 84, n. 6.

178 Saint Faron a hérité à Meaux des *casas cum areis, tam infra muros quam extra muros civitatis*, Pardessus, *Diplomata*, t. II, p. 16, no CCLVII.

179 Grégoire de Tours. *Hist. Franc.*, VII, 37, nous parle des *apotecae* et des *prumptuaria* de Comminges. A Paris, Grégoire de Tours, *Hist. Franc.*, VI, 32, nous montre Leudaste: *domus negutiantum circumiens, species rimatur, argentum pensat atque diversa ornamenta prospicit.* Il parle encore de ces *domus necutiantum, ibid.*, VIII, 33, qui semblent placées à la file.

180 Cité par F. Kiener, *op. cit.*, p. 29, n. 38; *sutores, aurifices, fabri vel reliqui artifices.*

181 Kiener, *op. cit.*, p. 15.

182 F. Vercauteren, *Etude sur les Civitates de la Belgique Seconde*, Bruxelles, 1934, p. 354 et 359.

183 Cf. pour Angers, Grégoire de Tours, *Hist. Franc.*, VIII, 42.

184 *Vita S. Leobini*, c. 62, éd. Krusch, SS. Antiq., t. IV2, p. 79.

185 Blanchet, *Les enceintes romaines de la Gaule*, Paris, 1907, p. 211 et p. 208.

186 *Ibid.*, p. 202, n. 3.

187 On voit par la *Lex Visigothorum*, III, 4, 17, éd. Zeumer, M.G.H. Leges, p. 157, que les prostituées professionnelles libres et esclaves abondaient dans les villes espagnoles.

188 Une lettre adressée vers 630-655 à Didier, évêque de Cahors, M.G.H. Epist., t. III, p. 214, parle de *istas ferias in Rutenico vel vicinas urbes*, c'est-à-dire de foires de Rodez dont la fréquentation est interdite aux habitants de Cahors à cause de la peste qui règne à Marseille.

189 Vercauteren, *op. cit.*, p. 450. D'après Levillain, cette foire fut instituée en 634 ou 635, Etude sur l'abbaye de Saint-Denis, *Bibl. de l'Ecole des Chartes*, t. XCI, 1930, p. 14.

190 L.G. de Valdeavellano, El mercado. Apuntes para su estudio en Léon y Castilla durante la Edad Media, *Anuario de Historia del Derecho Español*, t. VIII, 1931, p. 225.

191 *Lex Visigothorum*, IX, 2, 4, éd. Zeumer, M.G.H. Leges, t. I, in-4o, p. 368.

192 G. Waitz, *op. cit.*, t. II, 2e partie, 3e éd., p. 309.

193 Les diplômes parlent du tonlieu levé *per civitates seu per castella seu per portus, seu per trexitus*, M.G.H. Diplomata, in-fo, éd. Pertz, p. 46, no 51. Voyez une autre mention de *portus, Recueil des chartes de Stavelot-Malmédy*, éd. J. Halkin & Roland, t. I, p. 13, no 4. On voit, par ce même texte (diplôme de Sigebert III de 652), qu'il s'y exerçait un *negotiantum commertia* et que le roi y avait des *telonearii.*

194 La formule no 1 du supplément de Marculf, éd. Zeumer, M.G.H. Formulae, p. 107, énumère les tonlieux du bassin du Rhône: Marseille, Toulon, Fos, Arles, Avignon, Soyon, Valence, Vienne, Lyon et Chalon-sur-Saône.

195 Edit de Clotaire II, 18 octobre 614, M.G.H. Capit., t. I, p. 22.

196 Cassiodore, *Variae*, V, 39, M.G.H.SS. Antiq., t. XII, p. 165.

197 G. Waitz, *op. cit.*, t. II, 2e partie, 3e éd., p. 301, le dit, pour des raisons que je crois erronées, levé en nature.

198 Nous en avons un exemple dans le *negociator Salomon* sûrement un Juif, qui était le *Hoflieferant* de Dagobert et auquel celui-ci avait cédé le tonlieu perçu à une porte de Paris, *Gesta Dagoberti*, c. 33, éd. Krusch, M.G.H.SS. rer. Merov., t. II, p. 413.

199 Voir ce que nous avons dit plus haut du *cellarium fisci.*

200 Le sou d'or de Constantin pesait 4,48 g; on taillait 72 sous à la livre. La valeur-or du sou était de 15,43 F.E. Stein, *Geschichte des Spätrömischen Reiches*, Vienne, 1928, t. I, p. 177.

201 Gunnar Mickwitz, *Geld und Wirtschaft im Römischen Reich des IV. Jahrhunderts nach Christi*, Helsingfors, 1932, conclut, p. 190, qu'il est impossible de considérer le IVe siècle comme un siècle de *Naturalwirtschaft.*

202 Lorsque, à la fin du VIe siècle, la croix remplace la victoire sur les monnaies impériales, les monétaires de Marseille, puis les autres, suivent cet exemple. M. Prou, *Catalogue des monnaies mérovingiennes de la Bibliothèque nationale*, Paris, 1892, p. LXXXV.

203 A. Dopsch, *Die Wirtschaftsentwicklung der Karolingerzeit, vornehmlich in Deutschland*, t. II, 2e éd., 1922, p. 300.

204 Engel et Serrure, *Traité de numismatique du Moyen Age*, t. I, Paris, 1891, p. 177.

[205] *Ibid.*, 179-180.
[206] M. Prou, *Catalogue des monnaies mérovingiennes*, p. XXVII et XXVIII.
[207] Prou, *op. cit.*, p. XVI.
[208] *Ibid.*, p. XV.
[209] *Ibid.*, p. XXVI.
[210] *Ibid.*, p. XXXII.
[211] *Ibid.*, p. XXXIV et XXXV.
[212] *Ibid.*, p. XXXIX.
[213] *Ibid.*, p. LXIV.
[214] Engel et Serrure, *op. cit.*, t. I, p. 50. Il y avait quatre ateliers en Gaule à l'époque romaine: Trèves, Arles, Lyon et Narbonne, Prou, *Catalogue des monnaies mérovingiennes*, p. LXV, F. Lot, *Un grand domaine à l'époque franque. Ardin en Poitou*, Cinquantenaire de l'Ecole pratique des Hautes Etudes, Bibl. de l'Ecole des Hautes Etudes, fasc. 230, Paris, 1921, p. 127, dit que les sous d'or provenant de l'impôt étaient convertis sur place en lingots par les monétaires. Cela se faisait déjà à l'époque romaine. Voyez *Codex Theodosianus*, XII, 6, 13, loi de 367.
[215] Engel et Serrure, *op. cit.*, t. I, p. 97.
[216] A. Luschin von Ebengreuth, *Allgemeine Münzkunde und Geldgeschichte*, 2e éd., 1926, p. 97.
[217] Prou, *Catalogue des monnaies mérovingiennes*, p. LXXXI. Je crois que cela s'adapte assez bien avec le texte de la *Vita Eligii*, I, 15. M.G.H.SS. rer. Merov., t. IV, p. 681.
[218] Prou, *op. cit.*, p. LI.
[219] *Ibid.*, p. LXX et LXXXII.
[220] *Ibid.*, p. LXXXI.
[221] Prou, *Catalogue des monnaies carolingiennes*, p. XLVII.
[222] Prou en doute cependant.
[223] Lesne, *op. cit.*, p. 273.
[224] Cf. les couronnes d'or trouvées à Guarrazar près de Tolède (VIIe siècle). Elles prouvent donc, pour cette époque, la richesse du trésor royal. Cf. A. Riegl, *Spätrömische Kunstindustrie*, 1927, p. 381.
[225] Sur la richesse des particuliers en or et en pierres précieuses, voir Grégoire de Tours, *Hist. Franc.*, X, 21, et surtout IX, 9. La femme du duc Rauching a un trésor valant celui du roi.
[226] Le travail de Kloss, *Goldvorrat und Geldverkehr im Merowingerreich*, 1929, ne tient pas compte des textes cités par Lesne, *op. cit.*, p. 200.
[227] Sur la richesse de l'Eglise, voir Lesne, *op. cit.*, p. 200. Les trésors des églises servaient, en cas de besoin, à faire de la monnaie. On en trouve un exemple dans Grégoire de Tours, *Hist. Franc.*, VII, 24, où l'évêque fait réduire en monnaie pour racheter sa ville d'un pillage, un calice d'or.
[228] G. Richter, *Annalen des Fränkischen Reichs im Zeitalter der Merovinger*, 1873, p. 98.
[229] On voit de même, en 631, le prétendant Sisenand offrir 200 000 sous à Dagobert G. Richter, *Annalen*, p. 161.
[230] Prou, *Catalogue des monnaies mérovingiennes*, p. XI et CV. M. Lot croit lui aussi à ce drainage de l'or. Lot, Pfister et Ganshof, *op. cit.*, p. 358.
[231] M. Bloch, Le problème de l'or au Moyen Age, dans *Annales d'histoire économique et sociale*, t. V, 1933, p. 1 et ss.; Soetbeer, Beiträge zur Geschichte des Geld- und Münzwesens in Deutschland, *Forschungen zur Deutschen Geschichte*, t. II, 1862, p. 307; A. Luschin von Ebengreuth, *Allgemeine Münzkunde und Geldgeschichte des Mittelalters und der Neueren Zeit*, Munich et Berlin, 2e éd., 1926, p. 41.
[232] *Lex Visigothorum*, XI, 3, 1, éd. Zeumer, M.G.H. Leges, t. I, p. 404: *Si quis transmarinus negotiator aurum, argentum, vestimenta, vel quelibet ornamenta provincialibus nostris vendiderit, et conpetenti pretio fuerint venundata...*
[233] Grégoire de Tours, *Hist. Franc., VI, 2.*
[234] Cassiodore, *Variae*, XII, 22, M.G.H.SS. Antiq., t. XII, P. 378: Théodoric s'adressant aux gens de l'Istrie, leur dit que s'ils n'ont pas de blé à vendre, ils ne pourront recevoir d'or.
[235] Guiman, *Cartulaire de Saint-Vaast d'Arras*, p. 167, et P. Rolland, *Deux tarifs du tonlieu de Tournai*, 1935, p. 37.
[236] F. Lot, *Un grand domaine à l'époque franque*, Bibliothèque de l'Ecole des Hautes Etudes, fasc. 230, p. 123. Il donne comme source Grégoire de Tours, *Liber vitae Patrum*, M.G.H.SS. rer. Merov., t. I, p. 669.
[237] Lot, *ibid.*, p. 125.
[238] Grégoire de Tours, *Hist. Franc.*, VII, 23.
[239] *Ibid.*, III, 34.
[240] Marculf, II, 26, M.G.H. Formulae, éd. Zeumer, p. 92.
[241] *Lex romana Visigothorum*, II, 33, éd. Haenel, p. 68-70.
[242] Concile d'Orléans de 538, c. 30. M.G.H. Concilia, t. I, éd. Maasen, p. 82, Concile de Clichy de 626-627, c. 1, *ibid.*, p. 197.
[243] A Clermont le prêtre Eufrasius, fils d'un sénateur, offre au roi, afin d'être nommé évêque, les richesses qu'il a empruntées à des Juifs: «*Susceptas a Judaeis species magnas*», Grégoire de Tours, *Hist. Franc.*, IV, 35. L'évêque Cautinus est: «*Judaeis valde carus ac subditus...*» parce qu'il leur emprunte de l'argent ou achète des objets de luxe. Grégoire de Tours, *Hist. Franc.*, IV, 12.
[244] M.G.H. Concilia, t. I, p. 67, *a*° 535 et p. 158, *a*° 583.
[245] A. Luschin, *op. cit.*, p. 83; Prou, *op. cit.*, p. LXXVI.
[246] Sidoine Apollinaire, *Epistulae*, VII, 7, éd. Luetjohann, M.G.H.SS. Antiq., t. VIII, p. 110.
[247] Le Concile d'Orléans de 538, *loc. cit.*, p. 82, défend aux clercs à partir du grade de diacre de *pecuniam commodere ad usuras*.

En 626-627, le Concile de Clichy, *ibid.*, p. 197, réitère la même défense à l'égard du clergé et ajoute: «*Sexcuplum vel decoplum exigere prohibemus omnibus christianis.*»
[248] Il y a eu certainement, après les troubles du Ve siècle, une période de reconstruction, caractérisée par le très grand nombre de monuments nouveaux que l'on a édifiés; cela est inexplicable si l'on n'admet pas un degré assez important de prospérité économique.

Chapitre III

La vie intellectuelle après les invasions

I. *La tradition antique*[1]

Il est inutile d'insister sur la décadence grandissante de l'ordre intellectuel et de la culture antique depuis le IIIe siècle. Elle s'affirme partout, dans la science, dans l'art, dans les lettres. On dirait que l'esprit même est atteint. Pessimisme, découragement, se rencontrent partout. La tentative de Julien échoue et, après elle, le génie antique ne cherche plus à échapper à l'emprise chrétienne.

La vie nouvelle de l'Église conserve encore longtemps le vêtement, qui n'est pas fait pour elle, de la vie païenne. Elle se conforme encore à une tradition littéraire dont elle respecte le prestige. Elle conserve la poésie virgilienne et la prose des rhéteurs. Si le contenu change, le contenant reste identique. L'apparition d'une littérature chrétienne est bien postérieure à la naissance du sentiment chrétien.

Le triomphe officiel et définitif du christianisme sous Constantin n'a d'ailleurs pas coïncidé avec sa victoire nette, qui était déjà réalisée. Personne ne cherche plus à y faire opposition. L'adhésion est universelle, mais l'emprise n'est complète que chez une minorité d'ascètes et d'intellectuels. Beaucoup entrent dans l'Église par intérêt: les grands, comme Sidoine Apollinaire, pour conserver leur influence sociale; les malheureux, pour se mettre à l'abri.

Chez beaucoup, la vie spirituelle n'est plus antique et n'est pas encore chrétienne et pour tous ceux-là, on comprend qu'il n'y a pas d'autre littérature que la littérature traditionnelle[2]. Ce sont les anciennes écoles de grammaire et de rhétorique qui déterminent encore l'attitude de tous ces tièdes.

Les invasions germaniques en Occident ne pouvaient rien changer et n'ont rien changé à cet état de choses[3]. Comment l'auraient-elles pu? On sait que les Germains non seulement n'apportaient aucune idée nouvelle, mais que partout où ils s'établirent, ils laissèrent subsister — sauf les Anglo-Saxons — la langue latine comme seul moyen d'expression. Ici comme dans tous les autres domaines, ils s'assimilèrent. Leur attitude fut la même dans l'ordre intellectuel que dans l'ordre politique ou économique. Leurs rois, à peine installés, s'entourent de rhéteurs, de juristes, de poètes. C'est par eux qu'ils font écrire leurs lois, rédiger leur correspondance, dresser, suivant les modèles anciens, les actes de leur chancellerie. Bref, ils conservent intact l'état de choses existant. Avec eux, la décadence continue, avec cette seule différence qu'elle s'accélère, car on comprend que la barbarisation a été plus funeste encore pour la culture spirituelle que pour la culture matérielle. Sous les dynasties des nouveaux États du bassin occidental de la Méditerranée, ce qui s'accomplit, c'est la décadence d'une décadence.

Voyez à cet égard le royaume ostrogothique. Tout s'y continue comme sous l'Empire. Il suffit de rappeler les noms des deux ministres de Théodoric: Cassiodore et Boèce. Et il y en a d'autres. Le poète Rusticus Elpidius, auteur d'un *Carmen de Christi Jesu Beneficii*, fut médecin et favori de Théodoric[4]. Citons encore Ennodius né sans doute à Arles en 473 et tout à fait profane, quoique devenu évêque de Pavie en 511, au point de célébrer les amours de Pasiphaé[5]. C'est un rhéteur devenu, si l'on veut, professeur d'éloquence sacrée. On voit par lui que les écoles de rhétorique à Rome sont encore en pleine activité. Il écrit le panégyrique de Théodoric entre 504 et 508, dans le même style boursouflé et prétentieux que celui de sa biographie d'Antoine, moine de Lérins[6]. Il fait encore de la grammaire, de la rhétorique qui «commande à l'Univers», les bases de l'éducation du chrétien. Il recommande, pour faire l'éducation des jeunes gens, quelques rhéteurs distingués de Rome, ainsi que la maison d'une dame «aussi pieuse que spirituelle»[7]. C'est donc en grande partie par la phrase que se soutient cette littérature. Mais elle prouve par cela même qu'il y avait encore pas mal de lettrés dans la haute société de l'Italie théodoricienne.

Boèce, né à Rome en 480, appartenait à la grande famille des Anicii. Consul en 510, il devint ministre de Théodoric qui lui confia le soin de mettre de l'ordre dans le système monétaire; il fut exécuté en 525 pour complot tramé avec Byzance. Il a traduit Aristote et ses commentaires influenceront le Moyen Age; il a traduit également l'*Isagoge* de Porphyre, ainsi que les œuvres de musiciens et de mathématiciens grecs. Puis, dans sa prison, il écrivit le *De consolatione philosophiae*, où le christianisme se mêle à une morale stoïco-romaine. C'est encore un esprit distingué et un penseur.

Cassiodore est un grand seigneur né vers 477. Il fut le principal ministre de Théodoric, dont il gagna la faveur par un panégyrique, composé en son honneur. A 20 ans, il fut questeur et secrétaire de Théodoric, puis consul. Même après Théodoric et jusque sous le règne de Vitigès, il conserva sa position à la cour, mais son influence ne fut plus prépondérante après la régence d'Amalasonthe (535). En 540, il se retira du monde pour se consacrer à la vie religieuse au cloître de Vivarium, fondé par lui dans ses terres du Bruttium que son arrière-grand-père avait jadis défendues contre Genséric. Il eût voulu que les moines réunissent dans les cloîtres toutes les œuvres de la littérature classico-antique. Peut-être cette idée de faire se réfugier la culture dans les monastères lui avait-elle été inspirée par la guerre de Justinien qui l'a par ailleurs empêché d'établir l'école de théologie qu'il rêvait de fonder.

Il faut encore mentionner ici Arator, entré au service de l'État sous le règne d'Athalaric, et qui fut *comes domesticorum* et *comes rerum privatarum*. Il entra dans l'Église probablement pendant le siège de Rome par Vitigès, pour avoir un asile. En 544, il déclamait publiquement son poème. *De actibus apostolorum* dans l'église Saint-Pierre-ès-Liens.

Venantius Fortunatus, né entre 530 et 540, étudia la grammaire, la rhétorique et la jurisprudence à Ravenne. En 560, il partit pour la Gaule où il conquit les bonnes grâces de Sigebert d'Austrasie et d'autres grands personnages. A Poitiers, il entre en relations avec sainte Radegonde qui venait d'y fonder le monastère de la Sainte-Croix. Il y fut prêtre et mourut évêque de Poitiers.

Ses poèmes sont surtout des panégyriques; on lui doit notamment ceux de Chilpéric, dont il loue le talent, et de Frédégonde. Il vante l'éloquence romaine de Caribert[8]. Il loue le duc Lupus, un Romain qui aime à attirer à la cour de son maître ceux de ses compatriotes qui se distinguent par leur érudition comme Andarchius[9]. Il célèbre l'éloquence de Gogo; il composa un épithalame à l'occasion du mariage de Sigebert et de Brunehaut dans lequel il met en scène Cupidon et Vénus. Il est l'auteur de l'épitaphe d'une barbare, Vilithuta, morte en couches à dix-sept ans et dont la culture avait fait une Romaine. Il écrivit aussi les hymnes religieux.

Parthenius, qui a étudié à Rome, fut *magister officiorum* de Théodebert. Grégoire de Tours[10] raconte comment il fut lapidé par le peuple qui lui reprochait le poids trop lourd des impôts. Il était lié avec Arator[11].

Le rôle joué par les rhéteurs romains n'est pas moins important chez les Vandales. Dracontius adresse au roi Gunthamund (484-496) un poème intitulé *Satisfactio*. Il a été l'élève du grammairien Félicianus; on voit dans ses œuvres que les Vandales eux-mêmes assistaient, en compagnie de Romains, aux leçons des grammairiens. On remarque, en outre, que sa famille était restée en possession de ses biens. Après avoir appris la grammaire et la rhétorique, il s'était consacré à la carrière juridique. Il fut ensuite persécuté par Gunthamund, qui le fit jeter en prison, et confisqua ses biens pour une pièce de vers où il semble avoir trop célébré l'empereur au détriment du roi[12].

C'est encore sous Thrasamund (496-523) et Hildéric (523-530) que se placent les poètes de l'*Anthologie*: Florentinus, Flavius Felix, Luxorius, Mavortius, Coronatus, Calbulus, qui font, quoique chrétiens, de la littérature pagano-antique[13]. Ils célèbrent les thermes magnifiques de Thrasamund, les monuments construits à Aliana[14]; ils parlent du grammairien Faustus, ami de Luxorius. Le christianisme se mêle dans ces poèmes à l'obscénité[15].

Le comte vandale Sigisteus, protecteur du poète Parthenius, est poète lui-même[16]. On ne peut oublier non plus Fulgence, grammairien de profession, qui écrivit à Carthage dans les vingt dernières années du Ve siècle. Boursouflé, incorrect, il fait de la mythologie allégorique, seul moyen d'en sauver les oripeaux chers encore aux grammairiens.

Chez tous les Germains, le même état de choses se retrouve. Sidoine est le grand homme chez les Burgondes[17]. Chez les Wisigoths, Euric déjà est entouré de rhéteurs. Les rois Wamba, Sisebut, Chindasvinth, Chintila sont des écrivains. Des auteurs tels que Eugène de Tolède, Jean de Biclaro, Isidore de Séville, écrivent en latin et même dans une bonne langue[18].

Chez les Francs, rappelons que le roi Chilpéric écrivit lui-même des poèmes latins[19].

Il faut enfin tenir compte de l'influence de Constantinople, centre d'attraction intellectuelle et d'études. Elle paraît surtout avoir été l'école des médecins, comme on peut le constater par plusieurs passages de Grégoire de Tours.

En somme, les invasions n'ont pas modifié le caractère de la vie intellectuelle dans le bassin de la Méditerranée occidentale. La littérature continue, si l'on ne veut pas dire à fleurir, disons «à végéter», à Rome, à Ravenne, à Carthage, à Tolède et en Gaule, sans qu'aucun élément nouveau n'apparaisse, jusqu'au moment où se fera sentir l'influence des Anglo-Saxons. Sans doute, la décadence est manifeste, mais la tradition subsiste. Puisqu'il y a encore des écrivains, c'est qu'il y a encore pour les lire un public et même un public relativement lettré. Les poètes ont reporté sur les rois germaniques les flagorneries qu'ils décernaient jadis à l'empereur. A part qu'ils sont plus plats, ils répètent les mêmes thèmes.

Cette vie intellectuelle à l'antique se continue encore au VIIe siècle, puisque le pape Grégoire le Grand reproche à Didier, évêque de Vienne, de ne se consacrer qu'à la grammaire et qu'en Espagne, on rencontre d'assez bons historiens juqu'à la conquête arabe.

Dans tout cela, l'apport des Germains est nul[20].

II. L'Église

Que l'Église ait continué, après la chute des empereurs en Occident, à se développer dans la même ligne, est de toute évidence. En fait, elle représente par excellence la continuité du romanisme. Elle croit d'autant plus à l'Empire qu'il est pour elle le plan providentiel. Tout son personnel est romain et se recrute dans cette aristocratie qui incorpore ce qui subsiste de la civilisation[21]. Ce n'est que beaucoup plus tard qu'y entreront quelques Barbares.

Au point de vue social, son influence est immense. Le pape à Rome, l'évêque dans la cité, voilà les personnages principaux. Qui veut faire carrière ou se mettre à l'abri des tempêtes, c'est dans l'Église qu'il doit se réfugier, qu'il soit grand seigneur comme Sidoine ou comme Avitus, ou ruiné comme Paulin de Pelle. Presque tous les écrivains que l'on vient de signaler ont fini dans son sein.

Mais il y a aussi ceux qui y entrent par conviction, ceux qu'y pousse la foi. Et ici, sans doute, il faut faire la part très grande à l'ascétisme oriental. Il se répand de bonne heure en Occident et constitue l'un des traits essentiels de l'époque[22].

Saint Martin, né en Hongrie, qui fut évêque de Tours (372-397), fonde vers 360 le monastère de Ligugé près de Poitiers. Saint Jean Cassien, moine à Bethléem, puis en Égypte et à Constantinople, crée Saint-Victor de Marseille vers 413. Vers 410, Honorat, qui devait devenir évêque d'Arles, fonde le monastère de Lérins dans le diocèse de Grasse; là se fit profondément sentir l'influence de cet ascétisme égyptien que l'on voit se répandre en Gaule vers la même époque[23], en même temps que le monachisme oriental.

Les Barbares ne s'y attaquèrent pas. Et l'on doit même admettre que les troubles qu'ils provoquèrent contribuèrent largement à développer le monachisme en rejetant vers les cloîtres, hors d'un monde qui devenait intenable, quantité des meilleurs esprits du temps. Cassiodore fonde Vivarium sur ses terres; saint Benoît (480-543) jette les bases de la célèbre abbaye du mont Cassin et lui donne la fameuse règle «bénédictine» que Grégoire le Grand devait répandre.

Le mouvement s'étend du sud au nord. Sainte Radegonde va chercher à Arles la règle de saint Césaire qu'elle introduit dans son monastère de Poitiers.

Ce Césaire est représentatif de son temps[24]. Issu d'une grande famille de Chalon-sur-Saône, il va, en 490, à l'âge de vingt ans, chercher un asile à Lérins. Et toute sa vie trahit le chrétien enthousiaste. Il fut, de 502 à 543, évêque de l'antique Arles qu'Ausone appelle «la Rome gauloise». Le roi des Wisigoths, Alaric II, le bannit à Bordeaux. Plus tard, on le trouve en rapports avec Théodoric. Il s'oriente vers la papauté en qui il voit, au milieu des changements de domination auxquels il a assisté, le symbole de l'Empire disparu. Il envisage la vie religieuse avec l'idéal du moine, consacrée à la charité, aux prédications, au chant des hymnes et à l'enseignement. Il tient de nombreux synodes pour réformer l'Église. Par lui, la méditerranéenne Arles devient la clef de voûte de l'Église franque. A peu près tout le droit canonique de la France mérovingienne sort d'Arles au VIe siècle[25] et les collections conciliaires d'Arles sont le modèle de toutes les suivantes[26]. En 513, le pape Symmache lui donne le droit de porter le *pallium* et fait de lui son représentant en Gaule. Déjà en 500, il avait pris la direction d'un monastère dissolu dans une île du Rhône près d'Arles et lui avait donné une règle[27]. Puis en 512, il fonde à Arles un monastère de femmes qui, en 423, compte déjà 200 nonnes. Il lui donne une règle, mais évite de la rendre trop rigoureuse et prévoit lectures, travail de couture, chant des hymnes, copies calligraphiques; il le place sous la protection de Rome.

Ses sermons, simples et populaires, dont il envoyait partout les manuscrits, eurent une influence énorme en Gaule, en Espagne et en Italie.

Comme saint Césaire en Gaule, saint Benoît est la grande figure religieuse du VIe siècle en Italie. Né probablement près de Spolète, il est élevé à Rome, avant de se retirer dans la solitude de Sobiaco. Des ascètes se groupent autour de lui. En 529, il s'établit avec eux au mont Cassin. Sa règle a utilisé celles de Cassien, Rufin, saint Augustin. Elle ne prescrit pas l'étude bien qu'on y parle de livres à lire en carême; elle a un caractère pratique sans austérité excessive. Ce qui surtout devait faire sa future importance universelle, ce fut le voisinage de Rome.

La diffusion du monachisme à cette époque est extraordinaire[28]. Les rois[29], les aristocrates, les évêques[30] créent des abbayes.

Les grands propagateurs du monachisme seront, en Espagne, saint Fructuosus, évêque de Braga († 665), à Rome, Grégoire le Grand.

L'empreinte est surtout forte aux bords de la Méditerranée. Elle semble s'y associer à l'évangélisation des païens, comme le montrent les biographies de ces grands Aquitains, saint Amand († 675-676) et saint Remacle (c. 650-670), tout à la fois évangélisateurs et moines.

Ce sont des moines encore qui allaient évangéliser les Anglo-Saxons. La mission conduite par Augustin, qui emmenait avec lui quarante moines, toucha le royaume de Kent, vers Pâques 597[31]. En 627, le christianisme s'était répandu du Kent au Northumberland. La christianisation était complète en 686[32].

Ainsi, c'est de la Méditerranée que part cette extension septentrionale de l'Église dont les conséquences devaient être si profondes. Elle fut l'œuvre d'hommes tout à fait romanisés et de grande culture, comme le furent Augustin et ses compagnons.

En 668, le pape Vitelius envoie comme archevêque à Canterbury Théodore de Tarse, qui a étudié à Athènes. Son ami Adrien qui l'accompagne est Africain, connaît le grec et le latin. C'est lui qui, avec les Irlandais, a propagé la culture antique chez les Anglo-Saxons[33].

Ainsi donc, la Méditerranée est le foyer du christianisme vivant. Nicetius, évêque de Trèves, est originaire de Limoges, et on en peut citer une quantité d'autres. Thierry Ier envoie des clercs de Clermont à Trèves[34].

L'homme de ce temps qui exerça la plus grande influence sur l'avenir est Grégoire le Grand. C'est un patricien comme Cassiodore. Il commence par être prêcheur. Par ascétisme, il vend ses biens et avec leur produit, il fonde sept couvents. Quoique moine, il est cependant envoyé par le pape comme nonce à Constantinople en 580. En 590, le voilà pape lui-même. Il meurt en 604. Comme écrivain, il recherche la simplicité. Il dédaigne les fleurs de la rhétorique profane qu'il considère comme un verbiage stérile[35]. Il était cultivé cependant, mais chez lui le fond l'emporte sur la forme et son œuvre constitue une véritable rupture avec la tradition de la rhétorique antique. Cela devait arriver, non seulement parce que cette rhétorique était évidemment stérile, mais aussi parce que l'ascétisme qui rappelait l'Église à sa mission la conduisait au peuple.

Déjà Eugippius, dans sa vie de saint Séverin, se refuse à user d'un style que les gens du peuple auraient eu de la peine à comprendre[36]. Et saint Césaire d'Arles dit expressément qu'il a grand soin d'écrire de façon à être compris des illettrés[37].

Ainsi l'Église s'adapte. Elle fait de la littérature un

instrument de culture pour le peuple, c'est-à-dire un instrument d'édification.

Grégoire le Grand a rompu, dit Roger[38], avec les lettres antiques. Il blâme Didier, évêque de Vienne, de s'adonner à l'enseignement de la grammaire et de chanter, lui chrétien, les louanges de Jupiter[39].

Ainsi l'Église, consciente de sa mission, se sert du latin vulgaire, ou pour mieux dire, d'un latin sans rhétorique, accessible au peuple[40]. Elle veut écrire dans ce latin du peuple qui est une langue vivante, la langue du temps, qui ne se préoccupe pas des incorrections. Elle compose pour le peuple des vies de saints qui ne visent qu'à l'édification miraculeuse. Cette simplicité de langue, qui est celle d'Isidore de Séville († 646), n'est pas exclusive de la science. Isidore est un compilateur qui veut mettre la science antique à la portée de ses contemporains. De l'esprit antique, plus rien ne subsiste chez lui. Mais il fait connaître des recettes et des faits. Il a été l'Encyclopédie du Moyen Age. Or, lui aussi, il est un Méditerranéen.

Ainsi, c'est encore dans la *Romania* du Sud que s'opère cette orientation nouvelle que l'esprit chrétien donne à la littérature, qui, barbare peut-être dans la forme, n'en reste pas moins vivante et agissante. C'est la dernière forme sous laquelle le latin ait encore été écrit comme langue parlée, comme langue des laïques. Car c'est pour les laïques qu'écrivent tous ces clercs qui abandonnent la tradition antique pour se faire comprendre d'eux. Il en est autrement en Angleterre où le latin est importé comme langue savante pour les besoins de l'Église, mais où aucun effort n'est fait pour l'introduire dans le peuple qui reste purement germanique de langue.

Le temps viendra où les clercs useront à nouveau d'un latin classique. Mais alors ce latin sera devenu une langue savante qu'ils n'écriront plus que pour les gens d'Église.

III. L'art

Après les invasions, aucune interruption ne se constate dans l'évolution artistique de la région méditerranéenne. L'art atteste la continuation de ce processus d'orientalisation qui, sous l'influence de la Perse, de la Syrie, de l'Égypte, se manifeste de plus en plus dans l'Empire.

Il y a là une réaction anti-hellénistique que l'on pourrait comparer à la réaction romantique contre l'art classique et qui se traduit par la stylisation de la figure, la zoomorphie, le goût du décor, de l'ornement, de la couleur.

L'Occident n'échappe point à cette orientalisation progressive. Elle se fait sentir d'autant plus que les relations commerciales sont plus actives avec la Syrie, l'Égypte, Constantinople. Les marchands syriens, fournisseurs d'objets de luxe, ont disséminé partout, dès le IIIe siècle, et jusque dans la Grande-Bretagne, des orfèvreries et des ivoires venus d'Orient.

L'influence de l'Église ainsi que celle du monachisme ont agi dans le même sens. L'Occident suit, comme toujours, l'exemple. Les invasions germaniques n'ont apporté ici aucun changement[41].

On pourrait dire, au contraire, qu'elles ont collaboré au mouvement car les Germains, et surtout les Goths, durant leur séjour dans la plaine russe, ont subi de profondes influences orientales venues par la mer Noire. Leurs fibules, leurs colliers, leurs anneaux, leurs objets d'orfèvrerie cloisonnée sont influencés par cet art décoratif sarmate et persan, auquel se sont mélangés sans doute les caractères propres de leur mobilier de l'époque du bronze. Ils ont connu ainsi un art que les Romains appelaient *ars barbarica* et qui s'est répandu dans l'Empire dès avant les invasions, puisqu'on le voit pratiquer à Lyon par un artisan originaire de la Commagène[42]. Au IVe siècle déjà, la verroterie cloisonnée est d'un usage courant dans les armées impériales[43].

Les artisans locaux font de l'exotisme. On peut se demander d'ailleurs dans quelle mesure cet art est pratiqué par les Germains eux-mêmes. Nous savons, par la loi des Burgondes, qu'ils avaient des esclaves orfèvres chargés de pourvoir à la parure des guerriers et des femmes, et ces esclaves étaient sans doute grecs au début et plus tard romains. Ce sont eux qui répandirent cet art dans l'Empire à l'époque des invasions; il fleurit chez les Wisigoths comme chez les Vandales et les Burgondes[44].

Mais à mesure que le contact s'établissait avec la tradition antique, cet art «barbare» peu à peu se restreignait au peuple. Les rois et les grands voulurent mieux. Ils ne concevaient pas d'autre art que celui de l'Empire. Chilpéric fait voir à Grégoire de Tours les belles pièces d'or que l'empereur lui a envoyées et lui dit qu'il a fait faire un plat d'or et en fera faire d'autres à Constantinople «pour honorer la race des Francs»[45]. D'après Zeiss[46], la *Tierornamentik* a disparu très tôt et, au VIe siècle déjà, la veine proprement germanique de l'art wisigothique est épuisée.

Les Germains, installés dans la *Romania*, n'ont pas fait éclore un art original, comme les Irlandais et les Anglo-Saxons. Chez ces derniers, en l'absence d'ambiance romaine, l'art a conservé un caractère national, exactement comme le droit et les institutions. Mais son influence ne devait se manifester en Gaule que beaucoup plus tard, au VIIe siècle pour les Irlandais, au VIIIe siècle pour les Anglo-Saxons[47].

Nous avons conservé de cet art barbare, d'ailleurs très inférieur aux chefs-d'œuvre de l'art sarmate dont il s'est inspiré à l'origine, de très belles pièces, comme la cuirasse de Théodoric, l'évangéliaire de Théodelinde à la cathédrale de Monza et les couronnes de Guarrazar. Il est difficile d'ailleurs de considérer ces œuvres comme des productions barbares. Riegl et Zeiss admettent que, en ce qui concerne les couronnes notamment, c'est un art d'ouvriers romains. Saint Éloi, qui a fabriqué diverses œuvres d'art[48], est un Gallo-Romain. On ne peut donc parler ici d'un art proprement germanique, mais plutôt d'art oriental.

Il faudrait pouvoir y démêler les influences dues à l'importation massive des orfèvreries et des ivoires de Byzance, de Syrie et d'Égypte. D'après Dawson[49], l'art irano-gothique apporté par les Barbares, le cède en France, dès le milieu du VIe siècle, et donc encore plus tôt dans le Midi, à l'art syrien et byzantin qui se répand dans la Méditerranée[50]. Un savant scandinave a signalé l'importance des apports orientaux dans l'art germanique chez les Anglo-Saxons[51].

La Perse a exercé son influence par l'importation de ses tapis jusqu'au centre de la Gaule[52].

L'art copte de l'Égypte a été agissant surtout par les ivoires d'Alexandrie et par les étoffes. Rappelons-nous, en outre, que déjà lorsque saint Honorat en 410 fonda le monastère de Lérins, plusieurs religieux égyptiens vinrent s'y établir.

En somme l'art venu par la Méditerranée, tout oriental, a rencontré celui des Barbares, oriental aussi, et il y a eu une interpénétration, qui s'est faite évidemment sous la prédominance du courant venu du sud, puisque celui-ci avait la technique la plus développée[53].

Cette pénétration orientale se remarque partout en Gaule, en Italie, en Afrique, en Espagne. Elle imprime à tout l'Occident une empreinte byzantine.

Le tombeau de Chilpéric, d'après Babelon, est une œuvre d'artistes byzantins établis en Gaule[54]. C'est à eux que seraient dus les objets les plus parfaits; les plus grossiers seraient dus à de maladroits élèves barbares. Schmidt admet que l'art barbare de cette époque est l'œuvre d'esclaves gallo-romains travaillant dans le goût germanique, c'est-à-dire dans le goût oriental[55]. Même orientalisation dans tous les autres arts décoratifs en dehors de l'orfèvrerie. Les splendides étoffes que Dagobert offre à Saint-Denis, sont des tissus orientaux. Le pape Adrien (772-795) n'a pas donné, pendant son pontificat, moins de 903 pièces d'étoffes précieuses aux basiliques de Rome[56]. Ce sont des tissus de soie fabriqués à Constantinople ou ailleurs, sous l'influence de modèles persans[57].

Même orientalisme dans la décoration des manuscrits. Le sacramentaire de Gellone, œuvre wisigothique, est décoré de perroquets au plumage éclatant, de paons, gypaètes, lions, serpents qui indiquent suffisamment son origine. On peut aussi y découvrir des influences arméniennes[58].

Les manuscrits répandus au VIIe siècle par les Irlandais auront par contre un caractère plus national et plus barbare. On verra s'y mélanger des motifs indigènes, d'origine préhistorique, à des éléments orientaux, qui leur auront été apportés sans doute par l'art des Gaules[59].

La mosaïque procède du même esprit. Les thèmes mythologiques et chrétiens usités à l'époque gallo-romaine disparaissent pour faire place aux rinceaux et au bestiaire dont les mosaïques syriennes et africaines du Ve siècle offrent tant d'exemples[60]. A Saint-Chrysogone du Transtévère à Rome, un pavage en mosaïques datant de la reconstitution de Grégoire III en 731, montre des aigles et des dragons alternés dans des médaillons, au milieu d'entrelacs et de rosaces[61]. De même, dans les fragments des mosaïques de l'église Saint-Genès, de Thiers, construite en 575 par saint Avit, évêque de Clermont, se reconnaît l'imitation d'une étoffe persane. «Rien ne montre mieux que ce petit monument qui mesure à peine un mètre de longueur, la vogue des étoffes orientales dans la Gaule mérovingienne»[62].

Et il a dû en être probablement de même de la peinture décorative. Grégoire de Tours raconte que Gondovald se fait passer pour un *pictor* décorant les maisons[63]. On voit, par ce texte, que l'on polychromait les habitations privées, sans doute aussi dans le goût des étoffes orientales.

On polychromait aussi les églises et ici, sans doute, la figure humaine devait jouer un grand rôle, tout comme dans les mosaïques de Saint-Vital de Ravenne. Grégoire le Grand blâme l'évêque Serenus de Marseille de détruire les peintures de son église où elles servent, dit-il, à l'instruction religieuse du peuple[64].

Il ne faut pas se représenter l'époque des VIe et VIIe siècles comme vide d'activité artistique. On construit partout[65]. Il suffit de rappeler ici des monuments de premier ordre comme l'église de Saint-Vital de Ravenne. Le luxe byzantin se rencontre dans toutes les constructions du temps. A Clermont, l'évêque construit une église avec revêtements de marbre, quarante-deux fenêtres et soixante-dix colonnes[66].

Fortunat décrit l'église Saint-Germain construite en 537, avec ses colonnes de marbre et ses fenêtres vitrées, et la *Vita Droctovei* parle de ses mosaïques, de ses peintures et des plaques dorées du toit[67].

Léontinus de Bordeaux (vers 550) construit neuf églises[68]. Sidoine, à la fin du Ve siècle, au milieu des invasions, se plaignait que l'on entretînt à peine les anciennes églises[69]. Mais les troubles ayant cessé, on rattrape le temps perdu. De toutes parts, on restaure et on bâtit, ce qui indique évidemment un certain degré de prospérité. Nicetius de Trèves, Vilicus de Metz, Carentinus de Cologne restaurent et embellissent des églises[70].

L'évêque de Mayence construit l'église Saint-Georges et un baptistère à Xanten. Didier de Cahors (630-655) édifie quantité d'églises dans la cité et aux environs, ainsi qu'un monastère. Ajoutons les constructions d'Agricola à Châlons[71], de Dalmatius à Rodez[72]. Beaucoup d'ouvriers (*artifices*) étaient appelés d'Italie. Nous savons que l'évêque Nicetius fit venir d'Italie des *artifices* à Trèves[73]. Mais il y avait aussi des architectures barbares[74].

Le baptistère de Poitiers peut nous donner une idée de leurs constructions, qui n'échappaient pas, elles non plus, à l'influence orientale[75].

Bref, ce que nous savons de tous les arts et dans tous les sens, nous montre, comme dit Bréhier[76]: «l'art occidental dégagé de toute influence classique». Mais il a tort de prétendre que cet art se serait développé dans le même sens que l'art arabe s'il n'y avait eu la renaissance carolingienne. Non, ce qui est évident, c'est qu'il se développait dans le sens byzantin. Tout le bassin de la Méditerranée prenait exemple sur Constantinople.

IV. Caractère laïque de la société

Il faut insister encore sur un dernier fait qui n'a guère attiré l'attention jusqu'à présent, et qui achève pourtant de démontrer que la société d'après les invasions continue exactement celle d'avant: c'est son caractère laïque. Si grand que soit le respect que l'on professe pour l'Église, et si grande que soit son influence, elle ne s'intègre pas dans l'État. Le pouvoir politique des rois, comme celui des empereurs, est purement séculier. Aucune cérémonie religieuse, si ce n'est chez les Wisigoths à partir de la fin du VIIe siècle, n'est célébrée à l'avènement des rois. Aucune formule de dévolution *gratia Dei* dans leurs diplômes. Aucun ecclésiastique n'est chargé de fonctions à leur cour. Ils n'ont pour ministres et pour fonctionnaires que des séculiers. Ils sont chefs de l'Église, et nomment des évêques, convoquent des conciles, parfois même y prennent part. Il y a, à cet égard, entre eux et les gouvernements postérieurs au VIIIe siècle, un contraste complet[77]. La *scola* qu'ils entretiennent à leur cour ne ressemble en rien à l'école du palais de Charlemagne. S'ils laissent l'Église se charger volontairement de quantité de services publics, ils ne lui en délèguent aucun. Ils ne lui reconnaissent d'autre juridiction que disciplinaire. Ils la soumettent à l'impôt. Ils la protègent, mais ne s'y subordonnent pas. Et il faut remarquer que l'Église, en retour de leur protection, leur est particulièrement fidèle. Même sous les rois ariens, on ne voit pas qu'elle se soit révoltée contre eux[78].

S'il en est ainsi, c'est parce que la société elle-même n'est pas encore dépendante de l'Église pour sa vie sociale; elle est encore capable de fournir à l'État son personnel laïque.

L'aristocratie sénatoriale, formée dans les écoles de grammaire et de rhétorique, est la pépinière du haut personnel gouvernemental. Il suffit de rappeler les noms d'hommes comme Cassiodore et comme Boèce. Et après eux, malgré la décadence de la culture, il continue à en être de même. Le palais, même chez les Mérovingiens, abondait en laïques instruits. Nous savons, par Grégoire de Tours, que les enfants des rois étaient soigneusement initiés à la culture des lettres et il en était ainsi davantage encore chez les Ostrogoths et les Wisigoths. Le style pompeux des missives écrites par la chancellerie mérovingienne aux empereurs, prouve qu'il y a encore dans les bureaux, même au temps de Brunehaut, des rédacteurs ayant des lettres[79]. Et nul doute que ce soient des laïques puisque la chancellerie ici, conformément à l'exemple impérial, est exclusivement composée de laïques[80].

On pourrait d'ailleurs fournir quantité d'exemples. Asteriolus et Secundinus, favoris de Théodebert Ier, sont chacun *rhetoricis inbutus litteris*[81], Parthenius, *magister officiorum et patricius*, sous le même roi, a été compléter à Rome sa formation littéraire[82]. L'éducation de ces fonctionnaires n'était cependant pas purement littéraire[83].

Didier de Cahors, trésorier royal sous Clotaire II (613-629/630), est instruit dans la *gallicana eloquentia* et les *Leges Romanae*. Au VIIe siècle, il y a certainement encore au palais des gens beaucoup plus formés et cultivés qu'on ne le suppose.

Pour les Wisigoths, il suffit de lire leurs lois où s'épanchent la verbosité et la rhétorique, mais qui se distinguent en même temps par leurs prescriptions minutieuses de la vie sociale, pour voir que la formation littéraire de ce personnel allait de pair avec la pratique des affaires.

Ainsi, les rois ont gouverné avec des hommes chez qui subsistait la tradition littéraire et politique de Rome, mais ce qui est peut-être plus frappant, c'est qu'ils ont administré avec un personnel lettré. Et il n'en pouvait être autrement. L'organisation administrative de l'Empire, qu'ils se sont efforcés de conserver, exigeait impérieusement la collaboration d'agents instruits. Comment eût-il été possible, sans cela, de dresser et de tenir à jour les registres de l'impôt, de procéder aux opérations du cadastre, d'expédier tous les actes qui émanaient du tribunal royal et de la chancellerie du palais? Et même chez les fonctionnaires subalternes, comment, sans la connaissance de la lecture et de l'écriture, tenir les comptes du tonlieu? Dans les villes, la tenue des *gesta municipalia* nous force à accepter la même conclusion.

Mais c'est surtout le droit romain ou le droit romanisé avec sa procédure écrite, la consignation des jugements, des contrats, des testaments, qui occupe quantité de *notarii* sur tout le territoire. C'est pour ces gens-là qu'écrit Marculf. C'étaient dans leur immense majorité des laïques, en dépit du *diaconus* que l'on trouve mentionné dans les formules de Bourges et d'Angers[84].

Il y avait, de toute évidence, des écoles pour tout ce personnel. Je l'ai montré d'ailleurs dans un autre travail[85]. Même chez les Lombards, les écoles subsistent[86].

Chez les Wisigoths, l'écriture est tellement répandue que le roi fixe le prix auquel seront vendus les exemplaires de la loi. Ainsi, le savoir lire et écrire est très courant dans tout ce qui touche à l'administration.

Il en est de même, par nécessité économique, dans le monde des marchands. Une classe de marchands professionnels, faisant le commerce à longue distance, n'aurait pu se maintenir sans un minimum d'instruction. Nous savons d'ailleurs, par Césaire d'Arles, que les marchands avaient des commis lettrés.

A l'époque mérovingienne, l'écriture est donc indispensable à la vie sociale. Et c'est ce qui explique que dans tous les royaumes constitués en Occident, la cursive romaine se soit conservée sous la forme de la minuscule cursive qu'elle a prise au Ve siècle; c'est là une écriture rapide, une écriture d'affaires et non une calligraphie. C'est d'elle que proviennent les écritures mérovingienne, wisigothique et lombarde[87], que l'on appelait jadis écritures nationales, à tort, car elles ne sont strictement que la continuation de la cursive romaine perpétuée par les agents de l'administration, les bureaux et les marchands.

Cette écriture cursive est bien celle qui convient à la langue vivante mais décadente de l'époque. Dans la vie courante, le latin est encore plus abâtardi que dans la littérature; il est devenu une langue pleine d'incorrections et de solécismes, infidèle à la grammaire, mais qui n'en est pas moins du latin authentique. C'est ce que les lettrés appellent le latin rustique. Mais ils s'y prêtent et l'emploient, surtout en Gaule, parce qu'il est la langue populaire, celle de tous. Et l'administration fait comme eux. C'est sans doute ce latin-là qu'on enseignait dans les petites écoles. Pas un texte ne nous montre, comme ce sera le cas au IXe siècle, qu'à l'Église le peuple ne comprend plus le prêtre. Ici encore il y a, si l'on veut, barbarisation de la langue, barbarisation qui n'a d'ailleurs rien de germanique. La langue subsiste et c'est elle qui fait, jusque dans le courant du VIIIe siècle, l'unité de la *Romania*[88].

Conclusion

De quelque côté qu'on l'envisage, la période inaugurée par l'établissement des Barbares dans l'Empire, n'a donc rien introduit dans l'histoire d'absolument nouveau[89]. Ce que les Germains ont détruit, c'est le gouvernement impérial *in partibus occidentis*, ce n'est pas l'Empire. Eux-mêmes, en s'y installant comme *foederati*, le reconnaissent. Loin de vouloir y substituer quelque chose de nouveau, ils s'y logent, et si leur aménagement entraîne de graves dégradations, il n'amène pas un plan nouveau; on pourrait presque dire que le vieux *palazzo* est maintenant divisé en appartements, mais comme construction il subsiste. Bref, le caractère essentiel de la *Romania* reste méditerranéen. Les pays frontières demeurés germaniques et l'Angleterre ne jouent encore aucun rôle; l'erreur est de les avoir pris à cette époque comme point de départ. A considérer les choses comme elles sont, la grande nouveauté de l'époque est donc un fait politique: une pluralité d'États se substituant en Occident à l'unité de l'État romain. Et cela sans doute est considérable. L'aspect de l'Europe change, mais sa vie ne change pas en fond. Ces États, que l'on appelle nationaux, ne sont en somme pas nationaux du tout, mais seulement des fragments du grand ensemble auquel ils se sont substitués. Il n'y a transformation profonde qu'en Bretagne.

Là l'empereur et la civilisation de l'Empire ont disparu. Rien ne demeure de la tradition. Un nouveau monde se manifeste. Le droit, la langue, les institutions font place à celles des Germains. Une civilisation de type nouveau apparaît, qu'on peut appeler la civilisation nordique ou germanique. Elle s'oppose à la civilisation méditerranéenne synchrétisée dans le Bas-Empire, cette dernière forme de l'Antiquité. Ici, rien de l'État romain avec son idéal législatif, sa population civile, sa religion chrétienne, mais une société qui a conservé entre ses membres le lien du sang, la communauté familiale avec toutes les conséquences qu'elle entraîne dans le droit, dans la morale, dans l'économie, un paganisme allié à des chants héroïques; voilà ce qui constitue l'originalité de ces Barbares qui ont fait reculer le vieux monde pour en prendre la place. En Bretagne, un âge nouveau débute qui ne gravite pas vers le sud. L'homme du Nord a conquis et pris pour lui cette extrémité de la *Romania* dont il ne conserve pas de souvenir, dont il éloigne la majesté, à laquelle il ne doit rien. Dans toute la force du terme, il la remplace et, en la remplaçant, il la détruit.

Les envahisseurs anglo-saxons ont passé directement de l'ambiance germanique dans l'Empire, sans avoir subi l'influence romaine. La province de Bretagne où ils se sont établis, était, par surcroît, la moins romanisée. Ils y sont donc restés eux-mêmes; l'âme germanique, l'âme nordique, l'âme barbare, l'âme des peuples dont l'état d'avancement était, si l'on peut dire homérique, a été, dans ce pays, le facteur historique essentiel.

Mais ce spectacle que présente la Bretagne anglo-saxonne est unique. On le chercherait vainement sur le continent. La *Romania* y subsiste, sauf à la lisière ou le long du Rhin, dans les champs décumates et le long du Danube, c'est-à-dire dans les provinces de Germanie, de Rhétie, de Norique et de Pannonie, toutes proches de la Germanie qui a débordé sur l'Empire et l'a refoulé devant elle. Mais ces confins n'ont joué aucun rôle, puisqu'ils ont été rattachés aux États fondés, comme celui des Francs ou des Ostrogoths, en pleine *Romania*. Or là, ce qui subsiste de toute évidence, c'est l'état ancien des choses. Les envahisseurs, trop peu nombreux, et d'ailleurs depuis trop longtemps en contact avec l'Empire, ont été fatalement absorbés et n'ont pas demandé mieux. Ce qui doit surprendre, c'est qu'il existe dans les nouveaux États qui obéissent tous à des dynasties germaniques, si peu de germanisme. La langue, la religion, les institutions, l'art en sont purs, ou à peu de chose près. On en trouve quelque influence dans le droit des pays situés au nord de la Seine et des Alpes, mais jusqu'à l'arrivée des Lombards en Italie, c'est bien peu de chose. Si on a cru le contraire, c'est pour avoir suivi l'école germanique et abusivement étendu à la Gaule, à l'Italie et à l'Espagne, ce qui se rencontre dans les *Leges Barbarorum* des Saliens, des Ripuaires et des Bavarois. C'est aussi pour avoir projeté sur la période antérieure aux Carolingiens ce qui n'est vrai que de ceux-ci. On a d'ailleurs exagéré le rôle de la Gaule mérovingienne, justement en se laissant dominer par l'idée de ce qu'elle sera plus tard, mais ce qu'elle n'est pas encore.

Qu'est Clovis en comparaison de Théodoric? Et après Clovis observons que, malgré tous leurs efforts, les rois francs ne parviennent pas à s'installer en Italie, ni même à reprendre la Narbonnaise aux Wisigoths. Évidemment, d'ailleurs, c'est vers la Méditerranée qu'ils tendent. Leur conquête au-delà du Rhin, loin d'avoir pour effet de germaniser leur royaume, a pour but de le défendre contre les Barbares. Mais admettre que dans les conditions où ils s'y sont établis et avec le petit nombre de gens qu'ils amenèrent avec eux, Wisigoths, Burgondes, Ostrogoths, Vandales et Francs aient pu vouloir germaniser l'Empire, c'est proprement admettre l'impossible. *Stat mole sua.*

En outre il ne faut pas oublier le rôle de l'Église en laquelle Rome s'est réfugiée et qui l'impose aux Barbares en même temps qu'elle s'impose elle-même à eux.

Les rois germaniques ont été en Occident, dans le monde romain qui se détraquait en tant qu'État, des points de cristallisation politique, si l'on peut dire. Mais autour d'eux, avec des pertes inévitables, ce qui a continué, c'est l'équilibre social ancien, ou, disons mieux, antique.

En d'autres termes, l'unité méditerranéenne qui constitue l'essentiel de ce monde antique, se maintient dans toutes ses manifestations. L'hellénisation croissante de l'Orient ne l'empêche pas de continuer à influencer l'Occident par son commerce, son art, les agitations de sa vie religieuse. Dans une certaine mesure, on l'a vu, l'Occident se byzantinise.

C'est cela qui explique le mouvement de reconquête de Justinien qui refait presque de la Méditerranée un lac romain. Et sans doute, vu comme nous le voyons, il paraît bien que cet empire ne pouvait durer. Mais il n'en était pas de même pour les contemporains. L'invasion lombarde n'a certainement pas eu l'importance qu'on lui attribue. Ce qui frappe en elle, c'est sa lenteur.

La politique méditerranéenne de Justinien, et elle est bien cela puisqu'il lui sacrifie ses luttes contre les Perses et les Slaves, correspond à l'esprit méditerranéen de toute la civilisation européenne du Vᵉ au VIIᵉ siècle. C'est au bord de ce *mare nostrum* que l'on rencontre toutes les manifestations spécifiques de la vie de l'époque. C'est, comme sous l'Empire, vers elle que gravite le commerce; c'est là qu'écrivent les derniers représentants de la littérature antique, un Boèce, un Cassiodore, là que naît et se développe avec un Césaire d'Arles et un Grégoire le Grand la nouvelle littérature de l'Église, là qu'avec un Isidore de Séville se fait l'inventaire de la civilisation grâce auquel le Moyen Age connaîtra l'Antiquité; c'est là qu'à Lérins ou au mont Cassin le monachisme, venu d'Orient, s'acclimate au milieu occidental; c'est de là que partent les missionnaires qui convertiront l'Angleterre; c'est là que se dressent les monuments caractéristiques de cet art hellénistico-oriental qui semble destiné à être celui de l'Occident comme il est resté celui de l'Orient.

Aucun indice, au VIIᵉ siècle, n'annonce encore la fin de la

communauté de civilisation établie par l'Empire romain des Colonnes d'Hercule à la mer Égée et des côtes de l'Égypte et d'Afrique à celles d'Italie, de Gaule et d'Espagne. Le monde nouveau n'a pas perdu le caractère méditerranéen du monde antique. Aux bords de la Méditerranée se concentre et s'alimente tout ce qu'il possède d'activité.

Rien n'annonce que l'évolution millénaire doive être brusquement interrompue. Personne ne s'attend à une catastrophe. Si les successeurs immédiats de Justinien ne peuvent continuer son œuvre, ils n'y ont pas renoncé. Ils refusent de faire aucune concession aux Lombards, ils fortifient fébrilement l'Afrique, ils y établissent leurs thèmes comme en Italie; leur politique s'étend aux Francs comme aux Wisigoths; leur flotte a la maîtrise de la mer; le pape de Rome voit en eux le souverain.

Le plus grand esprit de l'Occident, Grégoire le Grand, pape de 590 à 604, salue l'empereur Phocas, en 603, comme régnant seul sur des hommes libres, tandis que les rois d'Occident ne règnent, dit-il, que sur des esclaves: *Hoc namque inter reges gentium et reipublicae imperatores distat, quod reges gentium domini servorum sunt, imperatores vero reipublicae domini liberorum*[90].

Notes

[1] On ne trouvera naturellement ici qu'un aperçu sans la moindre prétention, si ce n'est celle de montrer la continuation de cette tradition.

[2] Voyez par exemple Ebert, *Hist. de la litt. latine au Moyen Age*, trad. Aymeric et Condamin, t. I, p. 445. Il range parmi les Chrétiens, qui n'en ont que le nom, Claudius, Flavius Merobaudes, Sidoine Apollinaire. Caractéristique est aussi à cet égard, Ennodius, né probablement à Arles, et dont l'éducation est toute de rhétorique, *ibid.*, p. 461.

[3] R. Buchner, *op. cit.*, p. 85, dit fort bien ce qu'il faut dire à ce point de vue: continuation de la *Spätantike*.

[4] Ebert, *op. cit.*, t. I, p. 442.

[5] *Ibid.*, t. I, p. 464.

[6] *Ibid.*, t. I, p. 467.

[7] *Ibid.*, t. I, p. 468.

[8] *Ibid*, *op. cit.*, t. I, p. 556.

[9] Grégoire de Tours, *Hist. Franc.*, IV, 46.

[10] *Ibid.*, III, 36.

[11] Hartmann, *op. cit.*, t. I, p. 191.

[12] Ebert, *op. cit.*, t. I, p. 409.

[13] *Ibid.*, t. I, p. 457.

[14] *Ibid.*, p. 458.

[15] *Ibid.*, p. 460.

[16] Manitius, *Geschichte der Christlich-Lateinischen Poesie*, p. 402.

[17] A. Coville, *op. cit.*, p. 226.

[18] La littérature wisigothique est supérieure à celle des autres Germains aux dires de Manitius, *Geschichte der Christlich-Lateinischen Poesie*, p. 402.

[19] Sur le caractère de la culture chez les Francs, on verra H. Pirenne, De l'état de l'instruction des laïques à l'époque mérovingienne, *Revue bénédictine*, avril-juillet 1934, p. 165.

[20] Pour trouver, avec Ebert, un reflet de l'âme germanique dans l'œuvre de Fortunat, il est évident qu'il faut l'y voir *a priori*. On consultera R. Buchner, *op. cit.*, p. 84.

[21] Voyez là-dessus le travail de Hélène Wieruszowski, Die Zusammensetzung des gallischen und fränkischen Episkopats bis zum Vertrag von Verdun, dans les *Bonner Jahrbücher*, t. 127, 1922, p. 1-83. Elle donne, p. 16, une statistique pour les évêques de Gaule du VIe siècle, d'où il appert qu'ils sont presque tous romains.

[22] L'influence du monachisme égyptien se remarque à Lérins. L'Anglais saint Patric, qui convertit l'Irlande en 432, vécut à Lérins et transporta de là en Irlande des influences religieuses et artistiques égyptiennes (Baum, *op. cit.*, cité par les *Forschungen und Fortschritte*, t. XI, 1935, c. 222 et 223).

[23] Grégoire de Tours, *Hist. Franc.*, VIII, 15, mentionne un stylite à Eposium (Yvoy). Sur d'autres excès d'ascétisme, voyez Dill, *Roman Society in Gaul in the Merovingian Age*, p. 356.

[24] Voir sa *Vita*, publiée dans les SS. rer. Merov., t. III, p. 457.

[25] L. Duchesne, *Fastes épiscopaux de l'ancienne Gaule*, t. I, 2e éd., 1907, p. 145.

[26] *Ibid.*, p. 142 et suiv.

[27] Schubert, *Geschichte der christlichen Kirche im Frühmittelalter*, p. 61.

[28] Saint Colomban († 615) arriva en Gaule en 590. Cf. de Moreau, *Les missions médiévales*, 1932, p. 188. On verra dans Hauck, *Kirchengeschichte Deutschlands*, t. I, p. 288 et ss., le grand nombre de monastères fondés à l'imitation de Luxeuil au VIIe siècle, surtout dans le Nord. Il faut noter cette influence à côté de celle de la Méditerranée. Il semble que Luxeuil l'emporte en renommée sur Lérins; *ibid.*, t. I, p. 296. Cependant la règle de saint Colomban, trop ascétique, ne se maintint pas et fut remplacée par celle de saint Benoît.

[29] Par exemple Sigebert III, qui fonde l'abbaye de Stavelot-Malmédy, *Rec. des chartes de Stavelot-Malmédy*, éd. J. Halkin & Rolland, t. I, p. 1 et p. 5.

[30] Sur les monastères du VIIe siècle, voir Hauck, *Kirchengeschichte Deutschlands*, t. I, p. 298.

[31] De Moreau, *Les missions médiévales*, p. 138.

[32] De Moreau, *op. cit.*, p. 165.

[33] Bède, *Historia Ecclesiastica*, IV, 1; Migne, *Patr. lat.*, t. 95, c. 171-172.

[34] Hauck, *op. cit.*, t. I, p. 122.

[35] Ebert, *op. cit.*, t. I, p. 588.

[36] Ebert, *op. cit.*, t. I, p. 482.

[37] *Ibid.*, p. 503.

[38] Roger, *L'enseignement des lettres classiques d'Ausone à Alcuin*, 1905, p. 187 sqq.

[39] Jaffé-Wattenbach, *op. cit.*, n° 1824.

[40] Grégoire de Tours, *Hist. Franc. Praefatio: philosophantem rhetorem intellegunt pauci, loquentem rusticum multi.* Cf. Schubert, *op. cit.*, p. 67.

[41] Rostovtzeff, *Iranians and Greeks in South Russia*, Oxford, 1922, p. 185-186, a pu dire que ce qu'on appelle l'art mérovingien n'est que la version européenne de l'art sarmate né en Asie centrale. Voir, sur ce sujet, Bréhier, *L'art en France des invasions barbares à l'époque romane*, p. 17 et suiv., et surtout p. 23 et p. 26.

[42] Bréhier, *op. cit.*, p. 38.

[43] *Ibid.*, p. 28.

[44] Voyez pour les Wisigoths, J. Martines Santa-Olalla, *Grundzüge einer Westgotischen Archäologie*, 1934, cité par les *Forschungen und Fortschritte*, t. XI, 1935, c. 123. Cet auteur distingue trois époques dans l'art wisigothique: gothique avant 500, wisigothique jusqu'en 600, puis byzantine. Pendant cette dernière période, le germanisme a été absorbé par le milieu national et méditerranéen.

[45] Grégoire de Tours, VI, 2. Cf. Fustel de Coulanges, *Les transformations de la royauté*, p. 19 et 20.

[46] H. Zeiss, Zur ethnischen Deutung frühmittelalterlicher Funde, *Germania*, t. XIV, 1930, p. 12.

[47] Je crois, à ce propos, que Bréhier, *op. cit.*, p. 59, a tort en englobant dans un même ensemble l'art de la Gaule mérovingienne, celui de l'Espagne wisigothique, de l'Italie des Ostrogoths, des Lombards, des pays anglo-saxons et scandinaves.

[48] Bréhier, *op. cit.*, p. 56.

[49] Dawson, *The making of Europe*, p. 97.

[50] Michel, *Histoire de l'art*, t. I, 1905, p. 397, signale en Gaule plusieurs monuments, pierres tombales, sarcophages, et notamment le sarcophage de Boétius, évêque de Carpentras, qui sont de l'art purement syrien.

[51] N. Aberg, *The Anglo-Saxons in England during the early centuries after the invasions*, 1926, p. 7-8.

[52] Sidoine Apollinaire parle des tapis persans qui étaient en usage en Auvergne. Michel, *op. cit.*, t. I, p. 399.

[53] Michel, *Histoire de l'art*, t. I, p. 399.

[54] E. Babelon, Le tombeau du roi Childéric, *Mém. de la Soc. des Antiq. de France*, 8e série, t. VI, 1924, p. 112.

[55] L. Schmidt, *Geschichte der Deutschen Stämme. Die Ostgermanen*, 2e éd., 1934, p. 193. Cf. le *faber argentarius* que cite la *Lex Burgundionum*, X, 3, éd. von Salis, M.G.H. Leges, t. II¹, p. 50.

[56] Bréhier, *op. cit.*, p. 61.

[57] On en trouve encore divers spécimens dans les trésors d'églises, exemple à Sens. Bréhier, *op. cit.*, p. 63.

[58] Bréhier, *op. cit.*, p. 67.

[59] *Ibid.*, p. 69.

[60] *Ibid.*, p. 107.

[61] *Ibid.*, p. 107.

[62] *Ibid.*, p. 109.

[63] Grégoire de Tours, *Hist. Franc.*, VII, 36.

[64] Saint Grégoire, *Registrum*, IX, 208, éd. Hartmann, M.G.H. Epistolae, t. II, p. 195.

[65] La *Vita* de saint Didier de Cahors nous apprend que ce saint fait élever et décorer nombre d'églises. Ed. R. Poupardin, p. 23.

[66] Grégoire de Tours, *Hist. Franc.*, II, 16.

[67] *Vita Droctovei*, M.G.H.SS. rer. Merov., t. III, p. 541.

[68] Hauck, *op. cit.*, p. 220, relève le grand nombre de constructions d'églises.

[69] Hauck, *op. cit.*, p. 220.

[70] Agericus de Verdun s'entend dire par Fortunat (Hauck, *op. cit.*, t. I, p. 208): *Templa vetusta novas pretiosius et nova condis, cultor est Domini te famulante domus.* On verra d'autres exemples dans E. Lesne, *op. cit.*, p. 338.

[71] Grégoire de Tours, *Hist. Franc.*, V, 45.

[72] *Ibid.*, V, 46.

[73] Il est assez probable que ces constructeurs venaient du Milanais. Hauck, *op. cit.*, t. I, p. 220, n. 8.

[74] Mentionnés par Fortunat, *Carmina*, II, 8, M.G.H.SS. Antiq., t. IV, p. 37. Ce texte s'accorde peut-être avec celui de la *Vita* de saint Didier de Cahors, éd. Poupardin, p. 38, où il est question d'une basilique construite: *more antiquorum... quadris ac dedolatis lapidibus... non quidem nostro gallicano more.* La même *Vita* rappelle que saint Didier bâtit les murs de Cahors: *quadratorum lapidum compactione, ibid.*, éd. Poupardin, p. 19.

[75] M. Puig y Cadafalch relève à la cathédrale d'Egara (Tarrassa en Catalogne), construire de 516 à 546, des influences venues d'Asie Mineure et d'Egypte. *Comptes rendus de l'Académie des Inscriptions et Belles-Lettres*, 1931, p. 154 et ss.

[76] Bréhier, *op. cit.*, p. 111.

[77] On ne peut entrer dans le clergé sans l'assentiment du roi ou du comte. H. Brunner, *Deutsche Rechtsgeschichte*, t. II, 2e éd., 1928, p. 316.

[78] Brunner, *op. cit.*, t. II, 2e éd., p. 418.

[79] Hartmann, *op. cit.*, t. II¹, p. 70.

[80] F. Lot, A quelle époque a-t-on cessé de parler latin? *Bulletin Ducange*, t. VI, 1931, p. 100, croit qu'il n'y a plus d'autre enseignement que celui de maîtres particuliers.

[81] Grégoire de Tours, *Hist. Franc.*, III, 33.

[82] C'est ce même Parthenius qui fut massacré à Trèves à cause des impôts dont il accablait le peuple. Grégoire de Tours, *Hist. Franc.*, III, 36.

[83] Bonitus, référendaire de Sigebert III (634-656), est dit «*grammaticorum inbutus iniciis necnon Theodosii edoctus decretis*». *Vita S. Boniti*, M.G.H.SS. rer. Merov., t. IV, p. 120.

[84] M.G.H. Formulae, éd. Zeumer, p. 4 et p. 176. D'après Brunner, *op. cit.*, t. I, 2e éd., p. 577, les formules d'Angers ont été écrites par un scribe de la curie municipale, Elles sont probablement du commencement du VIIe siècle en partie. Celles de Bourges sont du VIIIe siècle.

[85] H. Pirenne, De l'état de l'instruction des laïques à l'époque mérovingienne, *Revue bénédictine*, t. XLVI, 1934, p. 165.

[86] Hartmann, *op. cit.*, t. II², p. 27.

[87] M. Prou, *Manuel de paléographie*, 4e éd., 1924, p. 65.

[88] Lot, *op. cit.*, dans le *Bulletin Ducange*, t. VI, 1931, p. 102; Muller, On the use of the expression lingua Romana from the I to the IX Century, *Zeitschrift für Romanische Philologie*, t. XLIII, 1923, p. 9; F. Vercauteren, Le Romanus des sources franques, *Revue belge de philologie et d'histoire*, t. XI, 1932, p. 77-88.

[89] Se conservent: la langue, la monnaie, l'écriture (papyrus), les poids et mesures, l'alimentation, les classes sociales, la religion — on a exagéré le rôle de l'arianisme — l'art, le droit, l'administration, les impôts, l'organisation économique.

[90] Jaffé-Wattenbach, *Regesta*, nº 1899.

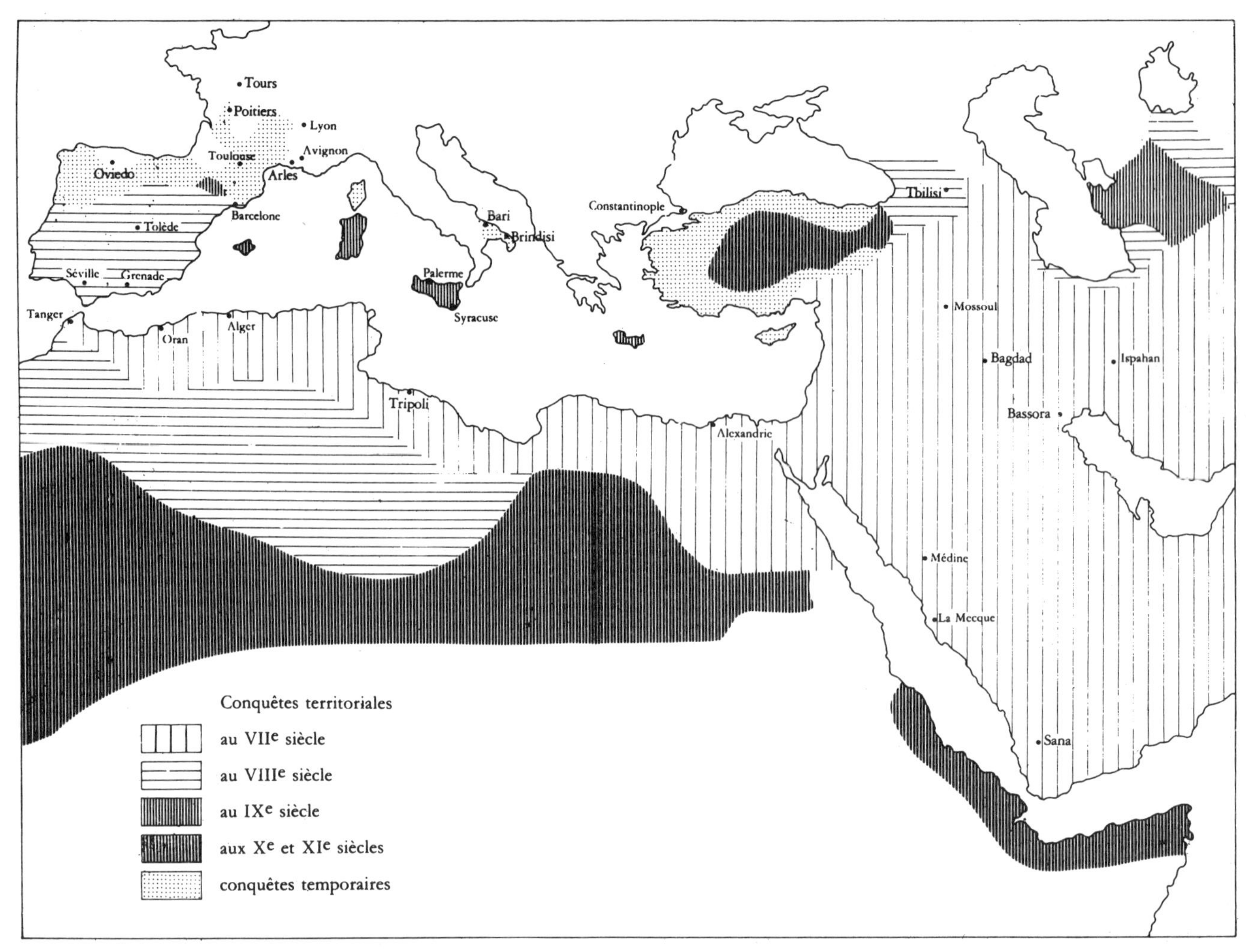

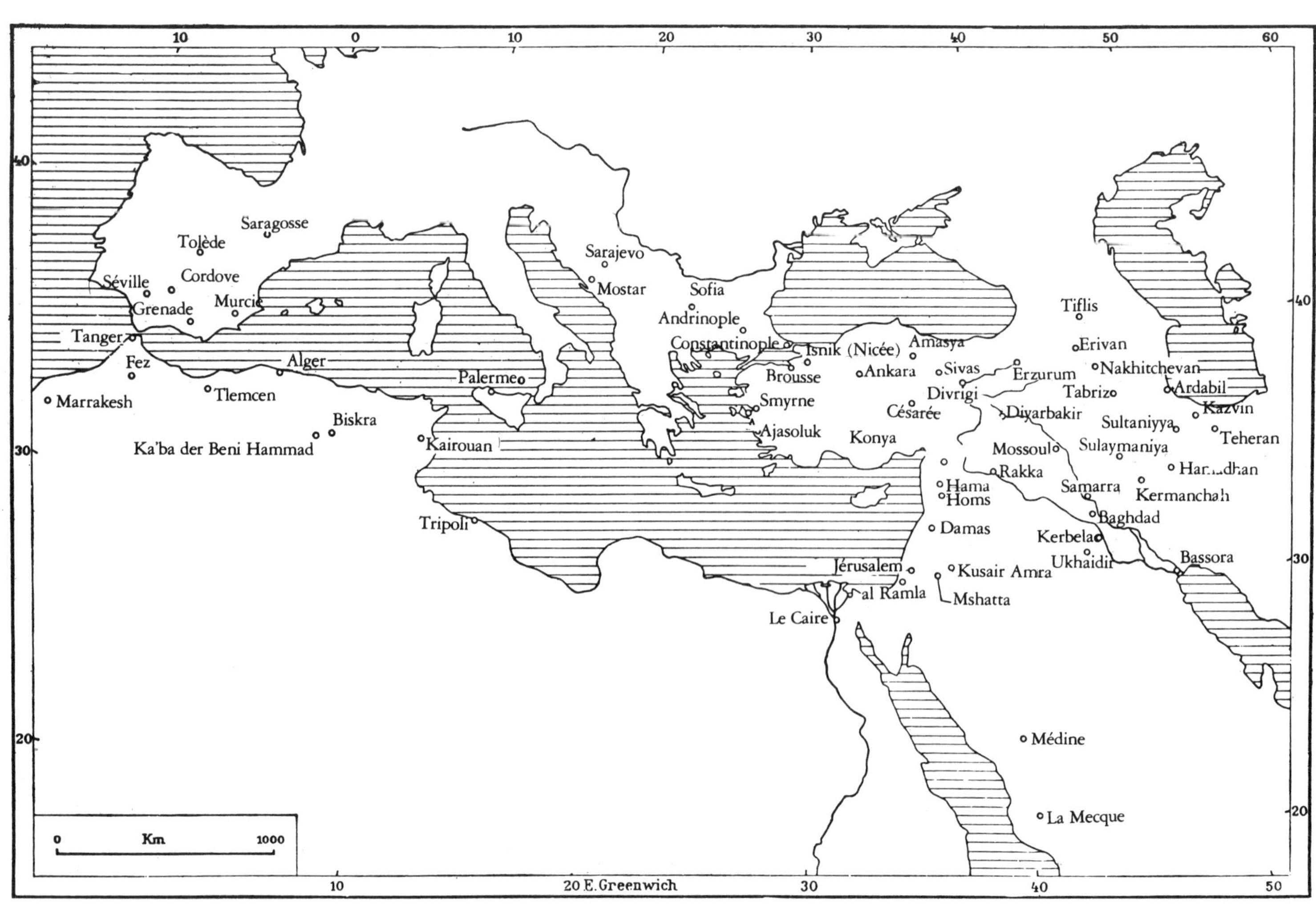

L'expansion territoriale de l'Islàm du VIIe au XIe siècle

Les principaux centres de l'art islamique dans le bassin de la Méditerranée et au Proche-Orient

Chapitre IV

L'expansion de l'Islam dans la Méditerranée

I. L'invasion de l'Islam

Rien n'est plus suggestif, pour comprendre l'expansion de l'Islam au VIIe siècle, que de la comparer, dans son emprise sur l'Empire romain, aux invasions germaniques. Celles-ci sont l'aboutissement d'une situation aussi vieille, plus vieille même que l'Empire et qui a pesé plus ou moins lourdement sur toute son histoire. Quand l'Empire, ses frontières crevées, abandonne la lutte, ses envahisseurs se laissent aussitôt absorber par lui et, dans la mesure du possible, continuent sa civilisation et entrent dans cette communauté sur laquelle elle repose.

Au contraire, avant l'époque de Mahomet, l'Empire n'a pas eu, ou à peine, de rapports avec la péninsule Arabique[1]. Il s'est contenté, pour protéger la Syrie contre les bandes nomades des habitants des déserts, de construire un mur, un peu comme, au nord de la Bretagne, il en avait construit un contre les invasions des Pictes; mais ce *limes* syrien, dont on reconnaît encore aujourd'hui quelques ruines à travers le désert, n'est en rien comparable à celui du Rhin ou du Danube[2].

L'Empire ne l'a jamais considéré comme un de ses points sensibles, ni massé là une grande partie de ses forces militaires. C'était une ligne de surveillance traversée par les caravanes apportant des parfums et des aromates. L'Empire perse, lui aussi voisin de l'Arabie, avait agi de même à son égard. En somme, on ne pouvait rien avoir à craindre des Bédouins nomades de la péninsule dont l'état de civilisation était au stade de la tribu, dont les croyances religieuses étaient à peine supérieures au fétichisme et qui passaient leur temps à se faire la guerre, ou à piller les caravanes qui allaient du sud au nord, du Yémen vers la Palestine, la Syrie et la péninsule du Sinaï, en passant par La Mecque et Yathreb (la future Médine).

Occupés à leur conflit séculaire, ni l'Empire romain, ni l'Empire perse ne semblent s'être doutés de la propagande par laquelle Mahomet, au milieu d'une lutte confuse de tribus, allait donner à son propre peuple une religion qu'il allait bientôt projeter sur le monde en même temps que sa domination. L'Empire était déjà pris à la gorge, que Jean Damascène ne voyait encore dans l'Islam qu'une sorte de schisme de nature analogue aux hérésies précédentes[3].

Quand Mahomet mourut, en 632, rien ne révélait le péril qui devait se manifester foudroyant deux ans plus tard (634). Aucune mesure n'avait été prise à la frontière. Évidemment, alors que la menace germanique avait attiré sans cesse l'attention des empereurs, l'attaque arabe les surprit. Dans un certain sens, l'expansion de l'Islam fut un hasard, si l'on entend par là la conséquence imprévisible de plusieurs causes qui se combinent. Le succès de l'attaque s'explique par l'épuisement de ces deux empires riverains de l'Arabie, le romain et le perse, à la suite de la longue lutte qui les avait dressés l'un contre l'autre et qu'avait enfin couronnée la victoire d'Héraclius sur Chosroès († 627)[4].

Byzance venait de reconquérir son éclat et son avenir semblait assuré par la chute de l'ennemi séculaire qui lui restituait la Syrie, la Palestine et l'Égypte. La Sainte Croix, jadis enlevée, était ramenée triomphalement par le vainqueur à Constantinople. Le souverain de l'Inde envoyait à Héraclius ses félicitations et le roi des Francs, Dagobert, concluait avec lui une paix perpétuelle. On pouvait s'attendre, on devait s'attendre après cela, à voir Héraclius reprendre en Occident, la politique de Justinien. Les Lombards occupaient certes une partie de l'Italie et les Wisigoths, en 624, avaient repris à Byzance ses derniers postes en Espagne, mais qu'était cela comparé au formidable redressement qui venait de s'accomplir en Orient?

Pourtant l'effort trop grand sans doute, a épuisé l'Empire. Ces provinces que la Perse vient de lui rendre, l'Islam va brusquement les lui arracher. Héraclius (610-641) devait assister impuissant au premier déchaînement de cette force nouvelle qui désorienta le monde et le dévoya[5].

La conquête arabe qui se déclenche à la fois sur l'Europe et sur l'Asie est sans précédents; on ne peut comparer la rapidité de ses succès qu'à celle avec laquelle se constituèrent les empires mongols d'un Attila, ou plus tard, d'un Genghis Khan ou d'un Tamerlan. Mais ceux-ci furent aussi éphémères que la conquête de l'Islam fut durable. Cette religion a encore ses fidèles aujourd'hui presque partout où elle s'est imposée sous les premiers khalifes. C'est un véritable miracle que sa diffusion foudroyante comparée à la lente progression du christianisme.

A côté de cette irruption, que sont les conquêtes, si longtemps arrêtées et si peu violentes des Germains, qui, après des siècles, n'ont réussi qu'à ronger le bord de la *Romania?*

Au contraire, c'est par pans entiers que l'Empire croule devant les Arabes. En 634, ils s'emparent de la forteresse byzantine de Bothra (Bosra) au-delà du Jourdain; en 635, Damas tombe devant eux; en 636, la bataille du Yarmouk leur donne toute la Syrie; en 637 ou 638, Jérusalem leur ouvre ses portes, cependant que vers l'Asie ils conquièrent la Mésopotamie et la Perse. Puis l'Égypte est attaquée à son tour; peu après la mort d'Héraclius (641), Alexandrie est prise et bientôt tout le pays est occupé. Et l'expansion, continuant toujours, submerge les possessions byzantines de l'Afrique du Nord.

Tout cela s'explique sans doute par l'imprévu, par le désarroi des armées byzantines désorganisées et surprises par une nouvelle manière de combattre, par le mécontentement religieux et national des monophysites et des nestoriens de Syrie à qui l'Empire ne veut faire nulle concession, par celui de l'église copte d'Égypte et par la faiblesse des Perses[6]. Mais toutes ces raisons sont insuffisantes à expliquer un triomphe aussi total. L'immensité des résultats acquis est hors de proportion avec l'importance du conquérant[7].

La grande question qui se pose ici est de savoir pourquoi les Arabes, qui n'étaient certainement pas plus nombreux que les Germains, n'ont pas été absorbés comme eux par les populations de ces régions de civilisation supérieure dont ils se sont emparés? Tout est là. Il n'est qu'une réponse et elle est d'ordre moral. Tandis que les Germains n'ont rien à opposer au christianisme de l'Empire, les Arabes sont exaltés par une foi nouvelle. C'est cela et cela seul qui les rend inassimilables. Car pour le reste, ils n'ont pas plus de préventions que les Germains contre la civilisation de ceux qu'ils ont conquis. Au contraire, ils se l'assimilent avec une étonnante rapidité; en science, ils se mettent à l'école des Grecs; en art, à celle des Grecs et des Perses. Ils ne sont même pas fanatiques, du moins au début, et n'entendent pas convertir leurs sujets. Mais ils veulent les faire obéir au seul dieu, Allah, à son prophète Mahomet et, puisqu'il était Arabe, à l'Arabie. Leur religion universelle est en même temps nationale. Ils sont les serviteurs de Dieu.

Islam signifie résignation ou soumission à Dieu et Musulman veut dire soumis. Allah est un et il est logique dès lors que tous ses serviteurs aient pour devoir de l'imposer aux incroyants, aux infidèles. Ce qu'ils se proposent, ce n'est pas, comme on l'a dit, leur conversion, mais leur sujétion[8]. C'est cela qu'ils apportent avec eux. Ils ne demandent pas mieux, après la conquête, que de prendre comme un butin la science et l'art des infidèles; ils les cultiveront en l'honneur d'Allah. Ils leur prendront même leurs institutions dans la mesure où elles leur seront utiles. Ils y sont poussés d'ailleurs, par leurs propres conquêtes. Pour gouverner l'Empire qu'ils ont fondé, ils ne peuvent plus s'appuyer sur leurs institutions tribales; de même les Germains n'ont pu imposer les leurs à l'Empire romain. La différence est que partout où ils sont, ils dominent. Les vaincus sont leurs sujets, payent seuls l'impôt, sont hors de la communauté des croyants. Le barrière est infranchissable; aucune fusion ne peut se faire entre les populations conquises et les Musulmans. Quel contraste formidable avec un Théodoric qui se met au service de ses vaincus et cherche à s'assimiler à eux!

Chez les Germains, le vainqueur ira au vaincu spontanément. Chez les Arabes c'est le contraire, c'est le vaincu qui ira au vainqueur et il n'y pourra aller qu'en servant, comme lui, Allah, en lisant, comme lui, le Coran, donc en apprenant la langue qui est la langue sainte en même temps que la langue maîtresse.

Aucune propagande ni même, comme chez les Chrétiens après le triomphe de l'Église, aucune compression religieuse. «Si Dieu avait voulu, dit le Coran, il n'aurait fait qu'un seul peuple de tous les hommes», et il condamne en propres termes la violence contre l'erreur[9]. Il n'exige que l'obéissance à Allah, obéissance extérieure d'êtres inférieurs, dégradés, méprisables, qu'on tolère mais qui vivent dans l'abjection. C'est cela qui est intolérable et, pour l'infidèle, démoralisant. On n'attaque pas sa foi, on l'ignore et c'est le moyen le plus efficace pour l'en détacher et pour l'amener à Allah qui, en même temps qu'il lui rendra la dignité, lui ouvrira les portes de la cité musulmane. C'est parce que sa religion oblige en conscience le Musulman à traiter l'infidèle en sujet, que l'infidèle est venu à lui, et en venant à lui, il a rompu avec sa patrie et son peuple[10].

Le Germain se romanise dès qu'il entre dans la *Romania*. Le Romain, au contraire, s'arabise dès qu'il est conquis par l'Islam[11]. Il importe peu que, jusqu'en plein Moyen Age, il ait subsisté au milieu des Musulmans de petites communautés de Coptes, de Nestoriens et surtout de Juifs. Toute l'ambiance n'en a pas moins été profondément transformée. Il y a eu coupure, rupture nette avec le passé. Le nouveau maître ne permet plus que, dans le rayon où il domine, aucune influence puisse échapper au contrôle d'Allah. Son droit tiré du Coran se substitue au droit romain, sa langue au grec et au latin.

En se christianisant, l'Empire avait changé d'âme, si l'on peut dire; en s'islamisant, il change à la fois d'âme et de corps. La société civile est aussi transformée que la société religieuse.

Avec l'Islam, c'est un nouveau monde qui s'introduit sur ces rivages méditerranéens, où Rome avait répandu le synchrétisme de sa civilisation. Une déchirure se fait qui durera jusqu'à nos jours. Aux bords du *Mare nostrum* s'étendent désormais deux civilisations différentes et hostiles. Et si de nos jours l'Européenne s'est subordonné l'Asiatique, elle ne l'a pas assimilée. La mer qui avait été jusque-là le centre de la Chrétienté en devient la frontière. L'unité méditerranéenne est brisée.

La première expansion se ralentit sous le khalife Othman et son assassinat, en 656, ouvre une crise politique et religieuse qui ne cesse qu'à l'avènement de Moawiah en 660.

Il était dans l'ordre des choses qu'un pouvoir, doué d'une force d'expansion telle que l'Islam, dût s'imposer à tout le bassin du grand lac intérieur. Et en fait, il en a fait l'effort. Dès la seconde moitié du VIIe siècle, il vise à devenir une puissance maritime sur ces eaux où domine Byzance, sous le règne de Constant II (641-668). Les vaisseaux arabes du khalife Moawiah (660) commencent à envahir les eaux byzantines. Ils occupent l'île de Chypre et, non loin de la côte d'Asie Mineure, remportent une victoire navale sur l'empereur Constant II lui-même; ils s'emparent de Rhodes et poussent jusqu'en Crète et en Sicile[12]. Puis ils font du port de Cyzique une base navale d'où ils assiègent, à plusieurs reprises, Constantinople qui leur oppose victorieusement le feu grégeois, jusqu'à ce qu'en 677 ils renoncent à l'entreprise[13].

La poussée vers l'Afrique, commencée par l'émir d'Égypte. Ibn Sad, en 647, avait abouti à une victoire sur l'exarque Grégoire. Cependant, les forteresses construites sous Justinien n'avaient pas succombé, et les Berbères, oubliant leur vieille hostilité aux Romains, avaient coopéré avec eux contre l'envahisseur. Une fois de plus l'importance de l'Afrique, dont la conquête par les Vandales avait jadis provoqué le déclin défensif de l'Empire en Occident, se révélait. D'elle dépendait la sécurité de la Sicile et de l'Italie, le passage maritime vers l'Occident. C'est sans doute pour pouvoir la défendre que Constant II, après la dernière visite à Rome qu'ait faite un empereur byzantin, vint s'établir à Syracuse.

Les troubles du khalifat à cette époque amenèrent un répit.

Mais l'avènement de Moawiah en 660 devait faire reprendre la lutte. En 664, une nouvelle grande *razzia* amène une nouvelle défaite des Byzantins. L'armée qu'ils avaient envoyée à Hadrumète fut vaincue et la forteresse de Djeloula enlevée, après quoi les envahisseurs se retirèrent[14]. Mais pour parer à la fois aux retours offensifs des Byzantins, qui tenaient les villes de la côte, et contenir les Berbères du massif de l'Aurès, Ogba-ben-Nafi fonde en 670 Kairouan «place d'armes» de l'Islam jusqu'à la fin des temps[15]. C'est d'elle que partent ces raids, accompagnés de massacres, contre les Berbères qui tiennent toujours dans leurs montagnes. En 681, Ogba, en une poussée formidable, atteint l'Atlantique. Mais une réaction des Berbères et des Romains balaye tout cela. Le prince berbère Kossayla entre en vainqueur à Kairouan et les Berbères qui avaient embrassé l'Islam, s'empressent d'abjurer[16]. Les Byzantins de leur côté passent à l'offensive. Vaincus à Kairouan, les Musulmans de Kossayla reculent sur Barka où ils sont surpris et massacrés par un corps de débarquement byzantin (689). Leur chef fut tué dans la bataille[17].

Cette victoire, qui rend la côte d'Afrique aux Byzantins, menace toute l'expansion arabe dans la Méditerranée. Aussi les Arabes, qui s'acharnent, reviennent-ils à la charge; Carthage est enlevée d'assaut (695). L'empereur Léontius voit le péril et arme une flotte qui, commandée par le patrice Jean, réussit à reprendre la ville.

De leur côté, les Berbères groupés sous la reine mystérieuse nommée la Kahina écrasent l'armée arabe près de Tébessa et la rejettent en Tripolitaine[18].

Mais l'année suivante, Hassân reprend l'attaque et s'empare de Carthage (698), dont la conquête cette fois devait être définitive. Les habitants ont fui. On substitue aussitôt à la ville ancienne une nouvelle capitale, au fond du golfe: Tunis, dont le port de la Goulette va devenir la grande base de l'Islam dans la Méditerranée. Les Arabes, qui enfin ont une flotte, dispersent les vaisseaux byzantins. La maîtrise de la mer désormais leur appartient. Bientôt, les Grecs ne conservèrent plus que la place de Septem (Ceuta), avec quelques débris de la Maurétanie Seconde et de la Tingitane, Majorque, Minorque et de rares villes en Espagne. Il semble qu'ils aient constitué ces possessions éparses en un exarchat qui devait subsister dix ans encore[19].

C'en était fait, dès lors, de la résistance des Berbères sous la reine Kahina. Traquée dans l'Aurès, elle est massacrée et sa tête est envoyée au khalife.

Les années suivantes voient s'imprimer l'empreinte arabe. Mousa Ibn Noçayr soumet le Maroc et impose l'Islam aux tribus berbères[20].

Ce sont ces nouveaux convertis qui vont conquérir l'Espagne. Elle avait déjà été harcelée en même temps que la Sardaigne et la Sicile. C'était la conséquence nécessaire de l'occupation de l'Afrique. En 675, les Arabes avaient attaqué l'Espagne par mer mais avaient été repoussés par la flotte wisigothique[21].

Le détroit de Gibraltar ne pouvait arrêter les conquérants; les Wisigoths s'en doutaient. En 694, le roi Egica accuse les Juifs de conspirer avec les Musulmans, et peut-être, en effet, les persécutions dont ils étaient l'objet les poussaient-elles à espérer la conquête du pays. En 710, le roi de Tolède, Achila, dépossédé par Rodrigue, duc de Bétique, s'enfuit au Maroc où, sans doute, il sollicite l'aide des Musulmans. Ceux-ci, en tout cas, mettent les événements à profit, car en 711 une armée, que l'on évalue à 7 000 Berbères, sous le commandement de Tarik, passe le détroit. Rodrigue vaincu au premier choc, toutes les villes s'ouvrent devant le conquérant qui, appuyé en 712 par une armée de renfort, achève la prise de possession du pays. En 713, Mouça, le gouverneur de l'Afrique du Nord, proclame dans la capitale de Tolède la souveraineté du khalife de Damas[22].

Et pourquoi s'arrêter en Espagne? Celle-ci se prolonge d'ailleurs dans la Narbonnaise. A peine la soumission de la péninsule est-elle complète, qu'en 720 les Musulmans s'emparent de Narbonne, puis assiègent Toulouse, entamant ainsi le royaume franc. Le roi, impuissant, ne fait rien. Le duc Eudes d'Aquitaine les repousse en 721, mais Narbonne reste entre leurs mains. C'est de là que part, en 725, une nouvelle et formidable poussée. Carcassonne est prise et les cavaliers du Croissant poussent jusqu'à Autun, mis à sac le 22 août 725.

Nouvelle *razzia* en 732 par l'émir d'Espagne Abd-er-Rhaman qui, parti de Pampelune, passe les Pyrénées et marche sur Bordeaux. Eudes, battu, fuit chez Charles Martel. C'est du Nord que va enfin partir la réaction contre les Musulmans, vu l'impuissance que manifeste le Midi. Charles marche avec Eudes à la rencontre de l'envahisseur et le rejoint à cette même trouée de Poitiers où Clovis a jadis vaincu les Wisigoths. Le choc a lieu en octobre 732. Abd-er-Rhaman est vaincu et tué[23], mais le péril n'est pas écarté. Il se porte maintenant vers la Provence, c'est-à-dire vers la mer. En 735, le gouverneur arabe de Narbonne, Jussef Ibn Abd-er-Rhaman, s'empare d'Arles, appuyé par des complicités qu'il trouve dans le pays[24].

Puis, en 737, les Arabes prennent Avignon avec l'appui de Maucontus et étendent leurs ravages jusqu'à Lyon et jusqu'en Aquitaine. Charles de nouveau marche contre eux. Il reprend Avignon et va attaquer Narbonne devant laquelle il bat une armée de secours arabe venue par mer, mais il ne peut prendre la ville. Il retourne vers l'Austrasie avec un immense butin, car il a pris, détruit et brûlé Maguelonne, Agde, Béziers et Nîmes[25].

Ces succès n'empêchent pas une nouvelle incursion des Arabes en Provence en 739. Cette fois-ci, ils menacent aussi les Lombards; Charles, avec le secours de ces derniers, les repousse une nouvelle fois[26].

Tout ce qui suit est obscur, mais il semble bien que les Arabes aient de nouveau soumis la côte provençale et s'y soient maintenus quelques années. Pépin les en expulsa en 752, mais attaqua vainement Narbonne[27]. Il ne devait s'en emparer définitivement qu'en 759. Cette victoire marque, sinon la fin des expéditions contre la Provence, tout au moins celle de l'expansion musulmane sur le continent occidental[28]. De même que Constantinople a résisté à la grande attaque de 718 et protégé par là l'Orient, ici ce sont les forces intactes de l'Austrasie, les vassaux des Carolingiens, qui sauvent l'Occident.

Pourtant si en Orient la flotte byzantine parvient à écarter l'Islam de la mer Égée, en Occident la mer Tyrrhénienne tombera en son pouvoir.

Les expéditions contre la Sicile se succèdent en 720, 727, 728, 730, 732, 752, 753; arrêtées un moment par des troubles civils en Afrique[29], elles reprennent en 827 sous l'émir aghlabite Siadet Allah Ier, qui profite d'une révolte contre l'empereur pour tenter un coup de main contre Syracuse. Une flotte arabe quitte Souze en 827, mais les Byzantins poussent énergiquement la guerre et une flotte byzantine fait lever le siège de Syracuse.

De leur côté, les Musulmans reçoivent des renforts d'Espagne, puis d'Afrique. En août-septembre 831, ils s'emparent de Palerme après un siège d'un an, acquérant ainsi une base défensive en Sicile, Malgré cet échec, la résistance des Byzantins continue énergiquement sur mer et sur terre. Ils ne peuvent empêcher cependant les Musulmans, aidés par les Napolitains, de s'emparer de Messine en 843. En 859, le siège de la résistance byzantine est emporté et Syracuse succombe, le 21 mai 878, après une défense héroïque.

Tandis que l'Empire byzantin luttait pour sauver la Sicile, Charlemagne était aux prises avec les Musulmans sur les frontières de l'Espagne. En 778, il envoie une armée qui échoue devant Saragosse et dont l'arrière-garde se fait massacrer à Roncevaux. Il se résout alors à la défensive, jusqu'au moment où les Sarrasins ayant envahi la Septimanie (793), il établit contre eux la marche d'Espagne (795)[30] sur laquelle son fils Louis, roi d'Aquitaine, devait s'appuyer en 801 pour s'emparer de Barcelone. Après diverses expéditions infructueuses, menées notamment par le *missus* Ingobert en 810, Tortose tomba également aux mains de Louis en 811. Par contre, il échoua devant Huesca. Il ne devait pas pousser plus avant[31].

En réalité, Charlemagne rencontra en Espagne une résistance extrêmement vive. Et Éginhard exagère quand il relate qu'il occupa tout le pays jusqu'à l'Èbre. En fait, il n'a touché le fleuve qu'en deux points, dans la haute vallée, au sud de la Navarre et dans la basse vallée à Tortose, en admettant que cette ville ait été vraiment occupée[32].

Si Charlemagne n'a guère pu profiter de la prise de Barcelone, c'est qu'il n'avait pas de flotte. Contre les Sarrasins qui possédaient Tunis, dominaient les côtes d'Espagne et occupaient les îles, il ne pouvait rien. Il chercha à défendre les Baléares et y remporta quelques succès passagers. En 798, les Musulmans ravagèrent ces îles[33]. L'année suivante, cédant aux sollicitations des habitants, Charlemagne leur envoya des troupes qui furent sans doute transportées sur des navires des Baléares. Cette démonstration militaire paraît avoir été efficace, puisque les enseignes arabes furent envoyées comme trophées au roi[34]. On ne voit pas cependant que les Francs se soient maintenus dans ces îles.

En fait Charlemagne a, presque tout le temps, guerroyé dans la région des Pyrénées. Les agitations qui troublèrent le monde musulman lui ont profité. La fondation du khalifat ommiade de Cordoue en 765, dirigé contre celui des Abbassides de Bagdad, lui a été favorable, chacun d'eux ayant intérêt à ménager les Francs.

Charlemagne ne remporta guère de succès sur d'autres points de la Méditerranée. En 806, les Sarrasins s'emparent de la petite île de Pantellaria et vendent en Espagne comme esclaves les moines qu'ils y ont trouvés. Charles les fait racheter[35]. La même année, 806, Pépin, son fils, roi d'Italie, essaye de chasser les Sarrasins de la Corse où ils se sont établis. Il arme une flotte et, selon les annalistes carolingiens, se rend maître de l'île. Mais, dès 807, elle est retombée au pouvoir des ennemis[36].

Aussitôt, Charles envoie contre eux le connétable Burchard qui les force à se retirer après un combat où ils perdent treize vaisseaux. Mais la victoire, cette fois encore n'est qu'éphémère, car en 808, le pape Léon III, parlant à Charles des mesures qu'il prend pour la défense de la côte italienne, le prie de se charger de la Corse[37]. On voit, en effet, qu'en 809 et en 810 les Sarrasins occupent la Corse et la Sardaigne.

La situation s'aggrave quand l'Afrique, travaillée par des troubles endémiques, s'est organisée sous la dynastie des Aghlabites qui reconnaissent le khalife de Bagdad, Haroun-al-Raschid.

En 812, les Sarrasins d'Afrique, malgré l'arrivée d'une flotte grecque commandée par un patrice et renforcée par des bateaux de Gaète et d'Amalfi, pillent les îles de Lampédouze, Ponza et Ischia. Léon III met les côtes de l'Italie en état de défense[38], et l'empereur lui envoie son cousin Wala pour l'assister. Charles se met aussi en relations avec le patrice Georges, mais celui-ci conclut une trêve de dix ans avec l'ennemi. On n'en tient cependant nul compte, et la guerre sur mer ne désarme pas; c'est à peine si la destruction par la tempête d'une flotte sarrasine de cent navires, en 813, ralentit quelque peu les *razzias* des Arabes d'Espagne, qui ne cessent de piller Civita Vecchia, Nice, la Sardaigne et la Corse d'où ils ramènent 500 captifs.

Au milieu des guerres cependant, quelques efforts diplomatiques sont tentés. Déjà, en 765, Pépin avait envoyé une ambassade à Bagdad. En 768, il avait reçu en Aquitaine des envoyés des Sarrasins d'Espagne venus par Marseille. En 810, Haroun-al-Raschid avait dépêché une ambassade auprès de Charlemagne qui, en 812, signait, d'autre part, un traité avec El-Hakem l'Espagnol. Ces diverses tentatives n'eurent aucune suite. Et de plus en plus Charlemagne, incapable de résister aux flottes musulmanes, se résigna à la défensive, parant difficilement les coups qu'il recevait.

La situation devait empirer encore après la mort de Charlemagne. Sans doute, en 828, Boniface de Toscane s'avance-t-il avec une petite flotte destinée à la protection de la Corse et de la Sardaigne, jusque sur les côtes d'Afrique entre Carthage et Utique[39]. Je suppose qu'il profita de ce que les Musulmans étaient en ce moment occupés en Sicile. Mais quelques années plus tard l'Italie, au nord des villes byzantines, ne fut bientôt plus qu'une proie pour les Musulmans. Brindisi et Tarente furent ravagées (838), Bari conquise (840), la flotte de Byzance et de Venise battue. En 841, les Musulmans ravagent Ancône et la côte dalmate jusqu'à Cattaro. Et Lothaire, en 846, ne cachait-il point qu'il redoutait l'annexion de l'Italie[40]?

En 846, soixante-dix navires attaquent Ostie et Porto, s'avancent en ravageant tout jusqu'aux murs de Rome et profanent l'église de Saint-Pierre. La garnison de Grégoriopolis n'a pu les arrêter. Ils sont finalement repoussés par Gui de Spolète. L'expédition de Lothaire en 847, l'an suivant, ne parvient pas à reprendre Bari.

En 849, à l'instigation du pape, Amalfi, Gaète et Naples constituent une ligue contre les Sarrasins et réunissent à Ostie une flotte que le pape Léon IV vient bénir[41]. Elle remporte une grande victoire navale sur les Sarrasins. En même temps, le pape entoure d'un mur le bourg du Vatican et en fait la *Civitas Leonina* (848-852)[42].

En 852, le pape établit à Porto, qu'il fortifie, des Corses fuyant l'île, mais cette ville neuve ne prospère pas. Il crée aussi Léopoli pour remplacer Civita Vecchia, vidée par la terreur qu'inspirent les Sarrasins[43]. De même, il restaure Orta et Améria en Toscane, pour fournir un refuge aux habitants lors des raids musulmans[44]. Ce qui n'empêche que ceux-ci, en 876 et 877, ravagent la campagne romaine; c'est en vain que le pape implore l'empereur de Byzance. Les désastres que celui-ci subit à ce moment en Sicile, où Syracuse succombe (878), l'empêchent sans doute d'intervenir et finalement le pape est forcé de payer annuellement aux Maures, pour échapper à leurs coups de mains, 20 000 *mancusi* d'argent. On n'a à faire d'ailleurs qu'à de simples bandes de pirates qui ne se proposent que le pillage. En 883, l'abbaye du mont Cassin est incendiée et détruite[45]. En 890, l'abbaye de Farfa est assiégée et résiste pendant sept ans. Subiaco est détruite, la vallée de l'Anio et Tivoli sont ravagés. Les Sarrasins ont constitué une place d'armes non loin de Rome, à Saracinesco, une autre dans les monts Sabins à Ciciliano.

La campagne romaine devient un désert: *redacta est terra in solitudinem*. Ce n'est qu'en 916 que le calme renaîtra quand Jean X, l'empereur, les princes de l'Italie du Sud et l'empereur de Constantinople qui envoie des galères à Naples, auront forcé la ville et ses voisines à abandonner leur alliance avec les Sarrasins, et unis à elles, auront enfin battu sur le Garigliano les terribles envahisseurs.

On peut donc dire que, dès la conquête de l'Espagne, et surtout de l'Afrique, la Méditerranée occidentale devient un lac musulman. L'Empire franc, démuni de la flotte, ne peut rien. Seules en possèdent encore Naples, Gaète et Amalfi. Mais leurs intérêts commerciaux les poussent à abandonner Byzance trop lointaine, pour se rapprocher des Musulmans.

C'est grâce à leur défection que les Sarrasins ont pu finalement prendre la Sicile. La flotte byzantine, il est vrai est puissante, plus même que celles des villes maritimes italiennes, grâce au feu grégeois qui fait d'elle un redoutable moyen de guerre; mais la Sicile prise, elle est à peu près complètement coupée de l'Occident où elle ne fait plus que de rares et inutiles apparitions. Mais elle a cependant permis aux empereurs de sauvegarder leur Empire qui est surtout côtier[46]; c'est grâce à elle que les eaux autour de la Grèce restèrent libres et que l'Italie échappa finalement à l'emprise de l'Islam. Trente ans après sa conquête par les Musulmans en 840, Bari était reprise par la flotte de l'empereur Basile, forte de 400 vaisseaux[47]. Ce fut là le fait essentiel qui empêcha les Musulmans de prendre pied en Italie, y maintint la souveraineté byzantine et assura la sécurité de Venise.

Ce fut encore par sa flotte que Byzance put conserver une sorte de suprématie sur Naples, Amalfi et Gaète, dont la politique consistait à évoluer entre l'empereur, le duc de Bénévent et même les Musulmans, pour conserver l'autonomie nécessaire à leur commerce.

L'expansion islamique n'a donc pas pu englober toute la Méditerranée. Elle l'encercle à l'est, au sud et à l'ouest, mais elle n'a pu mordre sur le nord. L'ancienne mer romaine est devenue la limite entre l'Islam et la Chrétienté. Toutes les anciennes provinces méditerranéennes conquises par les Musulmans gravitent désormais vers Bagdad[48].

Du même coup, l'Orient a été séparé de l'Occident. Le lien qu'avait laissé subsister l'invasion germanique est coupé. Byzance n'est plus maintenant que le centre d'un Empire grec, pour lequel ne subsiste plus aucune possibilité d'une politique justinienne. Il en est réduit à défendre ses dernières possessions. Les postes les plus occidentaux en sont Naples, Venise, Gaète, Amalfi. La flotte permet encore de conserver le contact avec eux, empêchant ainsi la Méditerranée orientale de devenir un lac musulman. Mais la Méditerranée occidentale n'est plus que cela. Elle qui avait été la grande voie de communication est aujourd'hui une infranchissable barrière.

L'Islam a rompu l'unité méditerranéenne que les invasions germaniques avaient laissé subsister.

C'est là le fait le plus essentiel qui se soit passé dans l'histoire européenne depuis les guerres puniques. C'est la fin de la tradition antique. C'est le commencement du Moyen Age, au moment même où l'Europe était en voie de se byzantiniser.

II. La fermeture de la Méditerranée occidentale

Tant que le Méditerranée est restée chrétienne, c'est la navigation orientale qui a entretenu le commerce avec l'Occident. La Syrie et l'Égypte en étaient les deux centres principaux; or ce sont précisément ces deux riches provinces qui sont tombées les premières sous la domination de l'Islam. Ce serait une erreur évidente de croire que cette domination ait éteint l'activité économique. S'il y a eu de grands troubles, si l'on constate une émigration considérable de Syriens vers l'Occident, il ne faudrait pas croire cependant que l'armature économique se soit effondrée. Damas est devenu la première capitale du khalifat. Les épices n'ont pas cessé d'être importées, le papyrus d'être fabriqué, les ports de fonctionner. Du moment qu'ils payaient l'impôt, les Chrétiens n'étaient pas molestés. Le commerce a donc continué, mais la direction en a changé[49].

Il va de soi qu'en pleine guerre, le vainqueur ne laissa pas ses sujets trafiquer avec le vaincu. Et lorsque la paix ranima l'activité dans les provinces conquises, l'Islam l'orienta vers les destinées nouvelles que leur ouvrait l'immensité de ses conquêtes.

De nouvelles voies commerciales s'ouvrirent, qui reliaient la mer Caspienne à la Baltique par la Volga, et les Scandinaves, dont les marchands fréquentaient les rives de la mer Noire, ont dû prendre tout de suite le chemin nouveau; on n'en veut pour preuve que les nombreuses monnaies orientales trouvées à Gothland.

Il est certain que les troubles inséparables de la conquête de la Syrie (634-636), puis de l'Égypte (640-642), ont momentanément empêché la navigation[50].

Les bateaux ont dû être réquisitionnés pour la flotte que l'Islam organise tout de suite dans la mer Égée. On ne voit pas bien d'ailleurs les marchands passant au milieu des flottes hostiles, à moins de profiter des circonstances, comme beaucoup d'entre eux durent le faire, pour se livrer à la piraterie.

Il faut certainement admettre qu'à partir du milieu du VIIe siècle, la navigation des ports musulmans de la mer Égée vers les ports restés chrétiens, est devenue impossible; s'il en a subsisté quelque chose, c'est presque rien.

De Byzance et des côtes qu'elle défend autour d'elle, la navigation a pu se maintenir, protégée par la flotte, vers les autres régions grecques de la Grèce, de l'Adriatique, de l'Italie méridionale et de la Sicile, mais on admettra difficilement qu'elle ait pu s'aventurer au-delà puisque, déjà en 650, l'Islam attaque la Sicile.

Quant au mouvement commercial de l'Afrique, le ravage continuel du pays, de 643 à 708, y a incontestablement mis fin. Les rares vestiges qui avaient pu s'en conserver disparaissent après la prise de Carthage et la fondation de Tunis en 698.

La conquête de l'Espagne en 711 et, tout de suite après, l'insécurité où vit la côte de Provence, achèvent de rendre absolument impossible toute navigation commerciale dans la Méditerranée occidentale. Et les derniers ports chrétiens n'auraient pu entretenir entre eux quelque mouvement maritime, puisqu'ils n'avaient pas de flotte ou si peu que rien.

Ainsi, on peut affirmer que la navigation avec l'Orient cesse dès les environs de 650 avec les régions situées à l'est de la Sicile et que, dans la seconde moitié du VIIe siècle, elle s'éteint sur toutes les côtes de l'Occident.

Au début du VIIIe siècle, sa disparition est complète. Plus de trafic méditerranéen, sauf sur les côtes byzantines; comme le dit Ibn-Khaldoun (avec la réserve qu'il faut faire pour Byzance): «Les Chrétiens ne peuvent plus faire flotter une planche sur la mer.» Elle est dorénavant livrée aux pirates sarrasins. Au IXe siècle, ils s'emparent des îles, détruisent les ports, font des *razzias* partout. Le vide se fait dans le grand port de Marseille qui avait été jadis la principale étape de l'Occident avec le Levant. L'ancienne unité économique de la Méditerranée est brisée, et elle le restera jusqu'à l'époque des Croisades. Elle avait résisté aux invasions germaniques; elle cède devant la poussée irrésistible de l'Islam.

Comment l'Occident aurait-il pu résister? Il n'y avait pas de flotte chez les Francs. Celle des Wisigoths est anéantie et l'ennemi est, au contraire, bien préparé. Le port de Tunis et son arsenal sont imprenables. Sur toutes les côtes s'élèvent des *Ribat*, postes mi-religieux, mi-militaires, qui correspondent entre eux et entretiennent un perpétuel état de guerre. Contre cette puissance maritime, les Chrétiens ne purent rien; le fait qu'ils ne firent qu'un seul petit raid contre la côte d'Afrique en est la preuve la plus éclatante.

Il faut insister sur ce point, puisque d'excellents érudits n'admettent pas que la conquête musulmane ait pu produire une coupure aussi nette. Ils croient même que les marchands syriens ont continué à fréquenter, comme jadis, l'Italie et la Gaule au cours du VIIe et du VIIIe siècle. Il est vrai que Rome notamment accueillit une quantité de Syriens durant les premières décades qui suivirent la conquête de leur pays par les Arabes. Et il faut que leur influence et leur nombre aient été considérables pour que plusieurs d'entre eux, tels Serge Ier (687-701) et Constantin Ier (708-715), aient été élevés à la papauté. De Rome, un certain nombre de ces réfugiés, dont la connaissance de la langue grecque assurait le prestige, se répandirent bientôt vers le nord apportant avec eux des manuscrits, des ivoires, des orfèvreries dont ils s'étaient pourvus en quittant leur patrie. Les souverains carolingiens ne manquèrent pas de les employer à l'œuvre de renouveau littéraire et artistique qu'ils avaient entreprise. Charlemagne en chargea quelques-uns de revoir le texte des évangiles. Et c'est probablement un de leurs compatriotes qui a laissé à Metz un texte grec des *Laudes* qui y est mentionné au IXe siècle.

On doit encore considérer comme une preuve de la pénétration syrienne en Occident, après le VIIe siècle, l'action que l'art de l'Asie Mineure a exercée sur le développement de l'ornementation à l'époque carolingienne. On n'ignore pas, d'ailleurs, que beaucoup d'ecclésiastiques de la *Francia* se rendaient en Orient pour y vénérer les sanctuaires de la Palestine, et qu'ils en revenaient pourvus, non seulement de reliques, mais sans doute aussi de manuscrits et d'ornements d'église.

C'est un fait bien connu que Haroun-al-Raschid, désireux de gagner Charlemagne à sa lutte contre les Ommiades, lui donna le tombeau du Christ[51] en même temps qu'un vague protectorat sur les Lieux saints.

Mais tous ces faits, si intéressants qu'ils soient pour l'histoire de la civilisation, ne le sont pas pour l'histoire économique. L'immigration de savants et d'artistes n'établit en rien l'existence de relations commerciales entre leur pays d'origine et ceux où ils vont chercher refuge. Le XVe siècle qui vit tant d'érudits byzantins fuir en Italie devant les Turcs, n'est-il pas précisément l'époque où Constantinople cesse d'être un grand port? Il ne faut pas confondre avec la circulation des marchandises celle des pèlerins, des érudits et des artistes. La première suppose une organisation des transports et des relations permanentes d'importation et d'exportation, la seconde s'effectue au hasard des circonstances. Pour que l'on soit en droit d'affirmer la persistance de la navigation syrienne et orientale dans la mer Tyrrhénienne et le golfe du Lion après le VIIe siècle, il faudrait montrer que Marseille et les ports de Provence sont demeurés en rapports, après cette date, avec le Levant. Or, le dernier texte que l'on puisse invoquer à cet égard, c'est le document pour Corbie de 716[52].

D'après ce texte, l'entrepôt du fisc à Marseille ou à Fos aurait encore à cette époque été plein d'épices et d'huile, c'est-à-dire de produits originaires d'Asie et d'Afrique. Je crois pourtant qu'il n'y a là qu'un archaïsme. Nous avons à faire à un acte confirmant à l'abbaye de Corbie d'anciens privilèges; il est vraisemblable qu'il reproduit tel quel des textes antérieurs. Il est impossible, en effet, que l'huile d'Afrique ait encore pu être importée à ce moment. On pourrait admettre, il est vrai, que le *cellarium fisci* vivait sur ses stocks, mais alors ce n'est plus un indice de l'existence de relations commerciales actives en 716. En tout cas, c'est la dernière et ultime mention que nous ayons de produits orientaux entreposés dans les ports de Provence. Quatre ans après, d'ailleurs, les Musulmans débarquent sur ces côtes et pillent le pays. Marseille est mort à cette époque. En vain allèguera-t-on, pour prouver son activité, le passage de pèlerins se rendant en Orient. Il est certain, en effet, que pareils pèlerinages, ne pouvant s'effectuer par la vallée du Danube, occupée par les Avars, puis par les Hongrois, supposent des traversées maritimes. Mais on remarque, chaque fois qu'il est possible de connaître les itinéraires suivis, que c'est dans des ports de l'Italie byzantine que se sont embarqués les pieux voyageurs. Saint Willibald, le futur évêque d'Eichstädt, s'embarque en 726 à Gaète après avoir franchi les Alpes. Madalveus, évêque de Verdun, se rendant à Jérusalem, prend en Apulie, vers 776, un navire en partance pour Constantinople[53].

Les lettres de saint Boniface nous montrent les Anglo-Saxons gagnant Rome par terre au lieu de prendre la route de Marseille et s'imposant la traversée des Alpes. Et c'est de Tarente que part, au IXe siècle, le moine Bernard, pour gagner Alexandrie[54].

Non seulement nous n'avons plus un seul texte sur la présence de marchands syriens ou orientaux, mais nous constatons qu'à partir du VIIIe siècle, tous les produits qu'ils importaient ne se rencontrent plus en Gaule; contre ce fait, il n'est pas de réplique[55].

Le papyrus tout d'abord a disparu. Tous les ouvrages écrits en Occident sur papyrus, que nous connaissons, sont du VIe ou du VIIe siècle. Jusqu'en 659-677, on se servit exclusivement de papyrus à la chancellerie royale mérovingienne. Puis apparaît le parchemin[56]. Quelques actes privés ont encore été écrits sur cette matière, prélevés sans doute sur d'anciens stocks, jusque vers la fin du VIIIe siècle. Après quoi l'on n'en trouve plus.

Et ceci ne peut s'expliquer par la cessation de sa fabrication puisqu'elle continua, comme le prouvent jusqu'à l'évidence les beaux actes sur papyrus du VIIe du Musée arabe du Caire. La disparition du papyrus en Gaule ne peut donc être due qu'au ralentissement, puis à la cessation du commerce. Le parchemin semble au début avoir été peu répandu. Grégoire de Tours, qui l'appelle *membrana*, ne le cite qu'une fois[57] et il semble indiquer qu'il était fabriqué par les moines pour leur usage. Or, on sait combien sont tenaces les usages de chancellerie. Si, à la fin du VIIe siècle, les bureaux du roi avaient cessé de se servir du papyrus, c'est qu'il devenait fort difficile de s'en procurer.

L'usage du papyrus s'est conservé quelque peu en Italie. Les papes s'en sont servi pour la dernière fois en 1057. Faut-il admettre, avec Bresslau, qu'ils usaient de vieux stocks? Venait-il de Sicile où les Arabes en introduisirent la fabrication au Xe siècle? Cette provenance sicilienne est cependant discutée. Il me paraît vraisemblable qu'on se le procurait par le commerce des ports byzantins: Naples, Gaète, Amalfi, Venise.

Mais pour la Gaule, c'est bien fini.

Les épices, comme le papyrus, disparaissent des textes après 716[58]. Les statuts d'Adalhard de Corbie ne mentionnent plus que le *pulmentaria*, c'est-à-dire une sorte de potage aux herbes[59].

Les épices doivent en effet, avoir disparu en même temps que le papyrus, puisqu'elles venaient par les mêmes bateaux.

Parcourons les capitulaires. On n'y cite, en fait d'épices et de produits exotiques, que des plantes propres à être cultivées dans les *villae*[60], telles que la garance, le cumin, ou les amandes[61]. Mais le poivre, la girofle (*cariofilo*), le nard (*spico*), la canelle, les dattes, les pistaches ne s'y retrouvent plus une seule fois.

Les *tractoriae* carolingiennes mentionnent parmi les aliments qui seront servis aux fonctionnaires en voyage du pain, de la viande de porc, des poulets, des œufs, du sel, des herbes, des légumes, du poisson, du fromage, mais pas une épice[62].

De même la *tractoria «de conjectu missis dando»*[63], de 829, énumère comme aliments à fournir aux *missi* 40 pains, de la viande de porc ou d'agneau, 4 poulets, 20 œufs, 8 setiers de vin, 2 muids de bière, 2 muids de froment. C'est un menu rustique.

Les *Capitula episcoporum*[64] de 845-850 attribuent aux évêques lors de leurs déplacements, 100 pains, de la viande de porc, 50 setiers de vin, 10 poulets, 50 œufs, 1 agneau, 1 porcelet, 6 muids d'avoine pour les chevaux, 3 chars de foin, du miel, de l'huile, de la cire. Mais dans tout cela, il n'est pas question de condiments.

On voit, par les lettres de saint Boniface, combien les épices étaient devenues rares et chères. Il reçoit ou envoie des cadeaux qui consistent en de petites quantités d'encens[65]. En 742-743, un cardinal lui envoye *aliquantum cotzumbri quod incensum, Domino offeratis*[66]. En 748, un archidiacre de Rome lui fait aussi un petit envoi d'épices et de parfums[67]. Ces dons prouvent la rareté des épices au nord des Alpes, puisqu'elles y constituent de précieux cadeaux. Remarquez, en outre, qu'elles viennent toutes d'Italie. Le port de Marseille n'en reçoit plus. Le *cellarium fisci* est vide, ou bien même, ce qui est très probable, il a été incendié par les Sarrasins. Et les épices ne sont plus un article de commerce normal. S'il s'en introduit encore un peu, c'est par des colporteurs.

Dans toute la littérature du temps, pourtant très abondante, il n'en est guère question.

On peut affirmer, en présence de cette carence, que les épices ont disparu, à la fin du VIIe siècle et au commencement du VIIIe, de l'alimentation courante. Elles ne devaient y reparaître qu'à partir du XIIe siècle, lors de la réouverture de la mer.

Il en va de même naturellement du vin de Gaza qui disparaît aussi. L'huile n'est plus exportée de l'Afrique. Celle dont on se sert encore vient de Provence. C'est la cire qui fournit désormais le luminaire aux églises.

De même, l'usage de la soie paraît bien étranger à l'époque. Je n'en trouve qu'une seule mention dans les capitulaires[68].

On sait combien Charlemagne était simple dans ses vêtements. La cour certainement l'a imité. Mais sans doute cette simplicité, qui contraste si fort avec le luxe mérovingien, lui est-elle imposée.

Il faut conclure de tout cela à la cessation de l'importation orientale par suite de l'expansion islamique.

Un autre fait tout à fait frappant est à constater, c'est la raréfaction progressive de l'or. On peut s'en apercevoir par le monnayage d'or mérovingien du VIIIe siècle, dont les pièces contiennent un alliage d'argent de plus en plus fort. Manifestement, l'or a cessé de venir d'Orient. Tandis qu'il continue à circuler en Italie, il se raréfie en Gaule au point qu'on renonce à s'en servir comme monnaie. A partir de Pépin et de Charlemagne, on ne frappe plus, sauf de très rares exceptions, que des deniers d'argent. L'or ne reprendra plus sa place dans le système monétaire qu'à la même époque où les épices reprendront la leur dans l'alimentation.

C'est là un fait essentiel et qui vaut mieux que tous les textes. Il faut bien admettre que la circulation de l'or était une conséquence du commerce, puisque là où le commerce s'est conservé, c'est-à-dire dans l'Italie du Sud, l'or s'est conservé également.

L'effacement du commerce oriental et du trafic maritime a eu pour conséquence la disparition des marchands de profession à l'intérieur du pays. Il n'en est presque jamais plus question dans les textes; toutes les mentions qu'on trouve peuvent être interprétées comme s'appliquant à des marchands occasionnels. Je ne vois plus à cette époque un seul *negociator* du type mérovingien, c'est-à-dire prêtant de l'argent à intérêt, se faisant enterrer dans un sarcophage, donnant des biens aux pauvres et aux églises. Rien ne nous montre qu'il y ait encore, dans les villes, des colonies marchandes ou une *domus negotiantum*. Comme classe, les marchands ont certainement disparu. Le commerce lui, n'a pas disparu, car une époque sans aucun échange est impossible à imaginer, mais il a pris un autre caractère. Comme on le verra plus loin, l'esprit de l'époque lui est hostile, sauf dans les pays byzantins. La restriction du savoir lire et écrire chez les laïques rend d'ailleurs impossible le maintien d'une classe de gens vivant normalement de vente et d'achat. Et la disparition du prêt à intérêt prouve, à son tour, la régression économique produite par la fermeture de la mer.

Que l'on n'aille pas croire que les Musulmans d'Afrique et d'Espagne, ou même de Syrie, auraient pu se substituer aux anciens commerçants du Levant byzantin. Tout d'abord, entre eux et les Chrétiens, c'est la guerre perpétuelle. Ils ne songent pas à trafiquer, mais à piller. Pas un texte n'en mentionne un seul établi en Gaule ou en Italie. C'est un fait constaté que les commerçants musulmans ne s'installent pas en dehors de l'Islam. S'ils ont fait le commerce, ils l'ont fait entre eux. On ne trouve pas un seul indice d'un trafic qui aurait existé, depuis la conquête, entre l'Afrique et les Chrétiens, sauf comme on l'a déjà dit, en ce qui concerne les Chrétiens de l'Italie du Sud. Mais rien de pareil ne se constate pour ceux de la côte de Provence.

Dans ces conditions, ce qui reste pour soutenir le commerce, ce sont les Juifs. Ils sont nombreux partout. Les Arabes ne les ont ni chassés, ni massacrés, et les Chrétiens n'ont pas changé d'attitude à leur égard. Ils constituent donc la seule classe dont la subsistance soit due au négoce. Et ils sont en même temps, par le contact qu'ils conservent les uns avec les autres, le seul lien économique qui subsiste entre l'Islam et la Chrétienté ou, si l'on veut, entre l'Orient et l'Occident.

III. Venise et Byzance

On peut dire que l'invasion islamique a été aussi décisive pour l'Orient que pour l'Occident de l'Europe. Avant elle, l'empereur de Constantinople est encore l'empereur romain. La politique de Justinien à cet égard est caractéristique; il prétend maintenir, sous l'autorité impériale, toute la Méditerranée. Après elle, au contraire, l'empereur en est réduit à la défensive dans les eaux grecques en attendant qu'il appelle au XIe siècle l'Occident à son secours. L'Islam le fixe et l'absorbe. Toute l'explication de sa politique est là. L'Occident lui est désormais fermé.

Une fois perdues l'Afrique et Carthage, qu'elle s'est encore obstinée à défendre dans des conditions désastreuses, la sphère d'action de la politique byzantine ne dépassera plus l'Italie, dont elle ne parviendra même à conserver que les côtes. A l'intérieur, Byzance ne peut plus résister aux Lombards; son impuissance provoquera la révolte du pays et la défection du pape. L'Empire ne lutte plus que pour la Sicile, l'Adriatique et les villes du sud qui constituent pour lui des avant-postes d'ailleurs de plus en plus autonomes.

L'expansion de l'Islam est venue mourir aux frontières byzantines. Elle lui a enlevé ses provinces syriennes, égyptiennes et africaines, en exploitant en partie les différences de nationalités, mais le bloc grec a resisté, et en résistant il a sauvé l'Europe, et sans doute, avec elle, le christianisme.

Pourtant, le choc a été dur: Byzance, attaquée deux fois à l'époque de la pleine vigueur de l'Islam, a dû la victoire à sa flotte. Elle reste, malgré tout, la grande puissance maritime.

De tous les prolongements byzantins vers l'ouest, le plus important et le plus original, c'est l'extraordinaire Venise, la plus curieuse réussite de l'histoire économique de tous les temps avec celle des Provinces-Unies. Les premiers habitants des îlots sableux et désolés de la lagune sont des malheureux, fuyant devant les hordes d'Attila au Ve siècle, lors de l'attaque contre Aquilée. D'autres sont venus lors de l'occupation franque de l'Istrie à l'époque de Narsès[69] et surtout à l'occasion de l'invasion lombarde. Ainsi se peupla toute cette bande de terres marines en un exode, momentané d'abord, puis définitif. Grado recueillit la plupart des fugitifs d'Aquilée dont l'évêque prit le titre de patriarche et fut le chef spirituel de la nouvelle Vénétie. Caorle, dans l'estuaire de la Livenza, reçut les émigrants et l'évêque de Concordia. Puis il y eut Héracliana et Aquilée près de la Piave. Les gens d'Altinum se réfugièrent à Torcello, Murano, Mazzorbo. Ceux de Padoue s'établirent à Malamocco et à Chioggia. Au début, le groupe d'îlots où plus tard grandira Venise, fut le plus faiblement occupé: Rialto, Olivolo, Spinalunga, Dorsoduro, ne reçurent que quelques pêcheurs[70].

Dans la primitive Vénétie du VIe et du VIIe siècle, le centre religieux fut Grado, le centre politique Héracliana, le centre commercial Torcello. Echappant aux vainqueurs de la terre ferme, l'administration byzantine s'y maintint, représentée par quelques fonctionnaires et des *tribuni*.

Il y a là une population essentiellement maritime que décrit Cassiodore et qui fait penser à celle de la Hollande primitive. «Il semble de loin que les barques glissent sur la prairie, car on n'en aperçoit pas les coques»[71]. On comprend ce qu'une telle vie a eu de favorable à l'expansion de l'énergie et de l'ingéniosité. Tout d'abord, elle fut fondée sur la pêche et la fabrication du sel, que les barques allaient troquer sur le rivage contre du blé. Le seul centre commercial de la région est Comacchio à l'embouchure du Pô, que fréquentent les navires byzantins rapportant l'huile et les épices. Comacchio, le port de la vallée du Pô, a sans doute profité de la cessation du trafic oriental avec le golfe du Lion. Un traité de commerce, passé vers 715 entre la ville de Luitprand, dans lequel il est fait mention du poivre, montre que le port était en relations avec le Levant[72].

Sans doute, les Vénitiens imitèrent-ils bientôt leurs voisins. En tout cas, leur commerce prend naissance au cours du VIIIe siècle. En 787-791, leurs marchands sont exclus de Ravenne à la demande de Charlemagne — ce qui prouve qu'ils n'avaient pas voulu le reconnaître comme rois des Lombards[73]; leur alliance avec Byzance s'en trouva nécessairement renforcée. Leurs rapports avec l'empereur, trop éloigné, ne présentent pour eux que des avantages. Leur idéal est l'autonomie sous un ou deux doges qu'ils élisent, et qui sont ratifiés par Byzance.

De temps en temps des différends surgissent. Venise alors se retourne vers l'empereur franc. C'est ainsi qu'en 805, elle envoie une ambassade à Charles pour se placer sous son protectorat. Mais cette démarche se rattache plutôt à des luttes de partis dans les villes et à des conflits avec Grado, dont déjà en 803 le patriarche a demandé, de son côté, la protection de Charles[74]. A ce moment, Venise vient de s'imposer aux petites villes de la côte dalmate et craint sans doute une réaction de Byzance. Cet incident, pour avoir été peu remarqué, n'en a pas moins eu une très grande importance. Charles, en réponse à l'ambassade des Vénitiens, annexa tout de suite leur ville au royaume d'Italie; son Empire eut, dès lors, l'occasion de devenir une puissance maritime et de prendre pied en Dalmatie. Il n'en profita point. Byzance, au contraire, vit tout de suite le danger. Dès l'année suivante, Nicéphore envoyait une flotte qui obtint immédiatement la soumission de Venise. Charles ne réagit point: il se borna à offrir un refuge dans ses États au patriarche de Grado[75].

En 807, le roi d'Italie, Pépin, concluait une trêve avec le commandant de la flotte, Nicetas, et les Vénitiens livraient les coupables au βασιλεὺς qui les fit exiler. Il récompensa ses partisans par les titres de spathaire et d'ὕπατος[76].

L'affaire était trop tentante pour qu'on en restât là. En 810, Pépin, ayant emprunté les bateaux de Comacchio, reprenait Venise et la côte dalmate[77]. Mais une flotte byzantine, que commandait Paul, préfet de Céphalonie, l'obligea immédiatement à abandonner ses conquêtes. Il mourut la même année (8 juillet). Charles s'empressa de convier à Aix les légats byzantins avec lesquels il conclut la paix en leur abandonnant Venise et les villes d'Istrie, de Liburnie et de Dalmatie. Cette paix devint un traité définitif le 13 janvier 812: l'Empire carolingien renonçait à la mer où il venait de prouver son impuissance de façon éclatante[78]. Venise allait décidément graviter dans l'orbite byzantine et marquer, à la limite de l'Occident, le commencement d'un autre monde. Sa *piazza* le prouve mieux que tous les textes.

La paix de 812 donnait à Venise une situation exceptionnellement favorable. Elle fut la condition de sa grandeur future [79]. D'une part, son union à l'Empire livrait l'Orient à son expansion, et cela sans menacer son autonomie, puisque l'Empire avait besoin de son appui dans sa lutte contre l'Islam. Et, d'autre part, elle lui ouvrait l'Occident, car tout en renonçant à la posséder, Charlemagne lui reconnaissait le droit de faire le commerce dans l'Empire franc. Intangible à l'ouest, elle n'avait à craindre que la seule Comacchio qui détenait l'embouchure du Pô. Aussi, dès 875, détruisit-elle sa rivale qui disparut définitivement. Désormais, c'est de son commerce que dépendront les marchés et les ports de la Haute-Italie: Pavie, Crémone, Milan, etc.[80].

Restait le péril sarrasin. Ici, l'intérêt de Venise est le même que celui de l'empereur. Dès 828, il lui demande le concours de ses navires de guerre. En 840, Venise envoie soixante vaisseaux contre Tarente à la rescousse de l'Empire; sur quoi les Musulmans brûlent Ancône et capturent les bateaux vénitiens[81]. En 867-871, Venise agit contre Bari par mer, de concert avec les Byzantins et avec Louis II qui attaque la ville par terre. Mais en 872, les Musulmans attaquent la Dalmatie; en 875, ils assiègent Grado. Venise pourtant conserve la maîtrise de l'Adriatique et, par elle, assure la navigation vers le Levant. Ce qui, d'ailleurs, n'empêche point Venise de trafiquer avec l'Islam. L'empereur, dès 814-820, a bien interdit le commerce avec les Sarrasins de Syrie et d'Égypte, mais les Vénitiens, tout en combattant l'infidèle, marchandent avec lui. Et c'est d'Alexandrie qu'une flotte de dix navires rapporte, en 827, les reliques de saint Marc volées aussi bien à l'insu des Chrétiens que des Musulmans de la ville[82].

Le grand commerce de Venise est celui des esclaves slaves de la côte dalmate. En 876, le doge l'interdit vainement. Les marchands vendent même, au milieu du IXe siècle, des esclaves chrétiens aux Musulmans[83].

Le traité de commerce, passé par Venise avec Lothaire en 840[84] et qui la montre comme une ville essentiellement marchande, interdit la vente des esclaves chrétiens et celle des eunuques. Venise est, par excellence, un port et un marché. Elle reprend le rôle qui, jadis, était dévolu à Marseille. C'est là que s'embarquent les passagers pour le Levant et que s'exportent vers l'Égypte les bois de construction.

D'Orient y arrivent les épices et la soie, qui sont aussitôt réexportées à travers l'Italie, vers Pavie et vers Rome[85]. Sans doute, dut-il y avoir aussi quelque transport par-delà les Alpes[86], quoique le commerce par cette voie ait été insignifiant à cette époque.

Venise a aussi comme marché toute la côte dalmate. C'est avec elle, sans doute, que se fait le commerce le plus actif.

Comparée à l'Occident, Venise est un autre monde. Ses habitants ont l'esprit mercantile et ne s'embarrassent pas des interdictions relatives au *turpe lucrum*[87]. Et cette mentalité, c'est tout simplement celle qui a disparu dans le monde occidental et en Italie depuis les conquêtes arabes, mais qui se maintient encore à Venise et dans toutes les autres places byzantines de l'Italie méridionale.

Bari, par exemple, reste complètement grecque et conservera ses institutions municipales byzantines jusque sous Bohémond[88]. Quoique Bari ait été occupée par les Musulmans jusqu'en 871, leur «soudan» délivre des permis de navigation aux moines partant pour Jérusalem et les recommande au khalife de Bagdad[89].

Il en va de même de Salerne, Naples, Gaète, Amalfi, sur la côte occidentale. Ce sont là des ports essentiellement actifs et qui, comme Venise, ne conservent qu'un lien très lâche avec Byzance; ils luttent aussi pour leur autonomie contre le duc de Bénévent. Leur hinterland est beaucoup plus riche que celui de Venise, car Bénévent conserve sa monnaie d'or et ils ne sont pas loin de Rome qui reste tout de même, par ses églises et l'afflux des pèlerins, un gros consommateur d'épices, de parfums, de tissus précieux et même de papyrus. Il se maintient d'ailleurs, dans le duché de Bénévent, une civilisation encore assez raffinée. Paul Diacre y enseigne le grec à la princesse Adelperga. Le duc Arichis, à la fin du VIIIe siècle, y construit une église de Sainte Sophie qu'il embellit d'ornements venus de Constantinople; il se vante de recevoir d'Orient des étoffes de soie, de pourpre, des vases d'or et d'argent ciselé, ainsi que des produits de l'Inde, de l'Arabie, de l'Éthiopie[90].

Il faut insister sur ce fait que les ducs de Bénévent conservent la monnaie d'or[91] et même le système monétaire byzantin[92]. La continuation de l'unité méditerranéenne qui devait y disparaître plus tard, est encore visible ici.

Ces villes maritimes du sud conservent une flotte. En 820, on signale huit navires marchands revenant de Sardaigne vers l'Italie[93], qui ont été capturés par des pirates sarrasins. On doit supposer que c'est avec leurs bateaux que s'est faite, en 828, l'expédition de Boniface de Toscane en Afrique, car on sait qu'il y eut à ce propos une entente entre les deux empereurs.

Le pape parle à Charlemagne des navires grecs (*naves Graecorum gentis*) qu'il a fait brûler à Civita Vecchia. Peut-être ces navires remontaient-ils parfois jusque sur la côte de Provence, et apparaissaient-ils au IXe siècle à Marseille et à Arles. Mais leur navigation gravite vers le Levant et son orbite est byzantine. Ce qui ne les empêche pas plus que les Vénitiens, non seulement d'entretenir des relations avec les ports arabes d'Espagne et d'Afrique, mais même, comme les Napolitains, de venir parfois à la rescousse de ceux-ci dans l'attaque de la Sicile. Cela relève de la même tournure d'esprit que celle de ces ressortissants alliés qui fournissaient des munitions à l'Allemagne pendant la Grande Guerre.

En 879, l'amiral grec, envoyé pour défendre la Sicile, arrête de nombreux bateaux marchands qui, malgré la guerre, faisaient le commerce entre l'Italie et la Sicile. Il leur prit de l'huile — preuve qu'ils venaient d'Afrique — en telle quantité que le prix de cette denrée tomba, à Constantinople, à un chiffre dérisoire[94].

Ce commerce des ports de l'Italie méridionale avec les Musulmans était aussi un commerce d'esclaves. Le pape le leur reproche[95]. Déjà en 836, le traité entre Naples et le duc de Bénévent reconnaît aux marchands de la ville la liberté commerciale la plus étendue dans le duché qui, sans doute, ne peut se passer d'eux. Mais il leur interdit d'acheter des esclaves lombards pour faire la traite[96]. Ce qui nous apprend que ces esclaves venaient de Lombardie, c'est-à-dire de l'Empire franc.

Et pourtant, ces mêmes vendeurs de chair humaine, en 849, remportent en faveur du pape une grande victoire maritime devant Ostie. Et saint Janvier est à Naples l'objet d'une vénération aussi grande que saint Marc à Venise.

De ces villes, Amalfi est la plus purement marchande. Elle n'a qu'un petit territoire montagneux dont les forêts lui fournissent le bois pour la construction de ses vaisseaux qui cinglent jusqu'en Syrie[97].

Au reste, il n'y a entre tous ces marchands et le duc de Bénévent aucune entente. Il n'y a même pas d'entente entre eux. Vers 830, Naples, pour résister au duc, s'appuie sur les Sarrasins. Elle s'allie encore à eux, vers 870, contre sa rivale Amalfi, puis en 880 contre l'influence byzantine redevenue puissante depuis Basile Ier. A ce moment, Gaète se rapproche aussi des Sarrasins, puis revient au pape qui fait des concessions à son *hypatos*[99]. En 875, des navires de toutes les villes du sud, unis à ceux des Sarrasins, pillent la côte romaine et Louis II déclare que Naples est devenue une autre Afrique[100]. En 877, le pape Jean VIII cherche vainement, par l'argent et l'excommunication, à détacher Amalfi des Sarrasins. Cependant, la même année, la ville s'engage à protéger contre eux la côte de l'Italie du Sud[101].

La politique de ces villes commerciales paraît, à première vue, aussi confuse que possible. Elle s'explique cependant par le souci constant et exclusif de protéger leur commerce. Leurs alliances avec les Musulmans n'empêchent pas qu'elles résistent à outrance contre toute tentative de conquête de leur part.

En 856, les Sarrasins, dont le but est de s'emparer de l'Italie méridionale qu'ils attaquent à la fois par Bari et par l'ouest, assaillent Naples et détruisent Misène[102]. Si les villes veulent bien commercer avec eux, elles ne veulent pas passer sous leur joug, ni leur laisser la maîtrise de leurs eaux. Leur politique à cet égard est tout à fait semblable à celle des Vénitiens. Elles se défient de tout ce qui n'est pas elles-mêmes et ne veulent obéir à personne. Mais elles sont d'implacables rivales, et pour se détruire entre elles, elles n'hésitent pas à s'allier avec les Musulmans; c'est ainsi que Naples les aide en 843 à s'emparer de Messine, arrachée à l'Empire byzantin dont elle aussi fait cependant partie. Mais ici encore, ces villes n'acceptent vis-à-vis de Byzance qu'une sujétion purement nominale. Seule la menace directe contre leur prospérité les fait agir. Et c'est pourquoi elles ne soutiennent pas, en 846, les efforts de Lothaire contre les Musulmans, pas plus qu'elles n'appuyeront, plus tard, ceux de Louis II[103]. Gay dit fort bien: «Par une force invincible, les États maritimes, Gaète, Naples, Amalfi sont toujours ramenés vers l'alliance sarrasine... L'essentiel pour eux, c'est de garder le littoral et d'assurer les intérêts de leur commerce. En négociant avec les Sarrasins, ils ont leur part de butin et continuent de s'enrichir. La politique de Naples et d'Amalfi est avant tout la politique de marchands qui vivent de pillage autant que du commerce régulier»[104]. C'est pour cela qu'ils n'ont pas aidé l'empereur à défendre la Sicile. Leur politique a été celle des Hollandais au Japon, au XVIIe siècle. D'ailleurs avec qui auraient-ils pu faire le commerce s'ils avaient négligé les côtes musulmanes? L'Orient appartenait à Venise.

Résumons-nous. La Méditerranée chrétienne est donc divisée en deux bassins: l'est et l'ouest, entourés par les pays de l'Islam. Ceux-ci, la guerre de Conquête étant terminée à la fin du IXe siècle, forment un monde à part qui se suffit à lui-même et s'oriente vers Bagdad. C'est vers ce point central que s'acheminent les caravanes de l'Asie et la grande route qui, par la Volga, aboutit à la Baltique. C'est de là que les produits rayonnent vers l'Afrique et l'Espagne. Aucun commerce n'est fait par les Musulmans eux-mêmes avec les Chrétiens. Mais ils ne se ferment pas à ceux-ci. Ils les laissent fréquenter leurs ports, leur apporter des esclaves et du bois et en rapporter ce qu'ils veulent acheter.

L'activité de la navigation chrétienne ne se continue d'ailleurs qu'en Orient et à l'Orient se rattache la pointe avancée de l'Italie du Sud. Là Byzance a su conserver la maîtrise de la mer sur l'Islam. Les bateaux continuent à circuler de Venise, le long de la côte adriatique, de la côte grecque, vers la grande ville du Bosphore. Et ils ne se font pas faute de visiter par surcroît, les ports musulmans d'Asie Mineure, d'Égypte, d'Afrique, de Sicile et d'Espagne. La prospérité de plus en plus grande des pays musulmans, une fois passée la période d'expansion, tourne à l'avantage des villes maritimes d'Italie. Grâce à cette prospérité, il se conserve, dans l'Italie méridionale et dans l'Empire byzantin, une civilisation avancée avec des villes, un monnayage d'or, des marchands de profession, bref une civilisation qui garde ses bases antiques.

En Occident, au contraire, la côte du golfe du Lion et de la Riviera jusqu'à l'embouchure du Tibre, ravagée par la guerre et les pirates, auxquels, n'ayant pas de flotte, les Chrétiens n'ont pu résister, n'est plus qu'un désert et qu'un objectif de piraterie. Les ports et les villes sont abandonnés. Le lien est coupé avec l'Orient et aucune relation ne se noue avec les côtes sarrasines. C'est la mort. L'Empire carolingien présente le contraste le plus frappant avec le byzantin. Il est purement terrien, parce qu'il est embouteillé. Les territoires méditerranéens, jadis les plus vivants de ces pays, et qui entretenaient la vie de l'ensemble, sont aujourd'hui les plus pauvres, les plus déserts, les plus menacés. Pour la première fois dans l'histoire, l'axe de la civilisation occidentale a été repoussé vers le nord; durant de nombreux siècles, il se maintiendra entre la Seine et le Rhin. Et les peuples germaniques, qui n'ont joué jusqu'ici que le rôle négatif de destructeurs, vont être appelés à jouer maintenant un rôle positif dans la reconstruction de la civilisation européenne.

La tradition antique se brise parce que l'Islam a détruit l'ancienne unité méditerranéenne.

Notes

[1] Il est inutile de parler ici du royaume de Palmyre détruit au IIIe siècle et qui est au nord de la péninsule. Vasiliev, *Histoire de l'Empire byzantin*, trad. franç., t. I, 1932, p. 265.

[2] Vasiliev, *op. cit.*, t. I, p. 265, citant Dussaud, *Les Arabes en Syrie avant l'Islam*, Paris, 1907.

[3] Vasiliev, *op. cit.*, t. I, p. 274.

[4] *Ibid.*, p. 263.

[5] *Ibid.*, p. 280.

[6] L. Halphen, *Les Barbares. Des grandes invasions aux conquêtes turques du XIe siècle*, Paris, 1926, p. 132. «Si les Arabes ont vaincu, c'est que le monde auquel ils s'attaquaient, était prêt à tomber en ruines.»

[7] Dawson, *Les origines de l'Europe*, trad. franç., p. 153, voit dans l'enthousiasme religieux la cause essentielle des conquêtes.

[8] Vasiliev, *op. cit.*, t. I, p. 279, citant Goldziher, *Vorlesungen über den Islam*, 1910.

[9] *Ibid.*, p. 275.

[10] On vient d'ailleurs aussi à l'Islam par intérêt. En Afrique, d'après Ibn Khaldoun, les Berbères apostasièrent douze fois en soixante-dix ans. Julien, *Histoire de l'Afrique du Nord*, 1931, p. 320.

[11] En Espagne, au IXe siècle, même les Chrétiens ne savent plus le latin et on traduit en arabe les textes des conciles.

[12] Vasiliev, *op. cit.*, t. I, p. 282.

[13] Ils attaquent Constantinople en 668 et 669; en 673, ils inaugurent un blocus qui dure près de cinq ans. Halphen, *op. cit.*, p. 139.

[14] Julien, *op. cit.*, p. 318.

[15] *Ibid.*, p. 319.

[16] Julien, *op. cit.*, p. 320. Cet auteur me paraît tout à fait minimiser le rôle des Byzantins au profit des Berbères.

[17] Julien, *op. cit.*, p. 321.

[18] *Ibid.*, p. 322-323.

[19] *Ibid.*, p. 323.

[20] *Ibid.*, p. 327.

[21] Lot, Pfister et Ganshof, *Histoire du Moyen Age*, t. I, p. 240.

[22] Halphen, *op. cit.*, p. 142-143.

[23] Cette bataille n'a pas l'importance qu'on lui attribue. Elle n'est pas comparable à la victoire remportée sur Attila. Elle marque la fin d'un raid, mais n'arrête rien en réalité. Si Charles avait été vaincu, il n'en serait résulté qu'un pillage plus considérable.

[24] Breysig, *Jahrbücher des Fränkisches Reiches. Die Zeit Karl Martels*, p. 77-78.

[25] Breysig, *op. cit.*, p. 84.

[26] *Ibid.*, p. 86.

[27] H. Hahn, *Jahrbücher des Fränkischen Reichs*, 741-752, p. 141.

[28] Il y aura encore pas mal de dévastations en Provence. En 799, les Sarrasins pillent les côtes d'Aquitaine, sans doute du côté de l'Atlantique, *Miracula S. Filiberti*, M.G.H.SS. t. XV, p. 303. Cf. W. Vogel, *Die Normannen und das Fränkische Reich*, Heidelberg, 1907, p. 51, n. 4. Déjà en 768, les Maures inquiètent les environs de Marseille, *Chronique du pseudo-Frédégaire, Continuatio*, M.G.H.SS. rer. Merov., t. II, p. 191. En 778, ils menacent l'Italie, Jaffé-Wattenbach, *Regesta*, n° 2424. En 793, ils attaquent la Septimanie, Böhmer-Muhlbacher, *Regesten*, p. 138. En 813, pillage de Nice et de Civita Vecchia; en 838, pillage de Marseille. En 848, prise de Marseille. En 847 et 850, ravage de la Provence. En 889, établissement des Arabes à Saint-Tropez et à La Garde-Freynet. Du côté de l'Atlantique, il y a des Sarrasins, venus d'Espagne au VIIIe siècle, dans l'île de Noirmoutier, Poupardin, *Monuments de l'histoire des abbayes de Saint-Philibert*, 1905, p. 66.

[29] Hartmann, *op. cit.*, t. III, p. 170-171.

[30] Richter et Kohl, *Annalen des Fränkischen Reichs im Zeitalter der Karolinger*, p. 132.

[31] Kleinclausz, *Charlemagne*, Paris, 1934, p. 326 sqq.

[32] Kleinclausz, *op. cit.*, p. 330.

[33] Richter et Kohl, *op. cit.*, p. 141.

[34] *Annales regni Francorum*, *a°* 799, éd. Kurze, M.G.H.SS. in us. schol., p. 180.

[35] Kleinclausz, *op. cit.*, p. 332, n. 2.

[36] *Annales regni Francorum*, *a*is 806 et 807, éd. Kurze, p. 122 et p. 124.

[37] Jaffé-Wattenbach, *Regesta*, n° 2515; Kleinclausz, *op. cit.*, p. 331.

[38] Jaffé-Wattenbach, *Regesta*, n° 2524.

[39] Hartmann, *op. cit.*, t. III, p. 179, observe que c'est la seule expédition d'outremer tentée par les Francs. Cf. Richter et Kohl, *op. cit.*, p. 260.

[40] M.G.H. Capit., t. II, p. 67. La Provence, vers la même époque, fut encore pillée en 849. Hartmann, *op. cit.*, t. III, p. 224. Elle devait l'être à nouveau en 890. M.G.H. Capit., t. II, p. 377.

[41] Jaffé-Wattenbach, *Regesta*, p. 330.

[42] M.G.H. Capit., t. II, p. 66. Lothaire ordonne, en 846, une souscription dans tout l'Empire pour l'érection de ce mur.

[43] Hartmann, *op. cit.*, t. III, p. 213.
[44] Jaffé-Wattenbach, *Regesta*, nº 2959. Pillages des côtes italiennes en 872.
[45] Gay, *L'Italie méridionale et l'Empire byzantin*, 1904, p. 130.
[46] La flotte défend Byzance non seulement contre les Musulmans, mais aussi contre les Francs; en 806, il suffit de l'envoi d'une flotte contre laquelle Charlemagne ne peut rien pour qu'il renonce à Venise. Les Francs, sur mer, dépendent absolument des flottes italiennes; en 846, Lothaire n'ayant pas de flotte, demande aux Vénitiens d'attaquer les Sarrasins de Bénévent *navali expedicione*. M.G.H. Capit., t. II, p. 67.
[47] Schaube, *Handelsgeschichte der Romanischen Völker des Mittelmeergebiets*, Munich, 1906, p. 26. Louis II avait échoué dans sa campagne entreprise en Italie de 866 à 873, par suite de la discorde qui avait éclaté entre lui et les Italiens qui l'ont même un moment fait prisonnier, Hartmann, *op. cit.*, t. III, p. 265, 288, 296.
[48] En parlant de l'Afrique, M. Marçais dit: «Les ponts sont coupés entre elle et l'Europe chrétienne. Elle vit les yeux fixés vers Bagdad ou vers Le Caire.»
[49] A propos de la fermeture de la Méditerranée occidentale par l'Islam (il n'en est pas de même pour l'Orient), voyez le texte du Chrétien arabe Yahya-Ibn-Said d'Antioche qui, au XIe siècle, rapporte que depuis le pape Agathon (678-681), il ne possède pas avec certitude la liste des «patriarches de Rome». Bédier, Charlemagne et la Palestine, *Revue historique*, t. CLVII, 1928, p. 281.
[50] Ce n'est pas hasard que la série des monnaies pseudo-impériales en Gaule s'arrête à Héraclius (610-641). Cf. Prou, *Catalogue des monnaies mérovingiennes*, p. XXVII-XXVIII.
[51] D'après Kleinclausz, La légende du protectorat de Charlemagne sur la Terre sainte, *Syria*, 1926, p. 211-233, Haroun ne donna à l'empereur que le tombeau du Christ. Bédier reprenant la question, *op. cit., Revue historique*, t. CLVII, 1928, p. 277-291, pense que sans qu'il y ait eu concession de protectorat, Haroun a concédé à Charles une «autorité morale» sur les Chrétiens de Palestine.
[52] R. Buchner, *op. cit.*, p. 48, estime que le commerce existe encore à cette date mais plus après, notamment parce que l'abbaye de Saint-Denis ne fait plus confirmer ses privilèges. En 695, elle obtient une *villa* en échange d'un revenu en espèces levé sur le trésor public. Ph. Lauer, *Les diplômes originaux des Mérovingiens*, pl. 24. Cf. Levillain, Etudes sur l'abbaye de Saint-Denis, *Bibl. Ecole des Chartes*, t. XCI, 1930, p. 288 et ss.
[53] Il y a encore quelque navigation au VIIIe siècle. Par exemple, les papes envoyent souvent leurs ambassadeurs à Pépin *marino itinere* à cause des Lombards. Mais le fait même qu'on l'indique, montre que cela est exceptionnel. De même les ambassadeurs, envoyés par les khalifes à Pépin et à Charles, viennent par Marseille, Porto, Venise et Pise.
[54] Buchner, *op. cit.*, p. 49, fournit d'autres exemples d'où il résulte qu'il n'y a plus de navigation de Marseille à Rome. C'est par erreur que Kleinclausz rapporte que les légats, envoyés par Charlemagne à Byzance, se sont embarqués à Marseille.
[55] Je sais bien qu'il faudrait rendre les armes si les *Cappi*, cités en 877 par le capitulaire de Kiersy (M.G.H. Capit., t. II, p. 361, § 31), étaient, comme le suppose M. Thompson, *Economic and social history of the Middle Ages*, 1928, p. 269, des marchands syriens. Mais pour admettre cela, il faut supposer avec lui que *Cappi* n'est que la forme latinisée du mot grec κάπηλος qui devenu *Kapîla* en syrien, y signifie un marchand.

Mais, outre que c'est là une impossibilité linguistique, il faut prendre garde au fait que l'expression *Cappi* ne désigne que des Juifs. Et enfin ce fameux *apax legomenon* n'est sans doute dû qu'à une mauvaise lecture de Sirmond qui, en 1623, a édité ce texte d'après un manuscrit aujourd'hui disparu.
[56] Le premier acte royal sur parchemin est du 12 septembre 677.
[57] *Liber Vitae Patrum*, M.G.H.SS. rer. Merov., t. I, p. 742.
[58] On l'a nié en invoquant un texte, qui figure à la suite des fameux statuts de l'abbé Adalhard de Corbie, dans un manuscrit dont M. Levillain place la rédaction peu après 986. Levillain, Les statuts d'Adalhard, *Le Moyen Age*, 1900, p. 335. Or, comme ces statuts ont été composés en 822, on s'accorde généralement à placer la rédaction de ce texte entre 822 et 986.

S'il en était ainsi, il en résulterait que l'on aurait pu continuer à cette époque, en tout cas après 822. à s'approvisionner de papyrus au marché de Cambrai et, dès lors, dans toute la Gaule. Il est toutefois bien extraordinaire de constater que rien ne vient confirmer ce texte. En fait, il n'y a là aucune difficulté. Le texte en question ne fait pas corps avec les statuts; c'est une addition postérieure et elle remonte sans aucun doute possible à l'époque mérovingienne.

Le texte consiste, en effet, essentiellement en une longue liste des épices que les moines de Corbie pouvaient acheter au marché de Cambrai. Or, il suffit de parcourir cette liste pour y retrouver, augmentés de quelques autres, tous les produits cités dans la charte de 716 pour Corbie. Rien de plus simple à première vue, et c'est ce qu'on n'a pas manqué de faire, que de s'expliquer cette concordance par la continuité de l'exportation. Mais c'est ce qui est malheureusement impossible. *Polyptyque de l'abbé Irminon*, éd. B. Guérard, t. II, p. 336.
[59] Ducange, *Glossarium*, Vº *pulmentum*.
[60] M.G.H. Capit., t. I, p. 90. Capitulaire «*de villis*», c. 70.
[61] M.G.H. Capit., t. I, p. 91, *ibid.*
[62] *Formulae*, éd. K. Zeumer, p. 292.
[63] M.G.H. Capit., t. II, p. 10.
[64] *Ibid.*, p. 83.
[65] M.G.H. Epist. selectae, in-8º, t. I, 1916, éd. Tangl, p. 156.
[66] *Ibid.*, p. 97.
[67] *Ibid.*, p. 189 et p. 191.
[68] M.G.H. Capit., t. I, p. 251, dans les *Brevium Exempla* composés vers 810, où il est question de la présence dans le trésor d'une église, d'une *dalmatica sirica*, de *fanones lineos serico paratos*, de *linteamina serico parata*, de *manicas sericeas auro et margaritis paratas et alias sericeas*, de *plumatium serico indutum*. Ce sont tous ornements d'église, mais un certain nombre sans doute remontent à la période antérieure.
[69] Hartmann, *op. cit.*, t. II², p. 102 et ss.
[70] Ch. Diehl, *Une république patricienne. Venise*, p. 5.
[71] Diehl, *op. cit.*, p. 7.
[72] R. Buchner, *op. cit.*, p. 58.
[73] Jaffé-Wattenbach, *Regesta*, nº 2480.
[74] Richter et Kohl, *op. cit.*, t. II, p. 166.
[75] Richter et Kohl, *op. cit.*, t. II, p. 172; Hartmann, *op. cit.*, t. III, p. 60.
[76] Richter et Kohl, *op. cit.*, t. II, p. 178.
[77] Hartmann, *op. cit.*, t. III, p. 62.
[78] Richter et Kohl, *op. cit.*, t. II, p. 188; Hartmann, *op. cit.*, t. III, p. 64.
[79] Hartmann, *op. cit.*, t. III, p. 66.
[80] Hartmann, Die Wirtschaftlichen Anfänge Venedigs, *Vierteljahrschrift für Sozial und Wirtschaftsgeschichte*, t. II, 1904, p. 434-442.
[81] Schaube, *op. cit.*, p. 3.
[82] Hartmann, *op. cit.*, t. III, p. 68.
[83] Schaube, *op. cit.*, p. 3, n. 3 et p. 22; A. Dopsch, *Die Wirtschaftsentwicklung der Karolingerzeit*, t. II, 2e éd., 1922, p. 143.
[84] M.G.H. Capit., t. II, p. 130.
[85] Thompson, *Economic and social history of the Middle Ages*, 1928, p. 267.
[86] R. Buchner, *op. cit.*, p. 59.
[87] Voir, à cet égard, la curieuse histoire de saint Géraud d'Aurillac. F.L. Ganshof, Note sur un passage de la vie de saint Géraud d'Aurillac, *Mélanges Jorga*, 1933, p. 295-307.
[88] Bréhier, Bulletin historique. Histoire byzantine, *Revue historique*, t. CLIII, 1926, p. 205.
[89] Gay, *L'Italie méridionale et l'Empire byzantin*, p. 66.
[90] Gay, *op. cit.*, p. 46-48.
[91] Ils payent en sous d'or leurs amendes aux souverains francs.
[92] Engel et Serrure, *Traité de numismatique*, p. 288.
[93] *Annales regni Francorum, aº* 820, éd. Kurze, M.G.H.SS. in *us. schol., p. 153: In Italico mari octo naves negotiatorum de Sardinia ad Italiam revertentium.*
[94] Gay, *op. cit.*, p. 112.
[95] *Ibid.*, p. 33.
[96] *Ibid.*, p. 41-42.
[97] *Ibid.*, p. 249.
[98] *Ibid.*, p. 98 et p. 127.
[99] *Ibid.*, p. 128.
[100] *Ibid.*, p. 98.
[101] Hartmann, *op. cit.*, t. III², p. 35.
[102] *Ibid.*, t. III¹, p. 249.
[103] M.G.H. Capit., t. II, p. 67.
[104] Gay, *op. cit.*, p. 129.

Chapitre V

Le coup d'État Carolingien et la volte-face du pape

I. La décadence mérovingienne

De tous les États fondés en Occident par les Germains à la fin du Ve siècle, dans le bassin de la Méditerranée, les deux plus brillants au début, les royaumes vandale et ostrogoth, étaient tombés sous les coups de Justinien. Les Wisigoths, dès 629, avaient repris à l'Empire le petit territoire qui lui restait dans la péninsule[1]. Les Francs étaient restés indemnes. Quant aux Lombards, il avait semblé un instant qu'ils allaient reconstituer le royaume d'Italie à leur profit. L'obligation où s'était trouvé l'Empire de se défendre contre les Perses avait favorisé leur entreprise; il avait dû recourir contre eux à l'alliance franque qui ne s'était pas montrée sans danger. Pourtant la victoire d'Héraclius faisait présager une reprise de l'offensive byzantine, quand, tout à coup, l'Islam avait fait irruption.

Devant lui, l'Empire avait reculé définitivement. Il avait perdu l'Afrique et ses possessions d'Italie étaient menacées par les Musulmans établis en Sicile. Les Wisigoths avaient été anéantis. Les Francs entamés au sud s'étaient repris à Poitiers, mais n'en avaient pas moins été coupés de la mer. Seuls les Lombards n'avaient pas encore reçu les coups de l'Islam qui, au contraire, les avait favorisés d'une part, en desserrant l'emprise de Byzance obligée de faire front à l'est et, d'autre part, en les protégeant contre le péril franc.

C'était à la France pourtant, qui avait arrêté en Occident l'expansion continentale de l'Islam, qu'il était réservé de reconstituer l'Europe sur des bases nouvelles.

D'elle dépendait l'avenir. Mais la France, telle qu'elle apparaît à ce moment est bien différente de celle des Mérovingiens. Son centre de gravité n'est plus dans la *Romania*. Il s'est déplacé vers le Nord germanique et, pour la première fois, apparaît avec elle une force politique cessant de graviter vers la méditerranée où domine l'Islam. Avec les Carolingiens, c'est une nouvelle orientation définitive que prend l'Europe. Jusqu'à eux, elle a continué à vivre de la vie de l'Antiquité. Mais l'Islam a bouleversé toutes les conditions traditionnelles. Les Carolingiens se trouveront dans une situation qu'ils n'ont pas faite, mais qu'ils ont trouvée et dont ils tirèrent un parti qui ouvre une époque nouvelle. Leur rôle ne s'explique que par la transformation de l'équilibre imposée au monde par l'Islam. Le coup d'État qui les a substitué à la dynastie mérovingienne, la seule qui subsistait depuis les invasions, ne se comprend lui-même en grande partie que par la fermeture de la Méditerranée par les Sarrasins. Cela paraît évident si l'on étudie sans parti pris la décadence mérovingienne. Si l'on n'en a pas été frappé, c'est que l'on a toujours considéré la période franque comme un tout dans lequel les Carolingiens faisaient figure de continuateurs des Mérovingiens; on a cru que la continuité se manifestait aussi bien dans les domaines du droit et des institutions, que dans ceux de l'économie et de l'organisation sociale. Or, il y a une différence essentielle entre l'époque mérovingienne et la période carolingienne. Tout d'abord, la situation européenne qui leur est respectivement faite, offre un contraste complet. Fustel de Coulanges l'a fort bien dit: «Qu'on regarde les cent cinquante années qui suivent la mort de Clovis... on reconnaîtra que les hommes différaient peu de ce qu'ils avaient été au dernier siècle de l'Empire. Qu'on se transporte, au contraire, au VIIIe siècle et au IXe siècle, on verra que, sous des dehors plus romains peut-être, la société est absolument différente de ce qu'elle avait été sous l'autorité de Rome»[2]. Et Waitz, de son côté, avait eu raison de séparer les deux époques, comme Brunner a eu tort de les réunir.

La coupure des deux mondes se fait définitivement avec le coup d'État de Pépin. Mais il se prépare bien plus tôt. L'État mérovingien ne connaît plus qu'une longue décadence à partir de la mort de Dagobert Ier en 639. Cette décadence, c'est celle de la royauté. On a vu plus haut que le pouvoir royal est absolu, caractère qu'il a repris à l'Empire romain. Pour que l'État soit gouverné, il faut que le roi conserve la puissance de s'affirmer; il n'y a d'ailleurs contre lui et contre cette manière de gouverner aucune opposition d'aucune sorte, ni nationale, ni politique[3]. Les partages eux-mêmes qui reclassent si fréquemment les hommes et les territoires, sont l'affaire des rois qui se répartissent leur héritage. Les peuples restent indifférents. Le prestige de la dynastie est très grand et sans doute incompréhensible sans l'Église, car on ne peut invoquer pour l'expliquer aucun sentiment germanique.

C'est précisément en Germanie qu'a eu lieu en 656 l'essai de Grimoald, le fils de Pépin Ier, de se substituer au roi légitime, ce qui soulève l'indignation des Francs et amène l'arrestation et la mort du coupable[4].

Le roi s'appuye sur l'Église qu'il protège et, en fait, qu'il domine. En 644, au moment où commence le déclin, Sigebert III défend encore que les synodes soient tenus sans son autorisation[5].

On fait remonter, en général, la décadence mérovingienne à l'édit de Clotaire II de 614. Mais cet édit m'apparaît comme un moyen de s'attacher l'Église en affermissant sa position surtout par des privilèges de juridiction[6].

En tout cas, Dagobert Ier est encore un grand roi qui fait la guerre aux Germains et jouit d'une situation européenne que n'a eue aucun de ses prédécesseurs depuis Théodebert.

Le royaume franc, sous les Mérovingiens, est une puissance qui joue un rôle international dominé par une politique constante: s'installer solidement sur la Méditerranée. Dès leur installation en Gaule, les Mérovingiens avaient cherché à atteindre la Provence. Théodoric les en avait écartés. Ils s'étaient retournés alors vers l'Espagne, et avaient engagé la lutte contre les Wisigoths[7].

La guerre de Justinien contre les Ostrogoths allait leur ouvrir le chemin de la mer. L'empereur ayant sollicité leur appui en 535, Vitigès, pour empêcher l'alliance de l'empereur et des Francs, leur cède la Provence que jadis Théodoric les avait empêchés de conquérir sur les Wisigoths[8]. Installé sur la côte, et cherchant à prendre pied en Italie, Théodebert s'allie un moment avec les Ostrogoths auxquels il envoie une armée de 10000 hommes[9]. Mais bientôt, se tournant à la fois contre les Goths et contre les Byzantins, il conquiert en 539 la plus grande partie de la Vénétie et de la Ligurie[10].

Le royaume est si vigoureux à cette époque, que la campagne en Italie à peine terminée, Childebert et Clotaire reprennent la guerre contre les Wisigoths (542), s'emparent de Pampelune, ravagent la vallée de l'Èbre; mais ils échouent devant Saragosse et sont enfin refoulés par Theudis[11].

L'échec subi en Espagne rejette à nouveau les rois francs contre l'Italie. En 552, une armée franque, renforcée par des Alamans, redescend dans la péninsule contre les impériaux, pille le pays jusqu'à ce que, décimée par les maladies et écrasée par Narsès, ses débris sont obligés de refluer en Gaule.

Vaincus par les armes, les Francs devaient obtenir, grâce à la politique, une importante province. En 567, le territoire wisigoth entre la Garonne et les Pyrénées devient franc par le mariage de Chilpéric avec Galswinthe[12].

L'arrivée des Lombards en Italie devait être, pour les Mérovingiens, une nouvelle cause de guerre en Italie.

Dès 568, les Lombards attaquent la Provence. Rejetés, ils l'envahissent à nouveau en 575[13]. En 583, imploré par le pape Pélage II qui le supplie d'intervenir contre les Lombards, Childebert II s'allie contre eux avec l'empereur Maurice, qui paie cette alliance de 50000 sous d'or, et envoie une armée franque combattre en Italie, sans succès d'ailleurs, jusqu'en 585[14].

La même année pourtant (585), Gontran attaque la Septimanie; ses troupes sont repoussées avec de grandes pertes par Reccared, le fils de Léovigild. Mais l'état d'hostilité subsiste. En 589, Gontran renouvelle encore son attaque, mais cette fois éprouve une défaite définitive près de Carcassonne[15].

Cet échec des armes franques apparaissait comme d'autant plus sérieux, qu'en 588 l'armée de Childebert avait été battue par les Lombards en Italie[16], ce qui avait amené le roi, en 589, à conclure la paix avec eux.

Mais Childebert n'avait pas renoncé à sa politique italienne. Dès l'année suivante (590), il dirigeait une nouvelle expédition contre les Lombards. Elle ne devait pas réussir et il fallut cette fois se résigner à la paix[17].

Dagobert, le dernier grand roi mérovingien, devait continuer cette politique d'intervention en Italie et en Espagne. En 605, il s'alliait avec l'empereur Héraclius et, en 639, soutenait le prétendant Wisigoth Sisenand contre le roi Svinthila[18]. Dagobert devait être le dernier représentant de la politique traditionnelle de sa dynastie. Après lui, il n'y aura plus d'intervention politique ni en Italie, ni en Espagne, en dehors d'une expédition, qui échoue, d'ailleurs, en 662-663[19].

Le royaume s'affaiblit aussi vers le nord; en Germanie, la Thuringe devient indépendante, la Bavière à peu près, et les Saxons prennent une attitude menaçante. Ainsi donc, à partir de 630-632, l'État mérovingien se replie sur lui-même, et tombe en décadence. Sans doute, les luttes civiles incessantes entre rois ainsi que le conflit Frédégonde-Brunehaut, puis les intrigues de Brunehaut jusqu'à sa mort affreuse en 613, y ont contribué. Mais il faut se rappeler que, jusqu'en 613, les luttes civiles avaient été la règle générale. Ce qui les rend plus graves désormais, ce sont les continuelles minorités des rois. En 715, quand Chilpéric II monte sur le trône, il y avait vingt-cinq ans qu'aucun roi n'y était plus parvenu à l'âge d'homme. Et ceci s'explique par la débauche et les excès vénériens de ces princes qui peuvent tout se permettre. La plupart d'entre eux sont, sans doute, des dégénérés. Clovis II meurt fou. C'est ce qui donne à la décadence mérovingienne cet aspect morne, par lequel elle contraste si vivement avec celle des empereurs romains d'Occident et plus tard avec celle des Carolingiens. Aucun de ces rois n'exerce plus une action quelconque; ce sont des jouets dans la main des maires du palais, contre lesquels ils n'essayent même pas de réagir. Pas un seul n'a cherché à faire assassiner son maire du palais comme le faisaient jadis les empereurs à Ravenne; c'est eux, au contraire, qu'on assassine parfois. Ils vivent sous la tutelle de leur mère et parfois de leur tante. Mais depuis Brunehaut, d'ailleurs Wisigothe, les reines sont prises pour leur beauté. La reine Nautechilde est une servante (*puella de ministerio*), que Dagobert a fait entrer dans son lit. Il en résulte que le maire du palais devient tout-puissant. C'est le *shogoun* des Japonais.

La diminution des ressources dont disposent les rois mérovingiens au VIIe siècle, les livre, d'autre part, de plus en plus à l'influence de l'aristocratie terrienne dont la puissance ne cesse de grandir. Tout naturellement, ainsi qu'il a toujours été de règle de la part d'une aristocratie, elle cherche à s'imposer à la royauté et, pour cela, à la rendre élective.

Tant que le roi avait été puissant, il avait pu la tenir en bride. Il nommait qui il voulait dans les comtés et, en réalité, aussi dans les évêchés. Il faisait condamner qui il voulait sous

1. Ravenne, Saint-Apollinaire in Classe. La basilique et le campanile cylindrique vus du Nord-Ouest

Aux pages suivantes
2. Ravenne, Saint-Apollinaire in Classe. L'intérieur

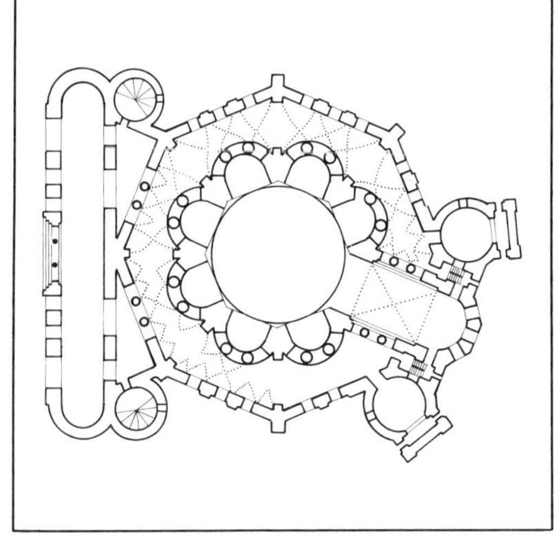

3. *Milan, Saint-Laurent. L'abside*
4. *Ravenne, Saint-Vital. Plan*
5. *Ravenne, Saint-Vital. L'extérieur vu du Sud*

EGO AUTEM INGRESSUS
SUM IN INNOCENTIA

Aux pages précédentes
6. Ravenne, Saint-Vital. Vue de l'intérieur

7. Ravenne, Saint-Vital. La galerie du déambulatoire

8. Rome, Saint-Etienne-le-Rond. L'extérieur

Aux pages précédentes
9. Rome, Saint-Etienne-le-Rond. L'intérieur

10. 11. Poreč (Yougoslavie). La façade et l'intérieur de la basilique

12. Ravenne, baptistère des Ariens. Mosaïque de la voûte: le Baptême du Christ entouré des douze Apôtres
13. Torcello, cathédrale. Mosaïque dans l'arc triomphal: quatre anges et l'Agneau

Aux pages précédentes
14. Ravenne, mausolée de Galla Placidia. L'intérieur
15. Ravenne, mausolée de Galla Placidia. La mosaïque de la voûte

16. Ravenne, mausolée de Galla Placidia. Détail des mosaïques: les quatre Evangiles déposés dans un meuble

17. Ravenne, mausolée de Galla Placidia. Détail des mosaïques: vase avec arbre fruitier

À la page suivante
18. Ravenne, Saint-Viral. Détail de la fenêtre trilobée sur le mur de droite

19. Ravenne, Saint-Vital. La mosaïque de la coupole
20. Ravenne, Saint-Vital. Détail des mosaïques: vase avec colombes becquetant du raisin

À la page suivante
21. Ravenne, Saint-Vital. Détail des mosaïques: un paon

prétexte de lèse-majesté, ce qui, grâce à la confiscation qui s'ensuivait, enrichissait son trésor. Tant que le trésor lui avait fourni suffisamment de ressources, il avait eu en main un admirable *instrumentum regni.* Il faut remarquer que, puisque tous les tonlieux appartenaient au roi, le trésor demeurait largement alimenté tant que le commerce restait florissant.

Ce trésor permettait d'entretenir la *trustis* royale qui est la garde du roi et, si on veut, sa véritable armée permanente[20].

Mais il faut qu'il puisse payer pour qu'à cette époque, où les rois donnent eux-mêmes continuellement l'exemple du parjure, les «antrustions» restent fidèles à leur serment. Or, ce trésor qui est la véritable base de la puissance royale, commence à s'amincir dans le courant du VIIe siècle. D'abord, il n'y a plus le butin des guerres extérieures. Il n'y a plus non plus les subsides byzantins. Le roi n'est pas du tout un «foncier», qui ne vit que de ses terres[21]; il suffit, pour s'en assurer, de lire Grégoire de Tours. Évidemment, il a des quantités de terres et de *villae* qui constituent son fisc. Et il peut en donner beaucoup, et même en gaspiller au profit de ses amis et des églises qu'il comble tout particulièrement[22].

Mais je ne vois pas, dans Grégoire de Tours, le rôle politique que joue cette propriété. Tant que le roi est puissant d'ailleurs, il peut reprendre ce qu'il a donné. Et je ne comprends pas bien comment, au milieu des partages continuels, il pourrait établir son pouvoir sur le fisc foncier sans cesse autrement réparti. Tout indique que c'est l'impôt qui constitue l'essentiel de ses revenus. Fustel de Coulanges reconnaît, qu'à lui seul, il suffisait à enrichir la royauté et à pourvoir à tous les besoins de son gouvernement[23].

Comment donc cet impôt, legs de Rome, qui n'a jamais été supprimé, a-t-il cependant rapporté de moins en moins? D'après Fustel de Coulanges, la cause doit en être cherchée dans la résistance des évêques et dans les immunités accordées aux grands tant laïques qu'ecclésiastiques. Le roi aurait donc lui-même sapé la base de son pouvoir[24]. Et de même les revenus du tonlieu se seraient réduits de plus en plus par suite des exemptions qu'il aurait octroyées.

Mais encore faudrait-il trouver une raison à cette politique des rois qui aboutit à la destruction de la base même de leur pouvoir. Pourquoi n'ont-ils pas, comme on le fit plus tard, concédé l'impôt lui-même? Sans doute accordent-ils des franchises, mais ils n'abandonnent pas leur droit régalien. D'ailleurs, les exemptions d'impôt, c'est-à-dire de tonlieu, n'affectent que des monastères et ce n'est sûrement pas par eux que se maintient la grande circulation des marchandises. Celle-ci a pour origine le commerce. Il faut donc admettre que, le commerce diminuant, l'impôt indirect, disons les péages, aura diminué d'autant. Or, d'après ce que nous avons vu plus haut, le ralentissement du commerce a dû commencer aux environs de 650, ce qui correspond exactement avec les progrès de l'anarchie dans le royaume. A la fin du VIIe siècle, il est certain que les ressources pécuniaires du roi ont énormément fléchi. On en a une preuve curieuse dans le fait que, en 695, le roi donne la *villa* de Nassigny à l'abbé de Saint-Denis, moyennant l'abandon par ce dernier d'une rente perpétuelle de 300 sous qu'il percevait sur le trésor. Ainsi, le roi préfère ses ressources en argent à sa terre[25].

Que ces ressources dépendissent surtout des péages sur la circulation commerciale, c'est ce dont on ne peut douter. La perception en était infiniment plus facile que celle de l'impôt foncier et ne provoquait guère de résistance. On ne voit pas que les évêques soient intervenus à ce propos. Pourtant, l'impôt foncier s'est certainement conservé à côté du tonlieu, mais en rapportant de moins en moins. Sans doute, spéculant sur la faiblesse croissante du roi, les grands lui ont-ils arraché de plus en plus des privilèges d'immunité. Mais l'erreur est de voir dans les immunités la cause de la faiblesse du roi; elles en sont, en réalité, une conséquence.

Il paraît donc évident que l'affaiblissement du trésor, qui provoqua l'affaiblissement de la royauté et de l'État, est surtout une conséquence de l'anémie croissante du commerce[26]. Or, celle-ci est due à la disparition du commerce maritime que provoqua l'expansion de l'Islam sur les côtes de la Méditerranée. Cette décadence du commerce devait atteindre surtout la Neustrie, où se trouvaient les villes commerciales. C'est pourquoi cette région du royaume, qui avait été la base de la puissance royale, devait peu à peu le céder à l'Austrasie où la vie était évidemment moins basée sur l'économie monétaire. Quant à l'impôt, on ne le percevait pas chez les Bavarois et les Thuringiens; pour ce qui est des Saxons, nous savons qu'ils payaient comme tribut 500 vaches[27]. La décadence du commerce affecta donc certainement beaucoup moins les régions du Nord essentiellement agricoles. Après la ruine de l'économie urbaine et commerciale, on s'explique donc facilement que le mouvement de restauration devait venir d'elles. La décadence du commerce, en concentrant toute la vie vers la terre, devait donner à l'aristocratie une puissance que plus rien ne pourrait entraver. En Neustrie, l'aristocratie s'efforce aussitôt de profiter de la faiblesse croissante du roi. Certes, la royauté cherchera à lui résister. La politique de Brunehaut se retrouve, pour autant que permette de l'entrevoir notre misérable information, dans celle du maire Ébroïn. Le despotisme dont on l'accuse, dès 664, s'explique certainement par sa tentative de maintenir l'administration royale, c'est-à-dire l'administration à la romaine, avec son personnel royal, qui prétend s'imposer à tous, même aux grands.

On peut considérer l'assassinat d'Ébroïn en 680 ou 683 comme marquant l'échec final de la lutte des rois contre les grands. Or, à ce moment, qui coïncide à peu près avec la prise de Carthage, le commerce maritime est réduit à presque rien.

Désormais, le roi est aux mains de l'aristocratie. Peut-être a-t-il cherché, pour lui résister encore, à s'appuyer sur l'Église. Mais l'Église elle-même tombe dans l'anarchie. Il suffit, pour s'en rendre compte, de lire les listes épiscopales dressées par Mgr Duchesne[28]. Elles montrent que le désordre des églises est infiniment plus grand dans le sud de la Gaule que dans le nord. D'une manière générale, les évêques du sud, dont l'influence avait été prépondérante dans l'Église de la Gaule, disparaissent vers 680 pour ne reparaître que vers 800. Sans doute faut-il tenir compte du hasard qui nous a dérobé des noms, mais le fait est trop général pour qu'on ne doive pas lui attribuer une cause profonde.

A Périgueux, après Ermenomaris (673-675), il n'y aura plus d'évêques avant le Xe siècle[29]. Il en est de même à Agen[30]. A Bordeaux, on n'en trouve plus de 673-675 à 814[31]; à Mende, de 627 à Louis le Pieux[32]; à Limoges, une interruption d'un siècle se marque dans la succession des évêques après Emenus[33], et à Cahors, après Beto (673-675)[34]; à Auch, les évêques ne reparaissent qu'en 836[35]. Aucun évêque n'est mentionné à Lectoure[36], à Saint-Bertrand-de-Comminges, à Saint-Lizier, à Aire, à Autun de 696 à 762[37], à Chalon de 675 à 779[38], à Genève de 650 à 833[39], à Die de 614 à 788[40], à Arles de 683 à 794[41]. Des interruptions semblables se constatent à Orange, Avignon, Carpentras, Marseille, Toulon (679-879), Aix (596-794), Antibes (660-788), Embrun (677-828), Béziers (693-788), Nîmes (680-788), Lodève (683-817), Uzès (675-788), Agde (683-788), Maguelonne (683-788), Carcassonne (683-788), Elne (683-788)[42]. D'après Lot, le dernier concile tenu en Gaule serait de 695, et il n'y en aurait plus été réuni avant 742[43].

On remarque d'ailleurs la disparition des synodes dans le dernier tiers du VIIe siècle. Il n'y en a plus au VIIIe siècle sous Pépin et Carloman. De même Leblanc constate la disparition croissante des inscriptions.

Et si l'on songe à l'influence considérable que les évêques exercent depuis le VIIe siècle dans les cités, on doit nécessairement conclure à la décadence des institutions urbaines; sans aucun doute, ce qu'elles avaient conservé de leur curie disparaît au milieu de cette anarchie.

La vie urbaine, telle que le commerce l'avait conservée, s'efface. C'est que la source méditerranéenne du commerce, que les invasions du Ve siècle n'avaient pas tarie, se dessèche maintenant que la mer est fermée.

Et il est caractéristique que les grandes familles sénatoriales, qui fournissaient le personnel ecclésiastique des diocèses et le haut personnel laïque de l'administration, se font de plus en plus rares dans un milieu si profondément transformé[44]. Sûrement à partir du milieu du VIIe siècle, la société se déromanise rapidement et ce sera chose faite, ou à peu près, au commencement du VIIIe siècle. C'est la même population, mais ce n'est plus la même civilisation.

On peut attester cela par des preuves. D'après la *Vita* de saint Didier de Cahors († 655), la ville, florissante sous son épiscopat, est tombée après lui dans le marasme[45]. De même Lyon, où un grand marchand est encore signalé en 601, tombe dans une décadence épouvantable qui a atteint son maximum quand, vers 800, Leidrade écrit son rapport à Charlemagne[46].

L'anarchie qui, par suite de la décadence du pouvoir royal, s'empare de la Gaule, la conduit au morcellement. L'Aquitaine, à partir de 675-680, devient un duché à part qui vit de sa vie propre.

En revanche, l'Austrasie qui n'a pas été affectée par la disparition du commerce et des villes, où l'administration royale était moins développée et où la société gravitait tout entière autour des grands domaines, prend une prépondérance de plus en plus marquée. A la tête de son aristocratie apparaît la famille des Pépin, dont le rôle a déjà été considérable dans les événements qui ont amené la chute de Brunehaut. C'est une famille de grands propriétaires de Belgique[47]. Vers 640 déjà, Itte, épouse de Pépin Ier (de Landen), fonde le monastère de Nivelles et ses libéralités permettent à l'apôtre irlandais saint Feuillen de fonder à Fosses le *monasterium Scottorum*. Lierneux — un bien de la famille — est donné par Pépin II entre 687 et 714 au monastère de Stavelot-Malmedy[48].

En 691, Begge, épouse d'Anségise et mère de Pépin II, fonde à Andenne un monastère où elle se retire et finit ses jours en 693. Pépin II donne à saint Ursmar, abbé de Lobbes, entre 697 et 713, les *villae* de Leernes et de Trazegnies[49]. Ils ont un puissant château fort à Chèvremont, qui fait partie de leur domaine de Jupille. Non loin, à Herstal, sur la Meuse, se trouve une résidence qui sera un de leurs séjours favoris et qui est mentionnée fréquemment comme un *palatium* à partir de 752.

C'est dans cette région mosane qu'ils se trouvent vraiment chez eux, aux bords de la forêt d'Ardenne. En vrais ruraux qu'ils sont, ils n'ont que de l'antipathie, semble-t-il, pour la résidence de Metz qui a été la capitale de l'Austrasie. C'est à Liège que Grimoald, le fils de Pépin II, est tué en 714 par un Frison. En 741, Carloman et Pépin le Bref enferment leur frère Grifon à Chèvremont, après la mort de Charles Martel.

A leurs terres wallonnes s'en ajoutent bien d'autres en Allemagne, mais leur berceau est le pays liégeois, ce pays où le nom de Pépin se rencontre encore si souvent au Moyen Age et, de nos jours encore, dans celui de Pepinster.

Pour la première fois, c'est une famille du Nord, au moins à demi germanique, de droit franc-ripuaire, sans attaches sénatoriales et en tout cas pure de toute alliance romaine, qui va jouer le premier rôle. Les Carolingiens ne sont pas adaptés au milieu neustrien qui, de son côté, leur est hostile. Et c'est ce qui explique que, si le premier Pépin parvient déjà à imposer au roi son influence incontestable lorsque celui-ci séjourne en Austrasie, il n'exerce en revanche aucune action sur le souverain lorsqu'il s'établit en Neustrie[50]. Sans doute y eut-il, à cause de cela, un mécontentement parmi les grands d'Austrasie à la suite duquel Dagobert Ier aurait, en 632, nommé son fils, le futur Sigebert III, vice-roi.

Ainsi, dans cette *Francia* où l'on ne constate pas la moindre hostilité nationale aussi longtemps que la royauté reste forte, la séparation commence à se faire, au moment où elle tombe en décadence, sous la forme de l'opposition évidente qui se manifeste entre le romanisme et le germanisme[51].

Dans ces pays du Nord, domaines de la Loi Salique et de la Loi Ripuaire, les mœurs sont beaucoup plus rudes que dans le Sud. On y trouve même encore des païens. Et à mesure que le pouvoir du roi décline, les influences des aristocraties régionales se font de plus en plus prépondérantes et se manifestent très nettement dans le recrutement des autorités et du clergé[52].

Or, les Pépin sont les chefs de cette aristocratie austrasienne qui cherche à secouer la tutelle du palais, à s'emparer héréditairement des fonctions, et qui fait montre d'une antipathie marquée pour les Romains de Neustrie. Quand ils s'imposèrent comme maires du palais à la monarchie, leur action se fit aussitôt sentir comme nettement hostile à l'absolutisme royal; elle est anti-romaine et, pourrait-on dire, «anti-antique».

En Neustrie, Ebroïn représentait la tendance exactement opposée à celle des Pépin. Le roi étant mineur, il avait été désigné par les grands pour exercer le pouvoir[53]. Aussitôt, il prétendit dominer l'aristocratie à laquelle d'ailleurs il n'appartenait pas, empêcher l'hérédité des familles palatines et élever aux emplois, semble-t-il, des gens de basse naissance qui lui devaient tout (656). Il se heurta naturellement à la résistance des grandes familles, à la tête desquelles figure saint Léger, depuis 659 évêque d'Autun.

La lutte se dessine entre les défenseurs du pouvoir royal et l'aristocratie. Or, ce qui est caractéristique, c'est que les rois eux-mêmes n'y prennent aucune part.

A la mort de Clotaire III (673), Ébroïn, qui craint l'intervention des grands, fait aussitôt monter Thierry III sur le trône. Mais les grands, qui prétendent maintenant intervenir dans la désignation du roi, refusent de le reconnaître et désignent comme roi son frére Childéric II[54].

Cette fois, c'est un représentant de l'aristocratie, saint Léger, qui exerce en fait le pouvoir. Il en use pour imposer au roi de larges concessions aux grands; dorénavant, les hauts fonctionnaires ne pourront être envoyés d'un pays dans un autre. Ainsi s'affirmera davantage l'influence des grands dont l'autorité prendra une sorte de caractère héréditaire. Et pourtant cette mesure, imposée par l'aristocratie, n'est pas à l'avantage des Pipinides. On y discerne cette opposition, déjà signalée, entre sud et nord, et sans doute eut-elle pour mobile, en partie, d'empêcher le nouveau roi, intronisé avec l'appui de l'aristocratie austrasienne, d'imposer en Neustrie des grands venus d'Austrasie[55].

La mairie du palais est supprimée en Neustrie et en Bourgogne, Vulfoald demeurant maire du palais en Austrasie. Il semble que l'on ait cherché à établir au palais un roulement entre les grands. Mais les grands ne s'entendent pas, et Childéric II en profite pour se débarrasser de Léger qu'il relègue à Luxeuil (675). La réponse ne se fit pas attendre. La même année, Childéric II périt assassiné. Thierry III lui succéda. Ce meurtre, cependant, par la réaction qu'il produisit, devait avoir pour conséquence de ramener Ébroïn, élevé à la dignité de maire du palais, au pouvoir. Il en résulta, dit Fustel de Coulanges[56], «un immense déplacement dans les fonctions et les dignités». Tout le personnel du palais est transformé. Léger est condamné à mort, après avoir été aveuglé suivant la coutume byzantine[57]. Contre Ébroïn, tout le parti aristocratique fait bloc et place maintenant tout son espoir en Pépin qui, en Austrasie, a pris la dignité de maire du palais à la mort de Vulfoald. A quel titre? Sans doute comme descendant de Pépin Ier et de Grimoald[58], c'est-à-dire en vertu précisément de ce principe d'hérédité qu'Ébroïn combat en Neustrie. Pépin exerce en Austrasie un pouvoir de fait; les chroniqueurs l'ont fort bien relevé en disant de lui: «*dominabatur in Austria*»[59]. La différence entre le pouvoir qu'il prétend détenir et celui qu'exerce Ébroïn est flagrante. Contrairement à Ébroïn, il n'est pas un fonctionnaire. Il doit le pouvoir aux unions de sa famille et à sa qualité de chef reconnu de l'aristocratie qui, de plus en plus, se groupe autour de lui. A en croire les *Annales Mettenses:* «beaucoup de grands de Neustrie, traités cruellement par Ébroïn, passèrent de Neustrie en Austrasie et se réfugièrent auprès de Pépin» (681). Ainsi l'Austrasie, franque de race, devenait la protagoniste de l'aristocratie[60].

Depuis la mort de Dagobert II, c'est-à-dire depuis son assassinat, peut-être à l'instigation d'Ébroïn en 679, il n'y a plus de roi en Austrasie. Pépin, qui a succédé comme maire à Vulfoald, renversé sans doute à cette occasion, marche contre Ébroïn, mais est vaincu près de Laon[61]. Ébroïn devait périr assassiné peu après, en 680 ou 683, de la main d'Ermenfridus qui chercha refuge en Austrasie auprès de Pépin. Il est bien difficile de ne pas soupçonner Pépin d'avoir été mêlé à cette affaire.

Ébroïn tué, Waratton lui succède en Neustrie comme maire du palais; il fait aussitôt la paix avec Pépin. Mais il est renversé par son fils Gislemar qui marche contre Pépin, et le bat à Namur; Gislemar meurt assassiné, semble-t-il. Waratton, de nouveau maire du palais, confirme la paix qu'il avait signée avec Pépin en 683. Il meurt en 686 et son gendre Berchier lui succède[62]

Contre lui se manifeste aussitôt l'opposition des grands; la plupart d'entre eux, parmi lesquels l'évêque de Reims, se rallient à Pépin. Celui-ci marche contre Berchier et le roi Thierry III, qui sont vaincus à Tertry, près de Saint-Quentin en 687. Berchier est assassiné en 688 et Pépin reconnu par le roi comme maire du palais. Désormais, il est le seul maire du palais pour tout le royaume. Mais il se considère si peu comme le serviteur du roi qu'il ne s'établit même pas à sa cour. Il le flanque d'un de ses hommes de confiance: *Nordebertum quondam de suis*[63], et quant à lui, retourne en Austrasie.

II. Les maires du palais carolingien

En 688, le maire du palais d'Austrasie a donc imposé sa tutelle au royaume. Mais il n'est pas resté auprès du roi. Il lui a suffi de vaincre, son rival, maire du palais de Neustrie, et de prendre sa place. Les affaires du royaume ne l'intéressent que pour autant qu'elles servent à fortifier sa position dans le Nord. Pour lui, c'est là l'essentiel. Elle était menacée par le voisinage de la Frise, où le paganisme régnait encore et dont le prince, Ratbod, était peut-être déjà alors excité par les Neustriens, ennemis de Pépin. En tout cas, la lutte qui éclata en 689 tourna contre lui. Il fut battu à Wyk-lez-Duurstede et dut céder la Westfrise au vainqueur[64]. Et l'on comprend combien sa victoire a dû augmenter de toute manière le prestige de Pépin. C'est dans ce pays que, l'année suivante (690), apparaissait l'Anglo-Saxon Willibrord qui commença la conversion des Frisons et fut le premier intermédiaire entre les Carolingiens et l'Église anglo-saxonne. Les rapports entre ces deux puissances devaient avoir d'importantes conséquences. Un peu plus tard, on voit Pépin protéger un autre missionnaire anglo-saxon, Suitbert, auquel sa femme Plectrude donna, dans une île du Rhin, un domaine où il construit le monastère de Kaiserswerth[65].

Les Frisons vaincus, Pépin, de 709 à 712, se tourna contre les Alamans qui s'étaient constitués en duché indépendant. Il ne semble pas y avoir remporté de grands avantages[66]. Jusqu'à sa mort (décembre 714), il n'a plus vu la Neustrie, mais a continué à s'en assurer par personne interposée. En effet, en 695, à la mort de Norbert, il donne comme maire du palais à Childebert III, son propre fils Grimoald. La famille carolingienne tient ainsi toute la monarchie. Elle la tient si bien que, lors de l'assassinat de Grimoald, quelques semaines avant sa propre mort, Pépin lui donne comme successeur en Neustrie, Théodebald, le fils bâtard de Grimoald, âgé de six ans[67]. La mairie du palais est donc considérée par lui comme un bien de famille, une sorte de royauté parallèle à l'autre.

Mais il a trop tendu la corde. Les aristocrates neustriens se voient trop sacrifiés aux Carolingiens; pourtant, ceux-ci ont pris des mesures en leur faveur, comme, par exemple, la désignation des comtes par les évêques et les grands, sans que le roi Dagobert III ait d'ailleurs rien fait pour s'y opposer.

En 715, quelques semaines après la mort de Pépin II, les grands de Neustrie se soulèvent contre Plectrude, femme de Pépin qui, comme une reine mérovingienne, exerce la régence pour Théodebald. On ne peut voir là un mouvement national. Ce n'est que la réaction d'une aristocratie qui veut secourer la tutelle des maires pipinides et reprendre la direction du palais. On voit fort bien qu'il y eut alors une réaction contre la clientèle que Pépin avait mise au pouvoir[68].

Les grands portent Raginfred à la mairie du palais; mais un bâtard de Pépin, Charles, le premier de ce nom germanique (*vocavit nomen ejus lingua propria Carlum*)[69], qui a vingt-cinq ans et a échappé à la prison où Plectrude le tenait enfermé, prend la tête des fidèles austrasiens. Contre lui, Raginfred s'allie à Ratbod. En même temps, les Saxons franchissent la frontière. Quant au jeune Dagobert III, il meurt à ce moment, probablement assassiné. Son fils, l'enfant Thierry, est envoyé au monastère de Chelles et les grands choisissent comme roi Chilpéric II, fils de Childéric Ier, assassiné en 673, qui était relégué dans un cloître. C'est, depuis vingt-cinq ans, le premier Mérovingien qui monte sur le trône à l'âge d'homme et ce sera le dernier. La royauté n'est plus qu'un instrument dont joue l'aristocratie[70].

Charles, attaqué à la fois par Ratbod, qui a remonté le Rhin en bateau avec les Frisons jusqu'à Cologne, et par les Neustriens conduits par le roi et Raginfred, s'enfuit dans l'Eifel[71]. Mais il attaque et bat les Neustriens à Amblève pendant leur retraite en 716. Il aurait volontiers fait la paix, à condition de récupérer sans doute la mairie du palais.

Mais le refus de ses adversaires le force à combattre. Il les bat à Vincy près de Cambrai, le 21 mars 717. Puis, après avoir dévasté les environs de Paris, il remonte en Austrasie et se donne pour roi Clotaire IV, apparenté aux Mérovingiens, mais dont on ne sait rien[72]. En retournant dans ses domaines, il dépose l'évêque de Reims, Rigobert, qui ne l'avait pas soutenu, et donne son évêché à Milon, évêque de Trèves *sola tonsura clericus*, accumulant ainsi dans la même main deux diocèses au mépris du droit canon[73]. Mais l'Église n'est pour lui qu'un moyen de se constituer des partisans[74]. Il y a là un capital magnifique dont il peut disposer[75].

Maire du palais, Charles se comporte en souverain. En 718, il entreprend une expédition punitive contre les Saxons dont il ravage le territoire jusqu'au Weser.

En 719, Chilpéric et Raginfred, abandonnant leurs alliés du Nord, s'entendent avec Etudes qui s'est créé un duché en Aquitaine et qui vient les rejoindre à Paris pour marcher contre Charles. C'est donc bien maintenant une coalition romane qui se forme contre ce dernier. Du reste, les confédérés n'osent affronter le choc de Charles qui s'avance contre eux. Eudes conduit Chilpéric, avec ses trésors qu'il emporte, en Aquitaine. Mais Clotaire IV meurt et Charles fait la paix avec Eudes et reconnaît Chilpéric II comme roi de toute la monarchie[76].

Celui-ci meurt en 720, et les Francs lui donnent pour successeur Thierry IV, fils mineur de Dagobert III. Quant à Raginfred, reste-t-il maire? Il s'est réfugié à Angers où, en 724, il se soulève contre Charles. Ce sera la dernière réaction des Neustriens. Charles, qui a fait la paix avec Eudes d'Aquitaine, peut se consacrer à ses guerres du Nord. En 720, il reprend la lutte contre les Saxons; pour la continuer, semble-t-il, en 722. En même temps, il soutient l'activité de Willibrord chez les Frisons, et sans doute aussi les efforts de saint Boniface, que Grégoire II (715-731) a fait évêque des peuples païens de l'Allemagne.

En 725, il entreprend une première expédition pour soumettre la Bavière. Favorisé par les dissentiments qui régnaient dans la famille ducale, il s'avance jusqu'au Danube après avoir, semble-t-il, préparé sa campagne par un accord avec les Lombards. En 728, une seconde expédition ne peut cependant le rendre maître de la Bavière qui conserve son autonomie sous le duc Hubert. En 730, on le trouve en Alémanie qu'il semble avoir réunie à la *Francia*. En 734, il assujettit la Frise, conquise, dès lors, au christianisme. Enfin, en 738, il repart en expédition contre les Saxons. Toutes ces guerres du Nord ont eu pour résultat d'annexer la Frise et l'Alémanie.

Mais Charles allait devoir se tourner contre l'Islam. En 720, les Arabes d'Espagne, ayant passé les Pyrénées, s'étaient emparés de Narbonne et avaient mis le siège devant Toulouse. Au printemps de 721, Eudes marche contre eux, les bat sous les murs de Toulouse, les refoule d'Aquitaine, mais sans pouvoir leur reprendre Narbonne[77]. En 725, les Sarrasins entreprennent une grande *razzia*, s'emparent de Carcassonne, occupent par traité, semble-t-il, tout le pays jusqu'à Nîmes, remontent la vallée du Rhône et, au moins d'août, sont devant Autun qu'ils pillent, avant de retourner en Espagne, chargés de butin.

Eudes, se sentant menacé en Aquitaine, donne, pour se garantir, sa fille en mariage à Othman, le chef arabe de la frontière.

Mais à ce moment, les Arabes sont aussi agités par des troubles civils que les Chrétiens. En 732, le gouverneur d'Espagne Abd-er-Rhaman, qui vient de tuer Othman, passe les Pyrénées, assiège Bordeaux, bat Eudes au passage de la Garonne et, en ravageant tout, monte vers la Loire. Eudes appelle Charles à l'aide qui, en octobre 732, à la tête d'une armée, sans doute essentiellement composée d'Austrasiens, bat et refoule l'envahisseur, puis s'en retourne, sans pousser plus loin.

Mais l'année suivante, 733, il arrive en Bourgogne, s'impose à Lyon; il y a là une tentative certaine de mainmise sur le Midi; des *leudes probatissimi* sont chargés de contenir le pays[78]. Du côté de l'Aquitaine, il compte sans doute sur Eudes. On ne voit pas qu'il y ait dans tout cela des mesures dirigées contre l'Islam.

En 735, Eudes meurt et Charles se jette sur son pays. Il en occupe les villes et y laisse sûrement des vassaux à lui. Il ne fait rien contre les Arabes qui viennent de se répandre de Narbonne jusqu'à Arles, sans doute en vertu du traité signé précédemment, et on ne voit pas qu'il se soit manifesté contre eux la moindre résistance. Ainsi, toutes les côtes du golfe du Lion sont occupées par l'Islam. D'après la chronique de Moissac, les Sarrasins seraient restés quatre ans dans le pays, le livrant au pillage[79].

Charles, ne pouvant subjuguer l'Aquitaine, y laisse Chunold, fils de Eudes, comme duc, moyennant un serment de vassalité[80]. Puis il se dirige vers la vallée du Rhône qu'il soumet jusqu'à Marseille et Arles. Cette fois, il s'agit bien d'une prise de possession par les gens du Nord. Mais elle provoque une réaction à la tête de laquelle apparaît un certain «duc» Maurontus. Les sources ne permettent pas de comprendre exactement ce qui se passe. Il semble que Maurontus agisse de concert avec les Sarrasins. En 737, ceux-ci se sont emparés d'Avignon. Après en avoir fait le siège, Charles prend la ville, puis descend le Rhône et vient attaquer Narbonne que les Arabes délivrent. Puis Charles s'en retourne, brûlant en chemin Nîmes, Agde, Béziers[81].

Il veut évidemment terroriser cette population méridionale, car il est insensé de croire qu'il ait détruit ces villes pour empêcher une autre invasion arabe. Mais pendant qu'il est retourné combattre en Saxe, les Musulmans se répandent de nouveau jusqu'à la Provence et prennent Arles. Charles demande contre eux le secours des Lombards. Luitprand, dont ils menacent les frontières, passe les Alpes et les refoule. Maurontus, au milieu de tout cela, résiste toujours. En 739, Charles avec son frère Childebrand, marche contre lui et reconquiert le pays jusqu'à la mer.

Sur ces entrefaites, Charles meurt le 21 octobre 741. Depuis la mort de Thierry IV en 737, il a gouverné sans roi. Avant de mourir, il partage l'État, ou si l'on veut, le gouvernement, entre ses deux fils: Carloman, l'aîné, auquel il donne l'Austrasie, et Pépin. La Bavière et l'Aquitaine échappent à ce partage; elles restent des duchés autonomes. Bien que fait *consilio optimatum suorum*, cet arrangement provoque aussitôt des difficultés: Grifon, bâtard de Charles, se soulève; ses frères l'enferment à Chèvremont. Puis la Bourgogne s'agite, les Alamans et les Aquitains courent aux armes, pendant que les Saxons recommencent la lutte. Les deux frères marchent d'abord contre les Aquitains du duc Chunôld, que le continuateur de Frédégaire appelle *Romanos*; les poursuivent jusqu'à Bourges, détruisent le château de Loches; ils se jettent alors sur les Alamans dont ils parcourent le pays jusqu'au Danube et qu'ils soumettent[82]. Puis, en 743, ils battent le duc de Bavière et font de lui un vassal.

C'est la même année, 743, et sans doute à cause de ces troubles, qu'ils se décident à remettre sur le trône, que leur père a laissé vacant, le dernier mérovingien Childéric III (743-757), dont les rapports de parenté avec les rois précédents sont obscurs.

En 747, Carloman renonce au gouvernement et se fait moine au mont Cassin. Pépin reste seul au gouvernement à côté de son roi fantôme. Il a encore quelques difficultés avec Grifon qu'il a remis en liberté et qui soulève les Saxons et les Bavarois. Mais c'est un incident passager et sans suites.

Enfin, l'année 749-750 est paisible[83]. Pépin peut considérer son pouvoir comme affermi. Il est né en 714 et a donc trente-six ans, l'âge de la pleine force. Va-t-il continuer à porter ce titre subordonné de maire du palais? Comment le pourrait-il? Il a maintenant des vassaux à lui partout. Tous, sauf en Aquitaine, lui sont reliés par des serments et la situation de ses fidèles dépend de sa puissance. Il est donc assuré de son pouvoir que légitimise de plus son hérédité de fait.

Même l'Église, que son père a si fort malmenée et dont les dépouilles sont aux mains de ses fidèles, il se l'est conciliée. En 742, Carloman, instigué par Boniface, a convoqué un synode en Austrasie, le premier depuis des dizaines d'années, pour remettre de l'ordre dans cette Église terriblement dégradée dans son personnel[84]. En 744, un second synode est réuni à Soissons, puis bientôt se tient un troisième synode austrasien.

En 745, après ces efforts de réforme qui sont surtout partis du Nord comme on le voit, alors que, jusqu'au commencement du VIIIe siècle, tout le mouvement ecclésiastique venait du Midi, a lieu la première assemblée de l'Église franque sous la présidence de saint Boniface. Et cette fois, on y voit intervenir l'influence du pape, car c'est lui qui fait convoquer l'assemblée.

Pépin et Carloman, par Boniface, sont donc conduits vers le pape. Et toute l'Église, qui s'organise en Allemagne, les considère toujours, grâce à Boniface, comme des protecteurs. Comment ne pas faire ratifier et sanctionner par le chef de cette Église le pouvoir que l'on exerce et que l'on possède? La conjonction avec la papauté s'indique. Elle va se faire d'autant mieux qu'elle est dans son intérêt; et Pépin le sait bien, puisque le pape s'est déjà adressé à Charles Martel pour lui demander son appui.

III. L'Italie, le pape et Byzance
La volte-face de la papauté

L'Église, à la chute du gouvernement impérial en Occident, avait fidèlement conservé le souvenir et la révérence de cet Empire romain, dont sa propre organisation représentait l'image avec ses diocèses (*civitates*) et ses provinces. Elle ne le vénérait pas seulement, elle le continuait dans un certain sens, puisque tout son haut personnel était formé des descendants de vieilles familles sénatoriales qui en conservaient le respect et le regret. Toute l'Église vit sous le droit romain. Pour l'Église, l'événement de 476 n'avait eu aucune importance. Elle avait reconnu l'empereur de Ravenne, elle reconnaissait maintenant l'empereur de Constantinople. Elle le reconnaissait pour son chef. A Rome, le pape était son sujet, correspondait avec lui et entretenait un apocrisiaire à Constantinople. Il se rendait fidèlement aux synodes et à ses autres convocations.

L'empereur lui-même, quand les choses étaient normales, le regardait et le vénérait comme le premier patriarche de l'Empire, ayant la primauté sur ceux de Constantinople, de Jérusalem, d'Antioche et d'Alexandrie[85].

Cette adhésion sans réserve de l'Église d'Occident à l'Empire s'explique d'autant mieux que, jusqu'à Grégoire le Grand, les limites de l'ancien Empire romain étaient celles de l'Église ou à peu près. Certes, la formation des royaumes germaniques, constitués sur des ruines, avait divisé l'Église entre plusieurs États soumis à divers rois, vis-à-vis desquels, d'ailleurs, elle avait, dès le début, témoigné d'un loyalisme absolu. Si l'Empire ne subsistait plus en réalité, il en était cependant toujours un pour le pape de Rome[86].

Pas même sous Théodoric, en qui il n'avait jamais voulu voir qu'un fonctionnaire de l'Empire, le pape n'avait cessé de reconnaître l'autorité de l'empereur. Le retour triomphal des armées romaines avec Justinien avait encore renforcé sa subordination. Élu par le clergé et le peuple romain, le pape, depuis l'entrée de Bélisaire à Rome, demande sa ratification à l'empereur. Et, à partir de Vigile (537-555), depuis 550, il introduit le nom de l'empereur dans la date de ses actes.

Vigile, d'ailleurs, doit la tiare à l'empereur. En 537, pendant que Vitigès assiégeait Rome, le pape Silvère, sous prétexte d'entente avec les Goths, avait été déposé par Bélisaire et déporté dans l'île de Palmataria. Désigné par l'empereur Théodose, Vigile l'avait remplacé sur le siège pontifical[87]. Justinien ne devait pas tarder à en profiter, pour prétendre imposer au pape l'absolutisme religieux de l'empereur, à propos de l'affaire des trois chapitres, c'est-à-dire de l'édit impérial de 543 qui anathématisait trois théologiens du Ve siècle, prétendus nestoriens, dans le but de donner une satisfaction aux monophysites et de réconcilier avec eux l'État et les Orthodoxes.

Mais les Occidentaux, surtout les Africains, protestent. Le pape Vigile, invité à approuver l'édit, s'y refuse, excommunie le patriarche de Constantinople, puis finit par céder en 548. Pourtant, devant la résistance des évêques d'Occident, Vigile retire son acquiescement. Un concile œcuménique est alors convoqué à Constantinople. Mais, Vigile, quoique retenu dans cette ville, refuse, de même d'ailleurs que la grande majorité des évêques d'Occident, de s'y rendre, si bien que le concile œcuménique ne fut en réalité qu'un concile grec, présidé par le patriarche de Constantinople. Les trois chapitres y furent condamnés et Vigile, ne se soumettant pas, fut exilé par Justinien, dans une île de la mer de Marmara[88]. Il céda finalement et fut autorisé à retourner à Rome, mais mourut en cours de route à Syracuse, en 555[89].

Comme Vigile l'avait été lui-même, son successeur Pélage Ier, consacré en 555, est désigné par Justinien. Il maintient comme il peut la paix de l'Église, qui reste divisée sur la question des trois chapitres, malgré la crise tragique que les guerres font traverser à l'Italie.

Les Lombards, que les armées impériales retenues en Asie et sur le Danube[90] ne peuvent arrêter, submergent le pays. C'est le moment où l'Empire traverse une des périodes les plus critiques et les plus troublées de son histoire. Justin II, incapable d'envoyer des troupes, conseille de combattre les Lombards par l'or et de faire alliance, contre eux, avec les Francs.

Pourtant, les Lombards, sous l'empereur Tibère II (578-582), atteignent Spolète et Bénévent. Le pape Pélage II seconde les efforts de l'empereur auprès des Francs, mais en vain. L'Italie sombre dans le plus terrible désordre.

Rome, où siège le pape, Ravenne, la ville impériale, tiennent toujours cependant. L'empereur Maurice (582-602) envoie à Ravenne un exarque, armé de pouvoirs illimités, mais qui dispose d'effectifs insuffisants.

Au moment où Grégoire le Grand (590-604) monte sur le trône pontifical, le péril est plus grand que jamais. En 592, les communications étant coupées entre Rome et Ravenne, Arnulf, le duc de Spolète, paraît sous les murs de Rome; en 593, la ville est à nouveau menacée, cette fois par le roi Agilulf. Grégoire est seul pour défendre Rome. Il s'y dévoue, pour lui-même sans doute, mais aussi pour l'empereur.

A ce moment, le patriarche de Constantinople, profitant de la situation quasi désespérée de Rome, prend le titre d'œcuménique. Grégoire proteste aussitôt. L'empereur Phocas lui donne satisfaction et reconnaît le pape de Rome comme «la tête de toutes les Églises»[91].

Et, entouré de toutes parts par les envahisseurs qui viennent battre le mur de la ville, abandonné par l'empereur, le pape, pour affirmer son pouvoir de chef suprême de la chrétienté, érige une colonne sur le forum[92].

Mais cet abandon du pape dans Rome augmente son pouvoir et son prestige. C'est en 596 qu'il envoie ses premières missions en Angleterre, sous la conduite d'Augustin. Son but, en ce faisant, est de gagner des âmes et il ne doute point qu'il donne ainsi des bases nouvelles à la grandeur de l'Église romaine et à son indépendance vis-à-vis de Byzance. De loin, il dirige et inspire ses missionnaires. Mais il ne devait pas lui être réservé de voir naître cette Église anglo-saxonne qui allait déterminer les destinées de Rome.

Les années suivantes devaient être décisives pour la papauté.

Héraclius venait d'écarter de Constantinople le péril perse. L'Empire était redevenu une grande puissance. Il allait pouvoir reprendre sur les Lombards la totalité de l'Italie, lorsque brusquement l'Islam fit irruption dans la Méditerranée (634). Attaquée de toutes parts, Byzance doit renoncer à combattre les Lombards. Rome est abandonnée à elle-même.

La conquête des côtes asiatiques et africaines de la Méditerranée par les Musulmans fut, pour l'Église, la plus effroyable des catastrophes. Outre qu'elle réduisait à la seule Europe le territoire de la chrétienté, elle allait encore être la cause du grand schisme qui allait définitivement séparer l'Occident de l'Orient, Rome où trônait le pape, de Byzance où siégeait le dernier patriarche d'Orient qui ait survécu au flot islamique.

Héraclius, après avoir reconquis sur les Perses la Syrie, la Palestine et l'Egypte, où dominaient les monophysites, avait aspiré à ramener l'unité, comme jadis Justinien, par des concessions dans le domaine dogmatique. Les monophysites, qui ne reconnaissaient au Christ qu'une substance, la divine, s'opposaient irréductiblement aux Orthodoxes qui voyaient à la fois en lui, l'homme et le dieu; pourtant, il semblait qu'il ne fût pas impossible de concilier ces deux thèses opposées, car si les Orthodoxes affirmaient qu'il y eût dans le Christ deux substances, ils ne lui reconnaissaient néanmoins qu'une seule vie. On pouvait arriver à concilier l'orthodoxie et le monophysisme en une doctrine unique, le monothélisme.

Pour renforcer l'unité du sentiment religieux et impérial contre les envahisseurs musulmans, l'empereur crut le moment venu de réconcilier Monophysites et Orthodoxes en proclamant la doctrine du monothélisme et en l'imposant à toute la chrétienté, par la publication de l'*Ecthesis* (638)[93].

Cette manifestation venait trop tard pour sauver l'Empire, puisqu'à cette époque la Syrie était déjà conquise par l'Islam. En revanche, elle devait dresser Rome contre Byzance. Le pape Honorius déclara hérétique la doctrine monothéliste.

Bientôt l'Égypte succombait à son tour, conquise par l'Islam. Les deux principaux centres du monophysisme étaient irrémédiablement perdus. Et pourtant Constantinople n'abandonna pas le monothélisme. Constant II, en 648, publia le *Type* — type de foi — défendant toute querelle sur le dogme, et confirmant le monothélisme.

Rome ne céda pas et au Synode de Latran, le pape Martin Ier condamnait à la fois l'*Ecthesis* et le *Type*, les déclarant entachés d'hérésie.

A la résistance du pape, l'empereur Constant II répondit en ordonnant à l'exarque de Ravenne d'arrêter Martin qui fut envoyé à Constantinople. Il y fut convaincu d'avoir essayé de provoquer un soulèvement contre l'empereur dans les provinces occidentales, emprisonné après de terribles humiliations, puis enfin envoyé en exil en Crimée, où il mourut en septembre 655.

La victoire de Constantin IV sur les Arabes, en dégageant Constantinople, fut sans doute le point de départ de l'abandon du monothélisme par l'empereur et du retour à Rome. Le rapprochement se fit sous Vitalien; Constantin IV (668-685) convoqua le VIe Concile œcuménique à Constantinople, en 680, qui condamna le monothélisme et reconnut le pape comme «chef du premier siège de l'Église universelle». Ainsi, la pression de l'Islam ramenait l'empereur vers l'Occident.

Le VIe Concile démontra à la Syrie, à la Palestine et à l'Égypte monophysites que Constantinople abandonnait l'espoir de se réconcilier avec les provinces arrachées à l'Empire. La paix de l'empereur avec Rome fut donc achetée au prix d'un abandon total des populations monophysites et monothélistes des provinces orientales.

Déjà Constant II, d'ailleurs, avait indiqué la même orientation vers l'Occident quand, malgré les divergences de doctrines qui le séparaient alors du pape, il s'était rendu à Rome, où il avait été reçu avec vénération le 5 juillet 663, par Vitalien. Peut-être avait-il songé à se réinstaller dans l'ancienne capitale de l'Empire; il avait dû reconnaître cependant que sa présence y était impossible, sans armée pour refouler les Lombards menaçants et, après douze jours, il était parti pour la Sicile et s'était fixé à Syracuse où, du moins, il pouvait compter sur sa flotte. Il y mourut assassiné en 668.

Peu de temps après, en 677, Constantin IV repoussait, par le feu grégeois, la flotte arabe loin de Constantinople, obligeait le khalife Moawiah à lui payer tribut et, d'autre part, assurait les possessions d'Italie en signant une paix définitive avec les Lombards[94].

L'Empire a sauvé Constantinople, conservé Rome et l'exarchat de Ravenne, mais est dorénavant confiné — après la perte de l'Espagne et de l'Afrique — dans la Méditerranée orientale. Et il semble à ce moment que l'Église romaine, qui vient elle aussi de perdre l'Afrique et l'Espagne par l'avance islamique, soit bien loin de se tourner vers l'Occident. Le Concile de 680 semble la lier très nettement au sort de l'Empire devenu purement grec. Sur treize papes qui ont gouverné de 678 à 752, on ne compte que deux Romains d'origine, Benoît II (684-685) et Grégoire II (715-731). Tous les autres sont Syriens, Grecs ou tout au moins Siciliens. Or la Sicile, où l'élément grec s'est considérablement accru par l'immigration syrienne qui a suivi la conquête de la Syrie par les Musulmans, est presque entièrement hellénisée à la fin du VIIe siècle[95].

La nouvelle orientation de l'Église vers Byzance ne s'explique pas du tout par une plus grande mainmise du pouvoir byzantin sur le pontificat. L'exarque qui, depuis Héraclius, a charge de ratifier les papes, n'intervient guère que pour la forme. L'élection du pape se fait, en toute indépendance, dans le milieu romain et c'est là ce qui rend étranges les désignations constantes de Grecs pour occuper le trône de Saint-Pierre.

Depuis la paix avec les Lombards, il n'y a plus en Italie byzantine que des troupes levées sur place, les autres étant employées contre l'Islam. Byzance ne peut donc imposer son autorité dans l'élection des papes. Mais les troupes, comme le clergé de Rome, jouent dans cette élection un rôle prépondérant. Or, la plupart des chefs militaires sont hellénisés, ainsi d'ailleurs que de très nombreux prêtres, ce qui explique ces nominations syriennes.

Les troupes d'ailleurs ne suivent, en cela, aucun ordre venu de Byzance. Isolées du pouvoir et sans contact avec lui, elles n'obéissent pas à l'exarque de Ravenne, et même pas à l'empereur. En 692, quand le pape Sergius refuse d'apposer sa signature au bas des actes du concile *in Trullo* qui contient des clauses opposées aux usages de Rome, Justinien II ordonne qu'on l'arrête et qu'on l'emmène à Constantinople. Mais la milice romaine se soulève et le délégué impérial ne doit qu'à l'intercession du pape de ne pas être mis à mort.

Ainsi, quoique Rome fasse partie de l'Empire, le pape y jouit d'une indépendance de fait. Il en est tout à la fois le chef religieux, civil et militaire. Mais il reconnaît son appartenance à l'Empire; elle fortifie d'ailleurs singulièrement son autorité, puisque l'empereur ne cesse pas de le considérer comme le premier personnage de l'Église; lui-même, d'autre part, ne renonce pas à présider l'Église universelle dont la plus grande partie, depuis la conquête de l'Afrique et de l'Espagne, est constituée par les provinces d'Orient.

Aussi, la rupture momentanée qui suivit l'incident de 692, n'était-elle voulue ni par le pape, ni par l'empereur. Le dernier pape qui fut reçu dans la capitale de l'Empire y fut traité avec les plus grands honneurs: l'empereur se serait prosterné devant lui et lui aurait baisé les pieds[96] et, une fois encore, un arrangement satisfaisant pour les deux parties fut conclu; la paix était rétablie.

Pourtant, l'ancienne querelle entre Orthodoxes et Monothélistes se réveille périodiquement. En 711, l'avènement de l'empereur monothéliste Philippicus provoque des émeutes à Rome. Et, d'autre part, l'autorité temporelle de l'empereur sur l'Italie s'affaiblit de plus en plus. En 710, les troupes de Ravenne se révoltent, l'exarque est tué et remplacé par un chef que se donnent les troupes[97]. Une vigoureuse intervention de l'Empire s'imposait. Mais la mort de Justinien II (711) ouvre une période d'anarchie (711-717), qui permet aux Bulgares d'atteindre Constantinople, tandis que les Arabes s'avancent par terre à travers l'Asie Mineure et que leurs flottes dominant l'Égée et la Propontide attaquent la capitale par mer (717)[98].

On peut dire que l'Europe fut alors sauvée par l'énergique soldat qui venait de prendre la couronne, Léon III l'Isaurien. Grâce à la supériorité que lui donnait sur la flotte arabe le redoutable feu grégeois, grâce aussi à l'alliance qu'il sut conclure avec les Bulgares, il força l'ennemi décimé à se retirer après un siège de plus d'un an (718).

C'est un fait historique beaucoup plus important que la bataille de Poitiers; ce fut la dernière attaque tentée par les Arabes contre la cité «protégée de Dieu». Ce fut, dit Bury, une date œcuménique[99]. Dès lors, jusqu'au règne de l'impératrice Irène (782-803), les Arabes furent contenus et même refoulés en Asie Mineure. Sous Léon et son fils Constantin, l'Empire se reprend; une réorganisation administrative lui rend la cohésion qui lui manquait, par la généralisation du régime des thèmes[100].

Mais Léon voulut achever son œuvre par une réforme religieuse: l'Iconoclastie. Peut-être s'explique-t-elle en partie par le désir de diminuer l'opposition entre le christianisme et l'islam et celui de se concilier les provinces orientales de l'Asie Mineure, où les Pauliciens étaient nombreux[101].

A Rome, la promulgation de la nouvelle doctrine eut les conséquences les plus graves: Léon publie son premier édit contre les images en 725-726[102]. Tout de suite, le pape Grégoire II l'anathématise. Et le conflit qui s'engage prend d'emblée un caractère aigu. A l'affirmation de l'empereur, qui prétend imposer son autorité à l'Église, le pape répond par l'affirmation de la séparation des deux pouvoirs, sur un ton qu'aucun de ses devanciers n'avait encore employé[103]. Il va jusqu'à défier l'empereur en invitant les fidèles à se garder contre l'hérésie qu'il vient de proclamer. Et, rejetant nettement son autorité, il reproche à l'empereur de ne pas pouvoir défendre l'Italie, le menace de se tourner vers les nations occidentales et défend aux Romains de payer l'impôt à l'empereur. Aussitôt, les troupes impériales cantonnées en Italie se soulèvent partout, déposent leurs chefs, s'en donnent d'autres; l'exarque Paul est tué dans une émeute; les Romains chassent leur duc. Toute l'Italie byzantine est en pleine révolte, prête sans doute à nommer un anti-empereur si le pape l'avait conseillé. Il n'en fit rien. Faut-il y voir un dernier scrupule de loyalisme, ou bien le pape ne voulait-il pas installer en Italie un empereur à ses côtés[104]?

L'empereur pourtant ne cède point. Un nouvel exarque est envoyé à Ravenne, mais il ne peut rien, ne disposant pas de troupes. Et la situation est d'autant plus grave que les ducs lombards de Spolète et de Bénévent, révoltés contre leur roi, soutiennent le pape. Il ne reste à l'empereur qu'une chose à faire: s'allier au roi des Lombards, Luitprand, qui profitera de l'occasion pour réduire les ducs révoltés.

Grâce à Luitprand, l'exarque entre à Rome et, si le pape continue à s'opposer à l'iconoclastie, politiquement il capitule. Il accepte de reconnaître l'autorité temporelle de l'empereur, mais prétend maintenir son indépendance dans le domaine spirituel. En 730, il proteste à nouveau contre le nouvel édit iconoclaste promulgué par l'empereur, et déclare le patriarche de Constantinople déchu de sa qualité.

Politiquement, pourtant, le pape agit maintenant d'accord avec l'exarque dont l'autorité se rétablit sans conteste: un anti-empereur proclamé en Toscane est tué, et sa tête est envoyée à Byzance; Ravenne, après avoir repoussé une flotte byzantine, est retombée au pouvoir de l'exarque.

Grégoire II mourut en 731. Son successeur fut le Syrien Grégoire III, le dernier pape qui ait demandé sa confirmation à l'empereur[105].

Mais, à peine intronisé, il reprend la lutte contre l'iconoclastie. Dès 731, il réunit un synode qui excommunie les destructeurs des images. L'empereur, attaqué de front, lui répond en détachant de la juridiction de Rome tous les diocèses à l'est de l'Adriatique (Illyrie), la Sicile, le Bruttium et la Calabre, qu'il place sous l'autorité du patriarche de Constantinople[106]. En outre, il lui enlève les domaines de l'Église en Sicile, Calabre et Bruttium qui rapportaient annuellement 350 livres d'or. Ainsi, le pape, au point de vue byzantin de l'empereur, n'est plus guère qu'un évêque italien. Son influence hiérarchique et son influence dogmatique ne s'exerceront plus sur l'Orient dont il est exclu. L'Église latine est repoussée, par l'empereur lui-même, hors du monde byzantin.

Et, cependant, le pape ne rompt pas avec l'empereur. Peut-être sa fidélité s'explique-t-elle par le changement d'attitude de Luitprand qui, brisant maintenant avec l'exarque, s'empare de Ravenne et trahit ainsi son intention de conquérir toute l'Italie. Il en résulterait pour le pape, si Rome tombait, d'être dégradé au rang d'un évêque lombard. Aussi, malgré tout, s'attache-t-il à la cause grecque. Il exhorte l'évêque de Grado à obtenir des gens des lagunes, c'est-à-dire des Vénitiens, qu'ils utilisent leur marine contre les Lombards de Ravenne dépourvus de flotte. Grâce à ces hardis marins, la ville est reprise et de nouveau occupée par l'exarque en 735. Mais Luitprand reste redoutable[107]. En 738, le pape s'allie contre lui aux ducs de Spolète et de Bénévent qui cherchent à se rendre indépendants[108]. Mais, en 739, Luitprand attaque le duc de Spolète, le force à se réfugier à Rome et se met à piller la campagne romaine[109].

C'est au milieu de ces menaces constantes que le pape, s'appuyant sur l'Église anglo-saxonne, va entreprendre la conversion de la Germanie encore païenne. L'Église anglo-saxonne, organisée par le moine grec Théodore, dont le pape Vitalien, en 669, avait fait l'archevêque de Canterbury[110], était un vrai poste avancé de la papauté dans le Nord.

C'est d'elle que partent les grands évangélisateurs de la Germanie: Wynfrith (saint Boniface) qui y pénètre en 678 et Willibrord qui, en 690, arrive sur le continent. Avant d'entreprendre sa mission, il se rend à Rome demander la bénédiction du pape Serge qui le charge officiellement d'évangéliser la Germanie et d'y fonder des églises pour lesquelles il lui donne des reliques.

Willibrord part prêcher en Frise. Il y est soutenu dans son œuvre, par Pépin, pour des raisons — religieuses naturellement — mais surtout politiques, la christianisation devant favoriser la pénétration franque chez les Frisons. En 696, Willibrord revient à Rome, y reçoit le nom de Clément, le *pallium*, et est sacré, par le pape Serge, évêque d'Utrecht[111].

Le 15 mai 719, Grégoire II donne mandat à Boniface (Wynfrith) de continuer l'évangélisation de la Frise, conformément à la doctrine de Rome. C'est alors qu'il reçut le nom de Boniface à cause du patron du jour[112]. Pendant son apostolat en Frise, aux côtés de Willibrord, Boniface ne cessa de bénéficier de la protection de Charles Martel. Revenu à Rome en 722, Boniface fut nommé évêque par Grégoire II, avec mission de prêcher la foi dans la Germanie sur la rive droite du Rhin[113]. Les lettres qu'il lui donne font vraiment de lui un missionnaire de Rome. En 724, le pape le recommande à Charles Martel[114] et enfin, en 732, Grégoire III le sacre archevêque, avec autorisation de nommer lui-même des évêques dans les territoires qu'il conquiert au Christ.

Ainsi, dans le même temps où l'empereur refoule Rome de l'Orient la mission de Boniface lui ouvre la perspective de s'étendre sur ces *extremas occidentis regiones*, dont Grégoire II avait entrevu déjà la conversion. Ce grand missionnaire, qui étend sur la Germanie l'autorité du pape de Rome, est en même temps, par la force des choses, le protégé de ce Charles

Martel qui, par ailleurs, saccage l'Église, la dépouille et confisque ses biens pour donner des fiefs à ses vassaux. Comment le pape, dans la détresse où il se trouve en Italie, ne s'adresserait-il pas à ce tout-puissant protecteur de saint Boniface? En 738, celui-ci est venu de nouveau à Rome, où il a séjourné environ un an. Il est certain qu'il n'a pas seulement parlé avec Grégoire III de l'organisation de l'Église allemande et il faut supposer qu'il lui a conseillé de chercher un appui en Charles Martel car, dès 739, le pape se met en rapport avec le tout-puissant maître de l'Occident. Il lui envoie sa grande «décoration», les clefs du sépulcre de saint Pierre, et lui offre, en retour de la protection qu'il sollicite de lui contre les Lombards, d'abandonner l'empereur[115].

Mais Charles ne pouvait se brouiller avec le roi des Lombards qui venait d'entreprendre pour lui une expédition contre les Sarrasins en Provence. Il se borna donc à répondre à Grégoire III, en lui envoyant une ambassade chargée de lui apporter la promesse d'un appui, qui d'ailleurs ne vint pas[116].

En 741 meurent en même temps Grégoire III, Charles Martel et l'empereur Léon III. Au premier succède Zacharie, au second Pépin, au troisième Constantin V Copronyme (741-775), qui est un iconoclaste fanatique.

Devant la persécution religieuse, 50 000 moines grecs se réfugient à Rome, bannis par l'empereur et exaspérés contre lui. Zacharie ne s'est pas fait ratifier par l'empereur. Mais à peine élu, il conclut avec Luitprand une trêve de vingt ans; Luitprand en profite pour attaquer de nouveau l'exarchat en 743. Mais alors, malgré tout, le pape prend le parti de l'empereur et, à la demande de l'exarque, obtient de Luitprand qu'il signe à Ravenne une trêve avec l'Empire[117].

Cependant, par l'intermédiaire de Boniface, les relations du pape avec Pépin, beaucoup plus favorable à l'Église que ne l'était son père, sont devenues de plus en plus intimes. D'ailleurs, Pépin, débarrassé de Carloman, prépare son coup d'État. Sans doute, il n'a qu'à le vouloir pour le réaliser. Mais il ne veut rien laisser au hasard et, sachant qu'il peut compter sur la faveur de Zacharie, il tente auprès de lui sa célèbre démarche.

En 751, Burchard, évêque de Wurtzbourg, l'un des nouveaux évêques créés en Germanie, et l'abbé Fulrad, viennent à Rome poser au pape la fameuse question de savoir qui, de celui qui porte le titre de roi ou de celui qui en exerce réellement les pouvoirs, doit ceindre la couronne. La réponse de Zacharie, favorable à Pépin, devait marquer la fin de la dynastie mérovingienne.

Le pauvre roi mérovingien, qui attendait son sort, fut envoyé dans un monastère sans que personne se soit inquiété de lui.

Dès lors, le grand changement d'orientation est réalisé. Le nord l'emporte décidément. C'est en lui que réside la puissance temporelle depuis que l'Islam a ruiné la Gaule méridionale et il n'y a plus que lui qui puisse soutenir la papauté, depuis que l'Empire grec l'a rejetée d'Orient[118].

L'année 751 marque l'alliance des Carolingiens avec la papauté. Elle s'est nouée sous Zacharie, elle s'achèvera sous Étienne II. Pour que le renversement de la situation soit complet, il faut que le dernier fil qui rattache encore le pape à l'Empire se rompe, car tant qu'il subsiste, la papauté est forcée de demeurer, contre nature, une puissance méditerranéenne. Elle le serait restée sans aucun doute si l'Islam ne lui avait enlevé l'Afrique et l'Espagne. Mais la Germanie au nord pèse maintenant plus lourd.

Encore, la tradition était si forte que si, par impossible, l'empereur avait pu refouler les Lombards, le pape lui serait resté fidèle. Mais, en 749, avec l'apparition d'Aistulf, les Lombards reprennent leur politique conquérante.

En 751, ils s'emparent de Ravenne et cette fois pour tout de bon. Rome ne peut plus échapper à son sort. En 752, l'armée d'Aistulf est devant ses murs. Un secours immédiat peut seul la sauver. Étienne commence par implorer celui de l'iconoclaste. Il lui demande une armée et qu'il vienne pour libérer la ville de Rome[119]. Mais Constantin V se borne à envoyer une ambassade au roi des Lombards. Aistulf la reçoit mais se refuse à toute concession. Le pape Étienne II implore alors le secours de Pépin, mais avant de faire le pas décisif, il se rend lui-même à Pavie pour obtenir d'Aistulf qu'il renonce à ses conquêtes. Devant l'échec qu'il subit, il part pour la cour de Pépin, où il arrive en janvier 754.

L'inévitable s'est accompli. La tradition, brisée par Pépin en 751, l'est, trois ans après, par le pape.

IV. Le nouvel Empire

En 754, Étienne II se trouve donc dans ces *extremae occidentis regiones* dont, dès 729, Grégoire II avait indiqué la voie. Qu'y vient-il faire? Demander protection pour Rome puisqu'Aistulf n'a rien voulu entendre et que l'envoyé de l'empereur n'a rien obtenu. Sûrement, si sa démarche à Pavie avait réussi, il n'aurait pas franchi les Alpes. Il a conscience sans doute de la gravité de sa démarche, mais il est aux abois.

A Ponthion, Pépin l'attend, le 6 janvier 754. Étienne le supplie d'intervenir contre les Lombards. Et Pépin jure au pape *exarchatum Ravennae et reipublicae jura seu loca reddere*[120].

A en juger par ces textes, il y a dans tout cela une équivoque. Il est question de rendre à la *respublica* ce que le Lombard lui a pris. Mais la *respublica*, c'est l'Empire, ou c'est Rome qui est dans l'Empire. Et Pépin, qui ne tient sans doute pas à faire la guerre, envoie une ambassade à Aistulf. Mais celui-ci refuse d'écouter Pépin; bien plus, il suscite contre lui l'opposition de Carloman auquel il est parvenu à faire quitter l'abbaye du mont Cassin et qui, arrivé en France, est arrêté et meurt[121].

Ainsi, le roi lombard s'est maladroitement brouillé avec Pépin. Il semble donc bien qu'Aistulf ait vraiment décidé, cette fois, de s'emparer de Rome et de toute l'Italie. Entre le pape et lui, c'est Pépin qui va décider. Avant de partir en campagne, Pépin a réuni ses grands à Quiersy-sur-Oise. Il y donne au pape un diplôme contenant ses promesses (14 avril). Trois mois plus tard, à Saint-Denis, avant de partir en guerre, le pape renouvelle solennellement le sacre que Boniface avait déjà donné à Pépin et, sous peine d'excommunication, fait défense aux Francs de choisir jamais un roi hors de la descendance de Pépin. Ainsi l'alliance est nouée entre la dynastie et le chef de l'Église. Et pour qu'elle soit plus ferme, Étienne donne à Pépin et à ses deux fils le titre de *patricius Romanorum*. En ce faisant il usurpe évidemment sur les droits de l'empereur. L'exarque avait porté le titre de patrice. Pépin devient donc, comme celui-ci l'était, le protecteur de Rome, mais en vertu d'une délégation du pape et non plus de l'empereur[122]. Il semble d'ailleurs qu'il ait agi de son propre mouvement et sans se soucier des convenances de Pépin qui ne porta jamais ce titre, auquel sans doute il ne tenait pas.

Aistulf vaincu rendit par traité aux Romains les conquêtes qu'il avait faites, c'est-à-dire les *patrimonia* de Narni et de Ceccano, plus les territoires de l'exarchat. Dès que l'empereur en fut averti, en 756, il fit demander à Pépin de lui abandonner Ravenne et l'exarchat. Pépin naturellement refusa, malgré l'importante somme que l'empereur lui promettait en échange. Il n'avait agi que par révérence pour saint Pierre et rien ne pourrait le faire revenir sur ses promesses[123]. Au moment où arrive l'ambassade impériale, la guerre a d'ailleurs repris entre Pépin et Aistulf, celui-ci ayant tout de suite violé ses promesses. Il avait même mis, le 1er janvier 756, le siège devant Rome. Bloqué une deuxième fois dans Pavie, le Lombard demande une deuxième fois la paix. Il rend de nouveau les territoires et Pépin les remet au pape. Celui-ci est donc désormais maître de Rome et de son territoire[124]. Pourtant, il continue à reconnaître la souveraineté théorique de l'empereur.

Il est caractéristique que, dans aucune de ses deux expéditions, Pépin ne soit entré à Rome. Il ne devait plus d'ailleurs reparaître en Italie, quoique le successeur d'Aistulf, Didier, devenu roi en partie par son influence, lui ait encore causé des difficultés. Didier avait promis de céder au pape diverses conquêtes lombardes de Luitprand. Mais il n'avait consenti à en restituer qu'une partie.

Le successeur d'Étienne, Paul Ier (757-767) réclama en vain. Il semble que l'empereur ait alors cherché à tirer parti des circonstances. Son ambassadeur Georges, qui avait déjà négocié avec Pépin en 756, arrive à Naples en 758, et noue avec Didier des projets de coalition pour reprendre Rome et Ravenne; puis il se rend à la cour de Pépin où il n'obtient rien, Pépin restant fidèle au pape[125]. En 760, le bruit se répand à Rome que l'empereur envoie une flotte de 300 vaisseaux contre Rome et la France[126]. Sans doute, le pape espère-t-il ainsi pousser Pépin à descendre en Italie. Plus tard encore, il parle d'attaques que les *nefandissimi Greci* préparent contre Ravenne[127], opposant à ces hérétiques le *vere orthodoxus* Pépin[128].

Il sait que l'empereur continue à agir auprès de Pépin. En 762, des ambassadeurs de Pépin et du pape s'étaient rendus à Constantinople. Manifestement d'ailleurs, l'empereur cherche un rapprochement. Vers 765, l'empereur envoie à Pépin le spathaire Anthi et l'eunuque Sinésius pour traiter de la question des images et des fiançailles de Gisla, fille de Pépin, avec le fils de l'empereur[129]. Il y eut encore une grande discussion sur les images en 767, à Gentilly[130].

Mais Pépin reste inébranlable et en tout n'agit que d'accord avec le pape. Quant aux difficultés de celui-ci avec Didier, Pépin les a aplanies en 763, par un accord en vertu, duquel le pape renonce à ses revendications territoriales, ainsi qu'à ses tentatives de protectorat sur Spolète et Bénévent[131]. En somme, grâce à lui, le pape s'est senti assuré contre ses ennemis, sûr de l'orthodoxie, mais obligé de s'en remettre absolument à sa protection.

Le règne de Charlemagne fut, en tous points, l'aboutissement de celui de Pépin. Son père lui léguait sa politique italienne, c'est-à-dire sa politique lombarde et sa politique romaine. Il montait sur le trône (9 octobre 768) avec le titre de patrice, comme son frère Carloman. Ce ne fut qu'après la mort de celui-ci qu'il put réellement agir (décembre 771).

Le roi des Lombards, Didier, continuait à ambitionner la possession de Rome. Dès janvier 773, le pape Adrien dut solliciter contre lui le secours de Charlemagne. Aussitôt celui-ci descend en Italie, et tandis que son armée met le siège devant Pavie où Didier s'est enfermé, il se rend à Rome pour y assister aux fêtes de Pâques (774). Et il intervient alors comme le grand bienfaiteur du Saint-Siège. Non seulement il renouvelle, mais il étend énormément les donations faites au pape par son père, au point d'y comprendre les duchés de Spolète et de Bénévent, ainsi que la Vénétie et l'Istrie[132]. Puis, revenu devant Pavie qui se rend en juin 774 avec Didier, il prend pour lui-même le titre de roi des Lombards.

Jusque-là, il s'était contenté de s'appeler *Carolus, gratia Dei, rex Francorum vir inluster*. Son titre est maintenant: *Rex Francorum et Longobardorum atque patricius Romanorum*[133].

Cette innovation montre sûrement que, pour lui, son patriciat romain, à la différence certaine de ce que voudrait le pape, est une annexe de sa royauté lombarde. Le roi des Francs est devenu une puissance italienne. Son pouvoir, né dans l'Austrasie germanique, s'est étendu jusqu'à la Méditerranée. Mais il ne s'établira pas à Rome. Il ne deviendra pas Méditerranéen. Il restera septentrional. L'Italie gravitera dans son orbite avec la papauté. Il laisse au royaume lombard une certaine autonomie, mais il y envoie des comtes francs et il y distribue des domaines à de grandes églises de la *Francia*.

Quant au pape, il cherche naturellement à ne voir dans ce *patricius*, qui en somme a reçu son pouvoir d'Étienne II à Quiersy, qu'un protecteur de sa situation. Mais il y a ici une contradiction fatale. D'abord tout protecteur devient facilement un maître. Pépin ne l'a pas été, lui qui a si fidèlement modelé sa politique italienne sur celle du pape, mais Charles le sera. Le fait qu'il ne prend le titre de patrice que lorsqu'il a conquis le royaume lombard, indique bien qu'il a considéré ce titre aussi comme une conquête, donc qu'il le possède par lui-même. Quant au pape qui, à partir de 772, ne date plus ses bulles par l'année du règne de l'empereur, en attendant qu'à partir de 781, il les date par celle de son pontificat[134], il cherche évidemment à s'étendre. Mais il rencontre l'opposition du prince lombard de Bénévent et du patrice de Sicile qui gouverne, ou prétend gouverner, au nom de l'empereur, la Sicile, la Calabre et le duché de Naples.

Charles ne songeait pas à livrer l'Italie au pape. Il était le roi des Lombards et, comme tel, entendait bien être le maître de toute la péninsule. Aussi quand il vint à Rome pour la seconde fois, aux fêtes de Pâques de 780, revenant en somme sur ses premières déclarations faites alors qu'il n'avait pas encore conquis la couronne lombarde, il empêcha le pape d'étendre son autorité sur Spolète dont le duc se reconnaissait son sujet.

D'autre part, l'Empire byzantin où Léon IV venait de mourir et où Irène renonçait à l'iconoclastie, esquissait un rapprochement. En 781, une ambassade de Constantinople venait demander à Charles la main de sa fille Rotrude pour le jeune empereur et les fiançailles furent conclues[135]. Ce n'était donc pas le moment de se brouiller avec l'empereur, et Charles ne pouvait, par conséquent, favoriser les entreprises du pape contre les territoires impériaux.

A la fin de 786, Charles est de nouveau à Rome, appelé surtout par les menées du duc de Bénévent qu'il est obligé de réduire à l'obéissance. Mais à peine est-il parti que le duc Arichis manigance une alliance avec Byzance, aux termes de laquelle il doit recevoir le titre de patrice et représenter l'empereur en Italie et même à Rome. Un retour offensif de Byzance se dessine ainsi brusquement contre le pape et contre Charles. Le choc, qui se produisit en 788, n'aboutit qu'à renforcer l'emprise de Charles sur Bénévent et à lui valoir dans le Nord la conquête de l'Istrie[136]. Jamais, pourtant, Charles ne pourra vraiment s'imposer à Bénévent, malgré ses expéditions entreprises sans succès contre le duc en 791, 792-793, 800, 801-802[137].

Charles protège donc le pape par vénération pour saint Pierre, mais il ne se subordonne pas à lui comme Pépin. Il a même la prétention de lui dicter sa conduite en matière de dogme. Après la réprobation de l'iconoclastie par le Concile de Nicée en 787 qui, au point de vue dogmatique, réconcilie Rome et Constantinople, Charles refusa d'en accepter toutes les décisions. Il fit composer par des théologiens, contre le concile, une série de traités: les *Libri Carolini*, et envoya à Rome un ambassadeur chargé de présenter au souverain pontife un capitulaire qui contenait quatre-vingt-cinq remontrances à l'adresse du pape; enfin, en 794, il réunit tous les évêques d'Occident à Francfort, en un concile où furent abandonnées plusieurs des conclusions du Concile de Nicée, et où les doctrines des adorateurs d'images furent condamnées[138].

Après la mort d'Adrien il écrivit, en 796, à son successeur Léon III qu'«il est seigneur et père, roi et prêtre, chef et guide de tous les chrétiens»[139]. Et il lui trace sa conduite, fixant très exactement les limites de sa propre puissance temporelle et de la puissance spirituelle du pape[140].

D'ailleurs, en succédant à Adrien, Léon III lui a envoyé la bannière de la ville de Rome[141] et a introduit la mode nouvelle d'insérer dans la date de ses bulles les années de Charles *a quo cepit Italiam*.

Il est manifeste que Charles ne se considère plus comme un *patricius Romanorum*. Il agit en protecteur de la chrétienté. A cette époque, il a triomphé de la Saxe et des Lombards, soumis ou rejeté au-delà de la Theiss les Avars (796), et dans la plénitude de sa puissance, il peut prétendre assumer ce rôle. Il n'y a plus que lui en Occident, si on néglige les petits princes d'Angleterre et d'Espagne.

Sa situation dépasse celle qu'aucun roi a jamais eue. Et si des relents de suprématie byzantine traînaient encore dans la *Romania*, ils n'existent ni dans le Nord, ni dans ces milieux anglo-saxons et germaniques où vit Charles; Alcuin peut, en s'adressant à Charles, le traiter en empereur[142].

A Rome même, le pape quoiqu'il ne nie pas la souveraineté de l'empereur de Byzance, lui échappe en fait. Comment l'idée ne lui viendrait-elle pas, reconnaissant la puissance et le prestige dont jouit le roi des Francs, de reconstituer au profit de Charles l'Empire qui n'a plus de titulaire en Occident depuis le Ve siècle? Ce à quoi il pense d'ailleurs, ce n'est évidemment pas à refaire l'Empire *in partibus Occidentis* et à donner, si on peut dire, un successeur à Romulus Augustule. Faire cela, ce serait ramener l'empereur à Rome et passer sous son pouvoir. Or, il veut rester indépendant de lui. La mosaïque qu'il a fait poser dans le *triclinium* du Latran et où l'on voit saint Pierre remettant le *pallium* à Léon III et l'étendard à Charles, le prouve bien. Ce n'est pas la Rome impériale, mais la Rome de saint Pierre que le pape veut exalter en reconstituant l'Empire, la tête de l'*ecclesia*, de cette *ecclesia* dont Charles se proclame le soldat. Ne dit-il pas lui-même, en parlant à Léon III, que son peuple est le *populus Christianus*?

Charles pourrait, certes, s'octroyer à lui-même la dignité d'empereur ou se la faire remettre par un synode de son église. Mais combien plus légitime apparaîtra-t-elle pour toute la chrétienté si elle lui est conférée à l'initiative du pape! La disproportion qu'il y a entre le titre de *patricius*, que porte Charles et la puissance qu'il possède, disparaîtra. Il sera représentant militaire de saint Pierre, comme le pape est son représentant religieux. Ils seront l'un et l'autre conjugués dans un même système: celui de l'*ecclesia*.

En 800, Charles a conquis la Saxe, la Bavière, anéanti les Avars, attaqué l'Espagne. Presque toute la chrétienté occidentale est en ses mains.

Et le 25 décembre 800, en posant sur son front la couronne impériale, le pape consacre cet Empire chrétien. Charlemagne y a reçu son titre suivant la forme usitée à Byzance, c'est-à-dire par l'*acclamatio*. Le pape lui a ensuite placé la couronne sur la tête et l'a adoré[143].

Dans sa forme, l'accession de Charles à l'Empire était donc conforme à la légalité[144]. L'acclamation du peuple a eu lieu comme à Byzance. En réalité, cependant, une différence essentielle sépare l'avènement de Charles de celui d'un empereur byzantin.

En fait, les Romains qui l'acclamèrent, n'étaient pas comme le peuple de Constantinople, les représentants d'un Empire, mais les habitants d'une ville dont l'élu était le patrice. Leurs acclamations ne pouvaient lier les sujets de Charles de l'Elbe aux Pyrénées. Au fait, ces acclamations étaient une mise en scène. En réalité, celui qui donna l'Empire à Charles, ce fut le pape, le chef de l'*ecclesia*, donc l'*ecclesia*. Par là, il en devient le défenseur attiré. Son titre impérial n'a pas de signification laïque à la différence de celui de l'ancien empereur romain. L'accession de Charles à l'Empire ne correspond à aucune institution impériale. Mais, par une sorte de coup d'État, le patrice qui protégeait Rome devient l'empereur qui protège l'Église.

Le pouvoir qu'il a reçu en fait non un empereur, mais l'empereur. Il ne peut pas plus y avoir deux empereurs que deux papes. Charles est l'empereur de l'*ecclesia* telle que la conçoit le pape, de l'Église romaine dans le sens de l'Église universelle[145]. Il est *serenissimus Augustus, a Deo coronatus, magnus, pacificus, imperator*. Remarquez qu'il ne se dit pas *Romanorum imperator*, ni *semper Augustus*, titres que portaient les empereurs romains. Il ajoute seulement *Romanorum gubernans imperium*, expression assez vague que précisent les deux réalités *rex Francorum et Longobardorum*. Le pape lui, l'appelle dans ses bulles: *imperante domino nostro Carolo piissimo perpetuo Augusto a Deo coronato magno et pacifico imperatore*[146].

Ce défenseur de l'Église, ce saint et pieux empereur, a le centre de son pouvoir effectif, non à Rome où il l'a reçu, mais dans le nord de l'Europe. L'ancien Empire méditerranéen avait eu, logiquement, son centre à Rome. Celui-ci, logiquement, a son centre en Austrasie. L'empereur de Byzance assista impuissant à l'avènement de Charles. Il ne put que ne pas le reconnaître. Pourtant, le 13 janvier 812, les deux empires font la paix. L'empereur de Byzance accepte le nouvel état de choses, Charles renonçant à Venise et à l'Italie méridionale qu'il restitue à l'Empire byzantin[147]. En somme, la politique de Charles en Italie a échoué; il n'est pas devenu une puissance méditerranéenne.

Rien ne montre mieux le bouleversement de l'ordre antique et méditerranéen qui avait prévalu pendant tant de siècles. L'Empire de Charlemagne est le point d'aboutissement de la rupture, par l'Islam, de l'équilibre européen. S'il a pu se réaliser, c'est que, d'une part, la séparation de l'Orient d'avec l'Occident a limité l'autorité du pape à l'Europe occidentale; et que, d'autre part, la conquête de l'Espagne et de l'Afrique, par l'Islam, avait fait du roi des Francs le maître de l'Occident chrétien.

Il est donc rigoureusement vrai de dire que, sans Mahomet, Charlemagne est inconcevable.

L'ancien Empire romain est devenu, en fait, au VIIe siècle, un Empire d'Orient; l'Empire de Charles est un Empire d'Occident.

En réalité, chacun des deux ignore l'autre[148].

Et, conformément à la direction qu'a prise l'histoire, le centre de cet Empire est dans le Nord, là où s'est transporté le nouveau centre de gravité de l'Europe. Avec le royaume franc, mais avec le royaume franc austrasien-germanique, s'ouvre le Moyen Age. Après la période pendant laquelle, du Ve au VIIIe siècle, subsiste l'unité méditerranéenne, la rupture de celle-ci a déplacé l'axe du monde[149].

Le germanisme commence son rôle. Jusqu'ici la tradition romaine s'était continuée. Une civilisation romano-germanique originale va maintenant se développer.

L'Empire carolingien, ou plutôt l'Empire de Charlemagne, est le cadre du Moyen Age. L'État sur lequel il est basé, est extrêmement faible et croulera. Mais l'Empire subsistera comme unité supérieure de la chrétienté occidentale.

Notes

1 Lot, Pfister et Ganshof, *Histoire du Moyen Age*, t. I, p. 237.
2 Fustel de Coulanges, *L'invasion germanique et la fin de l'Empire*, p. 559.
3 Fustel de Coulanges, *Les transformations de la royauté pendant l'époque carolingienne*, p. 85.
4 Richter, *Annalen des Fränk. Reichs im Zeitalter der Merowinger*, p. 168.
5 Richter, *op. cit.*, p. 167.
6 Fustel de Coulanges, *Les transformations de la royauté pendant l'époque carolingienne*, p. 9, ne voit absolument rien dans l'édit de 614, qui indique un affaissement de la royauté. En sens contraire, voir Lot, dans Lot, Pfister et Ganshof, *Histoire du Moyen Age*, t. I, p. 321-322.
7 Richter, *op. cit.*, p. 49 et p. 53.
8 Hartmann, *op. cit.*, t. I, p. 267.
9 *Ibid.*, p. 282-283.
10 *Ibid.*, p. 284. Cf. Richter, *op. cit.*, p. 57.
11 Richter, *op. cit.*, p. 58.
12 *Ibid.*, p. 69.
13 *Ibid.*, p. 70 et p. 72.
14 *Ibid.*, p. 81.
15 *Ibid.*, p. 87 et p. 93.
16 *Ibid.*, p. 92.
17 *Ibid.*, p. 94.
18 *Ibid.*, p. 159 et p. 161.
19 Hartmann, *op. cit.*, t. II, p. 247.
20 Guilhiermoz, *Essai sur les origines de la noblesse*, p. 70.
21 Lot, Pfister et Ganshof, *op. cit.*, p. 318-320.
22 L'immensité même des donations foncières faites par les rois qui, d'après Lot, Pfister et Ganshof, *op. cit.*, p. 340, donnent au clergé une richesse plus grande qu'à aucune autre époque, indique qu'ils ne devaient accorder une grande importance, ni à ces terres, ni à leurs produits, ni même à l'impôt qui en provenait. Il faut donc admettre que le *teloneum* était de beaucoup la partie la plus importante de leurs ressources.
23 Fustel, *Les transformations*, p. 29 et ss.
24 Voir tous les exemples que donne Fustel de Coulanges, *Les transformations*, p. 32 et ss., de la remise ou de l'abolition de l'impôt foncier. Sur les immunités, voir Lot, Pfister et Ganshof, *op. cit.*, p. 316-317.
25 H. Pirenne, Le Cellarium fisci, *Bulletin de la classe des Lettres de l'Académie royale de Belgique*, 1930, p. 202.
26 Qu'on ne dise pas que j'exagère l'importance du commerce. Sans doute, au point de vue absolu, il était peu de chose; mais le commerce du Moyen Age aussi n'avait pas une ampleur considérable, et pourtant quelles conséquences n'ont pas eues les prohibitions des laines anglaises par exemple, au XIIIe et au XIVe siècle!
27 F. Lot, La conquête du pays d'entre Seine-et-Loire par les Francs, *Revue historique*, t. CLXV, 1930, p. 249-251.
28 *Fastes épiscopaux de l'ancienne Gaule*, 3 vol.
29 Duchesne, *op. cit.*, t. II, p. 88.
30 *Ibid.*, t. II, p. 64.
31 *Ibid.*, t. II, p. 62.
32 *Ibid.*, t. II, p. 55.
33 *Ibid.*, t. II, p. 52.
34 *Ibid.*, t. II, p. 46.
35 *Ibid.*, t. II, p. 97.
36 *Ibid.*, t. II, p. 98.
37 *Ibid.*, t. II, p. 181.
38 *Ibid.*, t. II, p. 194.
39 *Ibid.*, t. II, p. 229.
40 *Ibid.*, t. I, p. 235.
41 *Ibid.*, t. I, p. 261.
42 *Ibid.*, t. I, *passim.*
43 Lot, Pfister et Ganshof, *op. cit.*, p. 332.
44 La dernière mention d'une personne sénatoriale en Gaule est du début du VIIIe siècle (Lot, Pfister et Ganshof, *op. cit.*, p. 311, n. 69).
45 Ed. Poupardin, p. 56.
46 Coville, *Recherches sur l'histoire de Lyon*, 1928, p. 283.
47 F. Rousseau, *La Meuse et le pays mosan en Belgique*, Namur, 1930, p. 45 et p. 221 (*Annales de la Société d'Archéologie de Namur*, t. XXXXI).
48 *Recueil des chartes de Stavelot-Malmedy*, éd. Rolan & J. Halkin, t. I, p. 39.
49 F. Rousseau, *op. cit.*, p. 226.
50 Richter, *op. cit.*, p. 159.
51 On peut déjà s'en apercevoir peut-être dans la *Vita S. Eligii*, II, 20, M.G.H.SS. rer. Merov., t. IV, p. 712, où il est dit au saint pendant son apostolat dans le nord de la Gaule: *Numquam tu, Romane, quamvis haec frequenter taxes, consuetudines nostras evellere poteris.*
52 H. Wieruszowski, *op. cit.*, *Bonner Jahrbücher*, 1921, constate que sous les Pépin, le clergé se germanise, mais cela a certainement commencé par l'Austrasie.
53 Voyez les textes dans Fustel de Coulanges, *Les transformations*, p. 80.
54 Fustel de Coulanges, *op. cit.*, p. 100.

[55] *Ibid.*, p. 101.
[56] *Ibid.*, p. 106.
[57] Richter, *op. cit.*, p. 173.
[58] Anségise, père de Pépin, n'a pas été maire.
[59] Fustel de Coulanges, *op. cit.*, p. 168.
[60] *Ibid.*, p. 178.
[61] Richter, *op. cit.*, p. 174.
[62] Richter, *op. cit.*, p. 175. D'après le *Liber Historiae Francorum*, M.G.H.SS. rer. Merov., t. II, p. 322, c. 48, il était: *statura pusillum, sapientia ignobilem, consilio inutilem.*
[63] *Liber Historiae Francorum, loc. cit.*, p. 323.
[64] Richter, *op. cit.*, p. 177.
[65] *Ibid.*, p. 182.
[66] *Ibid.*, p. 181.
[67] *Ibid.*, p. 182.
[68] *Ibid.*, p. 183: *fuit illo tempore valida persecutio.*
[69] *Ibid.*, p. 176.
[70] *Ibid.*, p. 184.
[71] *Ibid.*, p. 185.
[72] *Ibid.*, p. 185.
[73] Fustel de Coulanges, *Les transformations*, p. 189, ne veut pas croire, contre l'évidence, à une réaction germanique. Il est vrai qu'elle est inconsciente.
[74] Richter, *op. cit.*, p. 185.
[75] On peut se rendre compte d'ailleurs par l'histoire de l'abbaye de Saint-Pierre de Gand, de ce qui se passa alors. Les ennemis de l'abbé Célestin se rendent chez le *princeps* Charles, accusant Célestin d'avoir écrit à Raginfred. En conséquence, Charles: *privavit eum a coenobiali monachorum caterva ac de eadem qua morabatur expulit provincia. Villas quoque que subjacebant dominio monasterii Blandiniensis, suos divisit per vasallos absque reverentia Dei.* Cette situation dura, dit l'annaliste, jusqu'au temps de Louis le Pieux. Ainsi donc, c'est la curée des biens de l'Église, y compris ceux des monastères, qui récompense des vassaux fidèles. Il est certain que c'est avec leur clientèle que Charles fait sa fortune (*Liber traditionum S. Petri*, éd. A. Fayen, 1906, p. 5). Charles fait même mettre à mort des ecclésiastiques sans se soucier des synodes, comme par exemple en 739 l'abbé Wido de Saint-Vaast d'Arras, chef d'une conspiration (Breysig, *op. cit.*, p. 87-88).
[76] Richter, *op. cit.*, p. 186.
[77] *Ibid.*, p. 187.
[78] *Ibid.*, p. 195.
[79] *Ibid.*, p. 196.
[80] *Ibid.*, p. 196.
[81] *Ibid.*, p. 197. Il y avait déjà eu, en Provence, une révolte contre Pépin de Herstal, dirigée par le patrice Antenor. Prou, *Catal. des monnaies mérovingiennes*, p. CX. Il est impossible d'admettre qu'il n'y ait pas, dans tout cela, une hostilité nationale. Les *Formulae Arvernenses* donnent comme cause de la disparition de chartes qu'il importe de reconstituer l'*hostilitas Francorum.* Brunner, *Deutsche Rechtsgeschichte*, t. I, 2e éd., p. 581, n. 31.
[82] Richter, *op. cit.*, p. 202.
[83] *Ibid.*, p. 214.
[84] *Ibid.*, p. 203-204.
[85] Le pape obtint de Phocas, contre le patriarche de Constantinople, qui avait pris le titre d'œcuménique, d'être reconnu comme «la tête de toutes les Eglises». Vasiliev, *op. cit.*, t. I, p. 228.
[86] Il date ses actes par les années de l'empereur.
[87] Hartmann, *op. cit.*, t. I, p. 384.
[88] Vasiliev, *op. cit.*, p. 201-202.
[89] Hartmann, *op. cit.*, t. I, p. 392-394.
[90] Vasiliev, t. I, p. 225.
[91] Hartmann, *op. cit.*, t. II¹, p. 180.
[92] Vasiliev, *op. cit.*, p. 228.
[93] *Ibid.*, t. I, p. 294.
[94] *Ibid.*, t. I, p. 283.
[95] Gay, *op. cit.*, p. 9-10.
[96] Vasiliev, *op. cit.*, t. I, p. 297.
[97] Hartmann, *op. cit.*, t. II, p. 77-78.
[98] Vasiliev, *op. cit.*, t. I, p. 313.
[99] *Ibid.*, p. 314.
[100] *Ibid.*, p. 331.
[101] *Ibid.*, p. 339.
[102] *Ibid.*, p. 342.
[103] Jaffé-Wattenbach, *Regesta*, nº 2180. Cf. Hartmann, *op. cit.*, t. II², p. 94.
[104] Hartmann, *op. cit.*, t. II², p. 95.
[105] Jaffé-Wattenbach, *Regesta*, p. 257.
[106] Hartmann, *op. cit.*, t. II², p. 111-112.
[107] *Ibid.*, t. II², p. 134.
[108] Jaffé-Wattenbach, *Regesta*, nº 2244.
[109] Hartmann, *op. cit.*, t. II², p. 138.
[110] Schubert, *Geschichte der Christlichen Kirche im Frühmittelalter*, p. 269.
[111] Jaffé-Wattenbach, *Regesta*, p. 244.
[112] Schubert, *op. cit.*, p. 300.
[113] Jaffé-Wattenbach, *Regesta*, nºs 2159-2162.
[114] *Ibid.*, nº 2168. Cf. Schubert, *op. cit.*, p. 301.
[115] *Ibid.*, nº 2249.
[116] Hartmann, *op. cit.*, t. II², p. 170-171.
[117] *Ibid.*, t. II², p. 144.
[118] Schubert, *op. cit.*, p. 287, a trouvé des termes fort justes pour caractériser ce renversement: *Die Heimat der abendländischen Christenheit, der Schauplatz ihrer Geschichte hat sich nach Norden verschoben; die Linie Rom-Metz-York bezeichnet ihn. Rom die Herrin liegt nicht mehr im Mittelpunkt, sondern an der Peripherie. Zerbrochen ist die Einheitskultur der Mittelmeerländer. Neue Völker drängen sich ans Licht und streben nach neuer Einheit. Eine neue Zeit beginnt: die des Übergangs ist vorüber.*
[119] Jaffé-Wattenbach, *Regesta*, nº 2308.
[120] Böhmer-Muhlbacher, *Die Regesten des Kaiserreichs*, t. I, 2e éd., p. 36.
[121] Lot, Pfister et Ganshof, *op. cit.*, p. 410.
[122] *Ibid.*, p. 411.
[123] L. Oelsner, *Jahrbücher des Fränkischen Reiches unter König Pippin*, 1871, p. 267.
[124] Böhmer-Muhlbacher, *op. cit.*, p. 42-43.
[125] Oelsner, *op. cit.*, p. 320-321.
[126] Oelsner, *op. cit.*, p. 346. Cf. *Codex Carolinus*, éd. Gundlach, M.G.H. Epist., t. III, p. 521.
[127] *Codex Carolinus*, éd. Gundlach, M.G.H. Epist., t. III, p. 536.
[128] Il lui écrit: *post Deum in vestra excellentia et fortissimi regni vostri brachio existit fiducia.* Et, plus loin, paraphrasant un texte biblique: *Salvum fac, Domine, Christianissimum Pippinum regem, quem oleo sancto per manus apostoli tui ungui praecepisti, et exaudi eum, in quacumque die invocaverit te. Codex Carolinus, loc. cit.*, p. 539.
[129] Oelsner, *op. cit.*, p. 396-397.
[130] Böhmer-Muhlbacher, *op. cit.*, p. 53.
[131] Lot, Pfister et Ganshof, *op. cit.*, p. 413.
[132] Böhmer-Muhlbacher, *op. cit.*, p. 73. Cf. Lot, Pfister et Ganshof, *op. cit.*, p. 422.
[133] Lot, Pfister et Ganshof, *op. cit.*, p. 423.
[134] Jaffé-Wattenbach, *Regesta*, p. 289.
[135] Lot, Pfister et Ganshof, *op. cit.*, p. 425.
[136] *Ibid.*, p. 427.
[137] *Ibid.*, p. 427.
[138] Dawson, *Les origines de l'Europe*, trad. franç., p. 227.
[139] Dawson, *op. cit.*, p. 226.
[140] *Nostrum est: secundum auxilium divinae pietatis sanctam undique Christi ecclesiam ab incursu paganorum et ab infidelium devastatione armis defendere foris, et intus catholicae fidei agnitione munire. Vestrum est, sanctissime pater: elevatis ad Deum cum Moyse manibus nostram adjuvare militiam, quatenus vobis intercedentibus Deo ductore et datore populus Christianus super inimicos sui sancti nominis ubique semper habeat victoriam, et nomen domini nostri Jesu Christi to clarificetur in orbe. Alcuini Epistolae*, nº 93, éd. Dümmler, M.G.H. Epist., t. IV, p. 137-138.
[141] Böhmer-Muhlbacher, *op. cit.*, p. 145.
[142] *Ad decorem imperialis regni vestri.* Lot, Pfister et Ganshof, *op. cit.*, p. 457, n. 10.
[143] Hartmann, *op. cit.*, t. II², p. 348, ne croit pas Eginhard quand celui-ci prétend que Charles fut surpris par l'initiative de Léon III. Pour lui, tout était convenu d'avance.
[144] Hartmann, *op. cit.*, t. II², p. 350.
[145] La situation de Charles comme chef de la chrétienté s'exprime encore sur ses monnaies où il fait frapper la légende: *Christiana religio* (Hartmann, *op. cit.*, t. II², p. 334). D'après Prou, *Cat. des monnaies carol.*, p. XI, ces monnaies seraient postérieures au couronnement. Elles portent au recto le buste impérial avec la légende: *D.N. Karlus Imp. Aug. Rex F. et L.* La tête est laurée à l'antique et le buste couvert du *paludamentum* comme les empereurs romains du Haut-Empire.
[146] A. Giry, *Manuel de Diplomatique*, p. 671. Sous Justinien, on disait: *imperante domino nostro Justiniano perpetuo augusto* (Giry, *op. cit.*, p. 668).
[147] Hartmann, *op. cit.*, t. III¹, p. 64.

[148] Le couronnement de Charles ne s'explique point par le fait qu'à ce moment une femme règne à Constantinople.

[149] Hartmann, *op. cit.*, t. II[2], p. 353, l'a bien vu lorsqu'il écrit: *Geographisch und wirtschaftlich, politisch und kulturell hat sich eine Verschiebung in der Gruppierung der Christlichen Völker vollzogen, welche dem Mittelalter sein Gepräge gibt.*

Cf. aussi Dawson, *op. cit.*, p. 147: *It is in the seventh century, and not in the fifth, that we must place the end of the last phase of ancient Mediterranean civilisation, the age of the Christian Empire, and the beginnings of the Middle Ages.*

Chapitre VI

Les débuts du Moyen Age

I. *L'organisation économique et sociale*

L'opinion courante considère le règne de Charlemagne comme une époque de restauration économique. Pour un peu, on parlerait ici tout comme dans le domaine des lettres, de renaissance. Il y a là une erreur évidente qui tient, non seulement à la force du préjugé en faveur du grand empereur, mais qui s'explique aussi par ce que l'on pourrait appeler une mauvaise perspective.

Les historiens ont toujours comparé la dernière phase de l'époque mérovingienne au règne de Charlemagne; dès lors, il n'est pas difficile de constater un redressement. En Gaule, l'ordre succède à l'anarchie, tandis que, dans la Germanie conquise et évangélisée, un progrès social évident se constate sans peine. Mais si l'on veut apprécier correctement la réalité, il importe de comparer l'ensemble des temps qui ont précédé l'ère carolingienne avec celle-ci. On s'aperçoit alors que l'on se trouve en présence de deux économies en plein contraste.

Avant le VIIIe siècle, ce qui existe c'est la continuation de l'économie méditerranéenne antique. Après le VIIIe siècle, c'est une rupture complète avec cette même économie. La mer est fermée. Le commerce a disparu. On se trouve en présence d'un Empire dont la terre est la seule richesse et où la circulation des biens meubles est réduite au minimum. Bien loin qu'il y ait progrès, il y a régression. Les parties jadis les plus vivantes de la Gaule en sont maintenant les plus pauvres. C'était le sud qui dominait le mouvement, maintenant c'est le nord qui imprime son caractère à l'époque.

Dans cette civilisation anticommerciale, il y a pourtant une exception qui semble contredire tout ce que l'on vient d'exposer.

Il est certain que, dans la première moitié du IXe siècle, l'extrême nord de l'Empire, c'est-à-dire les futurs Pays-Bas, a été animé d'une navigation fort active qui contraste vivement avec l'atonie du reste de l'Empire.

Ce n'est pas qu'il y ait là quelque chose d'absolument nouveau. Déjà, sous l'Empire romain, cette région où l'Escaut, la Meuse et le Rhin mêlent leurs eaux, avait connu un trafic maritime avec la Bretagne. Elle en exportait les blés pour les garnisons du Rhin et y importait les épices et les autres produits venus par la Méditerranée. Ce n'était là, cependant, que le prolongement du courant commercial de la mer Tyrrhénienne. Cela rentrait dans l'activité générale de la *Romania*; c'en était la pointe extrême. Le monument de la déesse Nehalennia, protectrice celtique de la navigation, rappelle encore l'importance de ce trafic[1]. Les bateaux s'avançaient même jusqu'aux bouches de l'Elbe et du Weser. Plus tard, lors des invasions du IIIe siècle, il fallut organiser une flotte de guerre pour écarter les raids des Saxons. Le port principal où les bateaux de la mer rencontraient ceux de l'intérieur était Fectio (Vechten) près d'Utrecht.

Cette navigation, qui dut souffrir beaucoup des invasions du Ve siècle et de la conquête de la Bretagne par les Saxons, se retrouve et se continue à l'époque mérovingienne. Peut-être ce commerce s'étendait-il au VIIIe siècle jusqu'à la Scandinavie[2]. A la place de Fectio, sont nés les ports de Duurstede sur le Rhin et de Quentovic à l'embouchure de la Canche. A Quentovic ont été trouvées de nombreuses monnaies mérovingiennes[3]. On en a également beaucoup de Maastricht[4]; elles sont bien plus nombreuses que celles de Cologne, Cambrai, etc. On en a aussi d'Anvers, quantité de Huy[5], de Dinant, de Namur[6]. Enfin beaucoup de monnaies ont été frappées à Duurstede[7] en Frise[8].

Pourquoi ce commerce, qui fleurissait dans les provinces septentrionales, aurait-il disparu à l'époque carolingienne? La mer sur la côte du Nord, restait libre. De plus, la draperie flamande, qui avait alimenté la navigation depuis l'époque romaine n'avait pas disparu[9]. Il y a même des raisons nouvelles qui expliquent la continuation de cette activité: d'abord la présence de la cour à Aix-la-Chapelle, puis la pacification et l'annexion de la Frise. On sait que la batellerie frisonne fut très active sur toutes les rivières de la région et sur le haut Rhin, jusqu'à la catastrophe des invasions normandes[10]. On a trouvé en Frise des monnaies d'or[11]. Enfin, les principaux tonlieux de l'époque carolingienne, c'est-à-dire Rouen, Quentovic, Amiens, Maastricht, Duurstede, Pont-Saint-Maxence sont tous situés au nord[12]. Il existe donc un grand commerce dans ce coin septentrional de l'Empire, et il semble même avoir été plus actif qu'auparavant.

Mais c'est un commerce orienté vers le nord et qui n'a plus de rapports avec la Méditerranée. Son domaine paraît comprendre outre les fleuves des Pays-Bas, la Bretagne et les mers du Nord. Il y a donc là une preuve caractéristique du refoulement méditerranéen. Dans ce commerce orienté vers le nord, les Frisons jouent le rôle que les Syriens jouaient dans la Méditerranée.

Vers l'intérieur, l'*hinterland* d'Amiens et de Quentovic s'étend jusqu'au seuil de la Bourgogne, mais pas plus loin[13]. Le commerce de Tournai paraît aussi assez important au IXe siècle[14].

Mais, dans la seconde moitié du IXe siècle, les invasions normandes mirent fin à ce commerce[15].

Il n'en reste pas moins qu'il a été très actif et qu'il a pu se conserver là une activité économique supérieure. Dans une large mesure d'ailleurs, ce commerce a dû dépendre de plus en plus du commerce des Scandinaves qui, au IXe siècle, exportent du vin de France en Irlande[16]. Les rapports que, par la Russie, les Scandinaves entretenaient avec l'Islam, ont dû donner à leur commerce une puissante impulsion. Il y avait, au IXe siècle, dans la Baltique, des ports, ou disons mieux, des étapes maritimes importantes[17]. On sait, grâce à l'archéologie, que le commerce de Haithabu s'étendit, de 850 à 1000, jusqu'à Byzance et Bagdad, le long du Rhin, en Angleterre et dans le nord de la France.

La civilisation viking se développe d'ailleurs fort au IXe siècle, comme l'atteste le mobilier funéraire trouvé dans le bateau d'Oseberg aujourd'hui au Musée d'Oslo[18]. Les plus anciens *dirhems* arabes trouvés en Scandinavie seraient de la fin du VIIe siècle (698). Mais leur plus grande expansion date de la fin du IXe siècle et du milieu du Xe siècle. A Birka, en Suède, ont été trouvés des objets du IXe siècle de provenance arabe, et d'autres originaires de Duurstede et de la Frise. De Duurstede, les Scandinaves de Birka exportent d'ailleurs du vin au IXe siècle[19].

Les monnaies de Birka, du IXe et du Xe siècle, sont répandues en Norvège, Schleswig, Poméranie et Danemark; elles sont imitées des deniers de Duurstede, frappés sous Charlemagne et Louis le Pieux.

L'Empire carolingien a donc deux points économiques sensibles: l'Italie du Nord, grâce au commerce de Venise, et les Pays-Bas, à cause du commerce frison et scandinave. Ce sont les deux endroits où débutera la renaissance économique du XIe siècle. Mais aucun des deux n'a pu se développer pleinement avant cette dernière époque: le premier sera bientôt écrasé par les Normands, l'autre entravé par les Arabes et par les troubles d'Italie.

On ne pourrait trop insister sur l'importance des Scandinaves à partir de la fin du VIIIe siècle[20]. Ils s'emparent de la Frise et rançonnent toutes les vallées des fleuves, à peu près comme font les Arabes dans la Méditerranée, à la même époque. Mais ici, il n'y a pour leur résister ni Byzance, ni Venise, ni Amalfi. Ils ont tout écrasé devant eux, en attendant le moment où ils reprendront des négociations pacifiques.

En 734, les Normands dirigent leur première attaque sur Duurstede et brûlent un quartier de la ville[21]. Pendant les trois années qui suivent, Duurstede est attaquée tous les ans. Son déclin, et celui de la Frise tout entière, date de cette époque, quoique quelques traces d'activité s'y conservent jusqu'à la fin du IXe siècle.

En 842, Quentovic est attaquée à son tour[22] et, en 844, la ville est livrée à un terrible pillage dont elle ne se releva pas. Son commerce se transporta soixante-dix ans plus tard, lorsque les incursions des Normands auront pris fin, à Étaples[23].

Ce commerce florissant, dont Duurstede et Quentovic étaient les ports d'exportation, différait totalement du commerce pratiqué par les Scandinaves. En effet, tandis que le commerce scandinave ne cessait de se développer à cause du contact qu'il entretenait, par Byzance, avec le monde oriental, celui des Frisons n'avait aucun rapport avec le sud. Il était strictement cantonné dans le Nord. Et en cela il se distingue très nettement de ce commerce qu'avait connu la Gaule à l'époque mérovingienne et qui faisait pénétrer partout, avec le vin, les épices, le papyrus, la soie et les produits d'Orient, la civilisation méditerranéenne.

Il n'y a presque pas d'autres centres commerciaux dans l'Empire carolingien que Quentovic et Duurstede.

On peut attribuer une certaine importance à Nantes, brûlée en 843, et dont les bateliers faisaient quelque commerce avec les pays de la Loire[24], mais il faut se garder d'admettre que la présence d'un tonlieu suffise pour prouver l'existence d'un transit commercial[25].

Sans doute, il n'est pas difficile de glaner dans Théodulphe, dans Ermolus Nigellus, dans les vies de saints, dans les poèmes du temps, sans parler du trop fameux moine de Saint-Gall, des mentions sporadiques de marchands et de marchandises. Et l'on se laisse aller à construire, avec ces éléments épars, un édifice qui n'est qu'une fantaisie de l'imagination. Il suffira qu'un poète dise qu'un fleuve porte des bateaux pour que l'on conclue aussitôt, de cette banalité, à l'existence d'un puissant trafic commercial; et l'on se contentera de la présence de quelques pèlerins à Jérusalem, ou de quelque artiste ou érudit oriental à la cour carolingienne pour affirmer qu'un mouvement de navigation reliait l'Occident à l'Orient.

Certains ne se sont pas fait faute enfin d'invoquer le mouvement maritime de Venise et des villes de l'Italie du Sud, qui appartiennent à l'économie byzantine, en faveur de l'économie carolingienne.

Et qu'importe même que l'on ait encore pu frapper, au IXe siècle, quelques pièces d'or[26]? Ce qui compte, ce n'est pas de savoir si l'on possède dans les textes quelques mentions relatives au commerce et à l'échange. Le commerce et l'échange ont existé à toutes les époques. Ce qui est en question, c'est leur importance et leur nature. Ce qu'il faut pour apprécier un mouvement économique, ce sont des faits de masse, non des faits divers, des raretés et des singularités. La présence d'un colporteur ou d'un batelier isolé ne prouve pas l'existence d'une économie d'échange. Si l'on s'avise qu'à l'époque carolingienne le monnayage de l'or a disparu, que le prêt à intérêt est interdit, qu'il n'y a plus une classe de marchands de profession, que l'importation de produits orientaux (papyrus, épices, soie) a cessé, que la circulation monétaire est réduite au minimum, que le savoir lire et écrire a disparu parmi les laïques, que l'on ne trouve plus d'organisation d'impôts, que les villes ne sont plus que des forteresses, on pourra décider sans crainte que l'on se trouve en présence d'une civilisation qui a rétrogradé à ce stade purement agricole qui n'a plus besoin de commerce, de crédit et d'échanges réguliers pour le maintien du corps social.

On a vu plus haut que cette grande transformation, c'est la fermeture par l'Islam de la Méditerranée occidentale qui en a été la cause essentielle. Les Carolingiens ont pu arrêter la montée des Sarrasins vers le nord; ils n'ont pu rouvrir la mer et, d'ailleurs, ne l'ont pas essayé.

Vis-à-vis des Musulmans leur attitude à été purement défensive. Les premiers d'entre eux, et jusqu'à Charles Martel lui-même, ont encore augmenté le désordre pour mettre en état de défense le royaume attaqué partout. Tout, sous Charles Martel, a été impitoyablement sacrifié aux nécessités militaires. L'Église a été mise au pillage. Il y a eu partout des troubles profonds, provoqués par la substitution des vassaux germaniques aux aristocrates romains, partisans d'Ébroïn ou d'Eudes d'Aquitaine. Il semble bien que le règne de Charles ait vu se répéter des troubles analogues à ceux des invasions germaniques. N'oublions pas qu'il brûle les villes du Midi et fait certainement disparaître ainsi tout ce qui subsistait encore d'organisation commerciale et municipale. Et il en a été de même de ce grand corps ecclésiastique sur lequel reposaient la charité publique, les hôpitaux et l'instruction que les écoles ont cessé dès lors de dispenser.

Quand Pépin succède à son père, toute l'aristocratie, et par conséquent tout le peuple, devait être aussi illettré que lui-même. Les négociants des villes se sont dispersés. Le clergé lui-même est dans un état de barbarie, d'ignorance et d'immoralité dont on se fera une idée en lisant les lettres de saint Boniface. «A cette époque lamentable, dit Hincmar[27], non seulement on enleva à l'Église de Reims tout ce qu'elle possédait de précieux, mais les maisons des religieux furent détruites et dilapidées par l'évêque. Les quelques malheureux clercs qui subsistaient, cherchaient les moyens de vivre en commerçant et ils cachaient les deniers qu'ils gagnaient ainsi, dans des chartes et des manuscrits.»

On peut juger, par cet état d'une des plus riches églises du royaume, de ce qui dut se passer ailleurs.

Le rapport de Leidrade sur Lyon nous apprend d'ailleurs que les choses n'y allaient pas mieux. Saint Boniface ne reçoit d'encens que par des petits paquets que lui envoyaient ses amis de Rome.

Quant aux monnaies, elles sont dans un désordre affreux. Il n'y a pour ainsi dire plus de monnaies d'or. Au VIIIe siècle apparaissent dans les contrats de fréquentes mentions de prix de vente acquitté en blé ou en animaux[28]. Les faux monnayeurs ont beau jeu. Il n'y a plus pour les monnaies, ni poids, ni aloi.

Pépin entreprit sans grand succès de réformer le système monétaire. La double initiative qu'il prit dans ce domaine fut une rupture complète avec le système monétaire méditerranéen des Mérovingiens. On ne frappa désormais plus que des pièces d'argent et le sou comprit dorénavant 12 deniers, le denier étant maintenant la seule monnaie réelle. La livre de 327 grammes d'argent (la livre romaine) comprend, depuis Pépin, 22 sous ou 264 deniers; elle devait être réduite par Charlemagne à 20 sous ou 240 deniers[29].

Charlemagne acheva la réforme monétaire de son père. Il est le fondateur du système monétaire médiéval. Ce système a donc été établi à une époque où la circulation de la monnaie a atteint le degré le plus bas qu'elle ait jamais connu. Charlemagne l'a adapté à une époque où le grand commerce a disparu. A l'époque mérovingienne, tout au contraire, on avait continué à frapper des monnaies d'or à cause de l'activité commerciale régnante et on n'en peut douter quand on voit l'or se perpétuer avec l'hyperpère, continuateur du sou d'or, dans le monde commercial byzantin et s'installer dans celui de l'Islam. Dans l'Empire carolingien lui-même, il est caractéristique que l'on frappe encore pendant un petit temps des pièces d'or là où se conserve l'activité commerciale, c'est-à-dire au pied des Pyrénées où se nouent quelques relations avec l'Espagne musulmane, et en Frise où le commerce scandinave entretient un certain mouvement d'affaires.

Charlemagne a encore frappé quelques sous d'or dans le royaume lombard, avant d'y imposer son système monétaire[30], ce qui prouve bien que, normalement, il ne frappe pas l'or. On a quelques sous d'or de l'atelier d'Uzès du temps de Charlemagne. Et l'on possède encore quelques belles pièces d'or de Louis le Pieux[31] portant l'inscription *munus divinum*. Le cours de ces pièces a été assez répandu pour qu'elles aient été imitées par les peuples commerçants du Nord, probablement les Frisons[32]. La plupart des exemplaires connus proviennent de la Frise, mais on en a découvert aussi en Norvège.

«En résumé, s'il est vrai qu'on rencontre quelques monnaies d'or, d'un caractère tout à fait exceptionnel, frappées aux noms de Charles et de Louis le Pieux, on n'en est pas moins autorisé à dire que ces monnaies ne rentrent pas dans le système monétaire carolingien. Ce système ne comporte que des monnaies d'argent; il est essentiellement monométallique[33], car il ne peut être question de voir dans ce petit monnayage d'or la preuve d'un système bimétalliste[34].

Ce qu'il faut retenir, c'est qu'avec les Carolingiens se produit une rupture complète du système monétaire. C'en est fait, non seulement de l'or, mais du sou, base monétaire. On abandonne de plus la livre romaine, pour une livre beaucoup plus lourde de 491 grammes, au lieu de 327. Elle est débitée en 240 rondelles d'argent pur qui portent ou conservent le nom de deniers. Ces deniers et les oboles d'un demi-denier sont les seules monnaies réelles. Mais il y a à côté d'elles des monnaies de compte, simples expressions numérales correspondant chacune à une quantité déterminée de deniers. C'est le sou qui, probablement en vertu de la numérotation duodécimale des Germains, correspond à 12 deniers, et la livre qui comprend 20 sous. Évidemment, cette petite monnaie n'est pas faite pour le grand commerce; sa mission principale est de servir à la clientèle dans ces petits marchés locaux si fréquemment mentionnés dans les capitulaires et où les ventes et marchés se font *per denaratas*. Les capitulaires d'ailleurs ne citent jamais que des deniers d'argent.

Le système monétaire de Charles marque donc une rupture complète avec l'économie méditerranéenne qui a duré jusqu'à l'invasion de l'Islam et qui était devenue inapplicable après celle-ci, comme le prouve bien la crise monétaire du VIIIe siècle. Il s'explique par la volonté de s'accommoder à l'état actuel des choses, d'adapter la législation aux conditions nouvelles qui s'imposent à la société, d'accepter les faits et de s'y soumettre afin de pouvoir substituer l'ordre au désordre. Le nouveau système, monométalliste argent, correspond à la régression économique à laquelle on est arrivé.

Là où la nécessité de gros paiements continuait à exister, on a utilisé l'or, soit celui des pays où l'on frappe encore, soit des espèces arabes ou byzantines[35].

Il faut aussi remarquer la pauvreté du stock monétaire et le peu de diffusion de la monnaie. Elle apparaît comme liée à ces petits marchés locaux dont il sera question plus loin. Et l'on comprend facilement qu'elle ne joue plus qu'un rôle tout à fait secondaire dans une société où l'impôt a disparu. On arrive à la même conclusion en constatant l'insignifiance du trésor royal qui, jadis, était si essentiel. La richesse mobilière est infime comparée à l'immobilière.

Charlemagne a aussi introduit de nouveaux poids et mesures dont les étalons étaient déposés au palais. Il y a donc ici aussi une rupture avec la tradition antique. Mais, en 829 déjà, les évêques signalent à Louis le Pieux que les mesures sont diverses dans toutes les provinces. Évidemment Charlemagne ici, comme en beaucoup d'autres choses, a voulu faire plus qu'il ne pouvait.

Les Carolingiens ont rendu à la monnaie son caractère royal. Ils la font surveiller par les comtes et les *missi* et règlent le nombre des ateliers[36]. Ils voulurent pourtant, en 805, centraliser la frappe au palais[37], mais n'y réussirent pas. Dès le règne de Louis le Pieux, on monnayait dans la plupart des cités[38]. Mais sous le règne de Charles le Chauve, les comtes usurpent le droit de battre monnaie. En 827, Louis le Pieux cède déjà un atelier monétaire à une Église, mais la monnaie qu'on y frappe y est encore royale. En 920, des Églises obtiennent le droit de frapper monnaie à leur marque propre. C'est l'usurpation complète qu'avait préparée l'abandon par le roi de ses droits utiles[39].

On peut donc dire que si, jusqu'à la réforme carolingienne, il n'y a eu pour l'Europe chrétienne qu'un seul système monétaire: romain et méditerranéen, il y en a deux maintenant, correspondant chacun à un domaine économique special: le byzantin et le carolingien, l'oriental et l'occidental. La monnaie a suivi le bouleversement économique de l'Europe. Les Carolingiens ne continuent pas les Mérovingiens. Entre les uns et les autres, il y a le même contraste complet qu'il y a entre l'or et l'argent. Que le grand commerce ait disparu et que cette disparition explique celle de l'or, c'est ce qu'il faut montrer maintenant avec quelques détails, puisque la chose a été contestée.

Ce grand commerce, on l'a vu, et tout le monde l'admet, s'entretenait par la navigation de la Méditerranée occidentale. Or, on a vu plus haut que l'Islam, dans le courant du VIIIe siècle, a fermé la mer à la navigation chrétienne partout où la flotte byzantine n'a pu la protéger. Et les invasions arabes du VIIIe siècle en Provence, avec l'incendie des villes par Charles Martel, ont fait le reste. Certes, Pépin a repris pied sur les côtes du golfe du Lion en rétablissant, en 752, son pouvoir sur Nîmes, Maguelonne, Agde et Béziers, qui lui ont été livrées par le Goth Ansemundus[40]; mais il y avait dans ces villes wisigothiques des garnisons sarrasines. La population dut se soulever contre elles. Narbonne tint le plus longtemps. C'est seulement en 759 que les habitants massacrèrent la garnison et consentirent à recevoir une garnison franque, à condition de conserver leur droit national[41].

La fondation du khalifat Omiyade en Espagne, en 765, a donné aux relations de l'État carolingien avec l'Islam un caractère plus paisible. Ni cette accalmie, ni la reprise de la côte du golfe du Lion n'a ranimé le commerce maritime[42]. C'est que les Carolingiens n'ont pas de flotte et ne peuvent donc nettoyer la mer des pirates qui l'infestent.

Pourtant, ils cherchent à s'assurer la sécurité de la mer: en 797, ils occupent Barcelone[43], et en 799 les Baléares que les Sarrasins viennent de dévaster et qui se donnent à Charles[44]. En 807, Pépin chasse les Maures de Corse avec une flotte italienne[45]. Charles semble avoir voulu, un moment, entreprendre la lutte sur mer; en 810, il ordonna la construction d'une flotte[46], mais il n'en résulta rien et il ne put empêcher les Maures, en 813, de ravager la Corse, la Sardaigne, Nice, Civita-Vecchia.

L'expédition organisée en 828 par Boniface de Toscane contre la côte d'Afrique[47], ne donna pas plus de résultats. Incapable d'assurer la sécurité de la mer, Charles dut se borner à faire protéger la côte contre les Maures qui y exercent la piraterie[48]. Le pape, lui aussi, en est réduit à mettre la côte en état de défense, pour la protéger contre les expéditions des Sarrasins[49].

Après Charles, qui a eu du moins une politique défensive utile, c'est la misère. En 838, Marseille est envahie. En 842 et 850, les Arabes pénètrent jusqu'à Arles. En 852, ils prennent Barcelone. La côte est maintenant ouverte à toutes les attaques. En 848, elle est même infestée par des pirates grecs, et en 859, les Danois qui ont doublé l'Espagne, paraissent en Camargue.

Vers 890, des Sarrasins d'Espagne s'installent entre Hyères et Fréjus, et établissent une forte position à Fraxinetum (La Garde-Frainet), dans la chaîne des Maures[50]. De là, ils dominent la Provence et le Dauphiné qu'ils soumettent à de continuelles *razzias*[51]. Il est inouï que ce soit une flotte grecque qui, en 931, leur ait infligé une défaite.

Ce ne devait être qu'en 973 que le comte Guillaume d'Arles parvint à les bouter dehors. Mais jusque-là, ils ont, non seulement maîtrisé la côte, mais encore dominé les cols des Alpes[52].

La situation n'est pas meilleure sur la côte italienne. En 935, Gênes est pillée[53].

On comprend que, dans ces conditions, les ports soient fermés à tout trafic. Pour qui veut, du nord, aller en Italie, il n'y a plus de passage possible que par les passes des Alpes, où l'on risque souvent d'être détroussé ou massacré par les gens de Fraxinetum. On constate d'ailleurs que les cols conduisant vers la Provence sont maintenant désertés.

Et ce serait une erreur de croire qu'il ait existé un commerce entre la *Francia* et l'Espagne[54]. Cependant, l'Espagne est en pleine prospérité. Le port d'Almeria aurait eu, en 970, des hôtelleries. La seule importation de Gaule que l'on y puisse constater, c'est celle des esclaves amenés par des pirates sans doute et aussi par les Juifs de Verdun.

Le grand commerce est donc bien mort de ce côté, depuis le commencement du VIIIe siècle. Tout ce qui a pu se conserver, c'est un colportage d'objets précieux, de provenance orientale, exercé par les Juifs. C'est à lui sans doute que Théodulfe fait allusion.

Peut-être subsiste-t-il un certain trafic entre Bordeaux et la Grande-Bretagne[55], mais, en tout cas, c'est bien peu de chose.

Ainsi donc tout concorde.

On a constaté plus haut la fin de l'importation du papyrus, des épices, de soieries dans la *Francia*. Aucun mouvement d'affaires n'a lieu avec l'Islam. Ce que Lippmann dit de la fabrication du sucre qui se répand dans l'Italie du Sud, mais pas dans le nord de la péninsule avant le XIIe siècle, est probant[56]. Les Grecs d'Italie auraient pu être intermédiaires. Ils ne l'ont pas été. On ne voit que trop bien pourquoi[58].

La classe des grands marchands a disparu. On trouve bien çà et là un *mercator*[58] ou un *negociator*, mais ce qu'on ne trouve plus, ce sont des marchands professionnels comme ceux de l'époque mérovingienne. Plus d'hommes d'affaires donnant des terres aux Églises et entretenant les pauvres. Plus de capitalistes prenant les impôts à ferme et prêtant de l'argent aux fonctionnaires. On n'entend plus parler de commerce aggloméré dans les villes. Ce qui subsiste, parce que cela se rencontre à toutes les époques, ce sont des marchands occasionnels. Mais ce n'est pas là une classe de marchands. Il y a, sans doute, des gens qui profitent d'une famine pour aller vendre du blé au-dehors ou qui vendent même leurs propres biens[59]. Il y a surtout des gens qui suivent les armées pour en tirer profit. Il y en a qui s'aventurent aux frontières pour vendre des armes à l'ennemi ou faire du troc avec les Barbares. C'est là un négoce d'aventuriers, dans lequel on ne peut voir une activité économique normale. Le ravitaillement du palais à Aix a donné naissance à un service régulier. Mais ce n'est pas là non plus une manifestation commerciale. Ces fournisseurs sont soumis à un contrôle que le palais exerce sur eux[60]. D'ailleurs, un fait est à signaler qui montre combien le capital mobilier a diminué d'importance, c'est l'interdiction du prêt à intérêt. Sans doute, faut-il voir là l'influence de l'Église qui l'a de bonne heure interdit à ses membres; mais que cette interdiction ait été imposée au commerce sur lequel elle devait peser durant tout le Moyen Age, il y a là sans nul doute une preuve de la disparition du grand commerce. Déjà, le capitulaire de 789 interdit tout profit sur l'argent ou toute autre chose donnée en prêt[61]. Et l'État adopte l'interdiction que publie l'Église[62].

Il n'y a donc plus, en règle générale, de marchands de profession à l'époque carolingienne; tout au plus trouve-t-on, surtout pendant les famines, des marchands occasionnels et des serfs d'abbaye qui convoitent les produits des terres et les vendent ou les achètent en cas de disette. Si le commerce s'est éteint, c'est qu'il n'y a plus pour lui de débouchés parce que la population urbaine a disparu; pour mieux dire, il n'y a plus de commerce qu'au palais pendant le temps où, sous Charlemagne et Louis le Pieux, il est resté fixé à Aix. Ici, on a recours aux marchands, mais à des marchands spéciaux qui sont dans une certaine mesure des agents du ravitaillement, qui sont justiciables du palais et placés sous les ordres de *magistri*[63].

Ils sont exempts du paiement des tonlieux aux Cluses, à Duurstede et à Quentovic. Ils paraissent d'ailleurs avoir fait leurs affaires en même temps que celles de l'empereur[64].

Dans certaines villes et sûrement à Strasbourg, en 775[65], l'évêque avait organisé un service de ravitaillement avec des hommes à lui que Charles exempte du tonlieu dans tout son royaume, excepté à Quentovic, Duurstede et aux Cluses.

Et il en était de même, on le sait, pour les grandes abbayes[66]. Mais on voit trop bien que tout cela n'est pas, à proprement parler, du commerce. C'est du ravitaillement privilégié. C'est d'ailleurs un ravitaillement à rayon très étendu, puisqu'il s'étend de la mer du Nord aux Alpes.

On pourrait considérer comme étant en contradiction avec tout ceci le nombre très grand et sans cesse croissant de marchés fondés dans l'Empire de tous côtés. On peut admettre qu'il y en a régulièrement un dans chaque *civitas* et on en trouve dans quantité de bourgs, à coté d'abbayes, etc. Il faut bien se garder cependant de les confondre avec les foires; on ne retrouve, en réalité, à l'époque carolingienne qu'une seule foire, celle de Saint-Denis.

Tout ce que nous savons nous montre que ces petits marchés ne sont fréquentés que par les paysans des alentours, par des colporteurs et des bateliers. On y vend «par deniers», c'est-à-dire en détail. Ils ont autant de signification comme lieux de réunion que comme lieux de vente[67]. Les capitulaires qui les visent nous les montrent surtout fréquentés par des serfs, donc par des paysans. Il y paraît des colporteurs marrons comme ce *negociator*, qui va de marché en marché, offrir en vente une épée volée au comte de Bourgogne et qui, ne parvenant pas à la placer, la rapporte au volé[68]. On y voyait aussi des Juifs. Agobart se plaint même de ce que, pour leur en faciliter l'accès, on change le jour des marchés qui sont placés le samedi[69].

Le jour de la fête du saint dans les monastères, il y avait afflux de la *familia* venant de fort loin et des transactions se faisaient entre ses membres[70]. Les Miracles de saint Remacle rapportent que le serf chargé de garder la vigne du monastère à Remagen, étant venu au marché, y avait acheté deux bœufs qu'il perdit en chemin par suite des copieuses libations auxquelles il s'était livré[71]. La fête religieuse coïncidait donc avec une foire. D'après Waitz, l'autorisation royale n'est pas requise pour la fondation d'un marché, à moins qu'elle ne comportât une exemption ou une donation du tonlieu. Plus tard, un atelier monétaire est parfois érigé auprès du marché et, dans ce cas, il y a concession royale. L'édit de Pîtres[72] montre que le nombre de marchés ne cessait de grandir, puisqu'il parle de ceux qui existaient sous Charlemagne, de ceux qui commencèrent sous Louis et de ceux qui s'ouvrirent sous le règne de Charles le Chauve. Or, la décadence économique ne cessait de s'accentuer à cause des incursions normandes; c'est bien la preuve que le nombre des marchés n'explique pas un soi-disant développement du commerce, mais plutôt son repliement sur lui-même.

Dès 744, le capitulaire de Soissons avait chargé les évêques d'ouvrir dans chaque cité un *legitimus forus*[73]. Aucun de ces petits marchés n'était très fréquenté[74]. La plupart du temps, on n'y vendait que des poulets, des œufs, etc. Mais sans doute, dans quelques marchés plus favorisés, pouvait-on se procurer des objets fabriqués. Il en était probablement ainsi pour les tissus dans la région flamande. Un formulaire du *Codex Laudunensis*, qui est d'origine gantoise, donne le texte d'une lettre où un clerc quelconque envoie 5 sous à un ami en le priant de lui acheter un capuchon (*cucullum spissum*)[75]. Mais il est impossible d'en conclure qu'il y ait eu là des marchés de gros et quoi que ce soit qui ressemblât à un mouvement d'affaires.

Ces petits marchés, si nombreux, devaient être alimentés par l'industrie domestique des potiers, forgerons, tisserands ruraux, pour les besoins de la population locale, comme dans toutes les civilisations primitives. Mais rien de plus, certainement; on n'y trouve aucune trace de fixation de marchands ou d'artisans. Le fait que très souvent on établit un petit atelier monétaire aux marchés prouve encore l'absence de circulation. En 865 d'ailleurs, Charles le Chauve accorde le droit d'ouvrir un atelier monétaire à l'évêque de Châlons parce que celui-ci ne peut pas se procurer des deniers frappés dans les ateliers royaux[76].

A ces marchés, on ne peut rien se procurer d'origine lointaine. Aussi Alcuin a-t-il un *negociator* qu'il envoie faire des achats en Italie[77]. Ce n'est guère qu'à la foire de Saint-Denis, au VIIIe siècle, que l'on trouve des Saxons et des Frisons[78].

Les transactions les plus importantes, pour autant qu'il y en eût, ne se faisaient pas aux marchés. Elles devaient avoir lieu là où l'occasion s'en présentait. Elles portaient sur des objets précieux, perles, chevaux, bétail. Le texte d'un capitulaire montre que c'est en cela que consistait le commerce des *negociatores* proprement dits; ceux-ci[79] «les spécialistes, les professionnels», étaient à peu près exclusivement des Juifs.

Avec eux, on se trouve en présence de gens qui vraiment vivent du commerce. Et il n'y a guère qu'eux, avec quelques Vénitiens, qui soient dans ce cas. Il suffit, pour s'en convaincre, de lire les capitulaires où le mot *judaeus* apparaît continuellement accolé au mot *mercator*[80]. Ces Juifs continuent évidemment l'activité de leurs compatriotes que nous avons vus éparpillés dans tout le bassin de la Méditerranée avant l'invasion de l'Islam[81]. Mais ils la continuent dans des conditions assez différentes.

La persécution à laquelle ils avaient été en butte en Espagne à la fin de l'époque wisigothique, lorsqu'Egica (687-702) avait été jusqu'à leur interdire le commerce avec l'étranger et avec les Chrétiens, ne s'est pas communiquée à l'Empire franc. Au contraire, ils sont placés sous la protection du souverain qui les affranchit du tonlieu. Louis le Pieux a promulgué en leur faveur un capitulaire, perdu aujourd'hui, qui défend de les poursuivre autrement que *secundum legem eorum*[82]. Le meurtre commis sur leur personne entraînait une amende au profit de la *camera* du roi. Ce sont là des privilèges très importants, dont ils n'avaient pas joui auparavant et qui montrent que le roi les considérait comme indispensables.

Les Carolingiens, d'ailleurs, se servaient très fréquemment d'eux. Ce sont des Juifs qu'ils envoyaient comme ambassadeurs à Haroun-al-Raschid; et on a vu plus haut qu'il y avait des Juifs parmi les marchands du palais, fixés à Aix-la-Chapelle.

Louis le Pieux avait pris à son service et accordé une protection spéciale au Juif Abraham de Saragosse qui le servait fidèlement dans son palais[83]. Rien de pareil ne se rencontre en faveur d'un marchand chrétien.

Un privilège de Louis le Pieux est accordé, vers 825, à David Davitis, à Joseph et à leurs coreligionnaires habitant Lyon[84]. Ils sont affranchis du tonlieu et autres droits frappant la circulation, et placés sous la protection de l'empereur (*sub mundeburdo et defensione*). Ils peuvent vivre selon leur foi, célébrer leurs offices au palais, engager des Chrétiens *ad opera sua facienda*, acheter des esclaves étrangers et les vendre dans l'Empire, faire des échanges et trafiquer avec qui il leur plaît, donc au besoin avec l'étranger[85].

Ce que nous savons des Juifs par les Formules est confirmé par ce qu'écrit Agobard dans ses opuscules, rédigés de 822 à 830. Avec fureur, il y relève les richesses des Juifs, le crédit dont ils jouissent au palais, les actes que l'empereur a fait apporter pour eux par des *missi* à Lyon, et la clémence de ces *missi* à leur égard. Les Juifs, dit-il, fournissent du vin aux conseillers de l'empereur; les parents des princes, les femmes des palatins envoient des cadeaux et des vêtements à des femmes juives; de nouvelles synagogues s'élèvent[86]. On croirait entendre un antisémite parlant de «barons» juifs. On a incontestablement affaire ici à de grands marchands dont on ne peut se passer. On va jusqu'à leur permettre d'avoir des serviteurs chrétiens. Ils peuvent posséder des terres; on en a la preuve pour le pays de Narbonne où ils sont propriétaires de terres qu'ils font cultiver par des Chrétiens, car ils ne sont pas ruraux. Déjà le pape se plaignait de cet état de choses en 768-772[87]. Ils ont aussi des terres et des vignes à Lyon, à Vienne en Provence, dans la banlieue des villes. Sans doute les ont-ils acquises comme placements de bénéfices.

Le commerce qu'ils font est donc généralement du grand commerce et c'est en même temps du commerce extérieur. C'est par eux que le monde occidental correspond encore avec l'Orient. L'intermédiaire n'est plus la mer, mais l'Espagne. Par elle, les Juifs sont en rapport avec les puissances de l'Afrique musulmane et avec Bagdad. Ibn-Kordadbeh, dans le Livre des Routes (854-874), nous parle des Juifs Radamites qui, dit-il, «parlent le persan, le romain, l'arabe, les langues franque, espagnole et slave. Ils voyagent de l'Occident en Orient et d'Orient en Occident, tantôt par terre et tantôt par mer. Ils apportent de l'Occident des eunuques, des femmes esclaves, des garçons, de la soie, des pelleteries et des épées. Ils s'embarquent dans le pays des Francs, sur la mer Occidentale, et se dirigent vers Farama (Peluse)[88], ... ils se rendent dans le Sind, l'Inde et la Chine. A leur retour, ils se chargent de musc, d'aloès, de camphre, de cannelle et d'autres produits des contrées orientales. Quelques-uns font voile vers Constantinople, afin d'y vendre leurs marchandises; d'autres se rendent dans le pays des Francs»[89]. Peut-être quelques-uns venaient-ils par le Danube; mais sûrement la plupart arrivaient par l'Espagne. C'est sans doute à leurs importations que se rapportent les vers de Théodulphe relatifs aux richesses de l'Orient[90]. L'Espagne est encore mentionnée dans le texte d'une formule de Louis le Pieux, à propos du Juif Abraham de Saragosse. Et ce que nous savons des marchands verdunois[91] nous les montre en rapport avec ce même pays. Enfin, on sait aussi que des Juifs importaient des étoffes de Byzance et d'Orient dans le royaume de Léon[92]. Les Juifs sont donc des pourvoyeurs d'épices et d'étoffes précieuses. Mais on voit par les textes d'Agobard qu'ils vendent aussi du vin[93]. Et ils s'occupent, au bord du Danube, du commerce du sel[94]. Au Xe siècle, les Juifs possèdent des salines près de Nuremberg[95]. Ils font aussi le commerce d'armes. En outre, ils exploitaient les trésors des églises[96].

Mais leur grande spécialité, c'est, comme on l'a vu plus

haut, le commerce des esclaves. Quelques-uns de ceux-ci se vendent dans le pays, mais la majorité est exportée en Espagne. On sait qu'à la fin du IXe siècle, le centre de ce commerce des esclaves et des eunuques était Verdun[97]. Les renseignements sur la vente des eunuques datent du Xe siècle, mais déjà entre 891 et 900, les *Miracula S. Bertini* parlent des *Verdunenses negotiatores* se rendant en Espagne. D'après Luitprand, ce commerce rapportait un énorme bénéfice. Le commerce des esclaves avait été rigoureusement interdit en 779 et 781[98], et cette défense fut renouvelée en 845[99]. Mais il continua néanmoins.

Agobard nous montre que ce commerce remontait haut, continuant sans doute celui de l'époque mérovingienne. Il raconte qu'au commencement du IXe siècle un homme était venu à Lyon, après s'être échappé de Cordoue où il avait été vendu comme esclave par un Juif de Lyon. Et il affirme à ce propos qu'on lui a parlé d'enfants volés ou achetés par des Juifs pour être vendus[100].

Enfin, il faut ajouter à cela que les Juifs se livraient au commerce de l'argent sur lequel nous avons d'ailleurs assez peu de renseignements.

Il y a eu probablement, à côté de ces Juifs riches et voyageurs, des petits colporteurs fréquentant les marchés. Mais ce sont les Juifs qui ont continué le grand commerce. Et les objets de ce commerce sont justement ceux qu'un texte de 806 nous signale comme la spécialité des *mercatores*: l'or, l'argent, les esclaves et les épices[101].

En dehors des Juifs et des Frisons, il n'y a guère eu à cette époque de marchands proprement dits (je ne parle pas des marchands occasionnels). On peut déjà déduire cela de la faveur dont jouissent les Juifs; s'ils n'avaient pas été indispensables, on ne les aurait pas protégés à ce point. D'autre part, puisque les Juifs pouvaient employer des Chrétiens, beaucoup de leurs agents auront passé pour être des *mercatores christiani*. D'ailleurs, le langage est là pour le prouver: «juif» et «marchand» deviennent des termes synonymes[102].

A côté des Juifs, il y a peut-être eu, çà et là, un Vénitien qui a traversé les Alpes, mais ce dut être bien rare.

En somme, le Juif est le marchand professionnel des temps carolingiens. Mais il va de soi qu'il n'a pu alimenter une importation considérable. On le voit à la rareté des épices et au déclin du luxe. Le fait que ce commerce est terrien et non maritime le condamne encore à être fort réduit. Mais il a été d'autant plus lucratif.

Une preuve du manque d'importance du commerce réside dans le fait que ni dans les *Formulae* ni dans les actes divers de l'époque il n'y est fait allusion. S'il est question, dans un capitulaire de 840, de *cautiones* et d'argent confié *ad negociandum*[103] et dans un autre, de 880, de *scriptum fiduciationis*[104], c'est qu'il s'agit de Venise. Le droit commercial s'est maintenu là où s'est maintenu le commerce méditerranéen. Il a disparu quand la mer a été fermée.

De tout ceci, on peut donc conclure à une régression commerciale qui a eu pour conséquence de faire plus que jamais de la terre la base essentielle de la vie économique. Elle l'était déjà à l'époque mérovingienne, mais la circulation des marchandises jouait cependant encore un rôle important. Avant la fermeture de la mer, on a vu qu'il subsistait encore un trafic de produits du sol, trafic sur lequel on est d'ailleurs très mal renseigné, mais qui existait. On doit même le déduire du fait que les grands propriétaires payent l'impôt en monnaie et que leurs *conductores* leur versent les revenus de leurs domaines en argent. Cela implique naturellement la vente des produits du sol. A qui les vendent-ils? Aux habitants des villes sans doute qui sont encore nombreux. Et peut-être aussi en vue de commercer. Or, sous les Carolingiens, on ne trouve plus trace de cette circulation normale des produits du sol. La meilleure preuve en réside dans la disparition de l'huile comme luminaire des églises, ainsi que de l'encens. Il n'en vient plus, même de Provence. Et de là l'apparition des *cerarii* qui ne sont pas antérieurs à la fin de la période mérovingienne. Eginhard à Seligenstadt ne peut se procurer de la cire et est forcé d'en faire venir de ses domaines de Gand.

Même observation, mais bien plus frappante encore pour le vin. On ne peut plus s'en procurer par le commerce, sauf çà et là par l'intermédiaire d'un Juif. Alors, comme il est indispensable, ne fût-ce que pour le culte, on fait tout pour se procurer des terres qui en produisent. Le fait est frappant et significatif pour les abbayes des Pays-Bas. Et il est d'autant plus éloquent que ces abbayes appartiennent précisément à ce pays de fleuves sur lesquels les Frisons circulent. Le petit trafic auquel ceux-ci se livrent n'est donc pas suffisant pour se procurer du vin; pourtant, il subsiste jusqu'aux incursions des Normands un certain transit de vin de France vers la Scandinavie.

Pour être sûr d'avoir du vin, il faut pouvoir le produire soi-même car, quand bien même il y en aurait dans le commerce, on n'est pas sûr de pouvoir disposer d'assez d'argent pour l'acheter. Il n'y a qu'un moyen, c'est d'obtenir des vignobles. Les abbayes de la vallée de la Meuse s'en font donner sur les bords du Rhin et de la Moselle; celles du bassin de l'Escaut, sur les bords de la Seine[105]. Ce vin qu'on possédait, on se le faisait amener par des serfs qui le convoyaient au monastère, dans des conditions excellentes, grâce aux exemptions de tonlieu. Toute abbaye a donc en elle-même ses moyens et ses organes de ravitaillement. Elle n'a besoin de personne. Elle constitue un petit *commonwealth* qui se suffit à lui-même. Il ne faut pas considérer ces abbayes, ainsi que le fait Imbart de La Tour, comme des marchands privilégiés, mais il faut dire avec lui que: «c'est par un ensemble de corvées que les Églises ont organisé leurs transports sur les rivières ou les chemins»[106]. Et ce qu'elles se faisaient amener ainsi, c'étaient les produits nécessaires pour leur consommation[107].

Certes, pendant les famines, les propriétaires domaniaux qui pouvaient disposer de blé ou de vin, étaient sollicités de le vendre et augmentaient les prix. Ce qui amena d'ailleurs l'intervention de l'empereur qui voulut empêcher ces bénéfices injustes. Mais on ne peut voir là, comme le fait Dopsch, la preuve d'un commerce régulier, pas plus d'ailleurs que dans la défense de vendre des chevaux hors de l'Empire[108].

Si on lit la correspondance de Loup de Ferrières, on voit qu'il considère la nécessité de vendre et d'acheter comme une chose déplorable. Aussi cherche-t-on la possibilité d'y échapper.

Le fait que le roi Charles le Chauve a repris la «celle» de Saint-Josse[109], au monastère de Ferrières, a comme conséquence que les moines ne reçoivent plus de vêtements et presque plus de poisson ni de fromage; aussi doivent-ils vivre de légumes achetés[110], mais c'est là un fait exceptionnel.

Le domaine de l'abbaye de Saint-Riquier est organisé de façon à produire tout ce qui est nécessaire à la subsistance des moines[111].

Les évêques adressent au roi, en 858, une lettre où ils lui recommandent de gouverner ses *villae* de telle façon qu'elles puissent se suffire à elles-mêmes[112].

Dans les statuts d'Adalhard de Corbie de la première moitié du IXe siècle, on surprend sur le vif une administration domaniale tout à fait fermée. Nulle part il n'est question de vente. Les prestations à fournir au monastère, dont la population maximum est de 400 personnes, sont minutieusement établies par semaine pour toute l'année, du Ier janvier au Ier janvier suivant. Il y a, dans le monastère, des *matricularii* et des *laïci* qui travaillent pour lui; on y trouve notamment: des cordonniers, des foulons, des orfèvres, des charpentiers, des préparateurs de parchemin, des forgerons, des médecins, etc.[113]. On vit des prestations, le plus souvent en nature, des serfs et de leurs corvées. De là, l'organisation des *curtes* qui me paraît une création de l'époque[114].

Or, il faut se représenter la société de cette époque comme parsemée de monastères et de fondations ecclésiastiques qui en sont les organes caractéristiques. Il n'y a plus que là que, grâce à l'écriture, puisse exister une économie.

La terre ecclésiastique est la seule qui augmente à cause des dons pieux faits par les fidèles. Le domaine royal, lui, diminue constamment à cause des bénéfices qu'il faut créer sans cesse. Ces bénéfices passent à l'aristocratie militaire qui, soit qu'elle se compose de grands fonctionnaires, soit de petits vassaux (*milites*), est tout ce qu'il y a de moins productive. On ne peut vraiment supposer chez elle un commerce quelconque. Aussi les grands cherchent-ils à exploiter les terres d'Église en s'y imposant comme avoués, et en en dévorant les ressources. A la rigueur, les tenanciers pourraient, théoriquement, produire pour la vente, mais ils sont accablés de plus en plus de corvées et de redevances[115].

Il y a parmi eux quantité de miséreux qui vivent d'aumônes, ou qui se louent au temps de la moisson. On n'en voit pas qui travaillent pour le marché. Le plus cher désir de tous les gens qui ont quelque terre, est de se placer sous la protection des monastères pour échapper aux exactions que les seigneurs justiciers exercent sur eux.

En somme, toute cette société tombe sous la dépendance des détenteurs du sol ou des détenteurs des justices, et le pouvoir public a pris ou prend de plus en plus un caractère privé. L'indépendance économique est à son point le plus bas tout comme la circulation monétaire.

Dans les capitulaires, on parle bien encore des *pauperes liberi homines*; mais dans une foule de cas, il est visible que ces *homines* ont, chacun, un seigneur.

Le pouvoir royal est intervenu tant qu'il lui est resté quelque prestige, dans un but de moralité chrétienne, pour empêcher l'oppression des faibles et des pauvres. La législation économique de Charles et de Louis, au lieu de chercher à fomenter le profit, le condamne au contraire comme un bénéfice illicite (*turpe lucrum*).

Puis, toute intervention royale disparaît dans l'anarchie de la féodalité, au-dessus de laquelle continue à flotter le mirage de l'Empire chrétien. C'est le Moyen Age.

II. L'organisation politique

Beaucoup d'historiens considèrent ce qu'ils appellent l'époque franque comme un bloc, faisant ainsi de la période carolingienne la continuation et le développement de la mérovingienne. C'est là une erreur évidente pour plusieurs raisons.

1° La période mérovingienne appartient à un milieu tout différent de celui de la carolingienne. Il y a encore aux VIe et VIIe siècles une Méditerranée avec laquelle on est en rapports constants et la tradition impériale se continue en toutes sortes de domaines.

2° L'influence germanique, refoulée au nord sur la frontière, est très faible, et sensible seulement dans certaines branches du droit et de la procédure.

3° Entre la belle période mérovingienne, qui s'étend jusque vers le milieu du VIIe siècle et la période carolingienne, il y a un bon siècle de fangeuse décadence, au cours duquel bien des caractères de la civilisation ancienne s'effacent; d'autres, au contraire, s'élaborent; c'est là qu'est l'origine de la période carolingienne. Les ancêtres des Carolingiens ne sont pas les rois mérovingiens, mais les maires du palais. Charlemagne ne continue pas du tout Dagobert, mais Charles Martel et Pépin.

4° L'identité du nom *regnum Francorum* ne doit pas faire illusion. Le nouveau royaume va jusqu'à l'Elbe et englobe une partie de l'Italie. Il renferme presque autant de populations germaniques que romanes.

5° Enfin, les rapports avec l'Église se sont complètement modifiés. L'État mérovingien, comme l'Empire romain, est laïque. Le roi mérovingien est *rex Francorum*. Le roi carolingien est *Dei gratia rex Francorum*[116], et cette petite addition est l'indice d'une transformation profonde. Cela est si vrai que les générations postérieures n'ont pas compris l'usage mérovingien. Copistes postérieurs et faussaires ont truffé d'un *Dei gratia* le titre, à leurs yeux inadmissible, des rois mérovingiens.

Ainsi les deux monarchies, dont on a essayé de montrer ici que la seconde est due en quelque sorte à la submersion du monde européen par l'Islam, au lieu de se prolonger l'une dans l'autre, s'opposent au contraire l'une à l'autre.

Dans la grande crise où s'abîme l'État fondé par Clovis, ce qui croule à fond, ce sont les bases romaines.

Et, tout d'abord, la conception même du pouvoir royal. Sans doute elle n'est pas, dans la forme qu'elle a prise sous les Mérovingiens, une simple transposition de l'absolutisme impérial. Je veux bien que la puissance royale ne soit, en grande partie, qu'un despotisme de fait. Mais il n'en reste pas moins que, pour lui-même et pour ses sujets, toute la puissance de l'État est concentrée dans le roi.

Tout ce qui lui appartient est sacré; il peut s'élever au-dessus des lois sans que personne y contredise, faire crever les yeux de ses ennemis et confisquer les propriétés sous prétexte de lèse-majesté[117]. Il n'a rien, ni personne, à ménager. Le pouvoir qui ressemble le plus au sien est celui de l'empereur byzantin, compte tenu des différences énormes que le niveau inégal des civilisations fait apparaître entre eux.

Toute administration mérovingienne conserve, tant bien que mal, le caractère bureaucratique de la romaine. Sa chancellerie avec ses référendaires laïques est calquée sur celle de Rome; le roi prend ses agents où il veut, même parmi les esclaves[118]; sa garde d'antrustions rappelle la garde prétorienne. Et à vrai dire, les populations sur lesquelles il règne, ne conçoivent pas une autre forme de gouvernement. C'est d'ailleurs celui de tous les rois du temps, ostrogoths, wisigoths, vandales. Il est à remarquer que, si les rois s'assassinent entre eux, les peuples ne se soulèvent pas. Il y a des tentatives d'ambitieux, il n'y a pas de soulèvements populaires.

La raison de la décadence mérovingienne est la faiblesse croissante du pouvoir royal. Cette faiblesse, dont les Carolingiens profitent, a pour cause le détraquement de l'administration financière et, ici encore, nous sommes en pleine Rome. Car, on l'a vu plus haut, le roi alimente surtout son trésor par l'impôt. Et c'est cet impôt qui s'effondre avec la monnaie d'or, pendant la grande crise du VIIIe siècle. La notion d'impôt public disparaît en même temps que disparaissent dans les villes les curiales.

Les monétaires qui faisaient parvenir cet impôt au trésor, sous forme de sous d'or, cessent d'exister. Le dernier, je crois, est mentionné sous Pépin. Ainsi les maires du palais cessent de recevoir l'impôt. La royauté qu'ils érigent, lors de leur coup d'État, est une royauté dans laquelle la notion romaine d'impôt public est abolie.

Les rois de la nouvelle dynastie, comme longtemps après eux les rois du Moyen Age, n'auront comme ressources régulières que les revenus de leur domaine[119]. Sans doute, il subsiste encore des prestations (*paraveredi, mansiones*), qui remontent à l'époque romaine et particulièrement le tonlieu. Mais tout cela se dégrade. Le droit de gîte appartient plus aux fonctionnaires qu'au roi. Quant au tonlieu qui rapporte de moins en moins à mesure que la circulation se restreint, les rois en font donation à des abbayes et à des grands.

On a voulu prouver l'existence d'un impôt sous les Carolingiens. Il existe, en effet, dans la partie germanique de l'Empire, la coutume des «dons» annuels. En outre, les rois ont édicté des collectes et des levées d'argent à l'époque des invasions normandes. Ce sont des expédients qui ne se sont pas maintenus. En réalité, il faut toujours le redire, ce qui fait la puissance financière du roi, c'est son domaine, son fisc si l'on veut. Il y faut, au moins sous Charlemagne, ajouter le butin de guerre. La base financière ordinaire du pouvoir royal est purement rurale. C'est pour cela que les maires du palais ont confisqué tant de terres de l'Église. Le roi est, et doit rester pour se maintenir, le plus grand propriétaire du royaume. Plus de cadastre, plus de registres de taxes, plus de fonctionnaires financiers; partant plus d'archives, plus de bureaux, plus de comptes. Les rois n'ont donc pas de finances, et on comprend quelle nouveauté cela introduit dans le monde. Le roi mérovingien achetait ou payait les hommes en or. Le roi carolingien doit leur abandonner des morceaux de son domaine. Il y a là une cause formidable de faiblesse qui est compensée par le butin, tant que dure la guerre, sous Charlemagne, mais dont les effets apparaîtront bientôt après lui. Et redisons-le encore, cela marque une rupture nette avec la tradition financière romaine.

A cette première différence essentielle entre le Mérovingien et le Carolingien, s'en ajoute une seconde. Le nouveau roi, nous l'avons déjà dit, est roi par la grâce de Dieu. Le sacre, nouveauté introduite sous Pépin, fait de lui en quelque sorte un personnage sacerdotal[120]. Le Mérovingien était lui, tout laïque. Le Carolingien ne ceint la couronne qu'avec l'intervention de l'Église. Et le roi, par le sacre, entre en elle. Il a maintenant un idéal religieux et à son pouvoir il y a des limitations, celles que lui impose la morale chrétienne. On ne voit plus les rois se permettre ces assassinats arbitraires et les débordements du pouvoir personnel qui sont choses courantes à l'époque mérovingienne. Il suffit de lire, à cet égard, le *De rectoribus Christianis* de Sedulius de Liège, ou le *De via regia* de Smaragde, composé, comme le croit Ébert, entre 806 et 813.

Par le sacre, l'Église a prise sur le roi. Le caractère laïque de l'État, dès lors, s'est effacé. On peut alléguer ici deux textes d'Hincmar[121]: «c'est à l'onction, acte épiscopal et spirituel», écrit-il en 868 à Charles le Chauve, «c'est à cette bénédiction, beaucoup plus qu'à votre puissance terrestre, que vous devez la dignité royale». On lit, en outre, dans les actes du Concile de Sainte-Macre: «La dignité des pontifes est supérieure à celle des rois: car les rois sont sacrés rois par les pontifes, tandis que les pontifes ne peuvent être consacrés par les rois.» Le sacre impose au roi des devoirs vis-à-vis de l'Église. D'après Smaragde, il doit, de toutes ses forces, redresser ce qui pourrait s'être glissé en elle de défectueux. Mais il doit aussi la favoriser et faire qu'on lui paye la dîme[122].

On comprend, dans ces conditions, que la royauté associe maintenant son action à celle de l'Église. Il suffit de lire les Capitulaires pour voir que ceux-ci se préoccupent autant de discipline ecclésiastique et de morale que d'administration séculière.

Aux yeux des rois carolingiens, administrer leurs sujets, c'est les pénétrer de la morale ecclésiastique. On a déjà dit que leurs conceptions économiques sont dominées par l'Église. Les évêques sont leurs conseillers et leurs fonctionnaires. Les rois leur confient les fonctions de *missi* et font entrer des clercs dans leur chancellerie. Il y a là un contraste éclatant avec les Mérovingiens qui récompensent leurs référendaires laïques en les nommant évêques. A partir de Hithérius, le premier ecclésiastique qui apparaît dans la chancellerie sous Charlemagne, il n'y aura plus, pendant des siècles, de laïques dans la chancellerie royale[123]. Bresslau croit, à tort, que l'envahissement des bureaux du palais par l'Église vient de ce que les premiers Carolingiens voulurent substituer un personnel austrasien au personnel roman des Mérovingiens, et que pour cela ils durent s'adresser à des Austrasiens clercs, les seuls qui sussent écrire. Non, ils voulurent faire collaborer l'Église avec eux.

Ils ne peuvent d'ailleurs plus trouver de gens instruits que parmi les clercs. Durant la crise, l'instruction des laïques a disparu. Les maires eux-mêmes ne savent pas écrire. Les efforts platoniques de Charlemagne, pour répandre l'instruction dans le peuple, ne pouvaient aboutir et l'Académie du palais n'a eu que quelques élèves. Nous entrons dans la période où clerc et lettré sont synonymes; de là l'importance de l'Église qui, dans un royaume où personne à peu près ne comprend plus le latin, impose sa langue pour de long siècles à l'administration. Il faut faire effort pour comprendre la portée de ce fait; elle a été énorme. C'est un nouveau trait médiéval qui apparaît: celui d'une caste religieuse qui soumet l'État à son influence.

Et à côté de celle-ci, le roi est contraint, en outre, de compter avec la classe militaire qui renferme toute l'aristocratie laïque et tous les hommes libres demeurés indépendants. Sans doute, on surprend la naissance de cette classe militaire dès l'époque mérovingienne. Mais l'aristocratie de cette époque présente un singulier contraste avec celle des temps carolingiens. Les grands propriétaires romains, les *senatores*, n'apparaissent pas avant tout, qu'ils demeurent à la campagne ou dans les cités, comme des militaires. Ils sont instruits. Ils recherchent surtout les fonctions au palais et dans l'Église. C'est probablement parmi ses antrustions germaniques que le roi a recruté plus spécialement ses chefs de guerre et ses soldats de garde. Il est certain que l'aristocratie foncière a essayé de bonne heure de la dominer. Mais elle n'y est pas parvenue[124].

On ne voit pas que le roi gouverne avec elle, ni qu'il lui concède quelque part dans le gouvernement aussi longtemps qu'il reste puissant. Et s'il lui confère l'immunité, il ne lui abandonne aucun droit régalien, pas plus d'ailleurs qu'aux Églises. Il a, en effet, contre elle des armes terribles: les procès de lèse-majesté et les confiscations.

Mais, pour tenir tête à cette aristocratie, le roi devait évidemment rester très puissant, c'est-à-dire très riche. Car l'aristocratie, comme d'ailleurs l'Église, augmente sans cesse son autorité sur le peuple. Cette évolution sociale, commencée dès le Bas-Empire, se continue. Les grands ont des soldats privés, quantité de *vassi* qui se sont recommandés à eux et qui leur font une redoutable clientèle.

A l'époque mérovingienne, cette autorité seigneuriale des propriétaires ne se manifeste pas encore en dehors du droit privé. Mais au milieu de l'anarchie et de la décadence, quand la lutte éclate entre les maires du palais groupant derrière eux des factions d'aristocrates, l'institution vassalique se transforme. Elle prend une importance croissante et son caractère militaire apparaît pleinement lorsque le Carolingien a triomphé de ses rivaux. A partir de Charles Martel, le pouvoir que le roi exerce repose essentiellement sur ses vassaux militaires du nord[125].

Il leur donne des «bénéfices», c'est-à-dire des terres, en échange du service militaire, terres qu'il confisque aux Églises. «Or, dit Guilhiermoz[126], par leur importance, les concessions vassaliques se trouvaient tenter désormais, non plus seulement des personnages de petite ou de moyenne condition, mais les grands eux-mêmes.»

Et cela correspondait à l'intérêt du concédant qui donne désormais de larges bénéfices «à charge pour le concessionnaire de servir, non plus seulement de sa personne, mais avec un nombre de vassaux proportionnel à l'importance du bénéfice concédé»[127]. C'est certainement ainsi que Charles Martel put constituer sa puissante clientèle austrasienne avec laquelle il fit ses guerres. Et le système continua après lui.

Au IXe siècle, les rois se font prêter serment de vassalité par tous les grands du royaume et même par les évêques[128]. De plus en plus, il paraît qu'il n'y a plus de vraiment soumis au roi que ceux qui lui ont fait hommage. Ainsi le sujet disparaît derrière le vassal et Hincmar fait déjà observer à Charles le Chauve le danger qui en résulte pour l'autorité royale[129]. La nécessité pour les premiers maires de se constituer une troupe fidèle, formée de bénéficiaires assermentés, a amené une transformation profonde de l'État. Car, dorénavant, le roi sera forcé de compter avec ses vassaux qui ont la force militaire. L'organisation des comtés se détraque, car les vassaux échappent à la juridiction du comte. A la guerre, ils commandent eux-mêmes leurs vassaux, le comte ne conduisant que les hommes libres. Peut-être leurs domaines jouissent-ils de l'immunité[130]. On les appelle *optimates regis*.

La chronique de Moissac, en 813, les nomme *senatus* ou *majores natu Francorum* et, en effet, avec les hauts ecclésiastiques et les comtes, ils forment le Conseil du roi[131]. Le roi les admet donc à partager son pouvoir politique. L'État commence à reposer sur des liens contractuels établis entre le roi et ses vassaux.

On entre dans la période féodale.

Encore, si le roi avait pu conserver ses vassaux. Mais, sauf sur son propre domaine, ils passent à la fin du IXe siècle sous la suzeraineté des comtes. Car, à mesure que le pouvoir décline à partir des guerres civiles qui marquent la fin du règne de Louis le Pieux, les comtes se rendent indépendants. Ils n'ont plus avec le roi que des rapports de suzerain à vassal. Ils perçoivent pour eux les *regalia*. Ils réunissent plusieurs comtés en un seul[132]. Le royaume perd son caractère administratif pour se transformer en un bloc de principautés indépendantes, rattachées au roi par une vassalité que celui-ci ne peut plus faire respecter. Le pouvoir royal s'est éparpillé entre les mains de ses détenteurs.

Et il était inévitable qu'il en fût ainsi. Le prestige de Charlemagne ne doit pas faire illusion. Il a pu gouverner encore, à cause de sa puissance militaire, de sa richesse qui provient du butin, de sa prééminence de fait dans l'Église. C'est pour cela qu'il a pu régner sans finances régulières et se faire obéir encore par des fonctionnaires qui, étant tous des grands propriétaires, auraient pu vivre d'une façon indépendante. Qu'est-ce qu'une administration qui n'est plus soldée? Comment l'empêcher, quand elle le voudra, d'administrer pour elle-même et non pour le roi? Que pourront faire des surveillants comme des *missi*? Sans doute Charles a voulu administrer, mais il ne l'a pas pu. Quand on lit les capitulaires, on est frappé de la différence qu'il y a entre ce qu'ils ordonnent et ce qui se fait. Charles a ordonné que chacun envoie ses fils à l'école; qu'il n'y ait qu'un atelier monétaire; qu'on abolisse les prix usuraires en temps de famine. Il a établi des prix maxima. Tout cela fut impossible à réaliser parce que cela supposait l'obéissance, irréalisable, des grands qui se savaient indépendants, ou des évêques qui, lui mort, proclamèrent la supériorité du spirituel sur le temporel.

La base économique de l'État ne répondait pas au caractère administratif que Charlemagne s'est évertué à conserver. Il reposait sur la grande propriété sans débouchés.

Les propriétaires n'avaient donc pas besoin de sécurité, puisqu'ils ne faisaient pas de commerce. Une forme de propriété comme celle-là s'arrange très bien de l'anarchie. Tous ceux qui détiennent le sol, n'ont pas besoin du roi.

Est-ce pour cela que Charles s'est encore efforcé de conserver la classe des hommes libres de petite condition? Il l'a essayé, il ne l'a pas pu. Les grands domaines ont continué à s'étendre et la liberté à disparaître.

Lorsque commencent les invasions normandes, l'État est déjà impuissant. Il est incapable de prendre des mesures de défense suivant un plan quelconque et de grouper des armées qui puissent tenir tête aux envahisseurs. Chacun tire de son côté. On peut dire avec Hartmann: *Heer und Staat werden durch die Grundherrschaft und das Lehnwesen zersetzt*[133].

Ce qui restait encore au roi de ses *regalia*, il le galvaude. Il abandonne maintenant son tonlieu, son droit de monnaie. De tout ce qu'elle avait encore hérité, et c'est bien peu, la royauté elle-même s'est dépouillée. Elle finit par n'être plus qu'une forme. Et l'évolution est achevée quand en France, avec Hugues Capet, elle devient élective.

III. La civilisation intellectuelle

Comme on l'a vu plus haut, les invasions germaniques n'ont pas fait disparaître le latin en tant que langue de la *Romania*, sauf dans les territoires où il y a eu établissement massif de Francs-Saliens et Ripuaires, d'Alamans et de Bavarois. Ailleurs, la romanisation des Germains immigrés s'est faite avec une rapidité surprenante[134].

Les vainqueurs, éparpillés, et mariés à des femmes indigènes lesquelles imposent leur langue, ont tous appris le latin. Ils n'ont exercé sur lui aucune action, sinon celle d'y introduire bon nombre de termes de droit, de chasse, de guerre, d'agriculture[135], qui se sont répandus des régions belges où les Germains étaient nombreux, jusque dans le Sud.

Plus rapide encore fut la romanisation des Burgondes, des Wisigoths, des Ostrogoths, des Vandales et des Lombards. D'après Gamillscheg[136], il ne subsistait plus de la langue gothique, lorsque les Maures s'emparèrent de l'Espagne, que des noms de personnes et de lieux.

Au contraire, la perturbation apportée dans le monde méditerranéen par l'introduction de l'Islam a provoqué, dans le domaine des langues, une transformation profonde. En Afrique, le latin disparaît devant l'arabe. En Espagne, par contre, il se conserve, mais il n'a plus de bases: plus d'écoles, plus de monastères, plus de clergé instruit. Les vaincus ne se servent plus que d'un patois roman qui ne s'écrit pas. Ainsi le latin, qui s'était si bien conservé dans la péninsule jusqu'à la veille de la conquête, disparaît; l'espagnol commence.

En Italie, par contre, il se conserve mieux; quelques écoles isolées continuent d'ailleurs à subsister à Rome et à Milan.

Mais c'est en Gaule que l'on peut le mieux surprendre la perturbation et ses causes.

On connaît suffisamment l'incorrection barbare du latin mérovingien; cependant, c'est encore du latin vivant[137]. On l'enseigne aussi, semble-t-il, dans les écoles destinées à la pratique, encore que, çà et là, des évêques et des sénateurs lisent et parfois même cherchent à écrire le latin classique.

Le latin mérovingien n'est en rien une langue vulgaire. Les influences germaniques qu'il a subies sont insignifiantes. Ceux qui le parlent peuvent comprendre et se faire comprendre partout dans la *Romania*. Il est peut-être plus incorrect qu'ailleurs dans la France du Nord, mais, malgré tout, c'est une langue qu'on parle et qu'on écrit pour se faire comprendre. L'Église n'hésite pas plus à s'en servir pour ses besoins de propagande que l'administration et la justice[138].

On enseigne cette langue dans les écoles. Les laïques l'apprennent et l'écrivent. Elle se rattache à la langue de l'Empire comme la cursive, dans laquelle on l'écrit, à l'écriture de l'époque romaine. Et puisqu'on l'écrit encore et beaucoup pour les services de l'administration et du commerce, on la fixe.

Seulement, elle devait disparaître au cours de la grande perturbation du VIIIe siècle. L'anarchie politique, la réorganisation de l'Église, la fin des cités, la disparition du commerce et de l'administration, surtout celle des finances, la disparition des écoles laïques, l'empêchent de se conserver avec son âme latine. Elle s'abâtardit et se transforme suivant les régions en dialectes romans. Le détail échappe, mais le fait certain est que le latin comme tel a cessé d'être entendu vers 800, sauf par le clergé[139].

Or, c'est précisément à ce moment où le latin cesse d'être une langue vivante et cède la place aux idiomes rustiques d'où dériveront les langues nationales, qu'il devient ce qu'il va rester à travers les siècles: une langue savante; nouveau caractère médiéval qui date de l'époque carolingienne.

Il est curieux d'observer que l'origine de ce phénomène doit être cherchée dans le seul pays romain où l'invasion germanique avait complètement extirpé le romanisme: en Bretagne, chez les Anglo-Saxons.

La conversion de ce pays était partie, on l'a vu, de la Méditerranée et non de la Gaule toute proche. Ce sont les moines d'Augustin, envoyés par Grégoire le Grand en 596, qui provoquèrent le mouvement déjà commencé avant eux par les moines celtiques de l'Irlande[140].

Au VIIe siècle, saint Théodore de Tarse et son compagnon Adrien ajoutèrent à la religion qu'ils apportaient avec eux des traditions gréco-romaines. Une nouvelle culture se développa aussitôt dansl'île, fait que Dawson considère avec raison comme «l'événement le plus important survenu entre l'époque de Justinien et celle de Charlemagne»[141]. Chez ces purs Germains qu'étaient les Anglo-Saxons, la culture latine s'introduisit tout à coup, en même temps que la religion, et elle bénéficia de l'enthousiasme ressenti pour celle-ci. Dès la conversion, qui se fit sous l'influence et la direction de Rome, les Anglo-Saxons ont les yeux fixés sur la ville sainte. Ils y vont sans cesse et en rapportent reliques et manuscrits. Ils se soumettent à son impulsion et apprennent sa langue qui, pour eux, n'étant pas langue vulgaire, mais langue sacrée, jouit d'un prestige incomparable. Dès le VIIe siècle, il y a chez eux des hommes comme le poète Aldhelm et comme Bède le Vénérable, dont la science contraste étonnamment avec ce qui existe, à ce point de vue, en Occident.

C'est aux missionnaires anglo-saxons qu'il faut attribuer le réveil intellectuel qui se place sous Charlemagne. Avant eux, il y avait bien eu les moines irlandais, et surtout le plus grand de tous, Colomban, débarqué en Gaule vers 590, le fondateur de Luxeuil et de Bobbio. Ils avaient prêché l'ascétisme au milieu d'une religion en décadence, mais on ne voit pas qu'ils aient eu la moindre influence littéraire.

Il en va tout autrement des Anglo-Saxons; leur but est de répandre le christianisme dans la Germanie, pour laquelle l'Église mérovingienne n'avait rien fait ou à peu près. Et en cela ils se rencontrent avec la politique des Carolingiens. D'où l'influence énorme d'un Boniface, l'organisateur de l'Église germanique, et, de ce fait, l'intermédiaire entre le pape et Pépin le Bref.

Charlemagne se consacra à l'œuvre de renaissance littéraire en même temps qu'à la restauration de l'Église. Le principal représentant de la culture anglo-saxonne, Alcuin, le chef de l'école d'York, entre à son service en 782, comme directeur de l'école du palais, et exerce désormais une influence décisive sur le mouvement littéraire du temps.

Ainsi, par le plus curieux renversement des choses et qui est la confirmation la plus éclatante de la brisure provoquée par l'Islam, c'est le nord qui, en Europe, s'est substitué au sud, aussi bien comme centre littéraire que comme centre politique.

C'est lui qui va projeter maintenant autour de lui la culture qu'il a reçue de la Méditerranée. Le latin qui avait été, de l'autre côté du détroit, langue vivante, n'est chez lui, dès le principe, que langue de l'Église. Ce qu'on lui a apporté, ce n'est pas la langue incorrecte des affaires et de l'administration, faite pour les besoins de la vie laïque, c'est la langue qui se conservait dans les écoles méditerranéennes. Théodore était de Tarse en Cilicie et avait étudié à Athènes avant de venir à Rome. Adrien, Africain de naissance, était abbé d'un monastère voisin de Naples et était aussi versé dans la langue grecque que dans la langue latine[142].

Ce qu'ils vont propager chez leurs néophytes, c'est donc la tradition classique, la langue correcte qui ici n'a pas besoin, comme sur le continent, de faire des concessions à l'usage pour se faire comprendre, puisque le peuple ne parle pas latin, mais anglo-saxon. Ainsi, les monastères anglais reçoivent directement l'héritage de la culture antique. Il en fut de même au VIe siècle, lorsque les savants byzantins apportèrent en Italie, non le grec vulgaire et vivant de la rue, mais le grec classique des écoles.

Les Anglo-Saxons se trouvèrent de la sorte, tout à la fois les réformateurs de la langue[143] en même temps que les réformateurs de l'Église. La barbarie où était tombée celle-ci, se manifestait à la fois par ses mauvaises mœurs, son mauvais latin, son mauvais chant, sa mauvaise écriture. Réformer, c'était réformer tout cela à la fois. Des questions de grammaire et d'écriture prenaient tout de suite, par cela même, la signification d'un apostolat. Pureté du dogme et pureté de la langue allaient de pair. De même que les Anglo-Saxons qui l'avaient tout de suite adopté[144], le rite romain se répandit dans tout l'Empire en même temps que la culture latine. Celle-ci fut donc l'instrument par excellence de ce qu'on appelle la Renaissance carolingienne, encore qu'il y ait eu à côté d'elle des Paul Diacre, des Pierre de Pise et des Théodulphe. Seulement, il importe de remarquer tout de suite que cette Renaissance est purement cléricale. Elle n'a pas touché le peuple qui ne la comprend plus. Elle est à la fois une reprise de la tradition antique et une rupture avec la tradition romaine, interrompue par la mainmise de l'Islam sur les régions méditerranéennes. La société laïque purement agricole et militaire de ce temps-là n'a plus que faire du latin. Celui-ci n'est plus que la langue de la caste sacerdotale où se concentre toute l'instruction et qui s'écarte de plus en plus de ce peuple dont elle se considère, par ordre divin, comme la conductrice. Pour des siècles, il n'y aura plus de science que dans l'Église. Ainsi donc, la science et la culture intellectuelle, en même temps qu'elles s'affirment, se raréfient. La Renaissance carolingienne coïncide avec l'analphabétisme général des laïques. Ceux-ci savaient encore lire et écrire sous les Mérovingiens; ils ne le savent plus sous les Carolingiens. Le souverain qui a provoqué et soutenu ce mouvement, Charlemagne, pas plus que son père Pépin le Bref, ne savait écrire. Il ne faut pas attacher d'importance aux velléités qu'il a eues de répandre cette culture à sa cour et dans sa famille. Quelques courtisans, pour lui plaire, apprirent le latin. Des hommes comme Eginhard, Nithard, Angilbert sont des météores fugitifs. Dans l'ensemble, l'immense majorité de l'aristocratie laïque demeura à l'écart d'un mouvement qui n'intéressait que ceux de ses membres qui voulaient faire carrière dans l'Église.

A l'époque mérovingienne, l'administration royale requérait une certaine culture de la part des laïques qui s'y destinaient. Aujourd'hui, dans la mesure où elle doit se recruter encore parmi des lettrés, — par exemple pour les services de la chancellerie — elle les prend dans l'Église. Pour le reste, n'ayant plus de bureaucratie, elle n'a plus que faire des gens instruits. Sûrement l'immense majorité des comtes sont des illettrés. Le type du *senator* mérovingien a disparu. L'aristocratie ne parle plus latin, ne lit plus et n'écrit plus, sauf d'infimes exceptions qui confirment la règle[145].

La réforme de l'écriture qui s'accomplit à la même époque, achève de caractériser la Renaissance carolingienne. Cette réforme consiste dans la substitution de la minuscule à la cursive, c'est-à-dire d'une calligraphie à main posée à une écriture courante. Aussi longtemps que la tradition romaine s'est conservée, la cursive romaine s'est maintenue chez tous les peuples du Bassin méditerranéen. C'est, dans un certain sens, une écriture d'affaires, l'écriture en tout cas d'une époque où écrire est un besoin journalier. Et la diffusion du papyrus va de pair avec ce besoin constant de correspondre et de consigner. La grande crise du VIIIe siècle a, nécessairement, restreint l'usage de l'écriture. Celle-ci n'est plus guère requise que pour la copie des livres. Or, pour cela, on usait de la majuscule et de l'onciale. Ces écritures s'étaient introduites en Irlande lors de l'évangélisation de l'île[146]. C'est là que, de l'onciale (semi-onciale) sortit, au plus tard à la fin du VIIe siècle, la minuscule qui apparaît déjà dans l'antiphonaire de Bangor (680-690)[147]. Les Anglo-Saxons prirent ces manuscrits, ainsi que ceux que leur apportèrent les missionnaires venus de Rome, comme exemple et comme modèle[148].

C'est de la minuscule insulaire et des *scriptoria* romains, où la semi-onciale fut fort en honneur, que sortit, au commencement du IXe siècle, la minuscule parfaite ou minuscule caroline[149].

Le premier exemple daté en est l'évangéliaire, écrit par Godescalc en 781, sur l'ordre de Charlemagne qui ne savait pas écrire[150]. Alcuin fit du monastère de Tours un centre de diffusion de cette nouvelle écriture qui devait déterminer toute l'évolution scripturaire postérieure du Moyen Age[151].

Plusieurs monastères, que l'on pourrait comparer aux officines typographiques de la Renaissance, pourvoient au besoin croissant de livres et à la diffusion de ces nouveaux caractères: tels, à côté de Tours, Corbie, Orléans, Saint-Denis, Saint-Wandrille, Fulda, Corvey, Saint-Gall, Reichenau, Lorsch. Dans la plupart d'entre eux, surtout à Fulda, on rencontrait des moines anglo-saxons[152]. On remarquera que presque tous ces monastères sont situés dans le Nord, entre la Seine et le

Weser. C'est dans ce pays, dont les domaines carolingiens primitifs forment le centre, que la nouvelle culture ecclésiastique ou, si l'on veut, la renaissance carolingienne, connaît sa plus grande efflorescence.

Le même phénomène se constate donc toujours. La culture, qui s'épanouissait jusque-là dans les régions de la Méditerranée, a émigré vers le nord. C'est là que s'élaborera la civilisation du Moyen Age. Il est frappant d'ailleurs de constater que la majorité des écrivains de l'époque sont originaires des régions irlandaises, anglo-saxonnes ou franques, situées au nord de la Seine; c'est le cas, par exemple, pour Alcuin, Nason, Ethelwulf, Hibernicus exul, Sedulius Scotus, Angilbert, Eginhard, Raban Maur, Walahfrid Strabon, Gottschalc, Ermenrich, Wandalbert, Agius, Thegan de Trèves, Nithard, Smaragde, Ermoldus Nigellus, Agobard archevêque de Lyon, Paschase Radbert, Ratram, Hincmar, Milon de Saint-Amand. Des régions méridionales et méditerranéennes sont originaires: Paul Diacre, Théodulphe d'Orléans, Paulin d'Aquilée, Jonas, Prudence évêque de Troyes, Bertharius abbé du Mont-Cassin, Audradus, Florus de Lyon, Heric d'Auxerre, Servat Loup de Sens.

La Germanie convertie prend donc tout à coup une part essentielle à la civilisation à laquelle elle est restée jusque-là étrangère. La culture avait été jusqu'ici toute romaine, elle devient romano-germanique, mais se localise, à vrai dire, dans le sein de l'Église.

Cependant, il est évident qu'il s'opère inconsciemment en Europe une orientation nouvelle à laquelle le germanisme collabore. La cour de Charlemagne, et Charlemagne lui-même, sont certainement beaucoup moins latinisés que les Mérovingiens. Depuis le nouveau cours des choses, quantité de fonctionnaires ont été pris en Germanie et des vassaux austrasiens ont été casés dans le Sud. Les femmes de Charlemagne sont toutes des Allemandes. Des réformes judiciaires comme celle des échevins, par exemple, tirent leur origine des régions d'où vient la dynastie. Sous Pépin, le clergé se germanise[153] et, sous Charlemagne, les Germains abondent parmi les évêques en pays roman. A Auxerre, Angelelme et Heribald sont tous deux Bavarois; à Strasbourg, Bernold est Saxon; au Mans, trois Westphaliens se succèdent; à Verdun, Hilduin est Allemand; à Langres, Herulfus et Ariolfus viennent d'Augsbourg; à Vienne, Wulferius, à Lyon, Leidrade sont Bavarois. Et je crois bien que la réciproque n'est pas vraie. Que l'on compare pour apprécier la différence, un Chilpéric, poète latin, et Charlemagne qui fait recueillir les anciens chants germaniques!

Tout cela devait produire un décalage d'avec les traditions romaines et méditerranéennes, faire vivre l'Occident sur lui-même, produire une aristocratie mélangée par ses ascendances, ses hérédités. N'est-ce pas alors que seront entrés dans le vocabulaire bien des termes dont on place l'origine sûrement trop tôt? Il n'y a plus de Barbares. Il y a une grande communauté chrétienne aussi large que l'*ecclesia*. Et cette *ecclesia* sans doute regarde vers Rome, mais Rome s'est détachée de Byzance et il faut bien qu'elle regarde vers le nord. L'Occident vit maintenant de sa vie propre. Il s'apprête à déployer ses possibilités, ses virtualités sans recevoir d'autre mot d'ordre que celui de la religion.

Il existe une communauté de civilisation dont l'Empire carolingien est le symbole et l'instrument. Car, si l'élément germanique y collabore, c'est un élément germanique romanisé par l'Église. Il subsiste, sans doute, des différences. L'Empire se démembrera, mais chacune de ses parties subsistera, puisque la féodalité respectera la royauté. En somme, la culture qui sera celle du Moyen Age primitif jusqu'à la Renaissance du XIIe siècle — une vraie renaissance celle-ci — sera marquée, et le restera, de l'empreinte carolingienne. L'unité politique a disparu, mais il subsiste une unité internationale de culture. De même que les États, fondés au Ve siècle en Occident par les rois barbares, ont conservé l'empreinte romaine, de même la France, l'Allemagne, l'Italie ont conservé l'empreinte carolingienne.

Conclusion

De tout ce qui précède se dégagent, semble-t-il, deux constatations essentielles:

1° Les invasions germaniques n'ont mis fin ni à l'unité méditerranéenne du monde antique, ni à ce que l'on peut constater d'essentiel dans la culture romaine, telle qu'elle se conservait encore au Ve siècle, à l'époque où il n'y a plus d'empereur en Occident.

Malgré les troubles et les pertes qui en ont résulté, il n'apparaît de principes nouveaux, ni dans l'ordre économique, ni dans l'ordre social, ni dans la situation linguistique, ni dans les institutions. Ce qui subsiste de civilisation est méditerranéen. C'est aux bords de la mer que se conserve la culture et c'est là que sortent les nouveautés: monachisme, conversion des Anglo-Saxons, art barbare, etc.

L'Orient est le facteur fécondant; Constantinople, le centre du monde. En 600, le monde n'a pas pris une physionomie qualitativement différente de celle qu'il avait en 400.

2° La rupture de la tradition antique a eu pour instrument l'avance rapide et imprévue de l'Islam. Elle a eu pour conséquence de séparer définitivement l'Orient de l'Occident, en mettant fin à l'unité méditerranéenne. Des pays comme l'Afrique et l'Espagne, qui avaient continué à participer à la communauté occidentale, gravitent désormais dans l'orbite de Bagdad. C'est une autre religion, une autre culture dans tous les domaines, qui y apparaît. La Méditerranée occidentale, devenue un lac musulman, cesse d'être la voie des échanges et des idées qu'elle n'avait cessé d'être jusqu'alors.

L'Occident est embouteillé et forcé de vivre sur lui-même, en vase clos. Pour la première fois depuis toujours, l'axe de la vie historique est repoussé de la Méditerranée vers le nord. La décadence, où tombe à la suite de cela le royaume mérovingien, fait apparaître une nouvelle dynastie, originaire des régions germaniques du Nord, la Carolingienne.

Le pape s'allie à elle, rompant avec l'empereur qui, absorbé par la lutte contre les Musulmans, ne peut plus le défendre. Ainsi l'Église s'allie au nouveau cours des choses. Dans Rome, dans le nouvel Empire qu'elle fonde, il n'y a plus qu'elle. Et son emprise est d'autant plus grande que l'État, incapable de conserver son administration, se laisse absorber par la féodalité, suite fatale de la régression économique. Toutes les conséquences de ceci apparaissent éclatantes après Charlemagne. Avec des nuances différentes suivant les régions, l'Europe, dominée par l'Église et la féodalité, prend alors une physionomie nouvelle. Le Moyen Age, pour conserver la locution traditionnelle, commence. La transition a été longue. On peut dire qu'elle occupe tout le siècle, qui va de 650 à 750. C'est pendant cette période d'anarchie que la tradition antique se perd et que les éléments nouveaux prennent le dessus.

L'évolution s'achève en 800, par la constitution du nouvel Empire, qui consacre la rupture de l'Occident et de l'Orient par cela même qu'il donne à l'Occident un nouvel Empire romain; c'est la preuve évidente qu'il a rompu avec l'ancien qui se continue à Constantinople.

Notes

1 Cumont, *Comment la Belgique fut romanisée*, p. 26 et p. 28.

2 Vogel, *Die Normannen*, p. 44 et ss.

3 Prou, *Catalogue des monnaies mérovingiennes*, p. 245-249.

4 *Ibid.*, p. 257-261.

5 *Ibid.*, p. 261-264.

6 *Ibid.*, p. 265-266.

7 *Ibid.*, p. 267-269.

8 *Ibid.*, p. 269-270. Sur le commerce de Duurstede, voir Vogel, *Die Normannen*, p. 66 et ss.

9 H. Pirenne, Draps de Frise ou draps de Flandre?, *Vierteljahrschrift für Sozial- und Wirtschaftgeschichte*, t. VII, 1909, p. 309-310.

10 Prou cite de nombreux deniers frappés à Duurstede sous Charlemagne, Louis le Pieux et Lothaire Ier. Prou, *Catalogue des monnaies carolingiennes*, p. 9-12. Il y en a aussi de Maastricht, Visé, Dinant, Huy, Namur, Cambrai, Verdun (très nombreux), Ardenburg, Bruges, Gand, Cassel, Courtrai, Thérouanne, Quentovic (très nombreux), Tournai, Valenciennes, Arras, Amiens, Corbie, Péronne, *ibid.*, p. 14-38.

11 Prou, *op. cit.*, p. XXXIII.

12 Vercauteren, *Etude sur les Civitates*, p. 453. En 790, Gervoldus est: *super regni negotia procurator constituitur per multos annos, per diversos portus ac civitates exigens tributa atque vectigalia, maxime in Quentawich. Gesta abbatum Fontanellensium*, éd. M.G.H.SS. in usum scholarum, p. 46. En 831, Louis le Pieux accorde à l'église de Strasbourg l'exemption du tonlieu dans tout le royaume, sauf à Quentovic, Duurstede et aux *Clusae*. Cf. G.G. Dept, Le mot «Clusa» dans les diplômes carolingiens, *Mélanges H. Pirenne*, t. I, p. 89.

13 Vercauteren, L'interprétation économique d'une trouvaille de monnaies carolingiennes faite près d'Amiens, *Revue belge de phil. et d'hist.*, t. XIII, 1934, p. 750-758, montre que, dans ce trésor, aucune pièce ne provient du sud de la Loire et que 90% des monnaies ont été émises dans la région d'entre Meuse et Seine.

14 Vercauteren, *Etude sur les Civitates*, p. 246-247.

15 Sur les exagérations de Bugge à propos du commerce des Normands avec la France, voyez Vogel, *Die Normannen*, p. 417-418.

16 Bugge, Die Nordeuropäischen Verkehrswege im frühen Mittelalter, *Viertelharschrift für Sozial-und Wirtschaftsgeschichte*, t. IV, 1906, p. 271.

17 En 808-809, le port de Réric fut détruit par le roi de Danemark, qui obligea les marchands à se fixer à Haithabu pour pouvoir mieux percevoir le tonlieu. *Annales regum Franc.*, éd. Kurze, *a*° 808, p. 126.

18 E. de Moreau, *Saint Anschaire*, 1930, p. 16.

19 Sur Birka, voir la *Vita Anskarii*, éd. G. Waitz, M.G.H.SS. in us. schol., p. 41.

20 H. Pirenne, *Les villes du Moyen Age*, p. 46 et ss.

21 Vogel, *Die Normannen*, p. 68 et p. 72. D'après Holwerda, Duurstede aurait disparu en 864.

22 Vogel, *op. cit.*, p. 88.

23 *Ibid.*, p. 100.

24 *Ibid.*, p. 90.

25 Voyez un bon exemple dans Vogel, *op. cit.*, p. 138, n. 2. En 856, le duc de Bretagne Erispoë donne à l'évêque le tonlieu des bateaux à Nantes. Or, à cette époque, le commerce de cette ville est anéanti par les Normands.

26 F. Vercauteren, dans Lot, Pfister et Ganshof, *Histoire du Moyen Age*, t. I, p. 608. Cf. Offa, roi de Mercie, qui frappe encore quelques pièces d'or, *ibid.*, p. 693.

27 *Vita S. Remigii*, M.G.H.SS. rer. Merov., t. III, p. 251.

28 Prou, *Catalogue des monnaies mérovingiennes*, p. VII.

29 Luschin von Ebengreuth, *Allgemeine Münzkunde*, 2e éd., 1926, p. 161.

30 Prou, *Catalogue des monnaies carolingiennes*, p. XXXII.

31 Le roi Offa de Mercie (757-796) frappe des monnaies d'or, mais imitées des monnaies arabes. Lot, Pfister et Ganshof, *Histoire du Moyen Age*, t. I, p. 693. Cet or-là était sans doute fourni par le commerce scandinave, tout comme celui des monnaies frisonnes. C'est en tout cas une preuve de la nécessité de la monnaie d'or pour le commerce à longue distance et une confirmation de la disparition de ce commerce là où se substitue à elle la monnaie d'argent.

32 Prou, *op. cit.*, p. XXXIII.

33 Prou, *op. cit.*, p. XXXV.

34 Dopsch, *Naturalwirtschaft und Geldwirtschaft*, 1930, p. 120, se trompe ici complètement. Il reprend ce qu'il dit au t. II, 2e éd., 1922, de sa *Wirtschaftsentwicklung der Karolingerzeit*, p. 306. Il veut tout d'abord prouver que, à l'encontre de la théorie courante, qui admet — à tort, selon lui —, la frappe de l'argent parce qu'il n'y a plus d'or, ce dernier métal n'a pas disparu au VIIIe siècle. Il essaie de le prouver en citant les amendes en or que Charlemagne et Louis imposent au duc de Bénévent (*ibid.*, p. 319), le butin fait sur les Avars, et l'or apporté dans le sud de la France par les Musulmans d'Espagne (*ibid.*, p. 319). Il fait allusion à la somme de 900 sous d'or donnée par le maire du palais à Saint-Corbinian (*ibid.*, p. 319), à la trouvaille à Ilanz (Coire, Suisse) de quelques pièces d'or (*ibid.*, p. 320), ainsi qu'aux monnaies d'or frisonnes; enfin, il invoque le grand luxe de l'époque! D'après lui, *loc. cit.*, t. II, p. 309 et ss., si les Carolingiens ont frappé des monnaies d'argent, c'est parce qu'ils se sont trouvés en présence d'une formidable crise monétaire et qu'ils ont voulu faire disparaître la méfiance qui se manifestait à l'égard des mauvaises pièces d'or, en les remplaçant par de bons et forts deniers d'argent. Cet historien se trompe entièrement à mon avis, en comparant cette réforme avec celle des gros deniers au XIIIe siècle.

35 Prou, *Catalogue des monnaies carolingiennes*, p. XXXI-XXXII; M. Bloch, Le problème de l'or au Moyen Age, *Annales d'histoire économique et sociale*, 1933, p. 14.

36 Prou, *op. cit.*, p. LXXIV.

37 *Ibid.*, p. LXIX.

38 *Ibid.*, p. LI.

39 *Ibid.*, p. LXI.

40 Richter et Kohl, *Annalen des Fränkischen Reichs im Zeitalter der Karolinger*, t. II, Ire partie, p. 1. Oelsner, *Jahrbücher des Fränkischen Reiches unter König Pippin*, p. 340.

41 Richter et Kohl, *op. cit.*, t. II, Ire partie, 1885, p. 16.

42 Charles a été au moins avec Haroun, de 797 à 809. Kleinclausz, *Charlemagne*, p. 342.

43 Richter et Kohl, *op. cit.*, p. 116.

44 *Ibid.*, p. 144.

45 *Ibid.*, p. 173. Cf. *ibid.*, p. 184, *a*° 810.

46 *Ibid.*, p. 186.

47 Kohl, *Annalen des Fränkischen Reiches im Zeitalter der Karolinger*, t. II, 2e partie, 1887, p. 260.

48 Abel et Simson, *Jahrbücher des Fränkischen Reiches unter Karl dem Grossen*, t. II, p. 427.

49 *Ibid.*, t. II, p. 488-489.

50 En août 890, un texte dit que: *Sarrazeni Provinciam depopulantes terram in solitudinem redigebant.* M.G.H. Capit., éd. Boretius-Krause, t. II, p. 377.

51 A. Schaube, *Handelsgeschichte der Romanischen Völker*, p. 98.

52 Schaube, *op. cit.*, p. 99.

53 En 979, l'archevêque de cette ville déclare que *res nostrae ecclesiae vastatae et depopulatae et sine habitatore relicte.*

[54] Lévi-Provençal, *L'Espagne musulmane au Xe siècle*, 1932, p. 183, fait observer que le Languedoc fut, sans doute, le tributaire des industries musulmanes d'Espagne au Xe siècle, «mais le manque absolu de documents sur la question n'autorise malheureusement pour l'instant que des présomptions».

[55] Thompson, *An economic and social history of the Middle Ages*, 1928, p. 314.

[56] Lippmann, *Geschichte des Zuckers*, 2e éd., 1929, p. 283.

[57] Le moine de Saint-Gall rapporte que Louis le Pieux donnait aux grandes fêtes des *preciosissima vestimenta* aux grands officiers de son palais. Etait-ce de la soie? Cf. R. Haepke, Die Herkunft der friesischen Gewebe, *Hansische Geschichtsblätter*, t. XII, 1906, p. 309.

[58] E. Sabbe, Quelques types de marchands des IXe et Xe siècles, *Revue belge de phil. et d'hist.*, t. XIII, 1934, p. 176-187.

[59] M.G.H. Capit., éd. Boretius-Krause, t. I, p. 131: Ordre aux évêques de surveiller les trésors des églises *quia dictum est nobis, quod negociatores Judaei necnon et alii gloriantur, quod quicquid eis placeat possint ab eis emere.*

[60] Waitz, *Deutsche Verfassungsgeschichte*, t. IV, 2e éd., 1885, p. 45.

[61] Waitz, *op. cit.*, t. IV, 2e éd., p. 51, M.G.H. Capit., t. I, p. 53 ss. et p. 132: *Usura est ubi amplius requiritur quam datur; verbi gratia si dederis solidos 10 et amplius requisieris; vel si dederis modium unum frumenti et iterum super aliud exigeris.* M. Dopsch a beau faire pour prouver que les Carolingiens n'ont pas agi contre l'intérêt, il n'y parvient que par un détour: il n'y a pas, dit-il, *op. cit.*, t. II, p. 278, de défense de la part des laïques de prélever un intérêt.

[62] D'après M. Dopsch, Charles n'a rien innové en matière de législation antiusuraire et il s'est borné à continuer la tradition mérovingienne qui défend l'intérêt aux clercs, *op. cit.*, t. II, p. 281. Le même auteur donne quelques exemples peu convaincants pour prouver que le prêt à intérêt a été pratiqué à l'époque carolingienne. C'est évident; puisqu'on l'interdit, c'est qu'il existait. Le seul fait intéressant est son interdiction, *op. cit.*, t. II, p. 282-284. Il conclut, t. II, p. 286, par cette affirmation invraisemblable: *Von einer verkehrsfeindlichen Tendenz der Karolinger oder ihrer Gesetzgebung kann also wohl doch nicht die Rede sein.*

[63] Le capitulaire *de disciplina palatii* (vers 820), M.G.H. Capit., t. I, p. 298, confie à un certain Ernaldus la surveillance des *mansiones omnium negociatorum, sive in mercato sivi aliubi negotientur, tam christianorum quam et judaeorum.* Il y a donc là, semble-t-il, des boutiques à demeure. *Ernaldus seniscalcus* (?), disent Boretius-Krause, a la table. Une formule des *Formulae Imperiales* de 828, éd. Zeumer, *Formulae*, p. 314, ajoute que les marchands viendront présenter leur compte en mai au palais.

[64] *Et si vehicula infra regna... pro nostris suorumque utilitatibus negotiandi gratia augere voluerint.* M.G.H. Formulae, éd. Zeumer, p. 315.

[65] G.G. Dept, *op. cit.*, *Mélanges Pirenne*, t. I, p. 89.

[66] Voyez sur la circulation des bateaux des abbayes, Levillain, *Recueil des actes de Pépin Ier et de Pépin II, rois d'Aquitaine*, 1926, p. 19, n° VI, p. 59; n° XVII, p. 77; n° XXI, p. 170; n° XLI. Cf. Imbart de la Tour, Des immunités commerciales accordées aux églises du VIIe siècle, *Etudes d'histoire du Moyen Age dédiées à G. Monod*, 1896, p. 71.

[67] M.G.H. Capit., t. I, p. 88: *Ut... familia nostra ad eorum opus bene laboret et per mercata vacando non eat.* Charles défend de tenir des marchés le dimanche, mais seulement *in diebus in quibus homines ad opus dominorum suorum debent operari* (M.G.H. Capit., t. I, p. 150, § 18). Cf. aussi les prêtres qui *per diversos mercatus indiscrete discurrunt*, M.G.H. Capit., t. II, p. 33. Sur le caractère infime des transactions et les ruses des femmes qui se servent de mauvais deniers, voyez M.G.H. Capit., t. II, p. 301, *sub anno* 861. Voyez encore pour ce petit commerce au détail: *ibid.*, t. II, p. 319, *a*^{o} 864: *illi, qui panem coctum aut carnem per deneratas aut vinum per sextaria vendunt.*

[68] Flodoard, *Historia Remensis*, IV, 12, M.G.H.SS., t. XIII, p. 576. Un autre colporteur est le *mercator* signalé dans la *Vita S. Germani* qui, monté sur son âne, *quidquid in una villa emebat, carius vendere satagebat in altera.* Huvelin, *Essai historique sur le droit des marchés et des foires*, p. 151, n. 4.

[69] Waitz, *op. cit.*, t. IV, 2e éd., p. 47, n. 3.

[70] Waitz, *op. cit.*, t. IV, 2e éd., p. 52. C'est ce qu'on appelle *forum anniversarium* ou *mercata annuale* par opposition au *forum hebdomadarium.*

[71] *Miracula S. Remacli Stabulenses*, M.G.H.SS., t. XV^{1}, p. 436.

[72] Waitz, *op. cit.*, t. IV, 2e éd., p. 53 et p. 54 n.

[73] M.G.H. Capit., t. I, p. 30.

[74] Vercauteren, *Etude sur les Civitates*, p. 334, montre que M. Dopsch s'est servi pour donner une grande signification au marché de Laon, de textes qui, en fait, n'en parlent pas.

[75] F. Vercauteren, *Etude sur les Civitates*, p. 334.

[76] Prou, *Catalogue des monnaies carolingiennes*, p. LXII.

[77] Waitz, *op. cit.*, t. IV, 2e éd., p. 42, n. 3.

[78] Huvelin, *op. cit.*, p. 149.

[79] M.G.H. Capit., t. I, p. 129, c. 11.

[80] Dopsch, *op. cit.*, t. I, 2e éd., p. 168, déclare lui-même: *Die Handelsleute und Juden, was ja wielfach dasselbe war.*

[81] On trouve au IXe siècle des Juifs à Narbonne, à Vienne, surtout à Lyon et peut-être ailleurs encore dans le Midi.

[82] Dopsch, *op. cit.*, t. II, 2e éd., p. 345. M.G.H. Formulae, éd. Zeumer, *Formulae Imperiales*, p. 311, n° 32; p. 314, n° 37; p. 309, n° 30; p. 310, n° 31; p. 325, n° 52. Toutes ces formules sont du règne de Louis le Pieux, probablement d'avant 836. Voyez Coville, *Recherches sur l'histoire de Lyon*, p. 540.

[83] Dopsch, *op. cit.*, t. I, 2e éd., p. 68, M.G.H. Formulae, éd. Zeumer, *Formulae Imperiale*, p. 325, n° 52, *liceat illi sub mundeburdo et defensione nostra quiete vivere et partibus palatii nostri fideliter deservire.*

[84] M.G.H. Formulae, éd. Zeumer, p. 310.

[85] Coville, *op. cit.*, p. 540.

[86] A. Lyon. Cf. Coville, *op. cit.*, p. 541.

[87] Jaffé-Wattenbach, *Regesta pontificum Romanorum*, n° 2389.

[88] Ville détruite près de Port-Saïd.

[89] Le livre des routes et des voyages, éd. et trad. franç. C. Barbier de Maynard, dans le *Journal asiatique*, 6e série, t. V, 1865, p. 512.

[90] Ed. Dümmler, M.G.H. Poetae latini aevi carolini, t. I, p. 460-461, p. 499 etc.

[91] Rousseau, *La Meuse et le pays mosan en Belgique*, 1930, p. 72.

[92] Sanchez-Albòrnoz, *Estampas de la Vida en Léon durante el siglo X*, 1926, p. 55.

[93] Agobard, *Epistolae*, éd. Dümmler, M.G.H. Epist., t. V, p. 183.

[94] M.G.H. Capit., t. II, p. 250.

[95] Aronius, *Regesten zur Geschichte der Juden*, p. 56.

[96] *Dictum est nobis, quod negotiatores Judaei necnon et alii gloriantur, quod quicquid eis placeat possint ab eis emere.* M.G.H. Capit., t. I, p. 131, *a*^{o} 806.

[97] Agobard, *Epistolae*, M.G.H. Epist., t. V, p. 183, et Rousseau, *op. cit.*, p. 72.

[98] M.G.H. Capit., t. I, p. 51 et p. 190.

[99] *Ibid.*, t. II, p. 419.

[100] *Epist.*, *loc. cit.*, p. 185 et Coville, *op. cit.*, p. 541-542.

[101] *Auro, argento et gemmis, armis ac vestibus necnon et mancipiis non casatis et his speciebus quae proprie ad negotiatores pertinere noscuntur.* M.G.H. Capit., t. I, p. 129.

[102] *Mercatores, id est Judaei et ceteri mercatores*, M.G.H. Capit., t. II, p. 252; *mercatores huius regni, christiani sive Judei, ibid.*, t. II, p. 419; *mansiones omnium negotiatorum... tam christianorum quam et Judaeorum, ibid.*, t. I, p. 298; *de cappis et aliis negotiatoribus, videlicet ut Judaei dent decimam et negotiatores christiani undecimam, ibid.*, t. II, p. 361.

[103] M.G.H. Capit., t. II, p. 134.

[104] *Ibid.*, p. 140.

[105] Van Werveke, Comment les établissements religieux belges se procuraient-ils du vin au haut Moyen Age?, *Revue belge de phil. et d'hist.*, t. II, 1923, p. 643. Ce qui prouve bien que ces domaines servent à suppléer aux insuffisances du commerce, c'est qu'on les vendra quand celui-ci reparaîtra.

[106] Imbart de la Tour, Des immunités commerciales accordées aux églises du VIIe au IXe siècle, *Etudes d'histoire du Moyen Age dédiées à G. Monod*, 1896, p. 77.

[107] Dopsch, *op. cit.*, t. I, 2e éd., p. 324 et ss., cherche à prouver qu'elles produisaient pour les marchés. Je ne vois nulle part cela. Mais il est vrai qu'en cas d'insuffisance de sa propre récolte, on cherchait à se procurer du *vinum peculiare*, M.G.H. Capit., t. I, p. 83, *Capit. de Villis*, c. 8, pour pouvoir fournir les *villae dominicae*. Je suppose qu'on achetait cela lors d'une récolte surabondante. Mais on ne peut pas tirer de là, avec Dopsch, *ibid.*, p. 324, l'existence d'un *beträchtlicher Weinhandel.* D'autres textes, qu'il cite pour prouver que la production domaniale travaille en vue du marché, sont sans aucune pertinence.

[108] Dopsch, *op. cit.*, t. I, 2e éd., p. 324 et ss.

[109] Saint-Josse, département du Pas-de-Calais, arrondissement et canton de Montreuil-sur-Mer.

[110] Loup de Ferrières, *Correspondance*, éd. L. Levillain, t. I, 1927, p. 176, n° 42, *a°* 845.
[111] *Ut omnis ars, omneque opus necessarium intra loci ambitum exerceretur.* Hariulf, *Chronique de Saint-Riquier*, éd. F. Lot, 1894, p. 56.
[112] *Sufficienter et honeste cum domestica corte vestra possitis vivere.* M.G.H. Capit., t. II, p. 438.
[113] L. Levillain, Les statuts d'Adalhard, *Le Moyen Age*, 1900, p. 352. Voyez aussi Hariulf, *Chronique de Saint-Riquier*, éd. F. Lot, p. 306.
[114] D'après J. Havet, *Œuvres*, t. I, p. 31, le mot *mansus* serait un mot carolingien. Brunner, *Deutsche Rechtsgeschichte*, t. I, 2e éd., p. 370, mentionne cependant des *servi mansionarii* depuis la seconde moitié du VIIe siècle.
[115] Voyez le tableau que les évêques font de ceux du roi en 858. M.G.H. Capit., t. II, p. 437, § 14.
[116] La formule n'est pas encore de règle sous Pépin, mais elle l'est à partir de Charlemagne. Giry, *Manuel de diplomatique*, p. 318.
[117] A l'époque carolingienne, le crime de lèse-majesté devient synonyme d'*Herisliz* et d'*infidelitas*. Waitz, *op. cit.*, t. III, 2e éd., p. 308-309. On ne le cite plus que par imitation de l'Antiquité. Waitz, *op. cit.*, t. IV, 2e éd., p. 704.
[118] Voyez l'exemple caractéristique du comte Leudaste, l'ennemi de Grégoire de Tours.
[119] De l'impôt romain, il reste les *justiciae*.
[120] Il n'y a pas d'onction à Byzance à cette époque. M. Bloch, *Les rois thaumaturges*, 1924, p. 65.
[121] Cités par Bloch, *op. cit.*, p. 71.
[122] Ebert, *Histoire de la littérature du Moyen Age*, trad. franç. J. Aymėric et Condamin, t. II, p. 127.
[123] Bresslau, *Handbuch der Urkundenlehre*, t. I, 2e éd., p. 373 et 374.
[124] Voyez ce qui a été dit plus haut d'Ebroïn et de Brunehaut.
[125] L'Empire de Charlemagne est un empire vassalique. Charles a espéré gouverner avec ses vassaux et a poussé les hommes à devenir vassaux de ceux-ci. Lot, Prister et Ganshof, *Histoire du Moyen Age*, t. I, p. 668.
[126] Guilhiermoz, *Essai sur les origines de la noblesse*, p. 125.
[127] *Ibid.*, p. 123.
[128] *Ibid.*, p. 128.
[129] *Ibid.*, p. 129, n. 13.
[130] *Ibid.*, p. 134.
[131] *Ibid.*, p. 139, n. 4.
[132] Fort caractéristique est, à ce propos, l'histoire de la formation du comté de Flandre.
[133] *Op. cit.*, III[1], p. 22.
[134] D'après Gamillscheg, *Romania Germanica*, t. I, p. 294, elle devait avoir fait de grands progrès déjà en 600 et elle est complètement achevée en 800.
[135] Guilhiermoz, *op. cit.*, p. 152 et ss.
[136] *Op. cit.*, t. I, p. 397-398.
[137] Lot, A quelle époque a-t-on cessé de parler latin?, *Bulletin Ducange*, t. VI, 1931, p. 97 et ss.
[138] H. Pirenne, De l'état de l'instruction des laïques à l'époque mérovingienne, *Revue bénédictine*, t. XLVI, 1934, p. 165-177.
[139] En 813, un synode provincial à Tours statue: *At easdem homilias quisque aperte transferre studeat in rusticam Romanam linguam, aut Theotiscam, quo facilius cuncti possint intelligere quae dicuntur.* Cf. Gamillscheg, *Romania Germanica*, t. I, p. 295.
Le texte dans Mansi, *Sacrorum Conciliorum... Collectio*, t. XIV, col. 855.
[140] Dawson, *Les origines de l'Europe*, trad. franç., p. 208.
[141] Dawson, *op. cit.*, p. 213.
[142] *Graecae pariter et latinae linguae peritissimus.* Bède, *Hist. Ecclesiastica*, IV, Ire éd.; Migne, *Patr. lat.*, t. XCV, c. 171.
[143] On doit à Boniface lui-même un traité de grammaire, Dawson, *op. cit.*, p. 229.
[144] Dawson, *op. cit.*, p. 231.
[145] Brunner, *Deutsche Rechtsgeschichte*, t. II, 2e éd., p. 250, le constate en faisant observer qu'après Charles, les scribes judiciaires dont il avait ordonné la nomination, n'ont pu se maintenir à cause de la répugnance des laïques (germains) à l'égard de l'*Urkundenbeweis*.
[146] L'Irlande fut convertie par les Bretons d'Angleterre (saint Patrick) au Ve siècle, peu avant l'arrivée des Saxons, Dawson, *op. cit.*, p. 103.
[147] Prou, *Manuel de paléographie*, 4e éd., 1924, p. 99.
[148] Prou, *op. cit.*, p. 102.
[149] Prou, *op. cit.*, p. 105.
[150] Prou, *op. cit.*, p. 169. M. Rand pense avoir découvert déjà un exemple de minuscule précarolingienne dans l'Eugippius de la B.N. de Paris, qu'il place en 725-750. Cf. *Speculum*, avril 1935, p. 224.
[151] Tours est aussi un centre de peinture. Voyez W. Köhler, *Die Karolingischen Miniaturen. Die Schule von Tours*, t. I[2]: *Die Bilder*, Berlin, 1933.
[152] Dawson, *op. cit.*, p. 231.
[153] H. Wieruzowski, Die Zusammensetzung des gallischen und fränkischen Episkopats bis zum Vertrag von Verdun, *Bonner Jahrbücher*, t. 127, 1922, p. 1-83.

Bryce Lyon

LE DÉBAT HISTORIQUE SUR LA FIN DU MONDE ANTIQUE ET LE DÉBUT DU MOYEN AGE

Dans les annales de l'historiographie occidentale, on ne peut que s'étonner de la fréquence avec laquelle des questions fondamentales n'ont pas été pressenties ou si elles l'ont été, sont demeurées ignorées des historiens. Et quand les problèmes soulevés ont donné lieu à des recherches intensives ou à l'élaboration de théories, ils ont été à maintes reprises déclarés «résolus» et leurs solutions, considérées comme de véritables dogmes. Tel a souvent été le cas de l'un des plus passionnants et des plus débattus d'entre eux, celui que pose le déclin et la chute de l'empire romain ou la fin du monde antique et le début du Moyen Age, puisque certains préfèrent l'envisager en ces termes. Les périodes qui ont suscité autant d'études et de conjectures sont peu nombreuses et rares, celles qui sollicitent l'attention de spécialistes talentueux et renommés. Elles sont en effet exceptionnelles, celles qui se dérobent à ce point à l'analyse et demeurent au cœur des controverses. Dans le difficile domaine de «l'historiographie du déclin», cette époque rejette les autres dans l'ombre, car depuis la Renaissance, elle excite la curiosité des chercheurs qui s'intéressent à la civilisation occidentale.

L'historien de la fin du XXe siècle bénéficie d'un avantage sur ses prédécesseurs: il se rend compte que les constituants essentiels de l'empire romain — politiques, économiques, sociaux, intellectuels et artistiques — se sont affaiblis peu à peu et qu'après le IIe siècle, celui-ci s'est trouvé en difficulté. Il est toutefois étrange qu'il ait fallu attendre la Renaissance pour que des hommes cultivés s'aperçoivent qu'ils ne s'expliquaient pas cette désintégration. Auparavant, en dépit de leur intérêt pour le déclin politique, aucun philosophe ou historien vivant alors que l'empire se désagrégeait déjà, Platon, Aristote, Thucydide, Polybe ou Tacite, ne semble s'être douté que sa longue existence arrivait à son terme. Les stoïciens, dont Sénèque, il est vrai, avaient vu que Rome vieillissait et qu'elle était peut-être menacée, mais c'est l'expansion du christianisme qui a conduit à la prise de conscience de sa décadence. Aux IVe et Ve siècles, lorsque les Germains pénètrent de plus en plus profondément vers l'Ouest et occupent même l'Urbe en 410, les docteurs de l'Eglise proclament que selon le livre de la Révélation, l'empire romain sera détruit, puis viendront le premier millénaire et le jour du Jugement dernier où Rome sera punie de sa longue vie de péché. Accusant ainsi l'Urbe d'être un centre de prostitution, saint Jérôme affirme que l'empire doit être anéanti parce que ses orgueilleux dirigeants «le tiennent pour éternel».

Mais à quel moment s'attend-on à ce que l'empire pousse son dernier soupir? Même s'ils accusent le christianisme d'être responsable des nombreuses difficultés dans lesquelles il se débat, les penseurs n'imaginent pas un temps où Rome et son empire n'existeraient plus. Les chrétiens n'avancent d'ailleurs pas une autre hypothèse. Saint Augustin et Orose mettent le malaise de Rome sur le compte de son long asservissement au paganisme. Dans sa *Cité de Dieu*, saint Augustin déclare que l'empire est temporel et que la ville terrestre sera un jour remplacée par la Ville éternelle de Dieu, mais il envisage si peu la ruine de l'empire qu'il plaide en faveur de son maintien jusqu'à la création de la Cité divine, sous prétexte qu'il soutient la vraie foi, grâce à laquelle tous les hommes seront sauvés, et permet son expansion. Païens et chrétiens considèrent donc les IVe et Ve siècles comme une période de troubles, mais non comme celle où s'achève l'époque impériale.

Sous l'influence de saint Augustin, les auteurs du Moyen Age estiment que l'empire romain est devenu chrétien et bien que cette transition se soit opérée longtemps avant Charlemagne, le couronnement de ce dernier en tant qu'empereur des Romains par le pape Léon III, en l'an 800, pour la fête de Noël, à la basilique Saint-Pierre, symbolise le passage au Saint Empire romain. Tout au long du Moyen Age, on entretiendra la fiction que cette cérémonie marque la *translatio imperii ad Francos* ou *ad Teutonicos*. Au début du XIVe siècle encore, lorsque Dante écrit son *De Monarchia*, ses contemporains croient que l'empire romain désormais christianisé, subsiste toujours et continue à décliner. A la fin de ce même siècle, lorsque s'amorce la Renaissance italienne, l'Europe occidentale s'intéresse à l'étonnante réussite culturelle des Grecs et des Romains; aussi les humanistes commencent-ils à distinguer leur époque des siècles qui l'ont précédée et à différencier ces derniers de ce qu'ils appellent le monde antique. C'est alors que naît le désir de comprendre pourquoi la civilisation classique, si brillante, si admirée et si copiée par les hommes de la Renaissance, s'est épuisée et a été suivie par un millier d'années d'obscurité barbare. La fin de l'Antiquité et l'origine du Moyen Age constituent donc pour ces lettrés un problème historique, un événement du passé qu'il serait bon de rendre intelligible.

La plupart des humanistes vivent dans l'atmosphère très politisée des cités-Etats italiennes et jouent souvent un rôle dans leurs affaires, aussi cherchent-ils à la chute de Rome des explications politiques et militaires. Pétrarque, Giovanni Villani, Leonardo Bruni, Flavio Biondo et Machiavel comptent parmi les plus célèbres. Pour eux, si les Barbares ont triomphé de l'empire, c'est à la suite d'un affaiblissement de la vertu civique et de l'ardeur militaire; aussi font-ils appel à des comparaisons avec la vie politique et la conduite de la guerre en Italie pour interpréter la débâcle romaine. Ils se persuadent qu'une suite de désastres politiques et militaires a entraîné la ruine de l'Urbe au Ve siècle et étayent cette interprétation en attribuant aux Barbares l'élimination de la culture classique. Biondo souligne la dégénérescence des Lettres latines après Cicéron, tandis que Giorgio Vasari, dans ses *Vies des plus excellents peintres, sculpteurs et architectes*, place sous le règne de Constantin Ier (306-337) la frontière entre l'art de qualité du monde antique et l'art décadent qui a suivi. Il soutient qu'après un réveil, survenu à la fin du XIIIe siècle grâce à Cimabue et Giotto, les artistes se sont débarrassé l'esprit de ce qu'avait de grossier l'art gothique et ont pu distinguer entre ce qu'il y avait de bon et de mauvais dans l'art, grâce à l'imitation des grandes œuvres de l'Antiquité.

Pour l'essentiel, ces idées sont reprises par les humanistes de l'Europe septentrionale, dont Erasme. Toutefois, si les Allemands de ce temps reconnaissent que l'occupation germanique de l'Occident a joué un rôle dans la catastrophe, ils n'admettent pas que toutes les conséquences en aient été négatives et soulignent la vigueur, l'esprit nouveau que les tribus barbares ont insufflé à cette partie de l'Europe. Sous la Réforme, les protestants admettent à leur tour que le monde antique a pris fin au Ve siècle, mais ils proposent une nouvelle explication du phénomène en se fondant davantage sur la révélation divine que sur les causes humaines. Selon eux, la doctrine évangélique de l'Eglise chrétienne des origines s'est trouvée altérée par l'Eglise catholique romaine à partir du IVe siècle, avec l'adhésion au christianisme de Constantin et de ses successeurs, puis avec la montée de la papauté et la mauvaise influence qu'elle a eue sur la foi chrétienne. Entre le Ve et le XVIe siècle, l'Occident a été plongé dans l'obscurité. Durant un millénaire, le clergé et les scolastiques se sont unis pour détruire la culture de l'Antiquité et les enseignements du christianisme primitif en diffusant une doctrine erronée et en maintenant les fidèles dans l'ignorance. La foi primitive et la connaissance véritable n'ont été redécouvertes que grâce à la Réforme.

Au XVIIIe siècle, le siècle des lumières, les historiens et les philosophes acceptent encore, pour la plupart, les vues des humanistes et des historiens protestants sur la mort du monde antique. Ils louent les brillantes réalisations culturelles de ce temps, critiquent avec violence la barbarie et la superstition qui ont présidé à leur destruction, au Moyen Age, et s'en prennent à leur tour à l'Eglise de cette période qui leur paraît avoir conjugué l'irrationnel avec le manque de savoir et l'acceptation de préjugés de toutes sortes. Voltaire ayant écrit qu'au Moyen Age la barbarie, la superstition, l'ignorance avaient dominé la face du monde, un nombre croissant d'hommes cultivés en a conclu que ces deux états, cette attitude, entretenus par le christianisme, avaient détruit la civilisation gréco-romaine. Ce thème domine d'ailleurs l'ouvrage célèbre d'Edward Gibbon, *Histoire de la décadence et de la chute de l'empire romain*, première étude sérieuse consacrée à cet immense problème.

Gibbon, il faut le souligner, accepte, pour l'essentiel, les arguments des hommes de la Renaissance et des historiens issus de l'Eglise réformée. Il critique sans restriction la corruption morale des Romains, leur indécision, leur manque de sens civique, bref l'abandon des qualités qui ont caractérisé leurs ancêtres sous la République et l'Empire, jusqu'en 180 apr. J.-C. Une fois Marc-Aurèle disparu, l'amollissement, les pratiques superstitieuses, une attirance parfois exagérée pour la religion, la corruption et la dégénérescence ont envahi Rome au point de submerger ce qu'il lui restait de grand. Comme ses prédécesseurs, Gibbon considère que les IVe et Ve siècles forment la frontière entre l'Antiquité et le Moyen Age, car à leurs yeux, au moment où le chef de guerre germain Odoacre dépose Romulus Augustule, un pitoyable empereur-enfant, en 476, il met fin à l'empire d'Occident, qui tombe peu après au pouvoir des Barbares. C'est dans son interprétation très personnelle du règne de Constantin que Gibbon se distingue de ses précurseurs. Il voit le IVe siècle comme une époque comparable à la sienne, où la civilisation change d'orientation, et le règne de Constantin comme un microcosme du déclin et de l'effondrement de Rome. Pour lui, ce règne marque la fin de la civilisation classique et la venue d'une longue et sombre nuit, celle du Moyen Age, où domineront l'absence de culture intellectuelle et les préjugés religieux. Il brosse une fresque remarquable du règne de Constantin, dont il souligne la dégradation et la dégénérescence en montrant comment un ambitieux, favorisé par le talent mais despote et cynique, se sert de la foi chrétienne pour favoriser ses desseins. Pour la première fois, Constantin apparaît comme un homme qui voit dans le christianisme la religion d'avenir exprimant les tendances collectives de son temps. S'il l'adopte, c'est pour accroître son pouvoir et unifier l'empire, car il entend renforcer l'obéissance et observe que le paganisme recule partout. Comme la foi chrétienne peut racheter ses péchés et effacer ses terribles crimes, il demande le baptême sur son lit de mort. Désabusé, calculateur toute sa vie, Constantin, sans y croire lui-même, se sert donc du christianisme. Ce dernier va cependant mettre à profit les moyens qui lui sont ainsi offerts pour étrangler l'empire, son principal ennemi.

Brillante synthèse, exprimée dans une prose limpide, l'œuvre de Gibbon est devenue un véritable monument d'historiographie et a dominé toutes les études qui l'ont suivie dans ce domaine. La thèse de Gibbon est également remarquable pour le petit nombre d'objections ou de remises en question qu'elle a suscitées au XIXe siècle, âge de l'historisme par excellence, où sont apparues tant de tendances et où la recherche a réalisé beaucoup de progrès, grâce à l'adoption d'autres méthodologies et à la création d'importants mouvements européens tels que le romantisme, le nationalisme ou le libéralisme. Seuls, les médiévistes lui apportent une dimension nouvelle. Ces spécialistes ont acquis leur indépendance au début du XIXe siècle, lorsqu'on a enfin apprécié à sa juste mesure la beauté de l'architecture et de l'art du Moyen Age, des littératures en langue vulgaire et des institutions, traditions ou individus qui ont contribué à la naissance des principaux Etats nationaux. Toutefois, bien qu'ils aient souligné l'indéniable contribution médiévale à la culture et à la société de l'Europe occidentale, ils n'ont apporté que de faibles modifications à l'explication traditionnelle, défendue par Gibbon, sur la fin de l'Antiquité et le début de la période à laquelle ils se consacrent. Reprenant pour la plupart la thèse qui situe au Ve siècle la disparition du monde antique, ils amorcent l'histoire du Moyen Age par un résumé de la tradition historiographique, puis décrivent la manière dont les Germains ont anéanti l'empire.

On peut avancer, sans exagérer, que quatre-vingt dix pour cent des écrits consacrés au problème sont dus à des historiens classiques. Des témoignages complémentaires, fournis par les fouilles archéologiques, la papyrologie, la numismatique, des méthodes plus scientifiques et plus poussées d'analyse de l'art ou d'établissement de l'importance des textes ont permis, entre le milieu du XIXe siècle et la fin de la Première Guerre mondiale, d'affiner, de modifier légèrement ou de tempérer les idées de Gibbon. Le Ve siècle est devenu plus que jamais soit une sorte de terrain neutre, soit une barrière entre l'étude des temps anciens et celle du Moyen Age que peu de médiévistes ou d'historiens de l'époque classique se risquent alors à franchir. A l'exception de quelques chercheurs qui s'intéressent aux rapports de la littérature et de la pensée classique avec l'Eglise, aucun de leurs collègues ne songe à étendre l'étude du monde antique au-delà du règne de Constantin ou tout au plus, de 395, année de la mort de Théodose, le dernier empereur à avoir gouverné l'empire d'Orient et d'Occident.

Et que résulte-t-il des travaux approfondis que l'on entreprend après Gibbon? Ils fournissent une explication plus équilibrée, plus objective du rôle du christianisme à la fin de l'époque impériale. En outre, tandis que l'occupation germanique de l'Occident paraît moins néfaste qu'on ne le croyait, on découvre qu'elle ne se serait pas produite si des déchirements internes n'avaient affaibli cette partie de l'empire. Or, quelle était l'origine de ces troubles? Les historiens politiques soutiennent que l'incapacité à régulariser la succession impériale a engendré l'anarchie et l'effondrement du gouvernement, que le contrôle exercé sur l'empereur par les légions a conduit à la guerre civile et réduit le premier citoyen de l'Etat à l'impuissance, cependant que sa dépendance à l'égard de l'armée l'incitait au despotisme, entraînant la suppression des libertés et la disparition de l'esprit d'initiative. Les historiens militaires notent que la réduction du nombre de corps d'armée permet aux Barbares d'enfoncer les minces cordons de défense placés aux frontières et que le recrutement de soldats étrangers (surtout des Germains) par les légions entraîne une perte d'efficacité pour ces dernières. Si les spécialistes de l'économie conviennent que le déclin de l'empire est lié, sur ce plan, à sa régression politique et culturelle, ils tombent en désaccord sur les raisons des crises dont a souffert le monde romain, aux IIIe et IVe siècles. Certains avancent que le déséquilibre de la balance commerciale entre l'Orient et l'Occident a entraîné l'effondrement de ce dernier. S'est-il produit une hémorragie de l'or vers l'Orient, qui aurait contraint l'Occident à revenir à une économie agraire? D'autres historiens estiment que l'Occident est demeuré sous-développé, surtout dans les domaines du commerce et de l'industrie, aussi une économie régionale et autarcique, fondée sur l'agriculture, n'a-t-elle pu conduire qu'à son affaiblissement. Quelques-uns se disent persuadés qu'une économie reposant sur l'esclavage était vouée à l'échec. L'économie domestique du monde antique était-elle donc condamnée à être supplantée par de nouvelles économies plus complexes? Ces explications rejoignent celles des marxistes, qui considèrent la dialectique économique comme inéluctable et jugent que l'empire était condamné à être remplacé par des stades plus poussés du développement social et économique.

Il est vrai, et un certain nombre de chercheurs l'ont remarqué, que la santé de l'empire était liée à la vitalité des cités et que la prospérité a disparu quand ces dernières se sont vidées. Pourquoi les villes ont-elles perdu leur importance? Il est évident qu'elles dépendaient du commerce et de l'industrie, mais leur dynamisme n'était-il pas dû à l'activité politique, économique et culturelle de la classe moyenne? Comment une classe sociale s'affaiblit-elle? Divers historiens jugent qu'à Rome, la classe moyenne a été dominée par un prolétariat illettré, par les paysans et par les soldats, tous incapables de jouer un rôle déterminant en politique ou en économie. Les partisans des théories raciales ont été jusqu'à prétendre que tout est allé bien pour les Romains, aussi longtemps qu'ils ont gouverné et combattu seuls, mais que leur supériorité a commencé à disparaître quand ils se sont mis à pratiquer des mariages mixtes avec les habitants des rivages orientaux de la Méditerranée et que la pure race romaine a disparu. Pour les racistes avérés, les Romains ont été absorbés par les peuples orientaux qui leur étaient inférieurs et qui, même s'ils obtenaient des réussites sur le plan culturel, étaient incompétents en matière de gouvernement et d'administration. Certains auteurs pensent que les vieilles familles aristocratiques ont commis un véritable suicide en pratiquant un sévère contrôle des naissances, qui a entraîné leur extinction. Si l'éducation était réservée aux classes supérieures, et c'était souvent le cas, comment la masse des illettrés aurait-elle pu prendre la direction des affaires, une fois les privilégiés disparus? L'aristocratie et la classe moyenne, dont les membres ont perdu toute ambition, tout désir de réussir, se sont affaiblies, abandonnées à l'hédonisme, laissées corrompre par l'argent, la paresse, le vice. N'ont-elles pas souffert d'un malaise croissant? Et que cachait ce trouble? Etait-il répandu au point de jouer un rôle significatif?

Divers spécialistes tentent de rattacher le déclin de l'Occident à des phénomènes physiques. L'érosion du pourtour méditerranéen aurait été l'une des causes majeures de la chute de la production agricole et de la baisse démographique catastrophique qui l'a suivie. Une mauvaise rotation des cultures, l'insuffisance des amendements auraient appauvri le sol. Selon l'hypothèse de certains géographes, au IIIe et au IVe siècle, le bassin méditerranéen a connu une période de sécheresse exceptionnelle qui a eu un effet désastreux sur la végétation et sur la vie humaine. On avance aussi que la peste et d'autres maladies ont augmenté la mortalité, car il est attesté que la peste bubonique existait à l'état endémique et que la malaria sévissait dans de nombreuses régions méditerranéennes. D'autre part, comme les conduites d'eau et les ustensiles de cuisine des villas étaient en plomb, les riches étaient souvent victimes de saturnisme, une intoxication provoquée par ce métal ou ses composés. Enfin, l'homosexualité, très répandue dans l'aristocratie, a pu priver cette classe de la descendance dont elle aurait eu besoin.

La culture connaît de son côté un déclin général. Compilations, commentaires et copies remplacent l'invention et la réflexion individuelle. Les hommes semblent incapables d'aller de l'avant et paraissent se contenter de réutiliser ce qui a été obtenu en littérature, en histoire, en philosophie, en science et en médecine. Les talents artistiques sont rares, si l'on en croit l'arc de triomphe de Constantin où l'on voit incorporer des sculptures prélevées sur d'autres arcs plus anciens. Les bas-reliefs réalisés par les artistes du temps de cet empereur ne soutiennent même plus la comparaison avec des œuvres datant, disons, d'un siècle auparavant. La technique se perd dans les métiers comme dans l'art. Les constructeurs semblent ignorer ce qu'est le beau. Les historiens qui s'intéressent à ces domaines de l'activité humaine ne s'expliquent pas cette perte du goût. Ecrivains, penseurs, artistes n'ont donc plus le désir de s'illustrer et de créer, mais pour quelles raisons? Cet engourdissement culturel se trouve peut-être lié à l'incertitude de la vie politique, à l'affaiblissement de l'économie ainsi qu'à la transformation de l'ambiance religieuse. Des pères de l'Eglise, tels que saint Jérôme, saint Ambroise ou saint

Augustin, apprécient les auteurs païens classiques, mais quand ils les citent, c'est pour mieux servir ou expliquer la vérité chrétienne. Quelques historiens estiment qu'il se produit alors une rupture psychologique dans la pensée collective sur les plans culturel et religieux. Où trouver les témoignages qui accréditeraient une telle proposition? On a souvent tenté d'expliquer le déclin des civilisations ou des Etats en les considérant comme des phénomènes cycliques. Il n'existe pas toutefois de données suffisantes sur les «cycles» historiques, pas plus d'ailleurs que pour étayer l'hypothèse d'un enchaînement des civilisations, dont chacune connaîtrait une évolution comparable à celle d'un organisme vivant, de la croissance jusqu'à la mort, telle que la définissent les lois biologiques. Nul n'a encore défini une morphologie de l'histoire. Enfin, les théories qui s'appuient sur le mysticisme ou la religion n'ont qu'un lointain rapport avec l'historiographie moderne.

Telle est donc la moisson d'un siècle de recherches sur cette question complexe. Même si les études se sont affinées et l'examen des sources a été plus poussé, les vues de Gibbon s'en sont trouvées peu modifiées. En dehors de l'application des principes modernes de l'histoire sociale et économique, de l'ouverture d'esprit et d'une plus grande objectivité à l'égard de l'Eglise médiévale, d'une meilleure appréciation de l'art et de la littérature, il s'est opéré peu de révisions et rares ont été les travaux additionnels. A leur lecture, Gibbon se serait d'ailleurs aperçu que les explications sociales et économiques renforçaient ses conclusions sur la fin de l'empire en Occident, qu'il plaçait au IVe siècle, il aurait eu plus de mal à admettre les théories de ses successeurs à propos du christianisme, mais se serait sans doute très vite rendu compte qu'elles ne bouleversaient pas sa propre interprétation. Après avoir accusé la foi chrétienne de donner naissance à un comportement psychologique fait de docilité, de retrait, de contemplation, de controverse théologique et d'obéissance totale à un chef spirituel, ses héritiers estiment, en effet, que cette religion est à l'origine d'une attitude collective différente de celle produite par la civilisation gréco-latine. Ceci a entraîné l'adoption d'une moralité, d'une théorie sur la suprématie de l'individualisme, d'une conception des rapports de l'homme avec l'univers, d'une explication de son existence et de sa destinée après la mort, enfin de vues sur la nature et le véritable objectif de l'acquisition des connaissances qui sont entièrement nouvelles. Toutes ces transformations des états mentaux, émotionnels et spirituels ont donc révolutionné l'histoire occidentale, au cours des IVe et Ve siècles, pour aboutir au Moyen Age et à l'apparition d'une nouvelle civilisation en Occident.

Au début des années 1920, nul historien, classique ou médiéviste, n'a donc encore remis en question l'explication des humanistes, des philosophes du siècle des Lumières et de Gibbon, selon laquelle le monde antique a bien pris fin au IVe et au Ve siècle. On voit alors proposer une tout autre interprétation qui constitue un véritable défi. La thèse du médiéviste belge Henri Pirenne (1862-1935) sur la fin du monde antique et les débuts du Moyen Age réfute les opinions admises jusque-là et fournit un cadre logique à toute discussion ultérieure du problème.

Pirenne s'est acquis une réputation internationale, dès avant 1914, pour ses travaux sur l'origine des villes du Moyen Age, une intéressante étude à propos des diverses périodes de l'histoire sociale du capitalisme, une *Histoire de Belgique* en plusieurs volumes, différentes publications sur les aspects économiques et sociaux de l'histoire médiévale et présentations de documents médiévaux importants. Il n'a cependant pas porté un intérêt particulier à la manière dont commençait l'époque à laquelle il consacrait ses écrits. La Grande Guerre change tout. L'occupation de la Belgique par les Allemands constitue un tournant dans la vie de l'historien, afflige sa famille et interrompt sa carrière académique, puisqu'elle entraîne la fermeture de l'université de Gand où il enseignait. Ayant pris la tête des universitaires qui s'opposent à la germanisation de l'enseignement telle que l'exigent les forces d'occupation, Pirenne est arrêté en même temps que l'un de ses collègues, le 18 mars 1916, puis déporté en Allemagne. Il y demeurera prisonnier jusqu'en novembre 1918. Au cours de son internement dans deux camps, il se trouve en contact avec de nombreux prisonniers russes. Intrigué par leur comportement et leurs coutumes, il apprend le russe et lit beaucoup d'ouvrages sur l'histoire de la Russie, avant d'être envoyé dans un petit village de Thuringe où il vit dans une grande solitude intellectuelle jusqu'à la fin de la guerre, puisqu'il est l'unique étranger. Il décide alors d'écrire pour ne pas laisser ses facultés se rouiller. L'ouvrage sera publié en 1936, après sa mort, sous le titre d'*Histoire de l'Europe, des invasions au XVIe siècle*. La fréquentation des Russes l'a amené à s'intéresser à Byzance et à la Méditerranée orientale. Il est évident qu'il modifie alors son point de vue au sujet de l'origine du Moyen Age. A ses yeux, le monde antique n'a cessé de s'affaiblir durant plusieurs siècles, mais il n'a pas été détruit par les Germains, même si ces derniers ont mis fin à l'existence politique de l'empire d'Occident. Il comprend que les Germains ne sont pas arrivés en ennemis dans l'empire, qu'ils ont souhaité apprendre à mieux connaître sa culture, à en bénéficier et à la préserver, dans toute la mesure du possible. Si les Barbares n'ont pas été capables d'en sauver une grande partie, ils ont adopté et maintenu, autant qu'ils l'ont pu, la culture et les institutions romaines, prolongeant ainsi quelque temps les éléments essentiels de la civilisation antique. Pirenne conclut que les Germains «n'éprouvaient pas de haine pour Rome et... n'en maltraitaient pas la population», que leurs «royaumes étaient romains, non seulement parce que la civilisation romaine leur avait fourni le cadre dans lequel, et grâce auquel, ils avaient réussi à s'organiser, mais aussi parce qu'ils *souhaitaient* devenir Romains»[1]. Pirenne ne se méprend pourtant pas sur l'évolution régressive du monde antique. A l'Ouest, l'Europe n'offre plus le spectacle de la jeunesse, mais celui de «la décadence de la civilisation impériale», ce qu'au VIe siècle l'évêque Grégoire de Tours résume admirablement par l'expression découragée de «mundus senescit», le monde vieillit[2].

Après la guerre, Pirenne poursuit ses recherches pour approfondir cette idée intéressante et publie deux articles, au début des années vingt, «Mahomet et Charlemagne» et «Un contraste économique: Mérovingiens et Carolingiens». Il s'interroge sur tous les aspects du problème de la fin de l'Antiquité et d'autres travaux de détail marquent les progrès de l'élaboration de sa théorie. Quand il meurt, en 1935, il laisse un premier jet d'un manuscrit plus important, *Mahomet et Charlemagne*. Son fils et l'un de ses élèves les plus estimés vérifient alors ce texte qui sera publié en 1937. Pirenne y expose sa célèbre théorie sur la chute de Rome et le commencement du haut Moyen Age. Il rompt de façon spectaculaire avec l'interprétation de Gibbon. Pour la première fois depuis l'époque des Lumières, un historien propose donc de revoir la question de façon scientifique. Il affirme, en effet, que le monde antique n'a pris fin qu'au moment de l'expansion arabe des VIIe et VIIIe siècles, qui a balayé trois des rivages de la Méditerranée et a transformé cette mer en un «lac musulman», sur lequel, selon l'expression imagée d'un historien arabe, les chrétiens ne peuvent plus «faire flotter une planche». Achevée, pour Pirenne, au cours du dernier quart du VIIIe siècle, la domination arabe de la Méditerranée détruit la nature ou la qualité essentielle du monde antique, incarnée par son unité et sa cohésion qui reposaient sur le contrôle de la mer, du Bosphore au détroit de Gibraltar. Durant des siècles, la *mare nostrum* sur laquelle se sont développés le commerce indispensable à Rome ainsi que sa puissance militaire et navale, a constitué le ciment de l'immense structure impériale. En permettant l'échange vital des idées, elle a également lié la civilisation gréco-romaine. Cette composante stratégique de l'empire romain n'a pas été détruite par les tribus germaniques qui occupaient les provinces occidentales, souligne toujours Pirenne. Au contraire, les Barbares ont envié la civilisation méditerranéenne et œuvré pour la maintenir. Certains chefs germains ont copié les empereurs romains dans leur costume et le cérémonial dont ils se sont entourés. Ils ont également attribué des titres romains à leurs fonctionnaires ou se les sont appropriés et ont repris des institutions du gouvernement latin, telle que la *civitas* qui subsiste en tant que centre administratif. Le sou d'or de Dioclétien et de Constantin demeure en usage et devient même le symbole de la continuité économique entre les Romains et les Germains. Ces derniers garantissent moins bien la culture classique de l'oubli, même si certains de leurs rois, dont ceux des Ostrogoths en Italie et des Wisigoths en Espagne, apprécient les lettres, la pensée, l'art et l'architecture des Latins. Ils protègent les intellectuels et les artistes dont ils font parfois des fonctionnaires. En outre, les Germains se convertissent au christianisme, ce qui facilite leur romanisation. Bien que les royaumes récemment fondés n'aient que de faibles liens avec l'empire d'Orient, certains Germains se comportent encore comme s'ils étaient les vice-rois de l'empereur de Constantinople. Ce qui nous paraît le plus frappant, c'est que les Goths sont attirés vers la Méditerranée à la fois sur le plan physique et sur le plan psychologique. Ils profitent avec enthousiasme de l'unité méditerranéenne et apprécient l'existence de relations économiques avec l'Orient, qui n'ont pas été interrompues.

Avec la conquête arabe, tout cela disparaît. Les relations politiques, économiques et culturelles prennent fin. A l'exception de rapports précaires avec Constantinople et certains ports italiens, dont Venise, Amalfi et Bari, les Arabes abaissent un rideau entre l'Est et l'Ouest qui sera maintenu jusqu'au XIe siècle. Désormais, le Croissant s'oppose à la Croix. L'Occident, qui a mené jusqu'alors une existence parasite et dépendu des ressources supérieures de l'Orient, revient à l'exploitation de ses ressources agricoles ou, ainsi que le remarque Pirenne, à «une économie sans débouchés». Lorsqu'ils acquièrent le monopole de la circulation en Méditerranée, les Arabes repoussent l'Europe occidentale loin des rivages de cette mer, aussi l'Etat carolingien des VIIIe et IXe siècles se situe-t-il dans l'intérieur et n'est-il plus une puissance maritime. L'organisation politique est devenue primitive, toute véritable vie urbaine a disparu lorsque le commerce s'est réduit et le niveau culturel a sombré. Les hommes vivent de la terre grâce à un système d'exploitation dit seigneurial et développent le système féodal pour répondre aux besoins militaires et politiques fondamentaux de leur société primitive. Par nécessité, le pouvoir politique et militaire se déplace vers le Nord, au-delà des Alpes. Il va s'y maintenir durant des siècles et c'est là que s'effectuera l'évolution principale de la civilisation médiévale et de certaines institutions caractéristiques de l'Ouest de l'Europe. Dans un passage mémorable de son ouvrage, Pirenne souligne donc avec juste raison: «Il est donc rigoureusement vrai de dire que, sans Mahomet, Charlemagne est inconcevable. L'ancien empire romain est devenu, en fait, au VIIe siècle, un empire d'Orient; l'empire de Charles est un empire d'Occident. L'empire carolingien, ou plutôt l'empire de Charlemagne, est le cadre du Moyen Age»[3]. Le couronnement de Charlemagne, le jour de Noël de l'an 800, à Rome, symbolise pour Pirenne la fin du monde antique; c'est à cette date que s'ouvre le Moyen Age.

La thèse de Pirenne constitue un défi. Elle repousse la débâcle du monde antique à l'Ouest jusqu'au VIIIe siècle et fait dépendre du contrôle de la Méditerranée la survie de l'empire et celle de la civilisation gréco-latine. Pour qui l'admet, elle infirme les arguments les plus solides de la plupart des hypothèses qui l'ont précédée ou ruine leur crédit. Elle soulève des controverses chez les historiens ou les enthousiasme et attire de nouveau l'attention de nombreux spécialistes sur cette importante période de transition. Pirenne les conduit à examiner le problème sous de nouveaux angles et à remettre en question le cadre conceptuel qui dominait la pensée depuis la Renaissance. Recherches et écrits n'ont cessé de se multiplier depuis, à ce propos, et rares sont les théories historiques des XIXe et XXe siècles qui ont suscité plus d'intérêt ou de polémiques.

Depuis cinquante ans, il se publie une littérature volumineuse sur le sujet et l'on ne doit pas s'étonner si les spécialistes, en particulier ceux qui s'intéressent au monde antique, ne sont pas convaincus par Pirenne. Certains conviennent que l'occupation barbare de l'Occident ne s'est pas produite avec la brutalité d'une catastrophe; d'autres, l'esprit obnubilé par les Germains, maintiennent que le Moyen Age prend sa source aux IVe et Ve siècles. Ils sont convaincus qu'au moment où les Goths ont bouleversé l'Occident, cette région de l'Europe avait cessé d'être romaine pour devenir médiévale. Un historien de l'Antiquité commente d'ailleurs le sac de Rome par Alaric, survenu en 410, en ces termes: «La chute de Rome a sonné le glas de l'empire; elle a signifié la fin du monde»[4]. D'autres se demandent pourquoi l'occupation de l'Ouest par les Germains ou la domination arabe de la Méditerranée auraient dû entraîner la fin du monde antique, quand déjà au IIIe siècle, l'économie était si affaiblie et l'infrastructure politique si disséminée que sa faiblesse interne avait incité les Germains à y pénétrer. A leurs yeux, c'est une maladie interne et non externe qui a causé la mort de l'empire d'Occident.

Pirenne fonde sa démonstration sur l'unité de la Méditerranée, unité qui sous-tendait l'économie du monde antique, et il se soucie moins de l'histoire culturelle et religieuse; aussi l'a-t-on accusé de négliger les transformations essentielles qui se sont produites dans ce domaine. Selon ces critiques, toutes les formes d'expression littéraire et artistiques dépérissent, la philosophie et la vénération des dieux païens sont abandonnées et les créations se raréfient. Les IVe et Ve siècles constituent donc une période critique, où se font jour une mentalité et une perspective spirituelle nouvelles qui vont favoriser l'apparition de qualités propres à l'esprit médiéval. Après avoir démontré que les Pères de l'Eglise, saint Jérôme, saint Ambroise, saint Augustin et saint Grégoire le Grand, condamnaient les lettres profanes, ils démontrent sans peine que les auteurs des VIe et VIIe siècles, tels que Grégoire de Tours ou Isidore de Séville, étaient des esprits simples, au style rustique, entièrement sous l'emprise de la doctrine chrétienne. Et que penser de la continuité des institutions politiques, économiques et sociales des Romains, tant vantée par Pirenne? Même s'ils sont en désaccord au sujet de la vigueur ou de la faiblesse de cette survivance, certains historiens voient ce qui subsiste d'une manière toute différente de celle de Pirenne. Une partie d'entre eux se disent persuadés que les structures sociales établies par Rome ont été maintenues sous les Mérovingiens, puis régénérées sous les Carolingiens et ont été à la base du renouveau remarquable de l'Occident médiéval, au XIe siècle. Les autres pensent que les institutions romaines étaient presque abandonnées par les Mérovingiens et que les Carolingiens les ont remises en vigueur avec audace. Aucun, toutefois, n'accepte la conception de Pirenne, selon laquelle la continuité romaine aurait pris fin sous les Carolingiens.

Les critiques les plus sévères portent sur le commerce entre l'Orient et l'Occident car l'historien belge prétend que, s'il s'est poursuivi sous les Mérovingiens, il s'est interrompu sous les Carolingiens. D'innombrables livres et articles ont affirmé depuis que le grand commerce n'avait jamais pris fin et que Pirenne l'estimait au-dessus ou au-dessous de sa valeur. On s'est demandé pourquoi les Arabes auraient souhaité ne plus commercer avec l'Occident. A en croire divers écrivains, au contraire, la domination arabe en Méditerranée a stimulé l'économie occidentale, représenté de nouveaux apports en argent et en or, puis facilité l'accès aux produits orientaux. Les historiens qui s'intéressent au monde islamique et les spécialistes de l'économie occidentale ont relevé des témoignages de relations commerciales considérables, entre le VIIIe et le Xe siècle. Selon d'autres, qui étudient l'activité économique de la mer du Nord et de la

Baltique, un certain nombre d'éléments permettent d'affirmer que Pirenne a beaucoup sous-estimé le commerce dans ces régions pendant la période carolingienne. Depuis la Seconde Guerre mondiale, les numismates sont intervenus dans la discussion. On retrouve, en effet, des pièces byzantines et arabes en Occident, cependant que le *denarius* carolingien en argent est présent en Orient. On en conclut que le commerce se poursuivait en Méditerranée ainsi que le long des routes orientales qui rattachent l'Orient aux mers nordiques. Il a même été souligné que les rois carolingiens altéraient le pourcentage d'argent de leurs *denarii* de façon périodique, afin de tenir compte des changements apportés au taux d'or et d'argent des monnaies arabes, ce qui confirmerait l'existence de relations économiques. L'Occident n'a donc pas été coupé du Levant.

Telles ont donc été les critiques de la thèse de Pirenne. Il convient cependant de remarquer qu'un nombre significatif d'historiens, spécialistes de questions sociales, économiques, culturelles, religieuses et institutionnelles, ont obtenu des résultats qui vont dans le sens de la position prise par Pirenne. Les recherches les plus intéressantes de la dernière décennie ont été poursuivies en archéologie. Elles ont fourni de nouveaux témoignages et permis d'envisager des perspectives un peu différentes. Des modifications ont été apportées à la chronologie proposée par Pirenne, à ses estimations quantitatives du commerce aux diverses périodes, mais bien que l'influence arabe soit jugée moindre qu'il ne la pensait, une étude archéologique récente conclut en ces termes:

«Si l'on ne tient plus compte du rôle décisif joué par l'Islam en Méditerranée dans la formation de l'Europe, au début du Moyen Age, on supprime l'un des éléments du modèle historique construit par Pirenne. On pourrait tout aussi bien être tenté de rejeter sa thèse, en ne la considérant que comme un simple exemple, intéressant, d'historiographie. Le consensus auquel sont parvenus certains historiens, qui s'emploient à rabaisser les changements opérés durant la période allant de 400 à 850, ne nous inspire toutefois guère de sympathie. La perspective moderne met l'accent sur une transformation graduelle, plutôt qu'elle ne précise les étapes et les phénomènes significatifs de l'apparition de l'Europe médiévale. En un sens, les historiens tendent à croire ce que les contemporains nous en disent, au lieu de s'appuyer sur les sources dont nous disposons pour reconstituer ce qui a pu se passer en réalité. L'archéologie nous fournit une échelle de grandeur pour évaluer ces transformations et nous incite à éprouver du respect à l'égard de la thèse hardie de Pirenne. Nous pouvons donc conclure, avec lui, que Mahomet et Charlemagne ont bien été tous deux les produits de l'effondrement de Rome»[5].

Que peut-on ajouter au sujet de la théorie de Pirenne? Dans l'ensemble, les recherches effectuées depuis sa publication ont affaibli cette thèse. On s'est rendu compte que l'historien belge avait donné trop d'importance à l'activité économique mérovingienne qu'il tenait pour le prolongement de celle qu'exerçaient les Romains, cependant qu'il n'en accordait pas assez à celle des Carolingiens. Il semble aussi avoir attribué aux Arabes un rôle trop décisif dans la destruction de l'unité méditerranéenne et par voie de conséquence, dans la façon dont a émergé le Moyen Age. Sa démonstration connaît les mêmes faiblesses quand il examine la politique et les institutions ou lorsqu'il interprète l'histoire économique et sociale: il porte trop d'intérêt au maintien des institutions romaines dans les royaumes germaniques et se fait quelques illusions lorsqu'il estime que les chefs des Germains prenaient les empereurs romains pour modèles. Pirenne a cependant raison de souligner les fondements exclusivement laïques de l'autorité germanique, avant la venue de Pépin le Bref et de Charlemagne, même s'il accorde peut-être trop d'importance à la sanction spirituelle qu'apporterait l'Eglise à l'autorité séculière. Son intérêt pour les causes sociales et économiques le conduit aussi, il est vrai, à négliger les différences culturelles et religieuses qui séparent le monde antique du monde médiéval ou s'il les mentionne, c'est de façon confuse, comme le montrent ses allusions à l'amour de la culture antique de Théodoric et à celui des membres de son entourage, dont ses ministres, Boèce et Cassiodore. Comme la plupart des thèses qui s'efforcent d'expliquer de vastes transformations historiques, celle de Pirenne porte des jugements de valeur tantôt trop favorables, tantôt au-dessous de la vérité, quand elle ne généralise pas à partir de témoignages trop peu nombreux et souvent hermétiques ou ne tire trop d'explications à partir de certaines données.

Il faut reconnaître cependant que cette théorie est loin d'avoir été complètement discréditée. Le grand tableau que brosse Pirenne des débuts du Moyen Age a fait l'objet de peu de retouches. S'il attribue aux Arabes un rôle trop décisif dans les changements du monde antique qui ont conduit au Moyen Age, l'historien belge a été le premier à comprendre l'influence profonde qu'ils avaient exercée en Méditerranée et en Occident. Lorsqu'il a établi une comparaison entre la culture des territoires arabes et celle des pays de l'Ouest, il s'est rendu compte que l'Occident, appauvri et sous-développé, avait en face de lui un Orient où la culture était florissante, novatrice et fondée sur une véritable économie monétaire. Ce tableau se modifie peu jusqu'au XIe siècle, où l'Occident connaît une renaissance et recommence à jouer un rôle en Méditerranée, une poussée qui culmine avec la première croisade. Pour la première fois depuis des siècles, les relations commerciales s'étendent alors en Méditerranée et des contacts s'établissent de façon régulière avec l'Orient. Sans ce développement, les extraordinaires réalisations des XIIe et XIIIe siècles seraient inconcevables. On peut reprendre Pirenne sur les détails, mais sa synthèse demeure à la fois crédible et très compréhensible. Son hypothèse explique la relative obscurité des débuts du Moyen Age, puis la reprise et les réalisations vigoureuses de l'Europe occidentale. En plaçant dans une perspective plus réaliste la période qui va de l'an 400 à l'an 1000, ignorée des historiens classiques et négligée par les médiévistes, Pirenne rappelle à tous de façon spectaculaire que la spécificité de l'histoire occidentale est due à cette époque-là. Du point de vue historiographique, il accomplit même davantage. Il délivre les médiévistes du charme que leur avait jeté Gibbon en les contraignant à admettre qu'il faut rejeter bon nombre des arguments avancés par l'historien anglais, ce qui sous-entend la remise en question d'une tradition historiographique remontant à la Renaissance. Ne serait-ce que pour cette simple raison, son *Mahomet et Charlemagne* mériterait de figurer au rang des classiques de l'histoire. Ce livre incite toute personne qui s'intéresse au Moyen Age à examiner avec attention ses concepts, car ils apportent une compréhension plus complète et une meilleure appréciation du Moyen Age.

Pirenne, qui n'ignorait pas à quel point les témoignages sont imparfaits, estimait-il avoir mis fin à ce que Gibbon appelait le grand débat du monde? Sûrement pas. Il savait qu'il ne disposait pas de toutes les données et que ce qu'il écrivait ne mettrait pas un terme à un débat qui se poursuivait depuis des siècles. Il ouvrait des perspectives nouvelles et espérait qu'elles favoriseraient la compréhension du problème, en poussant les historiens à le soumettre à d'autres examens. S'il avait vécu plus longtemps, il se serait sans doute réjoui de n'avoir pas convaincu tous ses pairs, d'apprendre que les faits sur lesquels il s'était appuyé faisaient l'objet de rectifications, et que sa théorie était critiquée, puis revue. Tout contribue, en effet, à prouver que son ouvrage a fait progresser notre connaissance de la civilisation occidentale. Et d'ailleurs, bien qu'elle ait été redéfinie, la théorie de Pirenne n'a pas encore été remplacée par une hypothèse plus crédible ou plus convaincante pour résoudre l'énigme que constitue encore la fin du monde antique et l'avènement du Moyen Age.

Notes

[1] *A history of Europe from the end of the Roman world in the West to the beginnings of the Western States*, Doubleday Anchor, New York, 1958, I, p. 16.

[2] *Ibid.*, p. 17.

[3] *Mahomet et Charlemagne*, Bruxelles, 1937; P.U.F., Paris 1970, p. 174-175.

[4] A.H.M. Jones, *The later Roman Empire 284-602. A social, economic and administrative survey*, Oxford, 1964, II, p. 1025.

[5] R. Hodges-D. Whitehouse, *Mohammed, Charlemagne and the origins of Europe*, Londres, 1983, p. 175.

André Guillou

BYZANCE ET LA GENÈSE DE L'EUROPE OCCIDENTALE

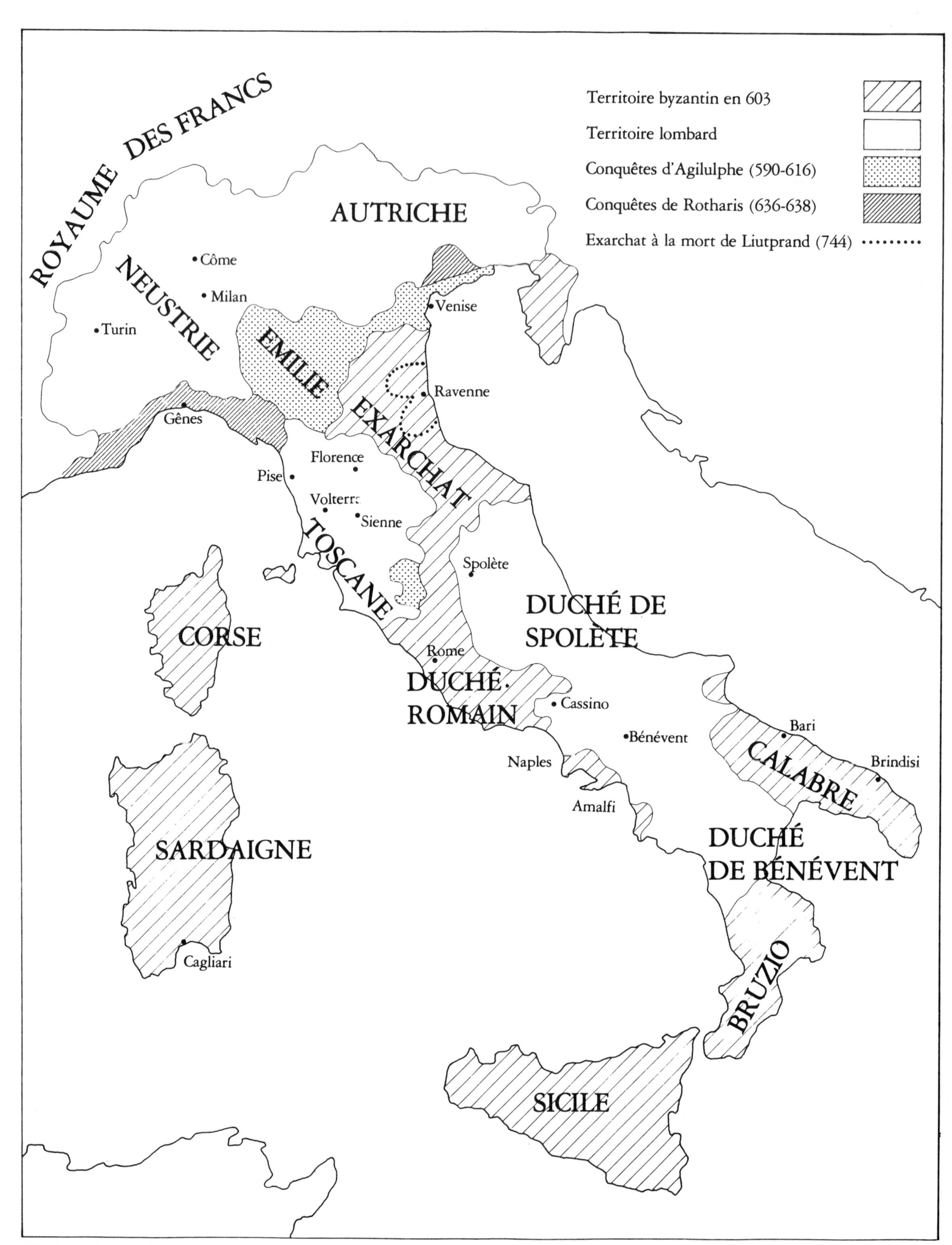

Territoire byzantin en 603
Territoire lombard
Conquêtes d'Agilulphe (590-616)
Conquêtes de Rotharis (636-638)
Exarchat à la mort de Liutprand (744)
ROYAUME DES FRANCS
AUTRICHE
NEUSTRIE
Côme
Milan
Turin
Venise
EMILIE
Ravenne
EXARCHAT
Gênes
Florence
Pise
Sienne
TOSCANE
Spolète
DUCHÉ DE SPOLÈTE
CORSE
Rome
DUCHÉ ROMAIN
Cassino
Bénévent
Bari
Naples
CALABRE
Brindisi
Amalfi
SARDAIGNE
DUCHÉ DE BÉNÉVENT
Cagliari
BRUZIO
SICILE

L'Italie lombarde et byzantine

Influences culturelles et religieuses

L'histoire des influences de l'Orient byzantin sur l'Occident avant l'an 800 présente, on le verra, plus d'un fait contradictoire. L'un des plus notables est sans doute que, même dans les périodes où les relations étaient rares, des informations sur l'Orient parvenaient aux historiens occidentaux, même quand les écrivains orientaux montrent vouloir ignorer l'Europe continentale. Représentation désintéressée, ni favorable, ni contraire, des événements qui se déroulent à Constantinople, la capitale lointaine, qui ne prend de couleur personnelle que dans les moments où la situation de la ville impériale intéresse directement la réalité occidentale. Cet apparent détachement de l'écrivain occidental pour l'objet de son récit rend d'autant plus saisissants les jugements politiques qu'il porte sur les empereurs successifs, jugements qui, dépouillés des récits plus ou moins fantaisistes qui, parfois, les accompagnent, sont à confronter avec ceux que donnent les écrivains orientaux sur les mêmes personnages. En effet, dans les appréciations portées par les historiens occidentaux il y a souvent trace de jugements que les événements politiques ont conduit les historiens orientaux à effacer, car leurs histoires restent officielles, liées à la cour et à l'administration byzantines. On observera, en outre, que la proportion de réciproque intérêt est à peu près égale pour l'Orient et pour l'Occident, compte tenu, naturellement, de l'immense diversité de la culture, des forces économiques, du prestige politique que l'Etat byzantin conserve face aux peuples «barbares», plus ou moins proches de ses frontières. Au VIe siècle, l'histoire byzantine se fait l'écho de l'expansion du territoire dominé par l'empereur en Occident, au VIIe et au VIIIe aux échanges connus de lettres et d'ambassades avec Rome et les cours des rois francs ne correspond aucune information chez les historiens byzantins, et ce n'est qu'au moment de l'iconoclasme que la chronique de Théophanes au IXe siècle commence à discerner l'origine de l'opposition entre les deux empires, celui d'Orient et celui d'Occident. C'est depuis lors seulement, par les contacts en Italie méridionale, que l'attention des historiens et des diplomates de Byzance se reporte vers les choses de l'Occident. Longue séparation dira-t-on? Mais d'autres produits de la culture, celle qui n'est pas écrite (œuvres d'art) ou celle qui est écrite (manuscrits) montrent la relative densité des apports directs de la culture orientale à la culture occidentale.

Routes et agents de transmission

Les routes et les agents de transmission sont très divers, même si la voie principale de communication a été la mer. Les points de départ en ont été Constantinople, Thessalonique, Alexandrie, Durazzo, les points d'arrivée Rome, Ravenne, Syracuse, Reggio de Calabre, Tarente, Carthage, Marseille, les côtes de l'Angleterre, et, à partir du VIIIe siècle, Torcello-Venise, Ancône, Bari, Tarente, Syracuse, Reggio de Calabre, Amalfi, Terracine, Tunis. Parfois les voyageurs qui veulent gagner Constantinople débarquent à Naupacte et ensuite traversent la Grèce, la Macédoine et parcourent la «via Egnatia» à partir de Thessalonique par Kavala et Andrinople. A l'intérieur de chaque pays émigrants ou moines, ambassadeurs ou messagers suivent les principales routes romaines.

L'*immigration* des régions proprement orientales, la Syrie, la Palestine, l'Arabie ou l'Egypte, ou plus proprement grecques, de Constantinople, des îles, de la Grèce, commence bien avant l'époque byzantine, pendant la période du Bas-Empire romain; après la stagnation et le marasme économiques du IIIe siècle, elle reprend en effet vers la fin du IVe siècle et se développe de façon notable du Ve au VIIe siècle. Les régions d'Occident où se forment peu à peu de véritables colonies d'Orientaux, ceux que l'on appelle les «Syriens», ou de Juifs sont la Sicile (Syracuse et Catane), la Pouille et l'Italie méridionale (Brindisi, Venosa, Tarente, Bari, Matera), le Latium (Rome), l'Emilie (Ravenne, Bologne), l'Italie du Nord (Milan, Brescia), Venise et l'Istrie (Padoue, Concordia, Altino, Aquilée, Grado, Trieste, Poreć, Pola), la Gaule (Marseille, Arles, Bordeaux, Nice, Orléans), l'Angleterre, l'Espagne, l'Allemagne. Les colonies syriennes de la Gaule semblent constituées de gros commerçants ou en tout cas de négociants en produits de luxe, des tissus, des pièces d'orfèvrerie, tandis que les colonies hébraïques et syriennes de Venise et de l'Istrie sont faites d'artisans, de propriétaires terriens, de soldats, de membres de professions libérales, de marchands au détail; en Italie du Sud et en Sicile on y compte en outre des agriculteurs dépendants et aussi des traficants d'esclaves qui travaillent avec la Provence depuis le VIe siècle. Parmi ces Orientaux il y a des membres du clergé, surtout dans la région vénitienne, à Ravenne, à Rome, à Syracuse et à Catane, des fonctionnaires, des militaires, des pélerins, des artisans. Au VIe siècle, lorsque l'administration byzantine s'établit en Italie et en Sicile, comme en Afrique du Nord, en Sardaigne et en Espagne, les émigrants proviennent toujours surtout de la Syrie et de la Palestine, mais aussi de l'Asie Mineure, de l'Arabie, de l'Egypte, et encore de la Thrace, des îles et de l'Illyricum. Pour la majeure partie, ils sont chrétiens et ils ont adopté la langue latine, l'usage du calendrier latin, la datation latine des actes officiels par les années du consulat; ils sont plus ou moins assimilés. Mais il suffira qu'à Ravenne, à Rome ou à Syracuse croissent les groupes installés de Gréco-Orientaux, pour que s'introduisent les us et coutumes, les rites, les fêtes, les traditions culturelles, un peu de la mentalité byzantine, sans qu'il faille penser à l'homogénéité de celle-ci ni au départ ni à l'arrivée.

Dans une histoire des échanges culturels entre l'Orient et l'Occident on n'aura garde d'oublier les *voyages* et les séjours en Orient de personnalités plus ou moins notables des pays de l'Ouest. Saint Athanase d'Alexandrie, un grand adversaire de l'hérésie des Ariens, passa ainsi de nombreuses années en exil dans les Gaules, à Trèves et en Italie, vers la moitié du IVe siècle. Quand l'arianisme triomphait en Gaule, saint Himaire évêque de Poitiers est exilé en Asie Mineure, d'où il revient après quatre années, en 360. Le mouvement des Occidentaux vers l'Orient devient plus intense à partir du moment où furent élevés les sanctuaires aux lieux témoins des grands faits sur lesquels reposait la foi nouvelle, le christianisme. L'église magnifique que l'empereur Constantin le Grand élève à Jérusalem, sur l'emplacement du Saint-Sépulcre, devient le lieu le plus merveilleux du monde. Elle attire les foules venues de tous les points du monde chrétien. On y accourait aussi pour adorer les reliques de la Passion et, pour y parvenir, on traversait une partie de l'empire d'Orient.

On connaît l'itinéraire rédigé en 333 par un Aquitain anonyme qui conduit le pélerin de Bordeaux jusqu'à Jérusalem. Ce précieux document énumère les étapes du long voyage à travers l'Europe jusqu'à Constantinople, et du Bosphore jusqu'aux Lieux-Saints à travers l'Asie Mineure et la Syrie. Au retour, le voyageur gagne par la Macédoine et l'Epire, Brindisi, d'où il se rend à Rome et dans les villes de l'Italie du Nord. Le pélerin avait pu visiter deux grandes villes qui attireront elles aussi des légions de voyageurs: Rome, la capitale de l'ancien monde, Constantinople, la capitale du nouvel empire, qui venait d'être inaugurée par Constantin le Grand en 330. Ferveur et curiosité de ces Occidentaux sont encore attestées par le long pélerinage accompli par l'abbesse Aetheria du début du Ve siècle: elle a visité le Sinaï, l'Asie Mineure où elle est allée prier à Ephèse, au tombeau de saint Jean, à Chalcédoine au tombeau de sainte Euphémie, enfin à Constantinople. Comme le pélerin de Bordeaux, la pieuse voyageuse avait été attirée dans la nouvelle capitale par les sanctuaires «qui y étaient nombreux».

Ces pélerins rapportaient dans leur pays, avec une moisson de souvenirs, des œuvres d'art et des reliques. Saint Gaudence avant de monter sur le trône épiscopal de Brescia était allé à Jérusalem et à Césarée de Cappadoce, où il avait acquis des reliques des Quarante Martyrs de Sébaste. Saint Victrice, évêque de Rouen, obtint pour son église des reliques de sainte Euphémie, martyrisée à Chalcédoine. Le culte de cette martyre, qui fut très populaire à Byzance, se répandit ainsi très tôt en Occident. Les restes des saints, les objets sanctifiés au contact de leur tombeau étaient considérés comme «plus précieux que l'or et les pierreries». Et parmi ces reliques celles qui venaient de l'Orient, la patrie des saints vénérés en Occident, étaient particulièrement appréciées et honorées. Le culte des saints orientaux suivit les routes parcourues par les pélerins.

Un des principaux agents de transmission entre l'Orient et l'Occident fut le *monachisme*. L'Orient n'était pas seulement la patrie des grands saints, mais aussi celle des grands docteurs de l'Eglise, des ascètes, des anachorètes, des héros de la solitude. Et c'est ainsi que la Palestine, berceau du christianisme, les immenses déserts de l'Egypte exerçaient sur les Occidentaux une réelle fascination. Saint Jérôme, le grand docteur de l'Eglise latine, passe une partie de sa vie sur les routes lointaines, se retire une première fois au désert pendant cinq ans, et retourne en Orient pour passer le reste de ses jours au monastère de Bethléem. C'est au retour d'un voyage en Orient que saint Honorat fonde, dans les premières années du Ve siècle, le monastère de l'île de Lérins. Au début du Ve siècle, Jean Cassien fonde à Marseille deux monastères, l'un de femmes, l'autre d'hommes, la célèbre abbaye de Saint-Victor; mais avant de s'y retirer il avait voyagé longtemps en Orient, où il avait séjourné au monastère de Bethléem, chez les anachorètes d'Egypte et à Constantinople, auprès de saint Jean Chrysostome. La renommée de saint Siméon le Stylite avait aussi pénétré de Syrie dans tout l'Occident, et l'on y admirait l'étrangeté de sa vie ascétique et le zèle de sa piété. Pour mieux se séparer du monde, on le sait, il s'était établi sur une colonne dont le sommet était aménagé en cellule. Autour de sa colonne on construisit un monastère, dont les ruines imposantes attestent la vénération profonde des Syriens pour leur saint. Là se pressait une foule de gens dont beaucoup venaient de l'Occident. Des marchands, qui faisaient le commerce entre la Syrie et la Gaule, venaient au pied de la colonne. La conversation s'engageait. Saint Siméon leur demandait des nouvelles de sainte Geneviève, les chargeait de la saluer avec très grand respect et se recommandait par leur intermédiaire aux prières de la sainte franque.

On connaît l'aventure dont fut victime un riche marchand syrien de Bordeaux nommé Eufrone. L'évêque Berthramm le fit tonsurer dans l'espoir d'hériter de ses biens, parmi lesquels se trouvait une relique, l'un des pouces d'un martyr oriental très réputé, saint Serge. L'évêque avait signalé le fait au prétendant Gondovald qui se trouvait à Bordeaux. Mais le Syrien refusa de livrer sa relique, qui possédait, disait-on, de grandes vertus. Sa maison fut assiégée; la châsse fut ouverte et l'allié de Gondovald Mummole s'empara d'une parcelle de la précieuse relique.

La lecture des produits culturels transmis par l'Orient à l'Occident portera sur ceux qui sont écrits puis ceux qui ne le sont pas, en distinguant les objets directement transmis de ceux qui en Occident ont été influencés par l'Orient.

Produits de la culture écrite

Ayant choisi de décrire le panorama de l'Occident culturel sous influence orientale, je commence par la *Sicile*, parce que cette région a toujours été le point de contact privilégié entre l'Orient grec et l'Occident, parce qu'elle fut une des régions où l'influence gréco-orientale s'est fait sentir plus profondément et parce qu'elle a servi d'intermédiaire sur les voies des migrations gréco-orientales depuis la fin du VIe siècle, jusqu'à la conquête de l'île par les Arabes, donc jusqu'à la fin du IXe siècle. Par une lettre du pape Grégoire le Grand adressée en octobre 598 à l'évêque de Syracuse Jean, nous apprenons que des pratiques liturgiques orientales, contraires à celles de l'Eglise de Rome, s'étaient introduites dans l'île et personne, même pas l'évêque destinataire de la lettre, ne s'en était aperçu, tant les esprits devaient être imprégnés d'orientalisme; le même phénomène est constaté à Catane. Et il s'agissait par exemple du baptême que l'on célébrait durant la fête de l'Epiphanie, du mariage des sous-diacres, alors qu'ils avaient été déjà ordonnés. Il faut en conclure que le clergé de Sicile mélangeait alors les pratiques liturgiques latines et les pratiques liturgiques grecques. C'est à ce clergé que Maxime le Confesseur entre 646 et 648 envoie une longue missive en grec à propos de l'hérésie monothélite qui sévit à Constantinople; elle est adressée aux higoumènes, qui sont les abbés des monastères, aux moines, mais aussi aux populations de l'île et quand le grand théologien byzantin passe par la Sicile avant de gagner Rome, il rencontre de nombreux moines et beaucoup de prêtres versés dans les lettres grecques. Et l'on sait que plus d'un monastère, latin à la fin du VIe siècle, y était devenu grec cinquante ans plus tard. Domaine impérial à statut particulier, puis thème byzantin, la Sicile sera rattachée au patriarcat de Constantinople au VIIIe siècle, à la suite de la réforme administrative mise en place par l'empereur Léon III. En conséquence les liens entre le clergé séculier et les moines de Sicile et la hiérarchie orientale se resserrèrent, provoquant de fréquentes allées et venues entre les centres monastiques constantinopolitains et les couvents siciliens par exemple.

La production littéraire y est de nature édifiante et pieuse. Elle est en langue grecque. Ce sont des textes hagiographiques, tous de type légendaire, récits écrits en un style simple et clair de vies imaginaires de personnages réels ou non destinés à fournir des lectures attrayantes, dus à des moines grecs de la côte orientale entre le VIIe et le IXe siècle: vie de saint Pancrace de Taormine, vie de saint Philippe d'Argira, pieux roman de sainte Agrippine, enfin le chef-d'œuvre du genre, le martyre des saints Alphion, Philadelphe et Kyrinos, relation fantaisiste d'actes imaginaires de plusieurs martyrs siciliens qui se déroulent dans des sites connus, le type du roman sacré. Son succès fut considérable. Ces quatre vies ont ce trait commun qu'elles témoignent du culte originel des saints dont elles disent les exploits en des lieux autrefois consacrés à des dieux antiques. Autre production écrite sicilienne grecque, le long Commentaire sur l'Ecclésiaste de l'évêque d'Agrigente, Grégoire. Sobre de ton, d'une grande qualité littéraire, l'œuvre témoigne des grandes connaissances de son auteur des écrivains grecs antiques et doit être rangée au nombre des meilleurs ouvrages de contenu ecclésiastique rédigés au VIIe siècle. Les poètes enfin furent aussi nombreux en Sicile que dans les autres régions de l'empire; les noms en sont Georges, évêque de Syracuse, Grégoire et Théodose aussi évêque de Syracuse qui chantèrent sainte Euphémie, saint Marcien, Nicétas le Goth, Luc l'Evangéliste. Culture qui a des relations étroites avec les grands centres de l'empire, Rome, Antioche et Constantinople.

En *Calabre*, comme en Sicile, il est probable que les premiers groupes d'Orientaux soient venus de Syrie et d'Egypte au début du VIIe siècle. Si nous n'en avons pas de témoignages directs, d'historiens par exemple, nous en avons des preuves indirectes, liturgiques dans les rituels, juridiques et archéologiques, comme on le verra plus bas. En ce qui concerne les livres, la situation est à peu près la suivante: au maintien d'un certain hellénisme vient se superposer une série d'influences orientales, combinées avec des échanges culturels dans les deux sens. Un grand eucologe ou livre de prières, un prophétologion, un livre de Job, un Grégoire de Nazianze, un Pseudo-Denys de Florence, tous attribués au VIIIe siècle, ces livres copiés en Calabre sont tous de caractère religieux; aucun auteur païen, pas même un historien n'y figure. C'est le contraire semble-t-il pour la période précédente, celle qui précède l'arrivée des Byzantins, entre le IVe et le VIe siècle, pour laquelle on connaît un commentaire du Parménide attribué à Porphyre, des manuscrits médicaux, un traité de mathématiques attribué à Anthémius de Tralles, écrits pris de manuscrits bibliques ou hagiographiques attribués au Ve et au VIe siècle.

L'élément grec a pénétré très tôt, même si cela a été de façon sporadique, dans les *régions de Bénévent, de Salerne, de Gaète, de Capoue* et de *Naples*. Situés aux confins du monde latin et de l'empire d'Occident, les Lombards de Bénévent et de Salerne, comme les Napolitains, ont été les intermédiaires privilégiés dans ces régions entre la civilisation occidentale et la culture byzantine. Sous le magnifique principat d'Arichis à Bénévent il y a des clercs qui savent le grec, comme le savant Paul Warnefrid, le fameux Paul Diacre, qui enseigna, dit-on, cette langue à la princesse Adelperga; mais on n'aura garde d'oublier qu'Arichis reçoit d'Asie Mineure des étoffes de pourpre, des tissus orientaux, des vases d'or et d'argent ciselés et ornés de pierres précieuses, dont il fit don à la cathédrale de Sainte-Sophie, dont le nom rappelait celui de Sainte-Sophie de Constantinople; on se rappellera aussi qu'il recevait directement de Constantinople des reliques, comme le corps de saint Elien, un des martyrs de Sébaste. A Naples, duché byzantin du milieu du VIIe au milieu du siècle suivant, puis autonome, la première série des ducs, qui portaient les titres auliques byzantins de «consuls et spathaires» porte des noms qui font songer à une origine byzantine: Basile, Théophylacte, Kosmas, Stéphane, Théodose, Théodore etc.; ils ont pu être envoyés de Constantinople; la langue administrative officielle était celle de la capitale. Et même après la chute de l'exarchat de Ravenne au milieu du VIIIe siècle et la politique proromaine instaurée par le duc Stéphane II (755-762), qui fit de Naples une cité latine de nouveau, la culture byzantine est loin d'avoir disparu. Et ceci fut peut-être dû aux relations qu'entretenait Naples avec la Sicile byzantine. Le grec se sentit chez lui bien après, puisque c'est à Naples que fut traduite la première œuvre profane, l'*Histoire d'Alexandre le Grand* du Pseudo-Callithène, par l'archiprêtre Léon dans la deuxième moitié du Xe siècle.

A *Rome*, à la fin du VIe siècle, le grec est pratiquement inconnu. Et le pape Grégoire le Grand au siècle suivant déplore encore qu'il soit difficile de trouver à Rome des traductions convenables du grec en latin. Pourtant à cette époque l'élément grec est important dans la ville pontificale et l'on y trouve de nombreux lettrés grecs: au VIIe siècle le quart des monastères est grec ou oriental, soit six sur vingt-quatre, au VIIIe siècle 8 sur 10 et au IXe siècle encore 11 sur 57. La colonie orientale de Rome s'est formée avec les réfugiés d'Asie Mineure ou de Syrie, qui après avoir fait escale en Crète sont passés en Afrique du Nord, en Sicile ou en Sardaigne avant de gagner Rome; ceux-là fuyaient l'invasion perse. Ceux qui ont fui les Arabes ensuite ont gagné aussi l'Afrique Proconsulaire puis Rome. Le niveau intellectuel de la communauté orientale de Rome, qui a sans doute baissé petit à petit, a d'abord été suffisant pour produire un certain nombre d'œuvres littéraires; œuvres originales d'abord comme les vies de saints: la vie de Martin Ier, le pape exilé en Crimée par le tribunal impérial, celle de Grégoire, évêque d'Agrigente, par un abbé du monastère de Saint-Sabas, Léonce, celle de Grégentios, l'évêque des Homérites, la Passion de sainte Tatiana; traductions d'écrits hagiographiques, d'actes officiels comme ceux des conciles du grec en latin, des extraits

SALVS MVNDI
+SANCTVS
APOLENARIS

VRSI
CINVS

Aux pages précédentes
22. Ravenne, Saint-Apollinaire in Classe. La grande croix de la mosaïque de l'abside
23. Ravenne, Saint-Apollinaire in Classe. Le symbole de saint Matthieu l'évangéliste
24. Ravenne, Saint-Apollinaire in Classe. Le symbole de saint Jean l'évangéliste
25. Ravenne, Saint-Apollinaire in Classe. Le symbole de saint Marc l'évangéliste
26. Ravenne, Saint-Apollinaire in Classe. Le symbole de saint Luc l'évangéliste
27. Ravenne, Saint-Apollinaire in Classe. Détail des mosaïques: un saint
28. Ravenne, Saint-Apollinaire in Classe. Détail des mosaïques: un palmier

29. Rome, Sainte-Marie-Cosmedin. Mosaïque: Vierge à l'Enfant

30. Rome, Saints-Cosme-et-Damien. Détail de la mosaïque de l'abside

HIERVSALE

BETHLEEM

+HIE
RVSA
LEM

+BE
THLE
EM

Aux pages précédentes
31. Ravenne, Saint-Vital. Détail de la mosaïque de l'arc triomphal: Jérusalem
32. Rome, Sainte-Marie-Majeure. Détail de la mosaïque de l'arc triomphal: Jérusalem
33. Rome, Sainte-Marie-Majeure. Détail de la mosaïque de l'arc triomphal: Bethléem
34. Rome, Saint-Lauren-hors-les-Murs. Détail de la mosaïque de l'arc triomphal: Jérusalem
35. Rome, Saint-Laurent-hors-les-Murs. Détail de la mosaïque de l'arc triomphal: Bethléem

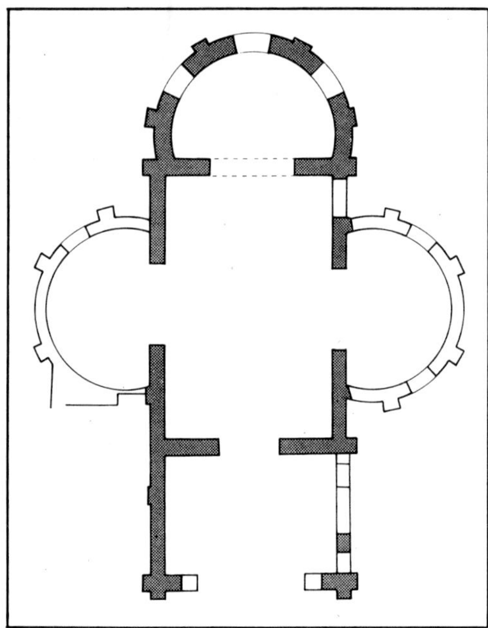

36. Castelseprio, Santa Maria foris portas. L'église vue du Sud-Est
37. Castelseprio, Santa Maria foris portas. Plan
38. Castelseprio, Santa Maria foris portas. Détail de la fresque de l'abside

39. Castelseprio, Santa Maria foris portas. Détail de la fresque de l'abside: la Fuite en Egypte
40. Rome, Santa Maria Antiqua. Fresque du presbyterium: Vierge en Majesté et saints

SCS ADAVTVS
SCS FELIX
QVASEVNDETGEMITVS · LAVDIBVSECCETVIS
TVRTVRANOMENABISSETVRTVRVERAFVISTI
CVICONIVXMORIENSNONFVITALTERAMOR
QVODTECONIVGIO · EXIBVISSEDOCES
QVEBISITPLMANNVS

Aux pages précédentes
41. Rome, catacombes de Commodille. Fresque représentant une Vierge à l'Enfant entourée des saints Adauctus, Félix et Luc
42. Ravenne, Saint-Vital. Chapiteau ajouré
43. Ravenne, Saint-Vital. Chapiteau byzantin de la tribune
44. Ravenne, Saint-Vital. Chapiteau byzantin de la tribune
45. Ravenne, Saint-Vital. Chapiteau byzantin de la loggia supérieure
46. Ravenne, Saint-Vital. Chapiteau byzantin de la tribune

47. 48. Poreč, basilique. Intérieur, deux chapiteaux byzantins

Aux pages suivantes
49. Ravenne, musée de l'Archevêché. Détail de la chaire de Maximien: les Noces de Cana
50. Ravenne, musée de l'Archevêché. Chaire de Maximien

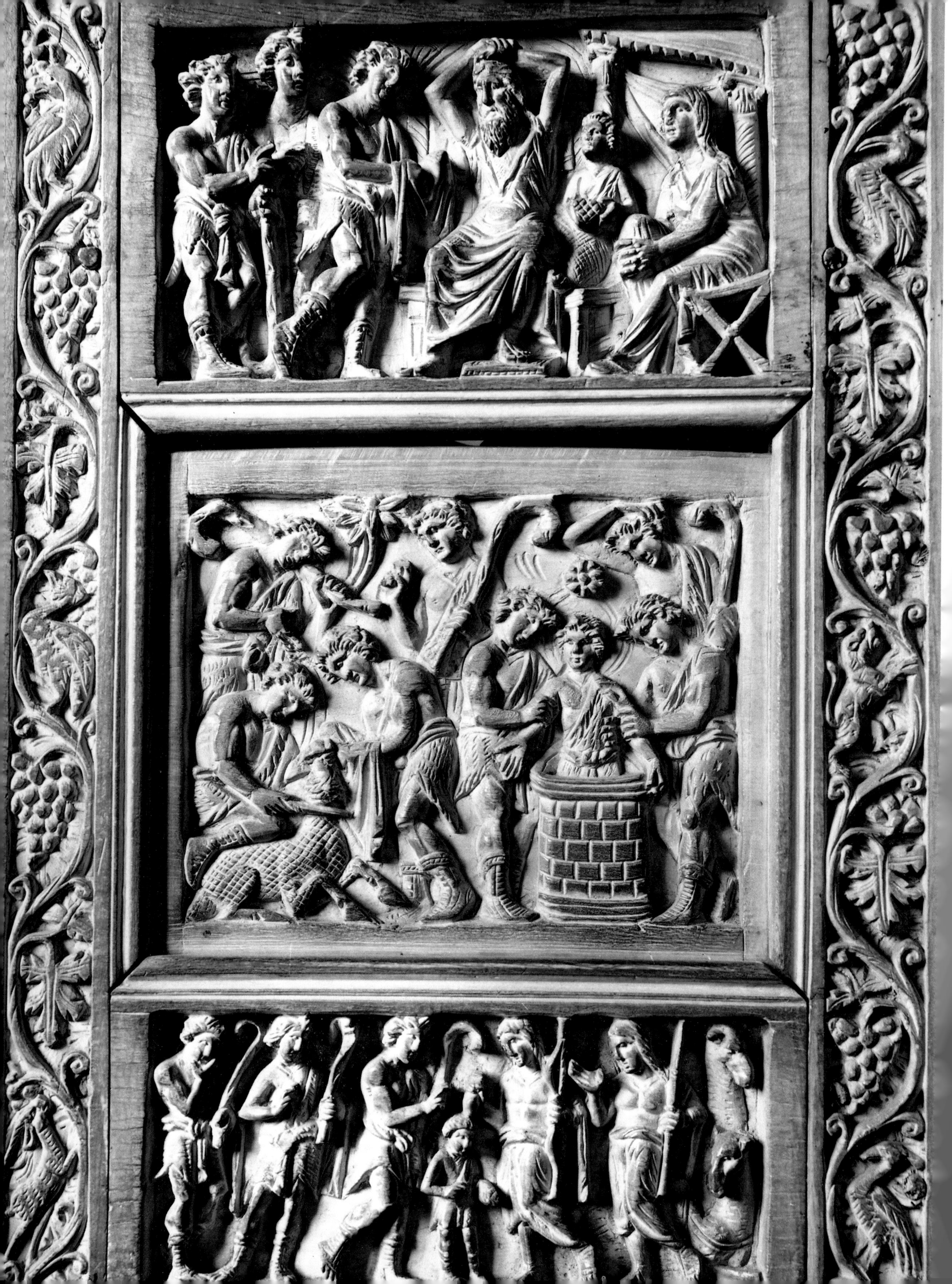

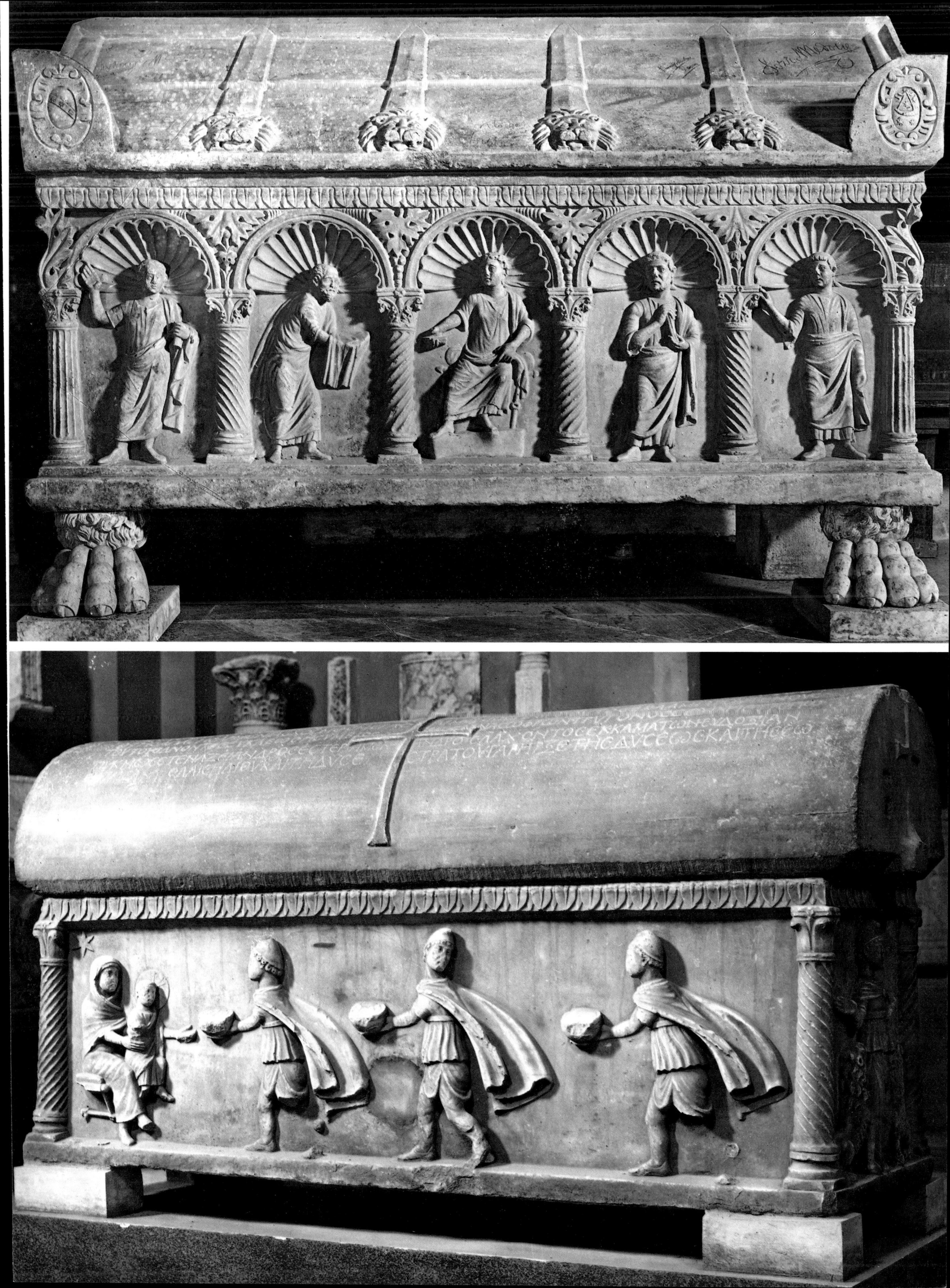

Aux pages précédentes
51. Ravenne, musée de l'Archevêché. Détail dé la chaire de Maximien: Joseph jeté dans le puits
52. Ravenne, Saint-François. Sarcophage grec en marbre du IVe siècle
53. Ravenne, musée National. Monument funéraire de l'exarque Isaac (VIIe siècle)

54. Rome, Bibliothèque vaticane. Fragment d'un tissu de soie avec l'Annonciation
55. Rome, Bibliothèque vaticane. Fragment d'un tissu de soie avec une chasse au lion

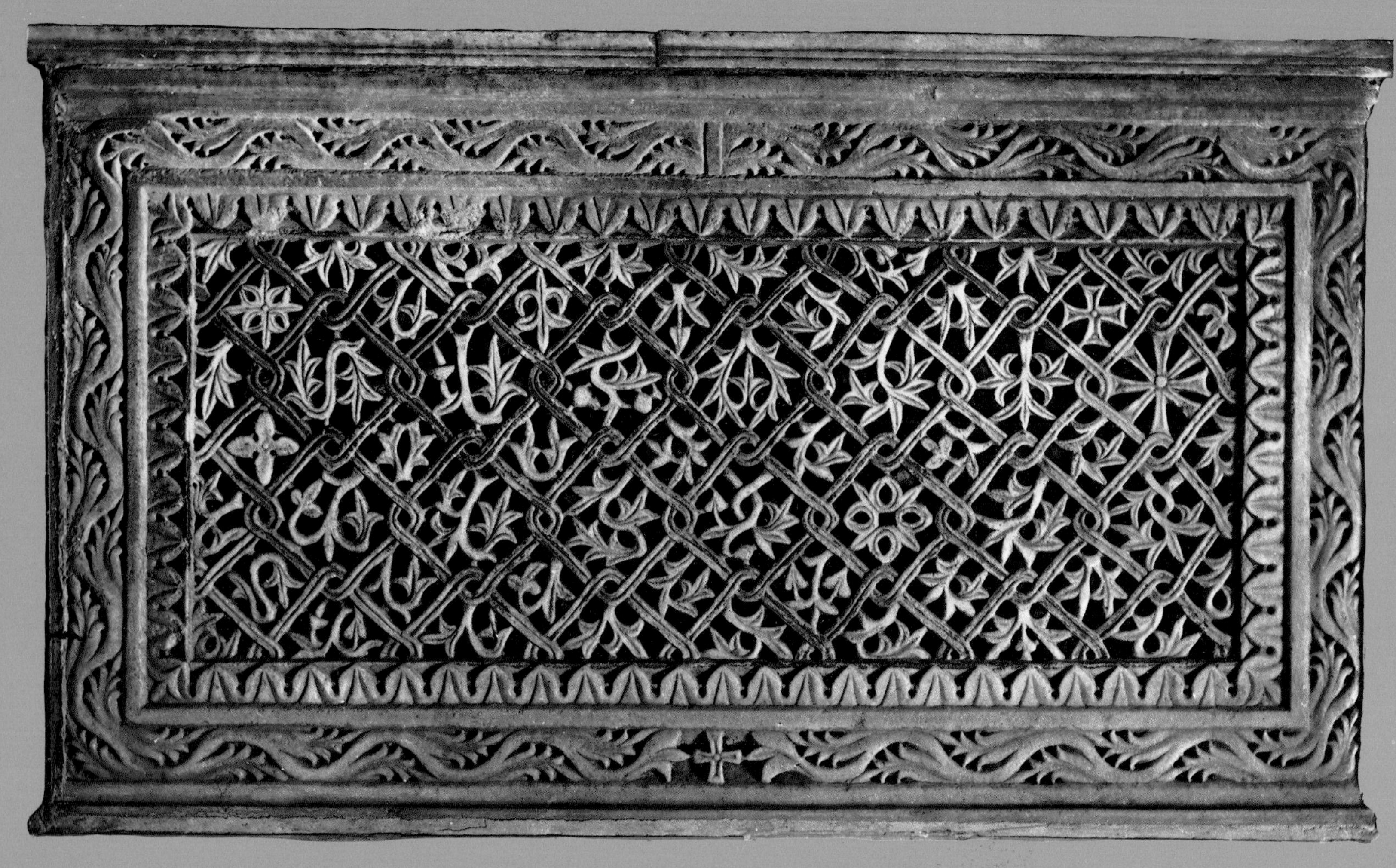

56. Ravenne, Saint-Vital. Transenne ajourée byzantine

57. Ravenne, Saint-Vital. Transenne ajourée byzantine

de chroniques, mais aussi des traductions du latin en grec, comme la vie de saint Ambroise, celle de saint Martin de Tours ou les *Dialogues* de Grégoire le Grand, œuvre du pape Zacharie, qui partirent vite en Orient.

La prépondérance numérique des Gréco-Orientaux dans le clergé régulier et séculier de Rome, duché byzantin, et bien sûr au sein de l'administration, a entraîné la pénétration de rites, de coutumes et d'usages byzantins. Au temps du pape Théodore au VIIe siècle l'anathème ecclésiastique est fulminé selon la formule grecque; les hymnes, les leçons de l'office ou de la messe sont chantés en grec et la communion est administrée sous les deux espèces; des fêtes d'origine grecque sont introduites à Rome, telle les Théophania sous Léon II (682-683), l'Exaltation de la Sainte-Croix et la Dormition de la Vierge sous Serge Ier (687-701). Le culte pour les saints grecs et pour leurs reliques s'introduisent à Rome à partir de la fin du VIe siècle et jusque dans tout le VIIIe siècle. Les saints grecs couvrent les fresques et les mosaïques de Rome, ils sont presque tous représentés en riches costumes byzantins. Au VIIe et au VIIIe siècle la connaissance de la langue grecque s'est maintenue, avec plus ou moins de superficialité certes; mais des diacres comme Paschase, Denys le Petit, Pélage et les notaires «régionaires» ont pu assumer la responsabilité de traduire les actes des conciles. Et les papes eux-mêmes participent à cette activité: Léon II, quand il était encore diacre, a traduit en latin les canons du VIe concile œcuménique, Zacharie a traduit en grec les *Dialogues* de Grégoire le Grand, une suite de récits édifiants, Hadrien a fait traduire en latin les canons du concile de Nicée. Et l'on doit encore attribuer à cette époque, les VIIe-VIIIe siècles, les versions latines de la Passion de saint Athanase, de la vie de saint Sabas, de la chronique de Malalas, de nombreuses vies de saints, d'homélies, d'écrits théologiques. En 701-705, sous le pontificat de Jean VI, l'Anglais Wilfred, évêque d'York, remarque que les membres du concile emploient la langue grecque. Au siècle suivant toutefois la connaissance du grec disparaît à Rome. Il est donc hors de doute que la présence d'éléments gréco-orientaux à Rome de la fin du VIe jusqu'à la moitié du VIIIe siècle a fait souffler un parfum oriental sur la capitale occidentale de la chrétienté: plusieurs aspects de la vie, les manifestations artistiques, on le verra, la mode de la haute société, la langue de la chancellerie se sont mises à l'heure byzantine. Ce qui ne veut pas dire que l'esprit de la population ne soit pas demeuré profondément latin; mais l'influence de la civilisation byzantine fut à Rome multiple, étendue, peut-être cependant peu profonde.

Si l'on doit parler de Rome comme centre important de diffusion de la production culturelle orientale, ce que l'on examinera à propos des œuvres artistiques qui y ont été importées avant d'en être exportées, on ne peut rien dire des bibliothèques de la ville à l'époque qui nous occupe. Une série d'indices cependant nous portent à croire que les centres d'écriture (les *scriptoria*) d'Italie, de Byzance et du Proche-Orient ont eu des relations plus étroites qu'il n'a pu apparaître au premier abord. Il est en effet à peu près certain que l'initiale décorative et surtout zoomorphe se répand justement à l'époque qui nous intéresse de l'Occident vers Byzance. Alors, au VIIIe siècle, Byzance a peu à apporter à l'Occident. Mais la typisation de l'onciale latine est peut-être due à des scribes grecs de Rome, exemple des influences réciproques entre les écritures grecques et latines à l'époque.

Ravenne fut une ville orientale avant de devenir la capitale de l'exarchat byzantin d'Italie. La grande majorité des Orientaux qui y étaient établis était constituée de soldats, de fonctionnaires, de membres du clergé et aussi de quelques commerçants. Après la conquête byzantine au VIe siècle la proportion des Orientaux présents à Ravenne augmente beaucoup, comme on pouvait s'y attendre et au siècle suivant on peut établir avec quelque approximation les pourcentages suivants: 50% d'Orientaux, 45% de Latins et 5% de Goths. Ces Orientaux sont riches, ils font partie de l'entourage de l'exarque ou de l'évêque, ils sont propriétaires ou exploitants du sol, ils font du commerce, ils importent des objets de luxe, des étoffes, des objets d'art. La langue véhiculaire reste le latin: sauf pour un exarque, Isaac, et son jeune neveu, toutes les inscriptions funéraires ou presque sont gravées dans cette langue. A Ravenne, comme à Rome et en Italie méridionale, on remarquera l'introduction de saints grecs dans le sanctoral de l'Eglise; ici aussi il existe des quartiers d'Orientaux, des palais qui portent des noms grecs, de nombreuses églises et hôpitaux comme à Constantinople: Saint-Laurent in Cesarea, Sainte-Marie in Cosmedin, Saint-Théodore, Sainte-Marie aux Blachernes. Produits d'une culture de luxe dont le vocabulaire latin, quand il adopte quelques termes grecs de vêtements, de bijoux, de fonctions ecclésiastiques ou civiles, ou des mots de la langue biblique, signifie qu'elle émane d'une société étroite de gouvernement, qui laisse la place pourtant à des manifestations de groupes plus étendus, qui ne sont pas non plus indifférents aux influences orientales, comme on le verra en regardant les objets d'art.

On doit souligner que si la période grecque de Ravenne fut particulièrement brillante, elle fut aussi de très courte durée, surtout si on la compare à celles de Rome et de l'Italie méridionale. Après la chute de l'exarchat (751), l'élément gréco-oriental disparaît: il a été absorbé pour une part, le reste a pu émigrer. On constate en effet par exemple que moins de vingt ans après le départ de l'administration byzantine les monastères grecs sont latinisés. C'est une conséquence de la politique pontificale maîtresse de l'exarchat et franchement hostile à Byzance, mais bien plus je pense le résultat d'une hellénisation très superficielle. Il faut constater que le mouvement dans le domaine de la culture intellectuelle n'a pas eu, et de loin, les mêmes conséquences qu'à Rome. On n'y connaît peu de traductions du grec et on n'y trouve point d'intérêt pour la culture grecque après Boèce et Cassiodore. Flavius Rusticius Domnulas, le poète Venance Fortunat, Arator, qui ont fait des études à Ravenne au VIe siècle sont restés latins; les archevêques de Ravenne emploient uniquement le latin. Même les usages de la liturgie exarchale, qui se déroulait autour du monastère grec de Sainte-Marie in Cosmedin, même les rites ecclésiastiques qui étaient à l'origine, semble-t-il, liés à ceux des églises de l'Asie Mineure disparurent très vite à Ravenne, laissant des souvenirs pourtant à Aquilée, à Grado, à Trieste et à Venise.

La région de *Venise et l'Istrie* est la région où l'élément gréco-oriental est largement représenté depuis l'époque du Bas-Empire: les «Syriens» y sont très nombreux au Ve-VIe siècle, mais ils semblent déjà assimilés par le milieu latin local. Au moment de la constitution de l'exarchat d'Italie, la région vénitienne, libérée de la présence lombarde, passe sous la juridiction byzantine (585-589) et les populations se rangent volontiers sous la férule de l'empereur. Malheureusement celui-ci, occupé à l'Est et au Nord de l'empire, ne peut intervenir directement tout en s'intéressant toujours à cette frontière de ses territoires. Au début du VIIe siècle le domaine des lagunes dépend directement de l'administration de l'exarchat et est dirigé par un duc qui porte le titre de «magister militum», qui réside d'abord à Torcello, puis à Héracliana. Fidèle à l'autorité byzantine, la «province des Vénéties», comme on l'appelle alors, soutiendra la bataille des troupes de l'exarchat contre l'envahisseur lombard; elle trouvait, en effet, dans cette haute protection une garantie contre la menace extérieure et aussi le moyen de structurer lentement le processus de sa future autonomie, sous l'œil bienveillant des représentants de l'empire. La chute de l'exarchat provoqua l'écroulement de l'administration byzantine, mais les ducs vénitiens continuèrent de reconnaître la souveraineté byzantine. Et même après le traité franco-byzantin de 810, à Venise les doges se considérèrent comme des fonctionnaires byzantins, portant des titres de la cour byzantine «consuls impériaux et ducs», fournissant des unités à la flotte byzantine, entretenant des échanges diplomatiques réguliers avec Constantinople, contractant des mariages avec des princesses de sang impérial. Mais tout cela avec une très grande liberté, et non sans contreparties matérielles, fiscales en particulier, exemptions et avantages qui permirent à Venise de devenir la patronne de l'Adriatique.

Il est évident que l'attrait des Vénitiens pour le costume, l'art, la liturgie ou le cérémonial de Byzance n'est pas seulement lié aux relations commerciales suivies qu'entretenait Venise avec la capitale du Bosphore; il y a au-delà toute une adhésion intellectuelle et affective à des formes de pensée et de vie librement choisies et délibérément acceptées. Et cette attirance persistera même lorsque les relations devinrent ouvertement conflictuelles, lorsque les intérêts économiques dans l'Adriatique entre Venise et Byzance furent un sujet permanent de conflits.

L'influence de l'Orient byzantin sur l'Italie du Nord comme sur l'Italie du Sud, plus ou moins intense selon les époques, est donc liée aux rapports directs entretenus entre l'Orient et l'Occident et vice versa, pendant tout le haut Moyen Age: relations de dépendance politique ou de déférence, relations affectives aussi vis-à-vis de la civilisation byzantine. Dans les autres pays de l'Occident, la France, l'Allemagne, l'Espagne et l'Angleterre la situation est bien différente et la civilisation plus avancée de Constantinople et de ses domaines orientaux y pénétra par les véhicules internationaux de la culture en général, de la culture écrite certes, mais surtout de la production non écrite.

Après une brève période de décadence entre le IIIe et le IVe siècle, le commerce entre les villes du Sud de la *Gaule* et l'Orient grec reprend et se poursuit jusqu'à la fin du VIIe siècle; ensuite il dépérit et cesse. Les éléments allogènes immigrés y sont absorbés et latinisés; et il n'y a plus par la suite de nouvelles arrivées de marchands ou de pélerins orientaux. Par contre, on connaît les voyages nombreux de moines, de prêtres et d'évêques qui se rendent en Terre Sainte et rapportent d'Orient des reliques, des objets précieux, des étoffes brodées. Le courant venant de l'Orient ne reprendra qu'aux Xe et XIe siècles. Il est certain que les pélerins francs ont rapporté d'Orient des idées, des informations, des coutumes cultuelles ou autres, en même temps que des œuvres d'art d'origine orientale; mais le volume en est resté petit et insuffisant pour marquer profondément le goût et la culture franque. Il me paraît en effet que la propension pour les choses orientales ne soit revenue en France que vers la seconde moitié du VIIIe siècle et précisément dans le milieu dirigeant carolingien. Le premier ambassadeur de la culture byzantine à la cour carolingienne fut peut-être l'eunuque Elisaios envoyé avant 781 à

Aix-la-Chapelle pour préparer la princesse Rotrude, fille de Charlemagne, à devenir l'épouse de Constantin VI. Toutefois, une vingtaine d'années plus tôt, le pape, Paul Ier, envoyait à Pépin le Bref, sur sa demande, des livres liturgiques grecs et quelques manuels scolaires, une grammaire, un livre d'orthographe, une géométrie, un ouvrage d'Aristote et un livre de théologie du Pseudo-Denys l'Aréopagite, ceci pour un quelconque enseignement donné à la cour ou dans un monastère. Mais il reste douteux que Charlemagne ait fondé une école de grec à Osnabrück, mais il est possible que Charles le Chauve ait fait appel pour un enseignement à des moines grecs d'Orient ou d'Italie. En tout cas le premier livre grec sûrement parvenu en France est le fameux Pseudo-Denys l'Aréopagite envoyé par l'empereur Michel II à Louis le Pieux en 827, sur lequel Hilduin, moine de Saint-Denis, fit sa traduction. Dès Noël 800 Charlemagne avait été proclamé puis couronné empereur par le pape Léon III, un Grec d'Italie du Sud, et selon un rite byzantin comprenant l'élection par acclamation de l'armée, le sénat et le peuple de Rome, l'adoration (ou proskynèse), le couronnement par le pontife romain. Dès lors le nouvel empereur d'Occident adoptait encore d'autres usages byzantins: le costume impérial, le sceau de métal au bas des diplômes, la souscription en lettres rouges, l'envoi de dons, etc. Depuis lors le goût pour les choses byzantines pénètre en France.

En *Espagne*, c'est dès la fin du VIe siècle que se fait sentir l'influence byzantine. Léovigild, qui régnait dans la partie méridionale de l'Espagne, imitait largement les usages byzantins dans le cérémonial de sa cour, dans les vêtements d'apparat, dans ses monnaies; et il épousa lui aussi en premières noces une femme d'origine byzantine. Mais, si l'autorité administrative de Byzance sur l'Espagne fut de courte durée, le pays subira longtemps à travers l'Afrique et par les Baléares l'influence de Byzance, à travers aussi la Sicile et la Sardaigne; apport non seulement commercial, mais artistique, religieux, liturgique de Constantinople sur le royaume de Tolède. Ce sera ensuite le Sud de la France qui servira d'intermédiaire.

Plus d'une source nous parle des relations commerciales qui existaient entre Alexandrie et les *côtes anglaises* au VIe et au VIIe siècle; c'est ainsi que le navire grec qui avait sombré à Sutton-Hoo transportait des objets byzantins et coptes. Le pape Vitalien envoya en Angleterre en 668 un Cilicien, Théodore de Tarse, qui fut élu évêque d'York; il avait fait des études à Athènes et s'était réfugié à Rome devant l'invasion perse ou arabe: il y apprit le latin. Il institua une petite école de grec, où sera formé Bède, le plus grand savant du VIIIe siècle, l'un des quelques rares personnages de sa génération, qui en Angleterre étaient capables de lire le grec. Et il a eu accès seulement semble-t-il à quelques livres grecs: une copie bilingue des Actes des Apôtres acquise à Rome, un texte intégral du Nouveau Testament, les Septante, un Flavius Josèphe; c'est tout, sur les 142 titres d'ouvrages utilisés par Bède pour écrire son œuvre. Au début du IXe siècle, le grec a pratiquement disparu d'Angleterre. L'Irlande, quant à elle, n'a pas connu vraiment le grec au haut Moyen Age et les expressions d'origine liturgique ou patristiques, les lettres de l'alphabet, l'étymologie de certains mots usuels y ont été empruntés aux ouvrages encyclopédiques d'Isidore, de Cassiodore et de Bède.

L'influence de la culture byzantine pénétra en *Allemagne* par la cour carolingienne; mais les livres d'auteurs grecs contenus dans l'abbaye bénédictine d'Augia à Reichenau (822) ne sont probablement que des traductions. Nous savons que les bibliothèques de Saint-Gall, de Fulda et de Wurzbourg conservaient des manuscrits grecs de l'Evangile et du Psautier, mais au Xe siècle, l'époque des Ottons, qui connut l'arrivée de moines grecs d'Orient et d'Italie du Sud dans les grandes abbayes allemandes.

Pour conclure cette esquisse chronologique sur les influences de l'Orient byzantin sur la culture écrite de l'Occident au haut Moyen Age, je dirai que quand l'Occident, sortant du Moyen Age, ressentira une vive nostalgie pour la pensée antique, il ne se tournera pas seulement vers la pensée latine, mais avec Pétrarque et Boccace vers la pensée et la poésie grecque. Et ce sera encore Byzance, d'abord à travers la culture provinciale d'un Barlaam de Calabre et d'un Léonce Pilate, puis à travers celle de Constantinople avec Chrysoloras, Argyropoulos, Chalcocondyle et Georges Gémiste Pléthon, réfugiés en Occident, qui fournira le lien intact de sa tradition avec la culture de l'Antiquité grecque.

Produits de la culture non écrite: les arts

Evoquant la fin des persécutions et le retour de la paix pour les Chrétiens sous le règne de Constantin, Eusèbe écrivait: «Une joie indicible, un bonheur divin s'épanouissaient dans tous les édifices qui avaient été peu auparavant renversés par l'impiété des tyrans et qui renaissaient en quelque sorte comme d'une longue et mortelle dévastation. On voyait les églises se relever de leurs ruines jusqu'à une hauteur infinie et briller d'un éclat bien supérieur à celui des églises qui avaient été détruites... En outre nous fut donné le spectacle que tous attendaient et souhaitaient: fêtes de dédicaces dans chaque ville, consécrations d'églises récemment construites, assemblées d'évêques réunis à cette fin, concours de fidèles venus de loin et de partout». Cette activité constructrice se prolongea jusque dans le cours du VIe siècle; et l'on est frappé de la richesse des solutions que, grâce à l'héritage de l'Antiquité gréco-romaine, on put apporter aux problèmes qui se posaient.

Le type basilical, que les Romains de l'Antiquité utilisaient pour les lieux de réunions, fut tout naturellement adopté par l'Eglise et se répandit largement au IVe et au Ve siècle de l'Espagne à la Mésopotamie et de l'Arménie à l'Egypte. Au VIe siècle, il fut concurrencé et progressivement remplacé dans l'Orient méditerranéen par les édifices à coupole mais sans disparaître jamais complètement. Il se maintint en revanche d'une façon quasi exclusive dans l'Occident, qu'il contribua ainsi à différencier des provinces orientales. Dans les pays de la Méditerranée orientale et à Rome, à partir de la fin du IVe siècle, l'abside fut aménagée à l'est, parfois avec des déviations vers le nord ou vers le sud. C'est l'orientation qui finit par s'imposer: elle permettait aux fidèles de prier face au point du ciel où se levait le soleil suivant un usage antique des temps du paganisme, plusieurs textes anciens en fournissent l'explication et l'un d'eux ajoute même que le fils de l'homme apparaîtrait à l'est lors du Jugement dernier. L'autel était surmonté d'un dais de pierre, de bois ou de métal, constitué de quatre ou de plusieurs colonnes portant un toit en coupole, en calotte sphérique, en voûte ou en pyramide; ce ciborium trouve son origine dans les usages des monarchies du Proche-Orient asiatique où il servit d'abord à protéger le souverain du soleil ou des intempéries. A l'époque romaine on le plaça au-dessus de trônes d'empereurs, de statues de dieux et de héros, d'autels, de tombes, de sarcophages ou même de sources. Les chrétiens ont continué de l'affecter aux mêmes usages.

Architecture

Ravenne, dépourvue au début de traditions locales en architecture, se montra accueillante à plusieurs influences. Quand Honorius y transféra en 402 sa résidence, qui jusque là se trouvait à Milan, l'évêque Ursus fit construire une cathédrale à cinq nefs sans tribunes, comme celles de Rome (Saint-Jean-de-Latran) et de Milan (Sainte-Thècle). En 424, après la mort de cet empereur, sa sœur, Galla Placidia, qui s'était brouillée avec lui, revint de Constantinople où elle avait été exilée, auprès de son neveu Théodose II et exerça la régence au nom de son jeune fils Valentinien III; elle érigea en l'honneur de saint Jean l'Evangéliste, qui l'avait sauvée d'une tempête pendant le voyage de retour, une basilique à trois nefs dotée d'un atrium, mais aussi d'un narthex sur le modèle de ce qu'elle avait vu dans la capitale de l'empire. Et c'est à des prototypes connus en Syrie que se conforme le chevet fait d'une abside encadrée de sacristies dont le mur de fond ne la déborde pas. Cette formule de chevet réapparut un siècle plus tard à Saint-Apollinaire in Classe, commencé grâce aux libéralités de Justinien. On y retrouve aussi l'atrium et le narthex. Ce dernier était même flanqué de tours comparables à celles que l'on voit de part et d'autre de la façade occidentale de basiliques de Grèce ou de Syrie.

Rome elle-même à partir de la fin du Ve siècle a plus d'une fois imité la pratique de l'Orient byzantin. Saint-Jean à la Porte Latine a été construit vers 492-496 en prenant comme unité de longueur le pied byzantin de 31,5 cm. et non plus le pied romain de 29,6 cm. Le chevet est fait d'une abside semi-hexagonale flanquée de deux absides semi-circulaires qui s'arrondissent au fond des deux compartiments latéraux du sanctuaire: c'est là un dispositif bien connu dans les Balkans. Les nouvelles basiliques de Saint-Laurent-hors-les-murs et de Sainte-Agnès-hors-les-murs, élevées après que la ville eut été reconquise par les troupes de Justinien en 533, comportaient un narthex et des tribunes à la manière des grandes églises de Constantinople et de la Grèce. Ce sont les rotondes de l'Orient byzantin et en particulier celle du Saint-Sépulcre qui inspirèrent l'église Saint-Etienne-le-Rond à Rome élevée sous le pape Simplicius (468-483) et en France au XIe siècle les églises Saint-Bénigne de Dijon, de Neuvy-Saint-Sépulcre et de la Sainte-Croix de Quimperlé en Bretagne.

Saint-Vital de Ravenne peut être tenu pour une version renouvelée et perfectionnée des Saints-Serge-et-Bacchus de Constantinople. La construction en a été assurée vers 530-547 grâce aux libéralités que Justinien faisait parvenir aux Ravennates par un changeur d'origine grecque nommé Julianus. L'empereur semble en effet avoir voulu soutenir la population locale orthodoxe contre les Goths ariens et lui fournir les moyens de construire de nouvelles églises, alors que les hérétiques bénéficiaient de l'appui de Théodoric et de sa fille Amalasonte. Ravenne fut reprise par les troupes byzantines en 540 avant qu'aient été achevés les travaux de Saint-Vital. La présence dans cette église d'un narthex et de tribunes étrangers à la tradition architecturale de l'Italie et la technique de la construction des murs en briques plates, différentes des briques épaisses du mausolée de Galla Placidia ou de Saint-Apollinaire-Le-Neuf, révèlent l'influence de Constantinople, évidente aussi dans l'emploi des marbres, qui proviennent des carrières de Proconnèse dans la mer de Marmara. C'est encore à Constantinople que dut être emprunté l'atrium, généralement absent dans les églises de Ravenne au Ve siècle. L'effet obtenu par un emploi judicieux des exèdres incurvées à colonnes et par un affinement des lignes des supports est celui qu'Anthémius de Tralles et Isidore de Milet avaient produit à Sainte-Sophie de Constantinople, construite à peu près simultanément entre 532 et 536. Un même emploi de revêtements de marbres polychromes cernés d'une baguette de marbre blanc rend encore plus étroite la parenté entre les deux édifices auxquels Justinien portait un intérêt particulier. Saint-Vital apparaît comme un édifice de style constantinopolitain. Saint-Vital est sans doute le principal modèle dont s'est inspiré Eudes de Metz, lorsqu'il construisit l'église palatine d'Aix-la-Chapelle pour Charlemagne; celui-ci concevait la capitale de son jeune empire à l'image de Ravenne, dont elle prenait la succession et où il avait fait dépouiller le palais de Théodoric.

C'est aussi de l'Orient byzantin que dut venir le plan de Saint-Laurent de Milan, construit sous la régence de Galla Placidia, dans le deuxième quart du Ve siècle. Milan fut toujours très ouverte aux suggestions des provinces orientales de l'empire. Dans sa liturgie saint Ambroise au IVe siècle avait fait une large place aux traditions orientales, surtout syriaques. Et nous savons que Galla Placidia était revenue de son exil à Constantinople avec le désir de doter les villes sur lesquelles elle régnait d'édifices semblables à ceux dont s'enorgueillissaient les cités byzantines.

Le plan triconque fut adopté dans le jeune royaume lombard de la vallée du Pô au début du VIIe siècle, lors du renouveau d'influences orientales que provoqua l'arrivée de moines byzantins chargés par le pape Grégoire Ier et ses successeurs de déraciner l'arianisme. Ce plan fut choisi pour Sainte-Marie de Castelseprio et pour l'église Sainte-Euphémie, la martyre de Chalcédoine, à Côme.

Les contacts entre l'Orient et la Gaule, on l'a dit, étaient assurés par les échanges diplomatiques, mais surtout par les pélerins, grands ou petits, et les nombreux marchands grecs et syriens établis à Marseille, Arles, Narbonne, Orléans, Paris et ailleurs qui transportaient vin, huile, épices, papyrus, coton, ivoires, tissus et même icônes. Beaucoup de grandes églises de Gaule élevées au Ve et au VIe siècle furent ainsi décorées de mosaïques dont les textes disent la splendeur et l'éclat. L'Auvergne fut entre autres régions très ouvertes aux influences orientales. Sidoine Apollinaire avait érigé à Clermont une église consacrée à saint Georges, dont il avait reçu des reliques venant de Lydda en Palestine. Une autre église fut fondée dans cette même ville vers 470 en l'honneur de saint Cyr, martyr de Cilicie, par un moine du nom d'Abraham venu des bords de l'Euphrate. A la fin du Ve siècle, on éleva en dehors de la ville, une église dédiée à saint Antolianus. C'était une basilique à coupole du type qui se répandait alors dans l'Empire byzantin, particulièrement en Anatolie. D'autre part, l'église de Saint-Martin-de-Tours, terminée aux environs de 470, semble avoir été une basilique à cinq nefs dont les bas-côtés étaient surmontés des tribunes propres à l'école constantinopolitaine sans doute sur le modèle du Saint-Sépulcre de Jérusalem. Peut-être l'édifice était — il aussi surmonté d'une coupole. Il y avait également semble-t-il des tribunes dans l'état original de Saint-Pierre de Vienne, dont les murs conservent dans le bas des assises de moellons séparés par des arases de briques; le chevet aurait été constitué d'une abside entourée d'une prothèse et d'un diakonikon selon un type qui, venu de Syrie, s'était répandu dans l'Ouest des Balkans. Au VIe siècle, la cathédrale de Nantes, terminée vers 567, aurait été une basilique à coupole décorée de mosaïques. A Toulouse fut construite au Ve siècle ou au VIe siècle une église décagonale, la célèbre Daurade, ainsi appelée d'après l'aspect de ses mosaïques à fond d'or qui se répartissaient sur trois étages d'arcatures. L'édifice a été détruit, mais nous la connaissons par une description du XVIIe siècle et il semble que son iconographie était au moins en partie byzantine.

Mosaïques

Les églises où la mosaïque, qui est un décor onéreux, a été employée restèrent dans l'ensemble du monde byzantin une minorité et furent pour la plupart celles qui avaient pu bénéficier des libéralités des empereurs, des papes et des dignitaires de l'Eglise ou d'autres grands personnages. Il est impossible d'identifier le lieu d'origine des artistes à qui l'on doit les mosaïques du «mausolée de Galla Placidia» à Ravenne. Mais il n'est pas interdit de penser que Galla Placidia aurait pu recruter certains d'entre eux à Constantinople. La parenté entre la tête de saint Paul et celle d'un vieillard assis, sur le pavement en mosaïque du Grand Palais de Constantinople, est telle que l'on peut songer à l'emploi de cahiers de modèles fort proches l'un de l'autre. Et l'idéalisme un peu vague de la majorité des apôtres du «mausolée» rappelle plus les portraits de l'Orient grec que ceux de l'Occident latin. Les maîtres venus de Constantinople ont pu former des disciples sur place. Les mosaïques de Saint-Vital se limitent à la région du chœur et de l'abside. Elles furent peut-être commencées avant l'entrée des troupes de Bélisaire dans la ville en 540. Elles avaient pour but de magnifier le sacrifice eucharistique célébré sur l'autel qu'elles dominent. Vêtu de la tunique blanche et de la chlamyde pourpre, Justinien est entouré de trois hauts dignitaires, membres de l'ordre sénatorial. Ce sont peut-être, à la gauche de l'empereur, le préfet du prétoire et à sa droite le général Bélisaire et le grand chambellan, chef de la maison civile et militaire. Justinien semble présenter aux fidèles ravennates leur nouvel évêque le nom de celui-ci est précisé par une inscription, comme s'il était prononcé par l'empereur; c'est que Maximien avait été mal accueilli par la communauté locale, qui avait élu un autre évêque, et, pour s'imposer, il devait s'affirmer comme le délégué de l'empereur, comme celui dont Justinien faisait cadeau à l'Eglise de Ravenne. Maximien fut le premier non seulement à Ravenne mais en Occident qui reçut le titre d'archevêque, conformément à l'usage oriental des métropolites, et il fit vraiment figure de primat en Italie. Aussi le panneau où il figure aux côtés de Justinien n'est-il pas seulement l'un des plus hauts chefs-d'œuvre de la peinture mais aussi une œuvre de propagande destinée à servir le pouvoir de l'empereur et de son allié l'archevêque dans Ravenne réintégrée au sein de l'Empire byzantin. Sur le panneau du Sud, Théodora tenant le calice d'or gemmé s'avance à la tête d'une procession de sept dames d'honneur, conduites peut-être par l'ardente Antonina, la femme de Bélisaire. L'impératrice est précédée de deux dignitaires, dont l'un, vêtu d'une chlamyde d'or devant la phiale aux eaux jaillissantes, soulève la tenture de la porte de l'église. Ces deux graves personnages correspondent au diacre et au sous-diacre qui leur font vis-à-vis au nord sur le panneau de Justinien. De même, en face du groupe coloré des soldats de la garde de l'empereur, aux vêtements verts, rouges et blancs, se dresse au sud la théorie des suivantes de Théodora. Relevés d'une abondance d'ornements, leurs manteaux et leurs tuniques produisent une très riche modulation chromatique où s'harmonisent de multiples nuances de pourpre, d'or, de vert, de blanc, de vermillon et de tons gris ou perle. Comme la procession de Justinien, le cortège de Théodora paraît se diriger vers le Christ de l'abside. Les visages de Justinien, de Théodora et de Maximien, ceux aussi des principaux membres de leur suite, sont de véritables portraits d'une étonnante intensité d'expression... Peut-être les cartons de ces panneaux avaient-ils été exécutés à Constantinople. En tout cas l'artiste semble avoir pu disposer de portraits officiels de l'empereur et de l'impératrice, du genre de ceux que l'on voyait dans les grandes villes à chaque avènement. A côté des mosaïques du chœur et de la conque de l'abside qui conservaient tant de la grâce, du pittoresque et de l'esprit décoratif de l'art hellénico-romain, ces deux tableaux introduisent une atmosphère nouvelle de solennité officielle, où le luxe et la spiritualité s'associent comme dans l'architecture de Saint-Vital et celle de Sainte-Sophie. Financées directement ou indirectement par un changeur grec Julianus, les deux églises de Saint-Michel-in-Africisco, qui fut presque entièrement démolie au XIXe siècle, et de Saint-Apollinaire-in-Classe, toutes deux de la fin de la première moitié du VIe siècle, doivent beaucoup par leur iconographie et par leur style aussi à l'art de Constantinople. Elles correspondent aux changements qui se sont alors produits dans tous les domaines et qui, sur la base d'une mise en œuvre d'éléments hérités de l'ancien monde romain, ont abouti à une christianisation plus profonde de la société byzantine et à une exaltation de la grandeur de Dieu et de son représentant sur terre, l'empereur.

La reconquête de la péninsule italienne et de l'Istrie par les armées de Justinien entraîna, dans plusieurs grandes villes des territoires riverains de l'Adriatique, un renouveau qui se traduisit par un regain de l'activité architecturale. L'orgueilleux Maximien fit élever dans sa ville natale de Pola (aujourd'hui Pula) une cathédrale, qui fut malheureusement entièrement reconstruite au XVe siècle. A Parentium (aujourd'hui Poreč) l'évêque Euphrasius érigea vers le milieu du VIe siècle, à l'emplacement d'une église plus ancienne d'une centaine d'années, une basilique où l'influence de Constantinople se traduit dans la présence de chapiteaux en marbre de Proconnèse. L'atrium à quatre portiques qui précède la façade occidentale peut être emprunté aussi bien aux constructions de Justinien à Constantinople qu'à celles de Constantin à Rome. Mais les mosaïques révèlent une action très nette des œuvres ravennates. A la conque de l'abside, la Vierge, trônant avec l'Enfant Jésus sur ses genoux, est entourée, comme l'était le Christ de Saint-Vital, de deux anges tenant la haste, du donateur et de saints: à sa droite saint Maur, principal protecteur de la ville, portant sur ses deux mains voilées d'un pan de son manteau la couronne des martyrs, introduit l'évêque Euphrasius, qui offre l'église à la Vierge; Euphrasius est suivi de son archidiacre Claude; entre les deux s'interpose le jeune fils de ce dernier, appelé Euphrasius, peut-être parce qu'il était le filleul de l'évêque; à la gauche de la Vierge s'avancent trois saints anonymes, dont le premier et le troisième portent une couronne, tandis que celui du milieu tient l'Evangile; la tradition y reconnaît trois saints protecteurs de la ville: Eleuthère, Projectus et Elpidius. Dans le haut, la main de Dieu, tenant une couronne au-dessus de la tête de la Vierge, sort d'un ciel traversé d'un long nuage.

L'influence de Ravenne a aussi rayonné dans les îles de la lagune vénitienne qui accédaient à l'histoire. Dans la basilique fondée en 639 par l'exarque byzantin de Ravenne, Isaac, à Torcello, où l'évêque d'Altinum venait de transférer sa résidence pour échapper à la domination des Lombards, on voit encore à la voûte du diakonikon une mosaïque où, sur un fond de rinceaux, quatre anges-cariatides soutiennent un médaillon dans lequel s'inscrit l'Agneau, sur le modèle de Saint-Vital.

La construction d'églises somptueuses par Constantin et ses successeurs ou par les papes favorisa l'existence d'ateliers de mosaïstes à Rome même. A l'abside de ses grands sanctuaires, par exemple à Saint-Pierre et à Saint-Paul-hors-les-murs, le Christ fut représenté trônant entre les Princes des apôtres, sur le modèle des images qui, dans le palais ou les basiliques, avaient montré l'empereur entre les dignitaires de sa cour, et il se créa ainsi une tradition iconographique à laquelle les églises ultérieures de Rome restèrent dans l'ensemble fidèles. Les mosaïques conservées à Sainte-Constance (deuxième moitié du IVe siècle) et à Sainte-Pudentienne (début du Ve siècle) sont foncièrement romaines par leur dignité sereine et le goût qui s'y exprime pour les notations pittoresques. Mais Rome s'était toujours montrée très sensible à ce qui se réalisait dans les provinces orientales de son empire et il continua d'en être de même après le triomphe du christianisme.

Certains estiment par exemple que les mosaïques de l'arc triomphal et sans doute aussi celles de l'abside aujourd'hui disparues, à Sainte-Marie-Majeure, auraient été exécutées, lors de la reconstruction de l'édifice au temps du pape Sixte III (432-440), sous la direction d'un mosaïste venu de Constantinople et selon des cartons dessinés dans cette ville. On a même supposé que les travaux avaient été conduits grâce à la dot de la princesse constantinopolitaine Eudocie, fille de Théodose II, qui avait épousé en 437 son cousin Valentinien III, fils de Galla Placidia. Tout le décor de l'arc avait pour but de magnifier le triomphe de la Vierge et de son Fils. Au milieu de la première zone, entre les apôtres Pierre et Paul, se détache un médaillon contenant le trône prêt pour la Seconde Venue. A la gauche du spectateur sont figurés le Songe de Joseph, à qui l'ange apparaît, et l'Annonciation à Marie, vêtue de la tunique blanche des patriciennes avec le collet de perles et la tête ceinte du diadème également décoré de perles. Elle porte les mêmes riches vêtements à droite dans la Présentation au Temple. Au deuxième registre à gauche l'Adoration des Mages est traitée à la manière d'une scène d'audience impériale: l'Enfant est assis sur un large trône impérial, devant une garde d'honneur de quatre anges, entre sa Mère, toujours aussi somptueusement vêtue, symbole de la Nouvelle Loi, et une femme habillée de sombre, qui figure l'Ancienne Loi. A droite au même niveau, le gouverneur païen de la ville de Sotis, Aphrodisios, vêtu comme un roi, rend hommage à la divinité de Jésus au cours de la fuite en Egypte. Dans la troisième frise, les obstacles dont Jésus a triomphé sont figurés par le Massacre des Innocents et l'audience accordée aux Rois mages par Hérode, assisté de deux docteurs de la Loi. Dans le bas on voit Jérusalem et Bethléem au-dessus des deux groupes de six brebis qui symbolisent les apôtres. La solennité très accusée des scènes du haut, dont l'iconographie s'inspire des usages de la cour impériale, et l'emploi d'un coloris à la fois plus sombre et moins varié qu'auparavant, ont été considérés comme les indices d'une origine constantinopolitaine. C'est à Constantinople que l'on suppose qu'a dû se constituer avec une telle rapidité l'imagerie nouvelle destinée à glorifier Marie Mère de Dieu (en grec Théotokos), conformément aux définitions que le Concile de Chalcédoine avait promulguées en 431 contre l'hérésie nestorienne. De Constantinople serait encore venu le décor de l'abside, détruite au XIIIe siècle, qui montrait sur un fond de rinceaux la Vierge trônant avec l'Enfant entre des martyrs qui lui apportaient leur couronne. Les mosaïques du haut des murs de la nef, qui illustrent, à gauche, les histoires d'Abraham et de Jacob, à droite, celles de Moïse et de Josué, semblent s'inspirer de miniatures d'un manuscrit de l'Ancien Testament qui, par l'abondance et la diversité de ses compositions figurées, s'apparentait à l'Iliade de l'Ambrosienne de Milan. Certains détails iconographiques donnent à croire que ce manuscrit aurait pu être enluminé lui aussi à Constantinople. Toutefois l'éclat et la subtilité du coloris de ces mosaïques, la vivacité de l'esprit narratif qui les anime et le caractère de pastorales de plusieurs d'entre elles y font reconnaître l'œuvre d'exécutants appartenant à des ateliers romains.

Un nouvel apport d'influences byzantines se fit sentir un siècle plus tard, au cours des premières années du règne de Justinien, dans les mosaïques de l'abside de l'église aménagée par le pape Félix IV dans la bibliothèque du forum de Vespasien en l'honneur des saints byzantins Côme et Damien qui avaient guéri miraculeusement l'empereur. Le Christ barbu se dresse sur un fond de nuages, dont l'allure pittoresque reste conforme à la tradition romaine des mosaïques de Sainte-Pudentienne. Mais son visage n'est plus celui des philosophes sereins des œuvres antérieures. C'est maintenant le moine oriental farouche, juge redoutable et sévère. A sa droite, saint Paul lui présente saint Damien, suivi du pape Félix IV qui tient, en donateur, le modèle de l'église. A sa gauche, saint Pierre introduit saint Côme, accompagné de saint Théodore, saint militaire byzantin pour lequel le pape Félix IV avait une dévotion particulière. Ces saints, dont les corps conservent une vigueur antique, sont traités avec des accents de rudesse nouveaux. On a le sentiment que pour représenter ces saints byzantins le mosaïste a utilisé un modèle venu de l'Orient méditerranéen.

L'action des influences byzantines se fit surtout sentir lorsque Rome eut été reprise aux Goths par Narsès en 553 et qu'elle entra dans les cadres de l'empire de Constantinople, dont elle dépendra pendant deux siècles. Pendant les longues années de guerres entre les Byzantins et les Goths les ateliers de mosaïstes romains durent cesser leurs activités et, lorsque revinrent des temps plus favorables, il fallut faire appel ou à des artistes étrangers ou à des artistes locaux qui avaient perdu le secret des meilleures traditions techniques de leur école et étaient devenus très réceptifs aux influences du dehors. Mais si le style fut marqué par les tendances qui triomphaient dans les provinces orientales de l'Empire, l'existence à Rome de vénérables sanctuaires décorés de mosaïques invitait au maintien de certaines traditions. On doit peut-être à Byzance le manque de volume et la raideur des figures de saints qui encadrent le Christ sur l'arc triomphal de Saint-Laurent-hors-les-murs, que le pape Pélage II éleva à la fin du VIe siècle selon le mode des églises de Constantinople avec un narthex et des tribunes. Toutefois, conformément aux usages romains, le Christ barbu assis sur le globe du monde est entouré non pas d'anges comme à Saint-Vital de Ravenne, mais de saint Pierre et de saint Paul. Le premier lui présente saint Laurent, sur la tombe de qui l'église avait été élevée et le pape Pélage II, qui porte le modèle de l'église. Saint Paul, quant à lui, est suivi de saint Etienne, dont les reliques avaient été placées dans la tombe de saint Laurent sous le règne de Valentinien Ier, et saint Hippolyte, qui fut martyrisé pour avoir dérobé et enterré le corps de saint Laurent. Sous l'influence byzantine le fond de nuages a disparu. Dans l'abside détruite par le pape Honorius III en 1218 se trouvait probablement une image de saint Laurent.

C'est à une qualité de style bien supérieure que l'on a affaire dans la mosaïque de l'abside de l'église que le pape Honorius Ier au VIIe siècle éleva sur la tombe de sainte Agnès en la dotant elle aussi d'un narthex et de tribunes à la façon de Constantinople. Au milieu de la conque se dresse la patronne de l'église, parée des somptueux vêtements dans lesquels, selon la tradition, elle apparut aux siens huit jours après sa mort. Elle porte le costume d'une impératrice byzantine, avec le pectoral et l'étole constellés de pierreries. Sur son bras gauche est plié le voile blanc des vierges. A ses pieds se trouve un glaive et de chaque côté dans le bas une flamme; ce sont les instruments de sa passion. Au-dessus de sa tête, la main de Dieu tenant une couronne sort d'un ciel parsemé d'étoiles et traversé de nuages blancs et rouges. A sa droite, le pape Honorius lui offre la basilique qu'il vient de faire construire; à sa gauche, le pape Symmaque (498-514), qui avait restauré la basilique élevée par Constantin au Sud de la tombe, tient un évangile fermé. Les attitudes des personnages présentés de face sont empreintes d'une dignité solennelle inspirée du cérémonial de la cour.

Ce sont les usages iconographiques en vigueur dans l'Orient méditerranéen et particulièrement en Egypte qui ont inspiré aussi le décor de l'abside et de l'arc triomphal de l'oratoire que le pape Jean IV (640-642), d'origine dalmate, aménagea en annexe au baptistère du Latran, pour y placer les reliques de saint Maur, évêque de Parentium, sa ville natale, et des neufs martyrs de Salone, qu'il avait fait rapporter à Rome pour les soustraire à la profanation éventuelle des Avars. La chapelle fut placée sous le nom de l'un de ces martyrs, saint Venance, patron du père de Jean IV. Les mosaïques ont été achevées sous le successeur de ce pontife, Théodore Ier (642-649). Comme dans plusieurs chapelles d'Egypte, la Vierge entourée de saints au nombre desquels figurent ceux dont l'oratoire abritait les reliques, est placée en orante sous l'image du Christ, représenté ici simplement en buste de même que les deux anges qui l'encadrent. De part et d'autre de la Vierge on voit, à sa droite, les saints Paul, Jean l'Evangéliste (un des patrons du pape) et Venance, suivis du pape Jean IV, et, à sa gauche, les saint Pierre, Jean-Baptiste (autre patron du pape) et Domnus, précédant le pape Théodore Ier. Les autres saints dalmates ont été représentés sur le mur de l'arc.

La mosaïque que le pape Théodore Ier fit exécuter pour l'abside de l'église Saint-Etiennele-Rond, où il avait transféré en 648 les reliques des saints Prime et Félicien, martyrisés sous Dioclétien, est l'une des plus purement byzantines de Rome. Elle est très proche des panneaux contemporains de Saint-Démétrius de Thessalonique: la sévérité de l'attitude des personnages aux corps inexistants sous des vêtements en cloche, l'austérité du coloris assez froid, tout ceci est très byzantin d'aspect. L'iconographie elle-même semble venue de l'Orient: dans cette vieille église au plan circulaire, imitant la rotonde de l'Anastasis à Jérusalem, Théodore Ier, qui était originaire de cette ville, a fait représenter les saints Prime et Félicien de part et d'autre d'une croix gemmée, inspirée de celle du Golgotha, et surmontée d'un buste du Christ inscrit dans un médaillon, selon une iconographie en vigueur sur les ampoules de la Terre-Sainte.

C'est à un pape d'origine grecque, Jean VII (705-707), fils d'un administrateur du palais byzantin du Palatin, nommé Platon, que l'on doit les mosaïques qui décorent l'oratoire que ce pape fit élever à Saint-Pierre en l'honneur de la Vierge, pour qui il avait une dévotion particulière. Ces mosaïques ont presque entièrement disparu à la suite de la démolition, au début du XVIIe siècle, de ce qui restait de l'ancienne basilique vaticane et de ses annexes. Il n'en subsiste que des fragments dispersés. On peut se faire une idée de l'ensemble par les dessins que Jacques Grimaldi en exécuta peu avant la destruction. Au centre d'un mur se dressait la Vierge en orante, de taille gigantesque, portant les somptueux vêtements d'impératrice qu'à partir de la fin du VIIe siècle les peintres grecs ont pris l'habitude de donner à la Mère de Dieu en Italie, alors que dans l'Orient méditerranéen ils la représentent beaucoup plus simplement habillée de la tunique et du manteau. Cette Vierge fut transportée en 1609 à Saint-Marc de Florence. A sa droite, moitié moins grand qu'elle, le pape Jean VII, la tête entourée d'un nimbe carré, lui offrait l'oratoire: le buste est aujourd'hui conservé dans les grottes vaticanes. Dans la sacristie de Sainte-Marie in Cosmedin on peut voir le fragment de l'Adoration des Mages. Les mosaïques conservées sont remarquables par la délicatesse du coloris. Le dessin y prend une grande importance. Conformément à une évolution dont on trouve des témoins à Saint-Démétrius de Thessalonique, les formes deviennent plates et linéaires. Elles perdent la densité chromatique qu'elles avaient dans les mosaïques précédentes. D'après les dessins de Grimaldi, quatorze scènes réparties en sept panneaux, illustraient la vie et la passion du Christ depuis l'Annonciation jusqu'à la Descente aux Limbes. D'autres panneaux racontaient divers épisodes de la vie de Pierre et de Paul jusqu'à leur supplice. Ces scènes narratives semblent avoir été traitées avec une vivacité qui les distingue des compositions beaucoup plus solennelles que nous avons rencontrées dans les précédentes églises de Rome. Ce sont les dernières mosaïques que nous connaissions avant la crise iconoclaste.

Fresques

La fresque a rencontré aussi une grande faveur dans la Rome byzantine. On a exécuté alors plusieurs panneaux de style solennel dans les catacombes, notamment dans celles de Comodilla, de Generosa, de Saint-Calliste et de Saint-Pontien. Mais l'ensemble le plus riche est celui qui a décoré l'église Sainte-Marie-Antique aménagée au VIe siècle dans le porche des palais impériaux que Domitien avait érigés au pied du Palatin. Cette église desservie par des moines grecs et syriens fut le siège d'une diaconie, centre de bienfaisance relevant de l'administration fiscale de l'Eglise. Les gouverneurs byzantins résidant à Rome l'ont prise sous leur protection. Les peintures qui en recouvrent les parois et les piliers s'échelonnent du VIe au IXe siècle, époque où l'église paraît avoir été détruite et abandonnée à l'exclusion de son atrium qui a conservé des fresques plus récentes. Ces peintures sont, en bonne partie, comme les mosaïques de Saint-Démétrius de Thessalonique, des ex-voto dus à divers donateurs: on trouve parmi eux des papes du VIIe et du VIIIe siècle, comme Martin Ier, Jean VII, Paul Ier et Adrien Ier, ou de hauts dignitaires comme le primicier Théodote, administrateur de Sainte-Marie-Antique sous le pape Zacharie au milieu du VIIIe siècle. Les inscriptions grecques voisinent avec les inscriptions latines. Les saints de l'Orient y sont plus souvent représentés que ceux de l'Occident. Plusieurs panneaux ont été abîmés par le temps; il arrive aussi que les peintures se superposent en plusieurs couches successives. La lecture est donc souvent malaisée. Sur la paroi du fond du chœur, à droite de l'abside, sous deux couches de fresques plus récentes, subsiste par exemple une majestueuse Vierge assise, de la fin du VIe siècle, tenant l'Enfant et vêtue en impératrice suivant la mode répandue en Italie par les artistes byzantins; elle était encadrée de deux anges. L'un des panneaux les mieux conservés est celui qui représente Solomoné entourée de ses sept fils, les Maccabées, martyrisés sous le roi séleucide Antiochus IV Epiphane au deuxième siècle avant notre ère, pour avoir refusé de manger de la viande de porc. On attribue cette œuvre aux années 630-650. Elle est d'une facture ample et hardie. Dans un espace plein d'atmosphère, les corps et les draperies sont puissamment modelés à l'aide de larges taches de couleur et de beaux accents lumineux, sans que l'on ait beaucoup recouru au dessin et aux ombres. Cette manière est à l'opposé du style ascétique qui prévalait dans les mosaïques contemporaines de Saint-Démétrius de Thessalonique. Elle montre comment la technique de la fresque appelle le rendu des volumes à l'inverse de la mosaïque qui, par les simplifications qu'elle requiert, mène à la stylisation et à l'aplatissement des formes.

Depuis 1944 on connaît un nouvel ensemble important de fresques byzantines en Italie. Ce sont celles qui ont été découvertes dans le chœur de l'église, autrefois triconque, de Sainte-Marie construite près de la forteresse des rois lombards à Castelseprio, l'antique Sibrium au Sud de Varese au Nord-Ouest de Milan. Disposées en deux registres sur le mur de l'abside orientale et sur la paroi intérieure du mur diaphragme qui sépare cette abside de la nef, elles illustraient le cycle de l'enfance du Christ depuis l'Annonciation jusqu'à la fuite d'Elisabeth et à la mort de Zacharie. On les date du VIIe siècle, à l'époque où des moines s'employaient à extirper dans le pays l'hérésie arienne. L'esprit classique de cette œuvre très belle conviendrait bien à la renaissance antiquisante du règne d'Héraclius (610-641), dont nous avons des témoins dans le domaine de l'argenterie. Le caractère d'allégresse primesautière et de spontanéité paraît dénoter qu'il participe encore pleinement à la tradition de culture dont il est nourri sans ce raidissement des formes que l'on perçoit dans les mosaïques du pape Jean VII. L'influence de miniatures décorant un manuscrit du Protévangile de Jacques, un apocryphe, est évidente. Conformément aux détails fournis par ce manuscrit dans le Voyage à Bethléem, l'âne est conduit par un muletier et semble avancer péniblement sous le poids du Sauveur du monde que porte la Vierge. Derrière, Joseph converse de façon animée avec Marie. La porte cintrée de Bethléem, sous laquelle pousse un arbre, rappelle les paysages architecturaux de bas-reliefs hellénistiques. Dans la Nativité, la sage-femme Salomé soutient de la main gauche son bras droit frappé de paralysie, parce que, sous l'effet d'une incrédulité sacrilège, elle a voulu vérifier si la Virginité de Marie était restée intacte après la Nativité. Elle tend le bras inerte vers l'Enfant couché dans la crèche pour qu'il la guérisse. A droite l'Annonce aux bergers a des allures de bucolique. D'autres cycles décoraient sans doute les absides du nord et du sud.

Icônes

On sait le prix qu'attachaient les Byzantins aux icônes, portraits de la Vierge et des saints, images portatives ou fixes, dont la pratique remonte aux portraits peints, souvent sur bois eux-aussi de l'Antiquité gréco romaine. On en conserve quelques-unes à Rome, qui peuvent avoir été peintes en Italie: la Madone du Panthéon, debout, tenant l'Enfant sur le bras gauche, réplique sans doute de l'Hodigitria (la Conductrice) de Constantinople et qui aurait été exécutée lorsque le Panthéon fut transformé en église en 609; la Madone de Sainte-Marie-du-Rosaire imitée de l'Hagiosoritissa (la Gardienne du Saint-Sépulcre) de Constantinople, qui se trouvait dans une église proche des Thermes de Caracalla; la Madone de la Clémence à Sainte-Marie du Trastévère, habillée en impératrice byzantine et trônant avec l'Enfant entre deux anges tandis qu'à sa gauche s'agenouille le donateur, très vraisemblablement le pape Jean VII, car l'œuvre semble sortie d'un atelier romain grécisant du début du VIIIe siècle.

Sculpture

La sculpture de Constantinople exerça aussi son influence en Occident. Plusieurs sarcophages exécutés à Ravenne entre le Ve et le VIIIe siècle en portent témoignage. Cette action se fit sentir notamment dans la clarté de la mise en page qui détache nettement les figures, dans la noblesse et l'élégance des attitudes et dans une certaine douceur du modelé. On la perçoit par exemple dans les sarcophages à colonnes où, dans des niches à coquille, on voit le Christ remettant la Loi à saint Paul en présence de saint Pierre, qui est à sa gauche, et d'autres apôtres. C'est dans le domaine de la sculpture architectonique que Byzance, portant à leur maturité les tendances qui s'étaient fait jour en Syrie et en Anatolie pendant l'époque impériale, a créé les formes les plus neuves en refouillant profondément la pierre à l'aide du trépan de manière à faire se détacher une sorte de dentelle blanche sur un fond sombre. Les chapiteaux à impostes de Saint-Vital de Ravenne constituent un exemple de la qualité de cet apport à l'Occident.

Ivoire

L'ivoire avait été apprécié dès une haute Antiquité dans le Proche-Orient asiatique, en Egypte, en Crète et dans le monde mycénien. La Grèce l'avait employé aussi bien dans des statuettes et des objets de menues dimensions que dans les statues chryséléphantines. Rome l'avait encore abondamment utilisé pour le décor des meubles, le revêtement des murs et des plafonds des palais impériaux, les ornements des triomphes. Byzance, qui trouvait à s'approvisionner en Inde et en Afrique, y resta fidèle presque tout au long de son histoire. La chronologie et plus encore la localisation des ateliers d'où sortaient ces objets posent de difficiles problèmes, parfois insolubles. On travaillait l'ivoire non seulement dans l'Orient méditerranéen, à Constantinople, à Antioche, à Alexandrie et dans l'arrière-pays syrien ou égyptien, mais aussi en Occident, à Rome, à Milan, peut-être même à Ravenne, en Provence et à Trèves. Et comme ces objets étaient aisément transportables, le lieu de leur découverte n'est pas toujours révélateur de leur origine. L'incertitude où nous sommes souvent prouve qu'un même courant d'art entraînait ces divers ateliers qui ne s'ignoraient pas les uns les autres. De plus dans une même ville semblent avoir coexisté des styles différents. Et l'on s'est rendu compte que Constantinople devait avoir été, dans le domaine de l'ivoire, comme dans les autres, un grand centre d'activité.

Parmi les ivoires chrétiens envoyés d'Orient en Occident, on attachera une attention particulière à la chaire sculptée pour le fameux évêque de Ravenne Maximien, dont le monogramme a été taillé au milieu du bandeau ornemental qui court sous le siège. Sur la partie inférieure de la face principale, saint Jean-

Baptiste, vêtu de la mélote (peau de chèvre) et présentant de la main gauche le médaillon avec l'Agneau de Dieu, est encadré de quatre évangélistes placés, comme lui, dans des niches à coquille aux colonnes torses d'allure antique. Ils sont traités avec beaucoup de vigueur dans le modelé et de réalisme dans les physionomies. Ils se détachent presque en ronde bosse et, par leur expression d'énergie un peu brutale ils nous font songer aux statues romanes. Ces cinq panneaux sont encadrés de panneaux décoratifs où des animaux s'inscrivent dans des enroulements de vignes chargés de grappes de raisin, qui s'échappent de vases à côtes. A l'intérieur du dossier en bas à droite commencent les scènes de la vie du Christ, qui se poursuivent à l'extérieur de haut en bas. Elles vont de l'Annonciation à la rencontre du Christ et de la Samaritaine. Sur un total de vingt-quatre scènes il s'en est perdu la moitié. Dans celles qui survivent le sens de la profondeur de l'espace est aboli: les personnages se pressent les uns contre les autres et certains épisodes, comme la Multiplication des Pains et des Poissons, prennent l'aspect d'icônes. Les dix panneaux de côté présentent l'histoire de Joseph. Ils sont exécutés avec ce goût de la narration vive et pittoresque que l'illustration de l'Ancien Testament a emprunté à l'art romain quand elle s'est constituée aux premiers siècles de notre ère. Les divergences de style que l'on observe dans la chaire de Maximien résultent peut-être plus de différences entre les modèles utilisés que de la diversité des manières entre les collaborateurs. La provenance de ce meuble somptueux a été l'objet de bien des hypothèses. On a tiré argument de l'importance donnée à l'histoire de Joseph et du caractère topique de plusieurs détails pour postuler une origine alexandrine. Mais ces détails ont pu être empruntés à des cahiers de cartons. Et il ne faut pas oublier que l'histoire de Joseph s'est largement répandue dès le IVe siècle dans tout le monde chrétien, où le fils de Jacob fut considéré comme une préfigure du Messie. Un évêque de Ravenne, Pierre Chrysologue, au Ve siècle avait insisté sur ce parallélisme dans un sermon sur la nativité. En outre saint Ambroise avait présenté Joseph comme le modèle des évêques. Si bien que dans l'état actuel de notre information, la vraisemblance historique nous porte à croire que la chaire de Maximien fut exécutée à Constantinople même et qu'elle fut sans doute offerte par ses protecteurs Justinien et Théodora pour son intronisation comme évêque en 545, avant que lui fût décerné le titre d'archevêque, qui ne figure pas dans le monogramme.

Vaisselle

Les époques hellénistique et impériale romaine avaient eu, plus que la Grèce classique même, un goût très vif de l'or et surtout de l'argent, moins onéreux. On en faisait de la vaisselle, des miroirs, parfois des statuettes et aussi à l'occasion de véritables statues. Ce goût semble s'être encore accru chez les Byzantins. Le lieu de fabrication de ces objets d'argent ou d'or ne se laisse souvent pas fixer avec plus de certitude que celui des icônes, des manuscrits et des ivoires. Toutefois on peut déterminer pour quelques-uns d'entre eux leur envoi de l'Orient à l'Occident. Au nombre des plats d'argent travaillés au repoussé que l'on appelait dans la basse latinité des *missoria* (surtout de tables) on citera celui de Madrid, exécuté en 388, à l'occasion des Décennales de l'empereur Théodose, c'est-à-dire des fêtes commémoratives du dixième anniversaire de son accession au trône, fêtes qu'il célébra à Thessalonique. Théodose Ier, alors âgé de quarante-deux ans, trône encadré du co-empereur d'Occident Valentinien II, à sa droite et à sa gauche de son fils aîné, Arcadius, né dix ans plutôt et proclamé Auguste à Constantinople en 383. Théodose remet un diptyque à un magistrat. A chaque extrémité, deux soldats armés de la lance et du bouclier montent la garde. Le caractère solennel et même sacré de la scène est souligné par la présence d'un portique à quatre colonnes, dont le fronton, décoré de putti, est coupé en son milieu d'une arcade sous laquelle trône Théodose. On connaît un tétrakionion (construction à quatre colonnes) analogue au palais de Dioclétien à Split. Dans l'exergue, la Terre, dont le bras gauche cache pudiquement la poitrine dénudée, est étendue, une corne d'abondance au creux du bras droit, au milieu d'épis de blé, où évoluent des putti. Ce motif a conservé la grâce sensuelle de ses prototypes hellénistiques. L'indication en grec du poids sur le revers, confirme que ce plat, envoyé par Théodose dans sa patrie d'origine, l'Espagne, où il a été découvert à Almendralejo, dans la province de Badajoz, avait été fabriqué dans la partie grecque de l'empire.

Croix

Justin II et sa femme Sophie offrirent à la ville de Rome une croix d'argent doré, contenant une parcelle de la Vraie Croix, ainsi que nous l'apprend l'inscription dédicatoire en latin gravée sur l'une des faces. De l'autre côté, des rinceaux et des ornements de feuillage stylisés avec quelque raideur occupent respectivement la traverse et le montant entre cinq médaillons. A l'intersection des bras, à l'emplacement de la relique, l'Agneau nimbé porte la croix-sceptre. Aux extrémités de la traverse, l'empereur à gauche et l'impératrice à droite ont été figurés en buste, les bras levés dans l'attitude des orants. Les médaillons du montant contiennent des bustes du Christ, barbu. Dans le haut il apparaît bénissant et tenant un livre fermé, en Pantocrator, souverain maître du monde séjournant au Ciel. Dans le bas de la Croix, le Christ appuie la main droite contre la poitrine et serre, de la gauche une croix à manche: ce serait le Christ régnant sur terre depuis l'Incarnation. Les visages ont le même air de gravité concentrée et mélancolique que sur les autres œuvres de cette époque.

On fabriqua en argent bon nombre des ampoules contenant de l'huile bénite que l'on rapportait en souvenir des pélerinages aux grands sanctuaires. Les plus célèbres de ces ampoules sont celles que conservent le trésor de la collégiale Saint-Jean de Monza, autrefois capitale des Lombards, et celui de l'ancienne abbatiale de Bobbio à une trentaine de kilomètres au Sud de Plaisance. D'après une tradition vraisemblable, elles auraient été offertes par la pieuse reine lombarde Théodelinde, femme d'Agilulf, morte en 625. Elles proviennent des Lieux-Saints de Jérusalem et de Bethléem, et c'est en Palestine même qu'elles furent fabriquées comme le confirment certains détails iconographiques empruntés aux édifices de Terre Sainte. Il n'est pas surprenant que les sujets les plus souvent représentés aient été sur une même face la Crucifixion et la Résurrection, les deux événements essentiels de la Rédemption que l'on commémorait à Jérusalem dans la région du Golgotha. La Crucifixion combine les éléments symboliques et historiques. Sur le modèle des images triomphales romaines où le trophée portait le bouclier du vainqueur tandis que les peuples soumis l'encadraient à sa base, le stipe de palmier qui figure la croix est surmonté du buste du Christ et entouré, au pied, de deux fidèles agenouillés en adoration. Le buste du Christ est assez souvent environné du soleil à la tête radiée et de la lune. De part et d'autre, les deux larrons, attachés à leur croix, dirigent la tête vers la droite du spectateur si bien que le bon larron regarde le Christ et que le mauvais s'en détourne. En dessous, la Résurrection est évoquée par l'épisode des saintes femmes s'approchant du tombeau vide que garde l'ange assis à droite. Le sépulcre est figuré sous les aspects de l'édicule et parfois même du grand ciborium qui l'abritaient depuis le IVe siècle. Les autres sujets traités sur ces ampoules de Terre Sainte furent l'Ascension (habituellement au revers), l'Incrédulité de Thomas, le Christ marchant sur les eaux et l'Adoration des mages et des bergers, pour laquelle on s'est inspiré des scènes d'audience impériale, comme le montre la comparaison avec le missorium de Théodose à Madrid. Quelques ampoules de Terre sainte, plus rares, montrent sur l'une des faces sept épisodes essentiels de l'histoire évangélique. Ce nombre a dû être choisi en raison de la valeur sacrée qu'on lui accordait dans les spéculations symboliques. Autour d'un médaillon central qui comprend la Nativité ou la Crucifixion, se groupent d'autres médaillons contenant tout en haut l'Ascension et immédiatement en dessous l'Annonciation, à gauche, et la Visitation à droite. Plus bas viennent le Baptême, à gauche ou à droite, et de l'autre côté celle des deux scènes qui n'a pas été traitée au centre. Tout en bas, la Résurrection répond à l'Ascension. Ces ampoules étaient coulées dans des moules, ce qui explique le contour légèrement estompé de leurs reliefs.

Bijoux

Autre véhicule culturel de l'influence byzantine en Occident, les bijoux en or, ou plus simplement en bronze doré et en argent, qui ont rencontré la plus grande faveur dans la haute société byzantine. On en fabriquait non seulement à Constantinople mais aussi dans les provinces, notamment en Syrie, où il existait une longue tradition de cet art. La bijouterie byzantine comprenait des colliers, auxquels pouvaient être suspendus des croix, des amulettes prophylactiques ou des médaillons, des bracelets, des bagues, des agrafes et des boucles d'oreilles. Les perles, les pierres fines aux couleurs vives et les pierres précieuses y combinaient souvent leurs effets de somptuosité avec l'éclat de l'or. D'autres étaient exécutés au nielle: ainsi le remarquable anneau nuptial conservé au Musée archéologique de Palerme où, sur le chaton, la Vierge couronne un couple impérial, peut-être Héraclius et Eudoxie, tandis que les autres pans de la bague portent sept scènes de la vie du Christ depuis l'Annonciation jusqu'à la Résurrection. Détail important: cette bague a été trouvée près des bains de Daphné à Syracuse où fut assassiné en 668 l'empereur Constant II, installé en Sicile depuis plusieurs années et qui pouvait le porter au doigt. Beaucoup de ces bijoux précieux inspiraient des copies faites en bronze ou en fer, de même que plusieurs pièces de vaisselle, qui pouvaient être fabriquées en Occident. Les musées en possèdent de rares pièces, car les archéologues et les collectionneurs se sont longtemps intéressés exclusivement aux objets précieux.

Monnaies

Moyen de propagande et porteuse d'art, même si

les Byzantins ne semblent pas y avoir attaché une grande valeur artistique, la monnaie d'or, d'argent ou de bronze a pu jouer un rôle notable comme moyen de transfert des modèles culturels de l'Orient byzantin. Les ateliers d'émission se trouvaient à Constantinople mais aussi dans les grandes villes de province, Thessalonique, Nicomédie, Cyzique, Antioche, Chypre, Alexandrie, Cherson en Crimée, Syracuse, Rome, etc. Jusque sous le règne d'Anastase et même jusque dans le cours du VIe siècle, la plupart des monnaies frappées dans les villes byzantines ne se distinguèrent de celles de l'Occident romain que par les noms des empereurs et par ceux des ateliers. De part et d'autre, dans la tradition du monnayage romain, on voyait au droit les mêmes bustes d'empereurs, au revers les mêmes Victoires debout ou assises. A l'exemple des images du Christ, de la Vierge et des saints inscrites dans les médaillons, le buste impérial de profil céda graduellement devant le buste de face, pour disparaître d'abord dans les monnaies de moindre valeur, celles de bronze, à partir de Constant II Pogonate (641-668), puis dans les monnaies d'argent sous Tibère III Apsimar (698-705) et enfin dans les plus belles monnaies, celles d'or, seulement après le règne de cet empereur. Une nouvelle fois, c'est dans le travail des matières les plus luxueuses que l'on resta le plus longtemps fidèle aux types antiques. La présentation de face se montra favorable à la figuration des insignes du pouvoir impérial dans la coiffure: la tête des empereurs fut surmontée du casque entouré du diadème. Sous Maurice (582-602) apparut la couronne sommée d'une croix, d'allure à la fois plus civile et plus religieuse. Le monnayage populaire de bronze étant le plus exposé aux modifications, Anastase Ier changea le type des pièces en les marquant au revers d'une lettre qui indiquait leur valeur en nummia (6000 nummia valaient un sou d'or).

Le caractère profondément impérial de l'art des Byzantins les conduisit à innover en montrant l'empereur en pied, accompagné de sa femme et d'un ou de plusieurs fils. Sous Justinien II Rhinotmète (685-695), les vêtements impériaux devinrent extrêmement somptueux: au centre de compartiments quadrangulaires se détachent des perles rondes et des cabochons.

Dans le dernier quart du VIe siècle, Tibère fit placer au revers des sous d'or une croix potencée à la suite d'une vision qu'il aurait eue! Cette croix, dressée sur quatre marches, s'inspirait vraisemblablement de celle que Constantin avait érigée sur le forum de sa nouvelle capitale. Ce type resta en usage jusqu'à la fin du Xe siècle. C'est encore par référence aux modèles proposés par Constantin que Tibère fit placer un chrisme au revers d'autres pièces. Un bon siècle plus tard, Justinien II, pour souligner l'origine surnaturelle du pouvoir monarchique qu'il avait à défendre contre l'opposition de l'aristocratie, fit graver au revers de ses monnaies un buste du Christ, son suzerain, dont il était le représentant sur terre. Dans les légendes des monnaies les noms des empereurs restèrent en latin jusque sous Théodose III (715-717). Les premières inscriptions grecques (Tu vaincras par ce signe) apparaissent sous Héraclius (610-641).

Byzance a trouvé dans la technique des émaux cloisonnés l'un des moyens de satisfaire sa propension pour la somptuosité des couleurs. Peut-être influencée aussi par la coutume qu'avaient les peuples nomades de sertir des pierres colorées et de la verroterie entre des cloisons d'or, elle combina et perfectionna des techniques qu'elle avait héritées des Grecs et des Romains. Les émaux convenaient à un art qui cherchait à créer un sentiment du surnaturel par la stylisation des formes et la richesse de la matière. Plusieurs de ces objets précieux portèrent cet art en Occident; citons le reliquaire de la croix envoyé, selon la tradition, par Justin II, entre 565 et 575, à la reine franque sainte Radegonde et conservé à l'abbaye de la Sainte-Croix de Poitiers: des rinceaux comparables à ceux des compartiments de l'angle Sud-Ouest de Sainte-Sophie avaient été tracés à l'aide de délicats fils d'or dans le fond en émail bleu du panneau central. Et ce sont bien des modèles byzantins qui ont inspiré les émaux qui décorent les fibules exécutées au VIIe siècle pour les rois lombards.

Tissus

Les tissus ont contribué aussi pour une part notable à créer en Occident cette atmosphère de faste dont les Byzantins aimaient à s'entourer. Des textes, des mosaïques et des ivoires nous ont conservé le souvenir des vêtements de luxe, orné de motifs géométriques, de fleurs, de feuillages, d'animaux réels ou fantastiques, de paysages de forêts ou de rochers, voire de scènes figurées comme l'Adoration des mages sur la chlamyde pourpre de Théodora à Saint-Vital de Ravenne. Parfois on décorait les étoffes de sujets profanes, particulièrement des scènes de chasse ou de courses dans l'hippodrome. Justinien avait fait broder en fils d'or sur un vêtement de pourpre constellé de pierreries les épisodes de son triomphe sur le Vandale Gélimer. Les tissus servaient aussi à la parure des palais et des églises, où ils étaient suspendus aux murs, entre les colonnes, dans l'encadrement des portes; les particuliers possédaient aussi des petits tapis de prière. Sous forme de voiles et de nappes, des tissus recouvraient les vases liturgiques et la table d'autel. Paul le Silentiaire a longuement décrit les rideaux qui pendaient entre les colonnes du ciborium d'argent surmontant l'autel de Sainte-Sophie de Constantinople. Sur l'un d'eux, en dessous de trois arcades d'or, le Christ, avec une tunique de pourpre et un manteau d'or, se serait dressé, bénissant de la main droite et tenant de la gauche l'Evangile, entre les apôtres Pierre et Paul, vêtus de blanc. En bordure, aux miracles du Christ s'ajoutait la représentation d'hôpitaux et d'églises fondés par Justinien et Théodora. Sur deux autres de ces rideaux, l'empereur et l'impératrice auraient été figurés, sur l'un, debout de part et d'autre de la Vierge, sur l'autre, s'inclinant devant le Christ qui les bénissait. Pour répondre à la demande, qui était considérable, de nombreux ateliers de textiles travaillèrent à Constantinople et dans les provinces de l'empire. Ceux d'Egypte et de Syrie, particulièrement à Alexandrie, et à Antioche, avaient pris un grand essor à l'époque impériale romaine. Dès les premières années de la nouvelle Rome, Constantin se préoccupa d'y établir des fabriques de tissus qu'il protégea par un édit en 333. Ces fabriques s'étendirent dans la banlieue, proche ou lointaine de la capitale. On en connaît jusqu'à Héraclée de Thrace (aujourd'hui Eregli) et même de l'autre côté de la Propontide à Cyzique. Certaines manufactures étaient impériales, d'autres privées. Les manufactures impériales avaient le monopole des étoffes teintes en vraie pourpre et brochées d'or, qui étaient réservées à l'empereur. Mais elles fabriquaient aussi tous les autres tissus précieux dont la cour et l'armée avaient besoin. On travaillait la laine et le lin, matières connues depuis longtemps dans le bassin méditerranéen, et aussi la soie, d'introduction plus récente. Les tissus constituaient des cadeaux de choix pour les princes étrangers et pour les papes dont les empereurs désiraient se concilier les faveurs. Les voyageurs aimaient aussi emporter de ces somptueux souvenirs, parfois en déjouant la surveillance des postes de douane aux frontières. On témoignait aux reliques envoyées en Occident la considération qu'on leur devait en les enveloppant de tissus de prix. Et les prélats de la Gaule mérovingienne se réjouissaient, quand ils pouvaient tendre des tissus orientaux dans les entrecolonnements de leurs églises à l'imitation de ce qui passait dans le monde byzantin. A l'intérieur même de l'Empire les étoffes voyageaient beaucoup. C'est ce qui rend souvent incertaines les tentatives faites pour déterminer le lieu de leur fabrication. Et leur datation est aussi malaisée; c'est ainsi que l'on hésite entre le VIe et le VIIIe siècle pour la soierie retrouvée dans la tombe de Charlemagne et dont les fragments se partagent entre Aix-la-Chapelle et le musée de Cluny à Paris. Suivant un schéma iconographique venu des représentations du triomphe d'Alexandre et de celui de Dionysos, le cocher vainqueur est figuré debout sur son quadrige entre deux serviteurs du cirque, armés chacun d'un fouet, qui s'apprêtent à le couronner. En bas, deux fonctionnaires répandent des pièces de monnaie dans une corbeille. Le sens des effets décoratifs que l'on peut tirer de la symétrie prime ici sur le réalisme: on le voit dans la stylisation savante qui commande la disposition des chevaux et dans la manière dont les roues ont été reportées jusqu'à la limite du médaillon aux extrémités du diamètre horizontal que dessine l'essieu. Les bouquetins affrontés de part et d'autre d'une palmette, dans les écoinçons, viennent des tissus sassanides. D'autres fois, à l'intérieur des médaillons, on introduisit des sujets religieux. Le musée chrétien du Vatican possède un tissu de soie célèbre où l'on avait représenté l'Annonciation et la Nativité. On l'a attribué tantôt à l'Egypte et tantôt à la Syrie, mais le sens de la grandeur qui préside aux compositions et leur parenté avec des miniatures permettent de songer plutôt maintenant à un atelier de Constantinople. La date en est aussi douteuse: on hésite entre le VIe, le VIIe ou le VIIIe siècle.

Rome, centre de transit des produits de luxe d'Orient

Qui ne s'est étonné à la lecture des chroniques de la ville de Rome et, en particulier, des vies des papes du haut Moyen Age, du nombre des objets de luxe, soieries, manuscrits ou icônes accumulés à l'époque par dons ou achats dans la capitale du duché byzantin de Rome, puis capitale de l'Etat pontifical? On pense à une ville-musée; mais ce n'est pas le cas. Relisons quelques textes qui parlent de ces choses, en identifiant les produits de luxe mentionnés pour en connaître si possible l'origine et en préciser la destinée et l'usage.

Sous le pontificat d'Hormisdas (514-523) viennent de l'Orient grec à Rome des manteaux de pourpre ornés de bandes tissées d'or enlevées à une chlamyde impériale. Quelques années plus tard Justinien offre au pape Jean II quatre manteaux de pourpre tissés d'or.

En 678, Benoît, fondateur du monastère de Wearmouth en Angleterre, se rend à Rome pour chercher tout ce qui manque à son couvent et qu'il n'a pu trouver en Gaule; il rentre ainsi l'année suivante avec une quantité innombrable de livres de tout genre, «des reliques des bienheureux apôtres et martyrs du Christ, un maître de chant, un privilège du pape Agathon, qui garantit son monastère contre toute éviction et des icônes pour orner son église: une de la Vierge, celle des apôtres pour l'iconostase, d'autres avec des scènes de l'Evangile pour la paroi Sud, d'autres avec des visions de l'Apocalypse de Jean, pour la paroi nord». Trois ans plus tard, Benoît fonde au confluent du Don et de la Tyne Saint-Paul de Jarrow et se rend une nouvelle fois (la sixième) à Rome, d'où il rapporte pour le nouveau couvent des livres en grand nombre, des icônes de la Vierge, des scènes de l'Ancien Testament et les scènes correspondantes du Nouveau, par exemple Isaac portant le bois de son bûcher et le Christ portant sa croix, le serpent exalté par Moïse dans le désert, et le Fils de Dieu exalté sur la Croix; il rapporte aussi de Rome deux manteaux de soie.

Le dernier roi de Murcie, Aethildwald, au début du VIIIe siècle, dans un long et difficile poème hérissé de réminiscences classiques, raconte le voyage à Rome de trois pélerins, dont un moine qui mourra avant de regagner sa trop lointaine patrie. Je traduis: «Les deux hommes vivants, gratifiés du salaire de leurs mérites, tout verdoyants des étendues fleuries du Paradis, gagnent de leur course agile leur patrie autrefois méprisée... Voici qu'ils apportaient de nombreux livres élaborés en de nombreuses luttes (théologiques) avec diverses petites règles de mystique, pour lesquelles il est clair que l'Esprit Saint assistait l'auteur... Maintenant ils montrent des vêtements de voile qu'ils présentent en toute hâte comme d'admirables dons et qui évoquent d'extraordinaires tissages comme ceux-ci: "suit une description de la vie du ver à soie des feuilles du mûrier, origine du fil de soie". Telle est l'origine des syrica (en grec soieries) qu'ils apportaient pêle-mêle et dont l'apparence resplendissait: la belle étendue pourpre d'un jardin avec de petites roses rouges, parmi lesquelles brillent des lys tracés au moyen d'une ligne couleur d'ivoire; ainsi, ainsi vraiment remarquables que ce pourpre des soieries recouvert d'un blanc de neige et de jaune; et quels beaux ornements que ces manteaux amples ornés de fleurs vertes, mauves et bleues! Ils apportaient les très remarquables reliques de plusieurs saints très solennellement consacrées, qui exaucent d'un simple signe d'acquiescement les prières des fidèles. Ils ajoutent un tout petit et très beau cadeau: des icônes de la Mère de Dieu en buste avec la tête ornée d'or rejetée en arrière par les lumières (entendons opposées aux ombres), qui la protègent».

A la fin du même siècle ou au début du siècle suivant, le pape Léon III (795-816) donne à Saint-Pierre 30 grands voiles pourpres, 47 petits voiles de tissu mêlé de fils d'or ornés tout autour de pourpre byzantine et doublés de pourpre napolitaine. Au début du IXe siècle le pape Pascal Ier donne à l'église Santa Maria Domnica «un très beau manteau de soie orné de fils d'or doublé de soie avec un tour pourpre, un autre manteau de pourpre byzantine avec une bande pourpre doré orné du visage de la sainte Mère de Dieu et des anges debout inclinés et d'un tour de soie ornée de fils d'or, une couverture de soie rouge, quatre voiles de soie rouge pour les tours d'autel, trois voiles pourpres de Tyr». Pour l'autel de Sainte-Praxède, il donne un manteau de pourpre byzantine, un autre pourpre mêlé d'or, avec un tour de soie pourpre et un autre de couleur porphyre mêlé de fils d'or, un petit manteau de tissu pourpre de Tyr avec un tour de pourpre, etc. Il donne à Sainte-Marie-Majeure pour mettre derrière le trône pontifical dans l'abside un magnifique tissu d'Alexandrie décoré.

Des exemplaires de tels tissus existent dans les musées d'Occident, de ces icônes aussi, tous datent d'une époque qui va du IVe au VIIIe siècle; ils viennent d'Orient, d'Egypte, de Syrie, de Palestine, de Constantinople peut-être, l'une des capitales du luxe au haut Moyen Age. Des textes le disent, l'analyse des objets le prouvent. Ils nous disent aussi que les soieries et les icônes allaient constituer ou grossir le trésor des églises et des monastères de Rome et depuis Rome du reste de la Chrétienté occidentale. Le pape Grégoire le Grand donne par exemple 6 chapes précieuses à Euloge, le patriarche d'Alexandrie et 2 aubes à Narsès, le patriarche de Constantinople. On ne dit pas qu'elles n'étaient pas d'origine orientale. Ceci est bien connu, mais ce que l'on n'a pas remarqué, c'est que ces précieux cadeaux n'achèvent pas toujours dans un trésor leur périple parfois long. Et nous suivons ici une autre voie de la pénétration du monde culturel oriental en Occident, une voie qui lui donne un autre sens.

A la fin du VIIe siècle le fondateur de Saint-Paul de Jarrow rapporte de Rome, entre autres objets précieux, deux chapes de soie magnifiques; mais il ne les dépose pas au trésor du monastère: il les échange contre une terre capable de nourrir trois familles avec le roi Alfred de Northumbrie. L'abbé du même monastère Ceolfred achètera un domaine capable de nourrir huit familles avec un beau manuscrit de la Cosmographie rapporté de Rome encore par Benoît de Saint-Paul de Canterbury.

L'acquisition des tissus de soie et des manteaux précieux, comme des icônes doit être considérée comme un investissement et leur possession comme celle d'une monnaie d'or. Cette interprétation résulte clairement de la lecture de plusieurs textes. La loi nautique dite des Rhodiens datée du VIIe siècle donne aux soieries la même valeur que l'or: «les manteaux de soie sont comme de l'or». Les Bulgares, au début du Xe siècle, apportant à Constantinople du lin et du miel, veulent être payés en pièces de pourpre, en rubans et en soieries. Et je ne pense pas qu'il faille ici parler de troc. En effet, un peu plus tard, les tribus petchénègues pour protéger Cherson contre les Russes reçoivent pour leurs opérations en Russie, en Chazarie et en Zichie, sur la rive Nord-Est de la mer Noire, un salaire qui est fixé à chaque fois entre eux et les habitants de Cherson en Crimée, en pièces de pourpre, en rubans, en soieries, en brocarts d'or, en poivre et en peaux. En 944, le traité passé entre les Russes et les Byzantins prévoit que pour un esclave qui aura fui on remboursera aux Russes du quartier de Saint-Mamas à Constantinople deux pièces de soie et que les Russes rachèteront un de leurs esclaves en versant 10 sous d'or, ce qui donne une équivalence intéressante entre la soie et l'or. Vers la même époque l'empereur byzantin envoie au roi d'Italie des vêtements précieux pour qu'il soumette les princes lombards révoltés. Le protospathaire Epiphane pour assurer ses frais de voyage en Longobardie (Pouille) emporte de nombreux vêtements et, sa mission accomplie, il rapporte à Constantinople ce qui lui en reste. Il s'agit bien de paiements au sens comptable du mot.

Mais il y a plus clair encore. Au XIe siècle, un grand seigneur arménien Grégoire Pakourianos a reçu en récompense de l'empereur Alexis Ier Comnène pour avoir battu les Petchénègues des vêtements impériaux dont certains avaient été portés par le prince lui-même, et d'autres vêtements précieux après la victoire sur les Coumans. Il les remet tous au monastère qu'il fonde à Backovo, entre le Strymon et le Nestos. Ces riches cadeaux en nature, que l'on rapprochera de ceux que recevaient les hauts fonctionnaires avec leur traitement en espèces, ne restaient pas dans les trésors des particuliers ou des institutions, qu'il ne faut pas considérer comme de simples collectionneurs avertis. En voici une dernière preuve.

En novembre 1064, l'archevêque de Siponto en Longobardie (Pouille) vend au monastère Sainte-Marie situé dans une île des Tremiti au large du Gargano le tiers d'une saline contre une tunique de cour et une icône; quatre ans plus tard le même prélat vend au même acheteur le tiers d'une autre saline contre une icône dorée de la Vierge valant 30 nomismata d'or et un manteau de cour en tissu de soie mêlé de fils d'or valant 20 nomismata. On achète donc une partie de saline qui vaut 50 nomismata avec une icône de la Vierge et un manteau de cour. Et l'on ne peut soupçonner le manque de liquidités de l'archevêque de Siponto: elle ne peut être en cause. Vers la même époque l'empereur Constantin IX, puis Alexis Ier, décrèteront qu'au moment de la cérémonie du mariage l'évêque recevra du fiancé 1 nomisma d'or et de la fiancée douze mesures de tissu, l'un et l'autre lui servant ensuite pour acquérir quelques biens matériels. Cette habitude de payer en nature dura aussi longtemps que l'empire. Puisqu'en mai 1375 nous apprenons par un acte de la pratique juridique conservé au monastère de la Grande Lavra au mont Athos qu'une icône de saint Georges a été mise en gage pour payer les obsèques de l'évêque de Vodena dont le coût est de 24 onces de ducats.

Icônes, manuscrits, vêtements précieux, vases sacrés valaient donc de l'or et étaient utilisés pour acquitter des paiements évalués en monnaie d'or. La monnaie naturelle a ici comme la monnaie métallique son double prix pour l'historien de la culture, sa valeur d'échange et sa valeur de véhicule culturel. Et Rome au haut Moyen Age est de ce point de vue le grand centre de transfert d'Orient en Occident.

Conclusion: le VIIIe siècle

Sous l'effet de la querelle des images, mais surtout sous l'effet des invasions lombardes et de la puissance croissante de la dynastie des Pépinides, l'Europe occidentale au VIIIe siècle s'éloigna progressivement de Byzance sur le plan politique et religieux. Mais elle continua à lui faire des emprunts dans le domaine artistique.

Les Lombards qui, après leur installation sur le sol de l'Italie, avaient plus d'une fois demandé à l'art byzantin de suppléer leur absence de traditions en ce domaine, recoururent encore à l'occasion à des modèles originaires de l'Orient méditerranéen. L'autel de pierre sculptée, offert par le duc Ratchis (vers 737-744) à l'église Saint-Jean de Cividale dans le Frioul et transporté d'abord à Saint-Martin puis au musée annexé à la cathédrale de cette ville, ne peut s'expliquer ni iconographiquement ni stylistiquement sans influences venues de l'empire byzantin. Cette action se fait également sentir dans le Christ en majesté et les saints alignés peints dans l'oratoire palatin de cette même cité avant 800.

La peinture religieuse byzantine se maintint dans l'Italie soustraite en fait sinon en théorie à l'autorité des empereurs de Constantinople. Elle s'était imposée à Rome depuis la fin du VIe siècle et elle y avait donné quelques-unes de ses meilleures œuvres sous le pontificat de Jean VII au début du VIIIe siècle. La tradition orientale continua dans les fresques votives exécutées ensuite à Sainte-Marie Antique sous le pape Zacharie: le primicier Théodote fit décorer la chapelle à gauche du chœur de peintures, colorées et expressives, représentant sur les parois latérales, outre lui-même et sa famille, le martyre de sainte Juliette et de son fils saint Cyr, et sur le mur du fond une crucifixion dont l'iconographie d'origine orientale rappelle celle de l'Evangile de Rabula mais avec plus de sobriété dans la composition. Plus tard le pape Paul Ier remplaça dans l'abside la Vierge par un Christ bénissant à la grecque et auquel la Madone le présentait. Dans les années 770, un peintre byzantin exécuta sur le mur du collatéral gauche au-dessus d'un socle simulant de riches tapis une frise avec le Christ trônant et bénissant, encore à la grecque, entre les docteurs de l'Eglise orientale et de l'Eglise latine, tous présentés de face et désignés par des inscriptions grecques. En revanche, c'est à un peintre local ou du moins occidental que l'on doit les frises supérieures, qui annoncent les miniatures carolingiennes. Mais on croit retrouver la manière d'artistes grecs dans une partie au moins des fresques qui, sous Adrien Ier (772-795), décorèrent l'atrium: on y voyait une Vierge trônant, le portrait du pape et des figures de saints d'allure byzantine. Les mosaïques réapparurent à Rome dès la fin du VIIIe siècle, mais elles recherchaient leurs thèmes dans le décor des monuments les plus anciens de la ville paléochrétienne.

Lorsque, après la défaite des Lombards à Pavie sous les coups des Francs, le centre de leur puissance politique passa du nord de l'Italie dans le Sud, Bénévent, capitale d'un duché florissant, et Salerne connurent une vie active et brillante, où les traditions complexes héritées du royaume lombard se combinèrent avec des survivances locales de l'hellénisme et avec un surcroît d'influences de l'Empire byzantin dont ces villes étaient plus proches que Pavie. La chapelle palatine de Bénévent, consacrée à sainte Sophie et construite en rotonde, est un exemple révélateur de cette synthèse, puisque la volonté affirmée dans les textes de l'époque d'avoir à côté du palais, appelé lui-aussi sacré comme à Constantinople, une église inspirée de son homonyme byzantin, et comme elle symbole du pouvoir et garante du salut de l'Etat, s'y allie à l'imitation de la chapelle palatine du Saint-Sauveur de Pavie. L'Italie méridionale fut alors le creuset où s'élaborèrent des formes de civilisation et d'art qui dans la suite nourrirent les activités de la célèbre abbaye bénédictine du mont Cassin.

Les Mérovingiens, dont les centres d'écriture manifestaient à l'égard des images plus de réserves que les papes, introduisirent la croix des iconoclastes byzantins dans leurs manuscrits. Dans le Sacramentaire gélasien du Vatican, au milieu du VIIIe siècle, la croix somptueuse qui s'inscrit sous une arcade rappelle les croix que les Byzantins peignaient sur les absides de leurs églises, taillaient dans la pierre ou exécutaient dans les métaux précieux. Certains motifs de remplissage des manuscrits mérovingiens, d'une exécution très souple, peuvent avoir été repris à des tissus byzantins. Les oiseaux au cou enrubanné, qui furent utilisés dans les lettrines des Sacramentaires gélasiens du Vatican et de la Bibliothèque nationale de Paris, sont des motifs que Byzance avait elle-même empruntés à la Perse sassanide par l'intermédiaire des étoffes et qu'elle aurait peut-être transmis à l'Occident par le moyen notamment des émaux cloisonnés.

La renaissance carolingienne avec sa volonté de renouveler l'œuvre politique et culturelle de l'Empire romain devait entraîner un regain de l'influence byzantine dans l'art de l'Occident. Mais, tournée vers le passé, elle s'est référée plus au fonds commun des modèles paléochrétiens qu'aux œuvres contemporaines de l'Empire de Constantinople, pauvre en innovations d'ailleurs à cette époque. Toutefois, les nombreuses ambassades byzantines qui se succédèrent auprès des Pépinides apportaient avec elles en cadeau des tissus, des ivoires et des pièces d'orfèvrerie: le musée historique des Tissus de Lyon possède une soierie qui, d'après la tradition, aurait été envoyée en 758 par Constantin V à Pépin le Bref, sept ans après que celui-ci eût détrôné le mérovingien Childéric III. Pépin le Bref à son tour aurait offert cette soierie à l'abbaye de Mozac, près de Riom dans le Puy-de-Dôme, pour envelopper les reliques de saint Austremoine. Le sujet en est d'origine sassanide. A l'intérieur d'un grand médaillon deux empereurs en vêtements d'apparat, montés sur des chevaux richement harnachés et affrontés de part d'autre de l'Arbre de Vie, enfoncent leur épieu dans la gueule de lions bondissants auxquels les chiens donnent l'attaque; et c'est sans doute à ce même envoi de tissus fait par Constantin V à Pépin le Bref qu'appartenaient les soieries découvertes dans la tombe de Viventia, fille de Pépin et sœur de Charlemagne, à l'église Sainte-Ursule de Cologne et qui sont passées au musée des Beaux-Arts de Boston. A l'intérieur de grands médaillons ovales se répète le groupe, alternativement vers la gauche et vers la droite, du griffon attaquant un taureau.

La couronne des empereurs carolingiens fut imitée de celle des empereurs byzantins. A la cour de Charlemagne et de ses successeurs, on portait des étoffes de pourpre et de soie. La loge princière, dotée d'un autel qui, dans les églises-porches, ouvre à l'Ouest sur la nef, face au chœur, est sans doute inspirée des tribunes constantinopolitaines où l'empereur et son entourage assistaient aux offices. La chapelle octogonale du palais d'Aix, elle aussi munie de tribunes, se rattache à Saint-Vital de Ravenne, ville que Charlemagne avait dépouillée de ses richesses pour en orner sa résidence.

Dans le domaine de l'enluminure, ce sont des modèles consacrés par plusieurs siècles d'existence qui ont servi de point de départ aux miniaturistes carolingiens. On a repris aux traditions paléochrétiennes l'usage d'écrire en onciales d'or sur fond pourpre les manuscrits destinés à l'empereur ou aux membres de sa famille. Ce fut le cas de l'évangéliaire que Godescalc exécuta entre 781 et 783 pour Charlemagne et sa femme Hildegarde, aujourd'hui conservé à la Bibliothèque nationale de Paris. Dans le frontispice, le motif de la fontaine de vie est imité des ciboria très répandus dans l'Orient byzantin et offre une évidente parenté de style avec les mosaïques de la Grande Mosquée de Damas, qui dérivent elles-mêmes de l'art byzantin. La connaissance de vieux manuscrits paléochrétiens où les miniatures avaient été exécutées en menues touches de couleur sur un fond pourpre, comme dans la Genèse de Vienne ou l'Evangile de Sinope, a provoqué la réapparition d'un style illusionniste et pictural dans les ateliers carolingiens du début du IXe siècle. Il est impossible de doser la part qu'ont prise à l'origine de ce renouveau, d'un côté, les éléments byzantins, que les Carolingiens avaient appris à connaître en Italie et, de l'autre, ceux qui ont pu leur venir directement de Byzance. Mais la présence du nom grec Démétrius dans la marge, au début du texte de Luc dans l'Evangile du Couronnement à Vienne, paraît indiquer des contacts avec Byzance et pourrait suggérer que des artistes grecs seraient venus dans les grands centres carolingiens. Il est très vraisemblable de voir aussi un Grec dans ce Georges, évêque d'Amiens qui à la fin du VIIIe siècle, fit traduire en latin la Chronique alexandrine grecque dont le manuscrit est conservé à la Bibliothèque nationale de Paris.

Il faudrait étendre plus finement l'investigation aux influences nombreuses de l'Orient transmises à l'Occident par des intermédiaires. Je ne citerai que l'exemple de l'oratoire que l'Espagnol Théodulphe, évêque d'Orléans, se fit construire en 806 pour sa villa sise non loin de Saint-Benoît-sur-Loire à Germigny-des-Prés. L'architecture et la décoration en mosaïques de l'édifice ne viennent pas de Byzance mais de l'Espagne et les touches byzantines que l'on peut y relever sont passées par la péninsule ibérique où elles se sont combinées avec des éléments islamiques.

L'expansion de la civilisation byzantine en Occident au haut Moyen Age s'est donc opérée par des voies diverses: migrations de moines, de membres du clergé, ou de l'administration civile ou militaire, fuyards, pélerins, rapports administratifs ou commerciaux directs, rapports religieux et culturels. Cette expansion ne fut ni constante ni simultanée partout. Les aspects de cette influence sont multiples: politico-économiques, religieux, littéraires-artistiques, juridiques, linguistiques. Certains insisteront sur le côté conservateur, moins créatif de cette influence: ils n'en sont pas moins importants ou moins féconds pour l'histoire de l'Occident. Et Byzance a rempli une double mission historique de ce point de vue: elle a défendu l'Europe contre l'Orient, en attirant à elle des forces neuves, comme le monde slave, elle a su sauver et transmettre aux peuples de l'Occident l'héritage de la pensée et de l'art antiques. On ne peut plus ignorer son rôle dans la formation de l'unité culturelle de l'Europe.

Francesco Gabrieli

EFFETS ET INFLUENCES DE L'ISLAM SUR L'EUROPE OCCIDENTALE

Né dans l'une des régions les plus primitives et les plus arriérées du monde antique, l'Islam en dépasse très vite les limites. De phénomène local et de problème interne de la vie des Arabes, il se mue en une religion universaliste, puis devient une force mondiale et les historiens ne se mettent pas toujours d'accord pour expliquer l'obscure dynamique de ce processus. Ce dernier paraît n'être pas spécifique de l'Orient ou de l'Occident et ne relever ni d'une région géographique, ni d'une culture données. Il s'agit simplement de la mystérieuse force de rayonnement de la nouvelle foi et de l'Etat fondé sur elle, qui se développe dans toutes les directions et donne naissance à une civilisation d'une unité surprenante, en dépit de la multiplicité des milieux et des niveaux culturels dans lesquels elle s'épanouit. La présente étude n'a pas pour ambition de décrire la civilisation islamique en soi, mais de préciser et d'évaluer les effets qu'elle a eus et les influences qu'elle a exercées sur le monde occidental et, en particulier, sur l'Occident méditerranéen. Les pays d'Europe voisins de la *mare nostrum*, chère à la Rome antique, sortent à peine des invasions et migrations barbares, au moment où l'Islam surgit. Certains d'entre eux, dont l'Espagne et la Sicile, vont devenir à leur tour, pour une période plus ou moins brève, des territoires musulmans (*dar al-Islam*). Quand on parle de l'héritage ou du legs que la domination islamique a laissé à l'histoire ultérieure de l'Europe, c'est donc avant tout à eux que l'on pense. D'autres territoires (et nous examinerons surtout ici ceux de l'Europe occidentale) ne vont pas voir l'Islam s'implanter longtemps chez eux. Toutefois, du fait de leur proximité avec des terres islamisées ou à la suite de contacts matériels et spirituels avec elles, ils vont subir de façon plus ou moins profonde l'influence de la civilisation musulmane. Si on le traduit en termes géographiques, notre propos concerne donc la péninsule ibérique, la Gaule et la France, toute la péninsule italienne et la «Mitteleuropa». Nous laisserons de côté les Balkans et, pour l'essentiel, l'Europe orientale. Entre le XVe et le XIXe siècle, à la suite de la dissolution de l'Empire romain d'Orient et de l'expansion ottomane, l'Islam laisse pourtant une empreinte profonde sur leur vie politique, sociale et culturelle.

Outre la distinction géographique, une autre, très nette, sépare la sphère d'influence de l'Islam en Europe orientale de celle qu'il se crée dans l'Occident européen et qui nous préoccupe avant tout. Le choc de l'Islam s'exerce sur l'Europe après des siècles de développement et d'épanouissement de la civilisation islamique, qui a ainsi absorbé des éléments des cultures orientales anciennes, de l'hellénisme et de l'Antiquité tardive, les a assimilés, puis élaborés, avant de les retransmettre aux peuples qu'il envahit. C'est là la première phase, la plus féconde et la plus glorieuse des rapports établis au haut Moyen Age entre l'Islam et l'Europe. Au moment où surviennent les incursions barbares, l'Occident reçoit, grâce à l'Islam, des éléments vitaux de l'héritage que lui a laissés l'Antiquité et qui vont contribuer à son développement ultérieur. Par contre, les caractéristiques de la seconde prise de contact vont être bien différentes, car celle-ci va être due aux Turcs ottomans: à une époque où l'Occident a pris la pleine conscience de lui-même, qu'il s'est engagé avec une énergie renouvelée sur la voie de la civilisation moderne, l'Orient islamique, qui le menace encore sur le plan militaire, n'a pas connu une telle progression. L'Islam turc, même s'il est plus récent et s'appuie sur la civilisation arabo-persane des siècles d'or, pourtant en pleine maturité, transmet mal cette culture à la partie de l'Europe qu'il occupe et influence.

Nous nous limiterons donc, ici, à l'Occident et passerons en revue la Méditerranée occidentale (l'Espagne et la France) et centrale (l'Italie et la Grèce), non sans tenir compte des rapports que ces régions mantiennent avec l'empire byzantin, car l'on ne peut ignorer cette composante de la poussée arabo-islamique.

Pour le Moyen Age occidental, la naissance et la diffusion de l'Islam vont apparaître comme un déchirement diabolique au sein de l'Eglise chrétienne, victorieuse du paganisme depuis trois siècles à peine, un schisme pervers dû à un peuple barbare. Le trait fondamental du message de Mahomet, l'affirmation rigide du monothéisme, en face du polythéisme de la tradition arabe, passe au second plan aux yeux de l'Occident chrétien, par rapport à la polémique anti-trinitaire de l'Islam, et surtout à l'affirmation de la qualité prophétique et messianique du fondateur de la nouvelle foi. C'est pourquoi l'arrivée des Arabes dans le bassin méditerranéen, la mutilation de l'empire byzantin, l'affaiblissement rapide de la latinité chrétienne en Afrique du Nord, sont avant tout considérés par les contemporains et les hommes du Moyen Age en général comme une catastrophe religieuse: un jugement d'ailleurs justifié pour qui envisage le conflit en termes de dogme et de secte, mais qui ne saisit pas la signification historique du grand événement. L'historiographie moderne, qui l'envisage de plus haut et avec plus de détachement, met en relief ses aspects ethniques, politiques, économiques et sociaux, à côté de son importance sur le plan religieux. A propos de l'explosion et de la diffusion de l'Islam, des historiens tels que Wellhausen, Becker et Caetani voient surtout les Arabes constituer un élément directeur de l'histoire mondiale, pour la première et, jusqu'ici, l'unique fois. Le triomphe de l'Islam au cours de cette phase originelle correspond à la création de *das arabische Reich*, l'Empire arabe (selon le titre du célèbre ouvrage de Wellhausen), c'est-à-dire l'expansion sur deux continents, avec une énergie rare et grâce à une extraordinaire bonne fortune, d'un peuple n'ayant vécu que dans une région désertique. Cette interprétation néglige cependant la brièveté de l'état initial, purement arabe, de cette diaspora, ainsi que l'universalisme en germe qui, dans l'Islam, prendra bientôt le dessus sur le nationalisme égoïste de l'hégémonie de la race, et la faculté qu'a cette foi nouvelle de toucher et d'assimiler des éléments ethniques aux origines les plus diverses pour les fondre en une communauté religieuse et culturelle. Cette unité va survivre de beaucoup à la brève suprématie politique des Arabes et constituer l'élément fondamental de la civilisation musulmane, aujourd'hui plus que millénaire. Néanmoins, il ne faut pas oublier que les Arabes ont donné à cette civilisation leur langue, ainsi que des éléments de leurs traditions, que l'on retrouve inclus dans la Révélation de Mahomet. Même après la dissolution du Califat unitaire, les Arabes conservent à la civilisation islamique la base ethnico-culturelle qui lui permettra de qualifier d'«arabes» les grands Etats du Moyen Age musulman, dont celui des Fatimides, en Egypte, des Omayyades, en Espagne et, plus tard (mais cette fois avec un fort apport de la part des Berbères), ceux des Almoravides et des Almohades. Tous ces exemples concernent les pays des rives de la Méditerranée, ce qui montre bien à quel point l'arabisme, entre toutes les directions que prend sa diaspora, trouve un terrain particulièrement favorable autour de la *mare nostrum* de l'Antiquité et, bien que né dans la péninsule désertique de l'Arabie, s'adapte au climat plus tempéré de la Syrie, de la longue côte nord-africaine, de la Sicile et de l'Espagne.

Mais quelle qu'ait été la force de l'arabisation de l'Islam, au VIIe-VIIIe siècle, il nous faut à présent évaluer les conséquences de son intrusion dans l'équilibre de la Méditerranée. C'est là le thème de l'ouvrage célèbre d'Henri Pirenne (*Mahomet et Charlemagne*), publié dans les années trente et dont la thèse a fait l'objet, dès sa parution, de vives discussions. Si elle n'est plus acceptée comme telle, elle s'est du moins révélée stimulante et féconde. Selon l'historien belge, le VIIe siècle, au moment de la subite apparition de l'Islam en Méditerranée, marque la véritable fin de l'Antiquité, beaucoup plus sûrement que ne l'ont fait les invasions barbares ou la division entre l'empire d'Orient et l'Occident latin. Du point de vue économique (et la thèse de Pirenne porte avant tout sur l'histoire économique), cette dichotomie ne devient effective qu'au moment où les Arabes coupent les voies de communication en Méditerranée et provoquent ainsi la rupture entre l'Orient et l'Occident. Cette dernière partie de l'Europe, privée de contacts avec Byzance, se replie sur elle-même, substitue à l'économie maritime de l'époque mérovingienne une économie qui est pour l'essentiel terrestre et continentale, celle de l'ère carolingienne. Par la faute d'anciens pillards du désert, qui se sont mués en pirates et en corsaires pour sillonner la Méditerranée, elle devient donc pauvre et barbare. «Sans Mahomet, pas de Charlemagne», affirme Pirenne et, selon lui, la restauration de l'empire d'Occident apparaît non pas comme le symbole d'une grandeur retrouvée, mais comme celui de la renonciation, ce qui implique un changement de direction dans le destin de l'Occident latin.

Cette thèse, nous l'avons dit, est repoussée, pour l'essentiel, par les médiévistes d'Orient et d'Occident. Son point de départ, la fermeture de la Méditerranée à la suite de l'invasion arabe, ne paraît plus démontrée aujourd'hui de façon convaincante. On admet que cette invasion, à certaines époques et en certains secteurs, ait rendu plus difficiles les communications et les ait restreintes. En déduire qu'elle a entraîné une paralysie du commerce maritime semble une généralisation abusive. Ainsi que nous le verrons, les Arabes n'ont jamais eu la maîtrise absolue de la mer, pas même en Méditerranée orientale, parfois qualifiée, avec beaucoup d'exagération, de «lac arabe». La longue rivalité entre les Arabes et Byzance n'a pas conduit, même en temps de guerre, à une interruption des rapports économiques entre les deux Empires. Le trafic entre les deux parties de la Méditerranée autour de la charnière Italie-Sicile n'a jamais cessé bien longtemps, comme le prouvent les sources arabes, byzantines et occidentales qui concernent les voyages, les pélerinages ou les échanges commerciaux. A propos de ces derniers, on cite souvent l'important témoignage d'un maître de la poste arabe de la fin du IXe siècle, Ibn Khordadbih, qui mentionne les mouvements des marchands juifs «radhanites». Ceux-ci se rendent par voie maritime du Sud du pays des Francs en Egypte, puis poursuivent leur voyage par terre, vers l'Extrême-Orient. En dépit des divers problèmes que soulève ce pas important dans les rapports de l'Est et de l'Ouest, la documentation concernant l'existence d'un tel commerce, à une époque où l'expansion arabe est particulièrement agressive et dynamique en Méditerranée, demeure valable. Or, elle infirme une éventuelle paralysie des relations économiques entre les deux mondes. Les études de M. Lombard sur la monnaie d'or arabe, entre le VIIe et le XIe siècle, ont par ailleurs jeté une nouvelle lumière sur ces relations, car elles nous renseignent sur la diffusion de ce métal entre les territoires de l'Islam, les pays occidentaux et le Nord de l'Europe, par l'intermédiaire d'échanges présupposés. Selon nous, l'erreur de Pirenne a donc été de considérer que l'état de guerre (endémique et dont les foyers se rallumaient de temps à autre) a eu, pour la société du haut Moyen Age, l'effet d'arrêt sur les rapports économiques et sociaux que nous avons connu au cours des conflits généralisés de l'époque moderne (l'historien belge avait encore fraîches à l'esprit ses expériences de la Première Guerre mondiale). Aujourd'hui, grâce à l'examen des sources médiévales, une telle extrapolation ne serait plus admissible. Au cours du long duel qui oppose l'Islam à la chrétienté, nous voyons au contraire les rapports économiques et culturels se poursuivre et s'étendre durant de longues périodes. Les échanges entre l'Espagne arabe et l'Orient, musulman ou byzantin, sont bien documentés, ainsi que ceux qui relient les Républiques maritimes italiennes et l'Egypte fatimide, le long de l'axe dont nous avons parlé. Les récits des pélerins d'Occident qui visitent la Terre Sainte avant les croisades et qui se déplacent surtout par mer suffisent à prouver que la liaison entre les rives de la Méditerranée n'est pas toujours régulière et se trouve parfois suspendue sous l'effet de la *djihad* ou d'actes de piraterie réciproques, mais elle ne s'interrompt jamais tout à fait.

Au contraire de la division rigide sur laquelle se fonde la thèse de Pirenne, les contacts entre la chrétienté, même amputée, même très réduite, et l'Islam qui envahit la région méditerranéenne, paraissent bien avoir été fréquents et enrichissants. Ils s'effectuent sous une forme triangulaire: en face de la nouvelle seigneurie de l'Islam, établie en Syrie, en Afrique et en Espagne, se dressent d'un côté l'antique Byzance, avec son héritage gréco-romain, puis chrétien, et de l'autre, l'Occident latin, avec la péninsule et les îles italiennes, ainsi que la France, devenue terre frontalière avec l'Islam andalou. C'est donc par ces trois voies que le patrimoine de la civilisation médiévale islamique va être introduit et pénétrer en Occident.

La puissance byzantine, sur terre et sur mer, a été la plus forte à laquelle les Arabes ont dû se mesurer en Méditerranée orientale; et Byzance elle-même, au cours de la première phase, purement arabe, de l'expansion islamique, a été le but le plus convoité, le principal adversaire du jeune Etat musulman et cependant, le modèle qu'il a le plus imité de manière consciente ou non. Ici, peut-être, plus que d'un ascendant de l'Islam, il faut parler de celui qu'exerce sur lui un empire, qui fait partie à nos yeux de l'Orient, mais qui, pour le Levant, représente le poste avancé, le bastion de l'Occident chrétien. Très vite privée de ses provinces de Palestine, de Syrie et d'Egypte, puis, peu à peu, de l'Afrique du Nord, Byzance réussit à arrêter l'avance directe des Arabes sur la chaîne du Taurus et maintient ainsi l'Anatolie dans l'orbite de la chrétienté, même si les Arabes ravagent sa capitale et son territoire jusqu'à la mer de Marmara. Néanmoins, par trois fois, ils tentent et manquent le siège de Constantinople. Après leur ultime effort, à la fin du VIIIe siècle, la métropole du Bosphore ne connaîtra plus qu'une guerre endémique, à la frontière qui sépare l'Asie Mineure de la Mésopotamie et de la Syrie, tout en poursuivant une guerre navale pour conserver la domination en Méditerranée. La guerre sur terre se poursuit tout au long du IXe et du Xe siècle. Elle conduit à la reconquête partielle et éphémère de la Syrie, mais dans la pratique, les adversaires conservent leurs positions, jusqu'au moment où les Arabes, épuisés, sont remplacés en Orient par les Turcs Seldjoukides, qui reprennent la progression musulmane en Asie Mineure. Même sur mer, de la victoire arabe de Phoenix (655) à l'élimination totale de Byzance en Méditerranée centrale, au XIe siècle, la rivalité continue à opposer les deux puissances, sans que l'une ou l'autre obtienne la décision. Ainsi, en Méditerranée orientale, une partie des territoires byzantins se voit contrainte à devenir musulmane, tandis que l'autre demeure grecque et chrétienne pour plusieurs siècles encore. Mais, ainsi que nous l'avons dit, la présence de Byzance ne se fait plus seulement sentir par les armes. Dès ses débuts, l'Etat islamique souffre d'un complexe d'infériorité à l'égard de l'Empire byzantin, en même temps qu'il éprouve de l'admiration, une aspiration à l'égaler dans les domaines administratifs et sociaux, ainsi que dans l'adoption d'un cérémonial et dans l'art. En dépit de l'arrogance de leur foi nouvelle, les Arabes musulmans de Syrie, califes compris, considèrent Byzance comme l'avaient fait leurs compatriotes ghassanides, ces phylarques de frontière, à la solde byzantine aux Ve et VIe siècles. Ce n'est que vers la fin de la dynastie omayyade, selon de récentes estimations, que cet attrait diminue et que le califat déplace son centre de gravité vers l'Est. Ceci prélude au changement d'orientation politique qu'imposeront, par la suite, les 'Abbâssides. Avant la révolution 'abbâsside, toutefois, en dépit de la guerre arabo-byzantine sur la frontière, missions diplomatiques et commerciales se multiplient entre l'Etat arabe et Byzance, accompagnées d'échanges d'influence artistique et culturelle dans les deux sens, du Bosphore à la Syrie. L'administration arabe de la Syrie poursuit d'ailleurs tout d'abord celle mise en place par Byzance, puis elle l'imite, en l'accompagnant d'une arabisation de la langue et de la monnaie. Même lorsque l'Empire des califes se divise, au moment de l'apparition des Etats et des dynasties mineures, le modèle byzantin continue à exercer sa fascination, ainsi que le montre l'exemple des Fatimides d'Egypte. Le lointain héritage de Rome et la double majesté, chrétienne et orientale, de la capitale du Bosphore s'imposent à son principal adversaire et le marquent de façon contraire, même si cette influence diminue au-delà de l'an mille.

Que peut transmettre pour sa part la civilisation musulmane, une fois affirmée, à l'empire d'Orient qui ne devient pas musulman? Il a été fait à plusieurs reprises allusion aux contacts établis entre la pensée théologique byzantine et celle de l'Islam, mais on ignore si l'une des deux a exercé un plus grand ascendant sur l'autre, en particulier dans le cas de l'iconoclasme, où l'on se demande si l'iconoclasme byzantin ne reflète pas la vive aversion sémitique à l'égard de la représentation des êtres vivants. Dans le domaine littéraire, également, la guerre de frontière qui se déroule entre le VIIIe et le Xe siècle fournit sans aucun doute la matière et l'inspiration aux poèmes et aux chants «akritici» des Byzantins, tout comme elle est à l'origine des panégyriques des poètes de cour et des récits populaires d'al-Battal et d'Oman an Nu'man, du côté arabe; une osmose s'opère entre les thèmes et entre les formes, épico-lyriques ou narratives, aussi est-il difficile de déceler dans quel sens les uns et les unes ont influé sur les autres. Des romans et des fabliaux d'origine orientale, déjà connus sous l'Antiquité, passent sans aucun doute des Arabes aux Byzantins, comme le prouve le succès de *Kalila et Dimna* et de *Sindbad*, où la diffusion s'effectue sans aucun doute d'Orient en Occident. Pour ce qui est de la littérature de qualité, les textes érudits, religieux ou scientifiques, la dette de l'Islam à l'égard de Byzance, ou si l'on préfère envers la culture grecque, par l'intermédiaire des Grecs et des Syriens sujets de Byzance, est sans aucun doute bien supérieure à son apport personnel du temps.

Des recherches récentes portant sur la région où s'était développée la civilisation hellénique dans l'Antiquité et qui, sous l'Empire grec, s'est trouvée réduite à une morne existence provinciale, ont révélé des traces de la diaspora des Arabes, bien que ceux-ci ne l'aient occupée que peu de temps. Les patientes études de Miles ont, en effet, mis en lumière les témoignages d'une domination ou, tout au moins, d'une influence arabe en mer Egée et même jusqu'en Grèce: en Crète, qui a été durant près d'un siècle et demi (877-961) le siège d'un émirat musulman; dans le reflux des Arabes d'Espagne à travers toute la Méditerranée; en Attique et en Eubée, à Corinthe et à Athènes, où des trouvailles numismatiques, voire épigraphiques, attestent la présence ou le passage des Arabes au cours du haut Moyen Age. Une mosquée est ainsi édifiée sur les rives du Bosphore, dans un faubourg de Constantinople — sans doute au moment du siège manqué de la cité par Màslama, en 717-718 — et y subsiste quelque temps; une autre est bâtie à Reggio de Calabre, sur le continent italien alors disputé; une troisième, semble-t-il, à Athènes, où l'on adore Allah au pied de l'Acropole, à en croire une inscription coufique trouvée au cours des fouilles de l'agora. S'il ne semble pas subsister, en Crète, de traces épigraphiques ou architecturales de la domination arabe, les motifs ornementaux islamiques, authentiques, imités ou copiés, se multiplient dans de nombreuses régions de la Grèce. Ils sont toutefois souvent postérieurs à la domination arabe en Crète, ainsi que le souligne Miles. A Athènes, en Attique, à Corinthe, en Phocide et en Laconie, un petit nombre de vestiges d'art islamique archaïque (qui

صودن ایچدی کوردیکم اول صو قاردن صووق شکردن شیریندا اول اوغلان
ایتدی یا محمّد شمدی بلد مکه سنک الله تعالی قتنده قربك واردر
قیونلر
اصحابلر
فخر کائنات
منزلتك عظیم ایمش دعاك مستجاب ایمش امّا یا محمّد بنم ایکی درلو حاجتم
دخی واردر اگر اول ایکی درلو حاجتمی روا قلورسك اول ایکی اکسوکم

À la page précédente
58. Istanbul, musée de l'Art turc islamique. Miniature: La rencontre de Mahomet avec un berger monothéiste

59. Istanbul, Sainte-Sophie. L'abside
60. Istanbul, Sainte-Sophie. La loggia du sultan

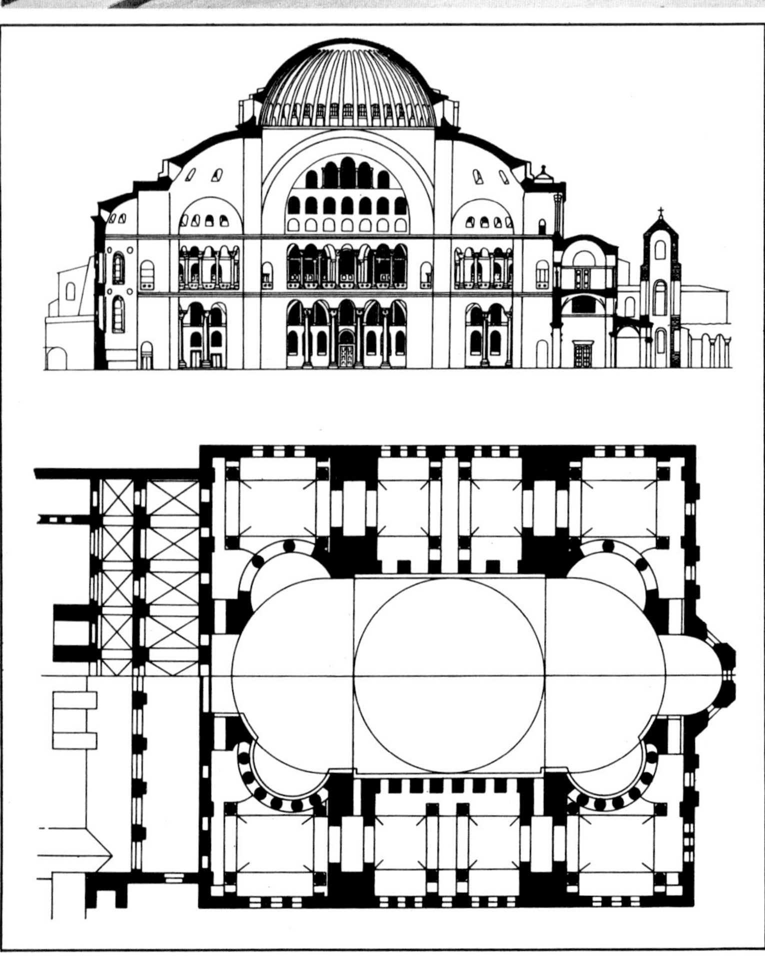

61. Istanbul, Sainte-Sophie. Plan et élévation
62. Istanbul, Sainte-Sophie. Le nimbar
63. Istanbul, Sainte-Sophie. Vue de l'intérieur

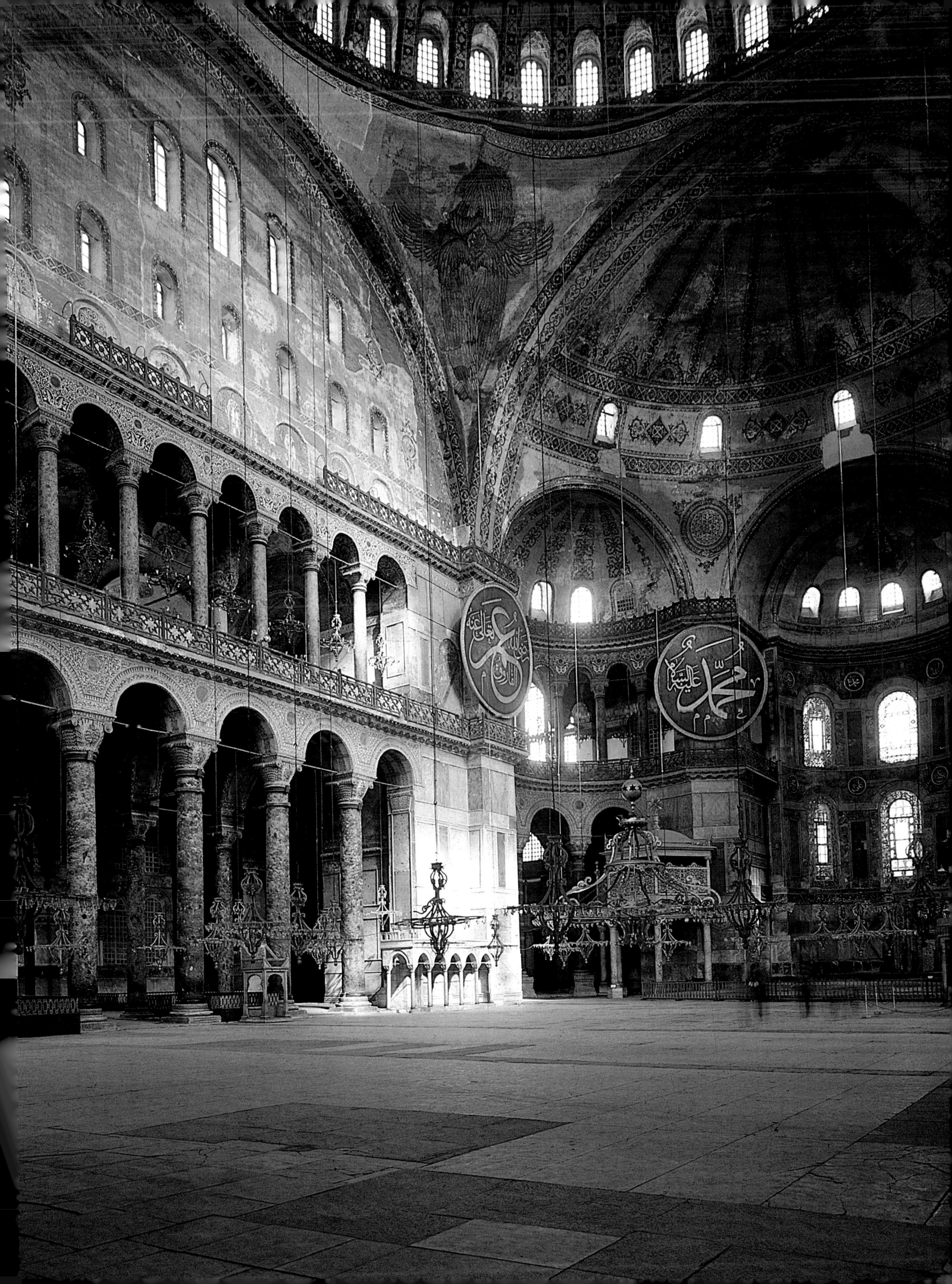

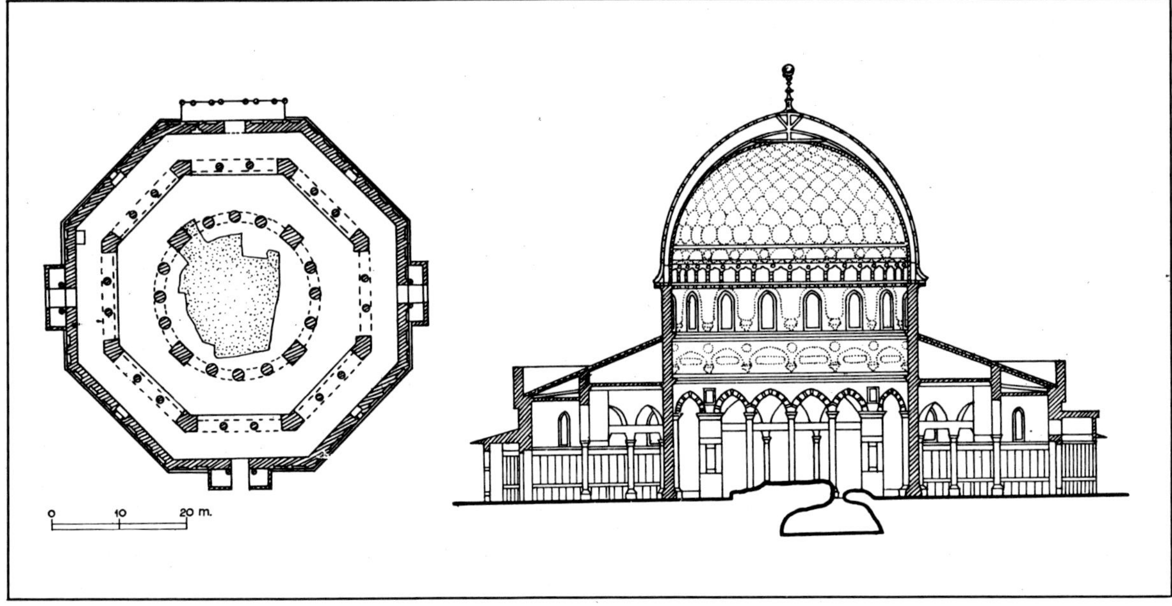

64. Jérusalem, Coupole du Rocher. Vue de l'extérieur
65. Jérusalem, Coupole du Rocher. Plan et élévation

66. Jérusalem, Coupole du Rocher. L'intérieur de la coupole

Aux pages précédentes
67. Khirbat al Mafiar (Israël). La salle du palais

68. Jérusalem, Rockfeller Museum. Rosace en stuc avec petite tête de femme, provenant de Khirbat al Majfar
69. Jérusalem, Rockfeller Museum. Figurine féminine en stuc polychrome, provenant de Khirbat al Majfar
70. Khirbat al Majfar. Mosaïque du bain

71. *Kairouan (Tunisie). Grande Mosquée*
72. *Kairouan. Cour de la Grande Mosquée*

73. Kairouan. Murs extérieurs de la Grande Mosquée
74. Kairouan. Salle des prières de la Grande Mosquée

Aux pages suivantes
75. Paris, Bibliothèque nationale, Ms. Arabe 5847, fol. 19: cavaliers musulmans
76. Paris, Bibliothèque nationale, Ms. Sup. Turc. 1907, fol. 49v: l'ascension de Mahomet

١٩
٢١

ويحمل القنص والحبالة والقبس والذبالة انها لضغث على ابالة فتاقت نفسي مذ زمن لها
ونشدت مدرجها فلما دانتني قرنت بالرقعة درهما وقطعة وقلت لها ان رغبت في المشوف المعلم
واشرت الى الدرهم فوحي بالسر المدهم وان ابيت ان تشرحي فخذي القطعة وابرحي

فمالت الى استخلاص البدر التم والابلج الهم وقالت دع جدالك وسل عما بدا لك فاستطعمتها
طلع الشيخ وبلدته والشعر وناسج بردته فقالت ان الشيخ من اهل سروج وهو الذي وشى

رؤيته النبي صلى الله عليه وسلم للحوري في يوم الجمعة وهن راكبات على الجمال
وتضحكن وترحب بعضهن على بعض وهن في السيره

77. Cordoue. Ensemble de la Grande Mosquée
78. Cordoue, Grande Mosquée. Façade Est

79. Cordoue, Grande Mosquée. La coupole du mihrab

Aux pages précédentes
80. Cordoue, Grande Mosquée. La nef d'Abd-al-Rahmân Ier
81. Saragosse, Aljaferia. Intérieur de l'oratoire
82. Saragosse, Aljaferia. Arc d'entrée

83. Grenade, Alhambra. La cour des Lions vue du palais de Charles Quint
84. Grenade, Alhambra. Une galerie de la cour des Lions
85. Grenade, Alhambra. La coupole du pavillon Est de la cour des Lions1
86. Grenade, Alhambra. Détail du plafond de la salle des Rois: dames et cavaliers

87. Grenade, Alhambra. Détail du plafond de la salle des Rois: les membres de la dynastie des Nasrides
88. Grenade, Alhambra. Détail du plafond de la salle des Rois
89. Grenade, Alhambra. La salle des Rois

Aux pages suivantes
90. Tolède, Synagogue du Transit. Plafond
91. Ravello, palais Ruffolo. La galerie centrale

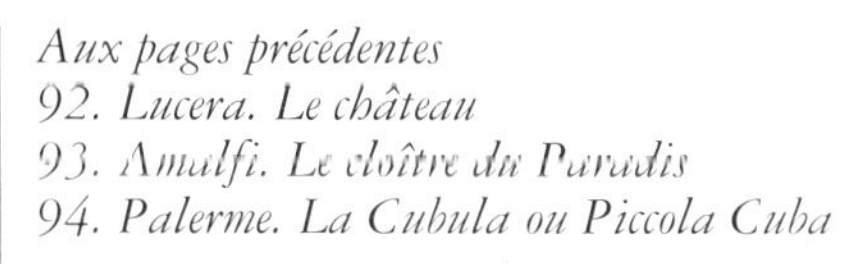

Aux pages précédentes
92. Lucera. Le château
93. Amalfi. Le cloître du Paradis
94. Palerme. La Cubula ou Piccola Cuba

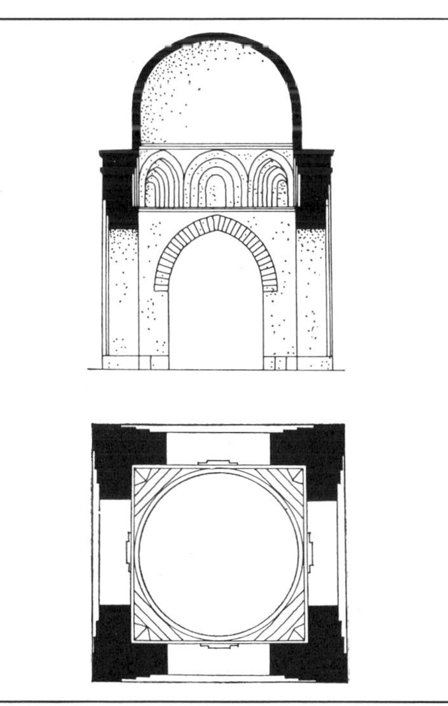

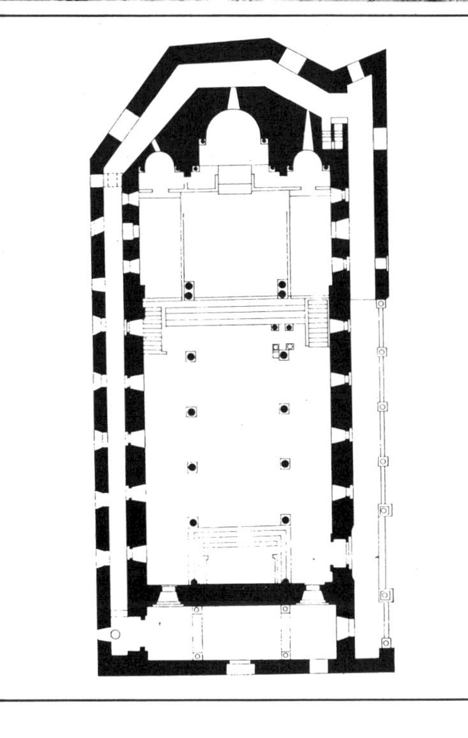

95. Palerme, La Cubula. Plan et élévation
96. Palerme, chapelle Palatine. Les mosaïques de la coupole et de l'abside
97. Palerme, chapelle Palatine. Plan
98. Palerme, chapelle Palatine. Plafond en bois

99. Pise, baptistère. Chapiteau du xe siècle avec inscription arabe

se distingue nettement de l'héritage turc-ottoman postérieur) a été reconnu par les chercheurs modernes. Nous n'insisterons pas sur la moisson des numismates, faite bien entendu sur les sites d'occupation durable, attestée par exemple par la monnaie des émirs de Crète, mais aussi partout où se sont poursuivies les relations commerciales, ainsi que là où se sont produits des passages fortuits, surtout à l'époque des croisades.

Pour la partie orientale de la Méditerranée, les relations entre l'Islam et l'Occident peuvent donc se résumer de la manière suivante: une conquête rapide et violente, puis l'assimilation de certaines terres, non sans que divers éléments de la culture des vaincus ne pénètrent dans celle des vainqueurs et fassent désormais partie de leur patrimoine intellectuel; le contact direct établi à de multiples reprises durant des siècles, à travers une frontière mouvante, franchie dans les deux sens lors des guerres ou des incursions, rencontres qui ont tout de même ceci d'enrichissant que l'on en relève l'écho dans la littérature des deux opposants; une résistance élastique et une indomptable volonté de survivre de la part de l'empire chrétien d'Orient, que l'attaque arabe, en dépit de l'impétuosité de son élan initial, ne parvient pas à briser, ce qui conduit à un équilibre approximatif entre les deux puissances. Et dans l'intervalle, malgré des affrontements sur terre et sur mer, au lieu de la paralysie dont nous parle Pirenne, les échanges commerciaux se poursuivent sur un rythme intense, ainsi que ceux qui relèvent du domaine culturel et dont nous relevons des traces plus faibles, mais tout de même caractéristiques. Leur niveau s'élève et leur importance croît lorsqu'on passe en Méditerranée centrale, en Sicile et en Italie.

Dans ces régions, l'établissement de l'Islam n'est que partiel, au haut Moyen Age, et plus bref qu'il ne le sera dans la péninsule ibérique, mais, par contre, plus durable et plus enrichissant que dans certains points isolés de la mer Egée ou de la Grèce. Il faut toutefois distinguer entre le continent italien, où la domination musulmane ne persistera guère (à l'exception des émirats de Bari et de Tarente, au cours de la seconde moitié du IXe siècle) et la Sicile, où la suprématie politique et religieuse des Arabes se maintient pendant plus de deux siècles, trois au maximum, si l'on y ajoute, comme il le faudrait, la période normande. Les Arabes vont mettre plus de soixante-dix ans (827-902) à se rendre complètement maîtres de la Sicile et près de trente (1060-1090) pour la reperdre, deux siècles plus tard. Durant les 150 ans où leur pouvoir est indisputé et, bien entendu, durant les deux longues périodes de la conquête et du retrait, ils ont le temps de rendre l'île tout à fait *dar al-Islam*, territoire islamique, ce qui ne signifie pas qu'elle soit uniquement habitée par des musulmans: le christianisme ne va jamais être interdit en Sicile, où il devient un culte toléré de *dhimmi*, les tributaires, selon la classique conception du droit islamique. Les musulmans deviennent donc dans l'île la classe dominante, celle des guerriers, des grands propriétaires terriens, des marchands et des artisans. Même si l'île, dans sa vie interne, s'est peu rendue compte du joug arabe, à l'exception de Palerme, nous pouvons suivre, en gros, les diverses étapes de son islamisation, qui devient presque totale à l'Ouest et de plus en plus faible vers l'Est, où l'élément gréco-chrétien se maintient avec le plus de ténacité. Par un processus analogue, après la conquête normande, l'Islam cède plus vite du terrain dans la zone orientale de l'île, alors qu'il se maintient dans le secteur occidental tout au long du XIIe siècle, puis disparaît entièrement au début du XIIIe siècle, sous Frédéric II, au moment où éclatent les dernières révoltes et commencent les déportations.

Avec l'expédition d'Asad ibn al-Furat et celles qui la suivent, l'élément ethnique qui prend pied en Sicile est originaire d'Occident, puisque la plupart de ces Arabes viennent des territoires qui constituent aujourd'hui la Tunisie. Selon un phénomène qui se généralise dans toute l'Afrique du Nord islamisée, on voit se mêler à eux une forte proportion de Berbères. Les conquérants arabo-berbères viennent s'ajouter aux différentes couches de la population de l'île, indigène et punique, grecque et latine. Bien qu'elle ait été atténuée et modifiée par les apports et les mariages mixtes qui ont suivi, cette composante ethnique est encore reconnaissable en Sicile, mille ans après. Quant aux caractéristiques de la domination arabo-islamique en Sicile et à ses survivances, il faut souligner leur forme marginale, que l'on pourrait presque qualifier de provinciale, de l'arabisme maghrébien, puisque des voyageurs venus d'Orient, comme Ibn Hawqual (Xe siècle), plus habitués au cosmopolitisme du monde musulman, la considèrent avec un certain dédain. Vu, au contraire, à travers les yeux des Occidentaux, en particulier des Italiens (et l'on songe au grand historien Michele Amari), l'occupation arabe apparaît sous un jour positif et bienfaisant, car elle insuffle un sang nouveau à une population affaiblie sur le plan ethnique et, surtout, elle introduit des changements dans les conditions économiques et sociales de l'île, où souvent le grand domaine l'emporte sur les petites et les moyennes exploitations, en redonnant une impulsion à l'agriculture sicilienne et en l'enrichissant grâce à l'utilisation de techniques et de cultures encore inconnues. Le vocabulaire de la vie économique, qui a subsisté en sicilien et qui est souvent passé en italien, pour ce qui concerne l'agriculture, l'irrigation, les instruments aratoires ou domestiques et les produits de la terre, souligne l'importance décisive de la présence arabe dans ce domaine. Les historiens et les voyageurs arabes du temps décrivent la Sicile comme riche en eau et en forêts (on en tire le bois de construction des flottes arabes de la Méditerranée centrale), couverte de fruits et de moissons. L'olivier et la vigne y demeurent rares (la Sicile importe l'huile d'Afrique), mais le coton, le chanvre et les légumes y abondent. C'est sans doute à la demande des Arabes que l'on y commence la culture des agrumes (aujourd'hui l'une des bases de l'économie sicilienne), de la canne à sucre, du palmier dattier et du mûrier. Quant à celle du coton, il semble qu'elle dure aussi longtemps que se poursuit l'influence de la civilisation matérielle arabe, puisqu'elle ne disparaît qu'au XIVe siècle, mais survit à Malte, à Stromboli et à Pantelleria. Les descriptions les plus célèbres de la Sicile arabe, dont nous tirons beaucoup de renseignements, ont été écrites à l'époque normande (Idrisi et Ibn Giubair), mais elles reflètent encore les conditions créées par la domination musulmane qui l'a précédée. D'autre part, ce sont les Normands qui ont entrepris là le remembrement de la terre et favorisé la formation de grands domaines ecclésiastiques, enrichis par la piété et la politique des rois, ainsi que la création de la structure féodale qui lui est liée et qui exercera une influence si funeste sur la vie économique et sociale des périodes suivantes. C'est à cette époque arabo-normande que nous devons la plus ancienne documentation des cartulaires bilingues, arabo-grecs, où se reflète le labeur obscur et tenace des agriculteurs musulmans en Sicile et le retour déjà amorcé à des modes d'économie inférieurs sur le plan social et technique. La période arabe apparaît donc comme le stade le plus élevé du développement des ressources et du niveau de vie de la grande île méditerranéenne.

Nous disposons de peu de documentation, indirecte de surcroît, au sujet de sa vie spirituelle, culturelle et artistique, à l'époque où les Arabes constituent la seule autorité d'occupation. Presque tous les monuments et sources littéraires d'alors ont disparu et ce qui subsiste provient surtout de l'extraordinaire période normande. Il est pourtant certain que la Sicile musulmane a participé (mais nous ignorons quelles en ont été les caractéristiques locales) à la vie intellectuelle d'ensemble de l'Islam, en particulier à celle de l'Islam maghrébin.

L'étude du droit, de la théologie, de la philologie et de la grammaire y a été autant poussée que dans le reste du monde islamique; la poésie s'épanouit à la cour kalbite de Palerme et auprès des petits émirs locaux, ainsi qu'on le souligne, en général; on le ferait davantage encore si l'on pouvait regrouper la précieuse anthologie de poésie arabo-sicilienne, recueillie par un philologue local, Ibn al-Qatta, qui devait émigrer en Egypte et y mourir. De ce qui nous est parvenu de la production du XIe siècle, on peut juger que cette poésie est classique par la langue, les mètres et les formes, mais nous n'avons pas trouvé la moindre trace de formes linguistiques et métriques populaires, alors qu'elles se développent, à la même époque, dans l'Espagne musulmane. Ceci n'implique pas une absence totale de ce phénomène en Sicile. Par sa vie d'errances, le grand poète arabo-sicilien Ibn Hamdis († 1133) relie ainsi sa patrie à l'Andalousie, alors le premier foyer de la poésie arabe en Occident, dont les modèles vont s'imposer dans la grande île. La poésie et la langue arabes connaissent cependant un ultime éclat, qu'illustrent quelques exemples brillants sous le règne des Normands, dont on connaît la politique éclairée en matière de tolérance religieuse et l'éclectisme culturel. Avec la venue au pouvoir de la dynastie souabe, l'arabisme sicilien aura un rapide passage à vide, très vite suivi par le *Contrasto* de Cielo d'Alcamo et la formation d'une école poétique sicilienne, en italien vulgaire. On a émis l'hypothèse (mais elle n'a pu être prouvée jusqu'à présent) qu'un courant souterrain avait pu relier les dernières manifestations de la vie spirituelle arabo-islamique, dans l'île, à ces premières manifestations de la poésie romane sur le sol italien. La suppression de ces traces de la civilisation islamique ou leur survivance sous des formes nouvelles font désormais l'objet de discussions entre les spécialistes.

Les glorieux restes de l'art figuratif laissés par l'Islam en Sicile sont au contraire accessibles à tous, même s'ils relèvent, nous l'avons vu, d'une période et d'un milieu qui ne sont plus franchement musulmans. A l'influence islamique pure se rattachent seulement, semble-t-il, près de Palerme, les bains de Cefalù, défigurés et à demi ruinés, outre quelques monnaies et inscriptions tombales. Par contre, les monuments arabo-normands de renommée mondiale (la chapelle Palatine et son somptueux plafond de bois à alvéoles et pendentifs, dû à des artistes musulmans peut-être venus d'Egypte, le pavillon de la Cuba et le château de la Zisa, de même que d'autres vestiges architecturaux de Palerme et d'ailleurs) conservent sans ambiguïté le témoignage de leurs rapports avec l'art arabe d'Occident. En conclusion de cet aperçu sur le «legs» de l'Islam à la Sicile, il nous faut encore signaler, au-delà de toute idéalisation romantique, l'étendue de l'influence qu'il exerce sous de multiples formes, en particulier dans l'onomastique et la toponymique, où on la retrouve aujourd'hui. Une analyse objective des coutumes et de la psychologie individuelle ou collective de la population sicilienne actuelle renvoie d'ailleurs à l'héritage arabo-islamique, même pour certains de leurs aspects négatifs, mais le bilan de l'histoire économique, sociale et culturelle de l'occupation arabe se clôt nettement en faveur de celle-ci.

Le cas se pose de manière toute différente pour la péninsule italienne, qui fait elle aussi l'expérience de la diffusion de l'Islam dans le bassin méditerranéen. A l'exception des deux petits émirats des Pouilles, qui durent peu de temps et auxquels nous avons déjà fait allusion, l'Islam ne réussit jamais à s'y implanter de façon permanente. Toutefois, les Arabes de Sicile franchissent le détroit de Messine à plusieurs reprises et toutes les côtes se trouvent exposées, entre le IXe et le Xe siècle, aux attaques des corsaires islamiques (témoins, le sac de la basilique Saint-Pierre de Rome, en 846, et la bataille d'Ostie, en 849), mais ici, comme en France, les attaques arabes ne parviennent pas à se transformer en occupation. Durant deux siècles, le Mezzogiorno ne va voir dans les Sarrasins qu'une source de menaces et de pillages, un facteur de déstabilisation dans les luttes internes du midi. Les Lombards, les Byzantins et les Républiques maritimes nouent des alliances, entre eux ou avec les musulmans, alliances dont ils tirent profit et qui leur rapportent du butin. L'influence négative des Sarrasins dans l'Italie méridionale a été maintes fois mise en relief par l'historiographie italienne, des travaux d'Amari à ceux de Schipa. Il a fallu attendre une période récente pour qu'un autre spécialiste, Musca, tente la révision du jugement traditionnel, sans tenir compte de la perspective héritée du Risorgimento dont celui-ci s'inspirait, et qu'il cherche à distinguer les éléments positifs de la présence arabe au sein des forces alors opposées dans le Sud. Il faut reconnaître que les effets de la pénétration arabe dans la péninsule italienne sont très inférieurs à ceux ressentis en Sicile. Dans le Sud italien, en effet, les Arabes n'ont jamais eu le temps d'organiser des activités durables, puisqu'ils ont vécu de guerre et de rapines (ainsi que l'ont fait les bandes sarrasines au service des princes lombards ou la colonie du Garigliano). Durant le haut Moyen Age, la péninsule italienne ne connaît donc que les conséquences dévastatrices de la *djihad*, semble-t-il. La culture, la science et l'art ne sont pas diffusés par les pillards: ils constituent un corps étranger dans la structure sociale du Sud, qui s'efforce de les expulser le plus vite possible. Aucun élément de civilisation ne sera non plus apporté par une nouvelle vague d'envahisseurs musulmans, qui surgit des Alpes à partir du Xe siècle, dévaste le Piémont et la Ligurie à plusieurs reprises, puis pénètre dans la plaine du Pô.

Des éléments de la culture matérielle de la science et de l'art islamiques parviennent tout de même, par d'autres voies, dans l'Italie médiévale et avant tout en Italie méridionale. Ils y sont apportés par des marchands (au contraire de ce que soutient la thèse de Pirenne, la survivance du commerce est certaine, en dépit des pillages, même si les témoignages concernant cette période demeurent insuffisants), par des voyageurs ou des lettrés, puis un peu plus tard, grâce à la grande migration culturelle, qui passe par l'Espagne musulmane. Des voyageurs tels qu'Ibn Hawqal témoignent de l'existence d'échanges commerciaux entre les terres d'Islam et les Républiques maritimes de Campanie, au haut Moyen Age, et nous savons qu'il existe des comptoirs italiens en Orient, tels ceux des Amalfitains dans l'Egypte fatimide. On trouve précisément des exemples remarquables de la présence d'éléments arabes dans l'art de l'Italie méridionale, sur les monuments d'Amalfi, de Salerne, de Ravello, de Canosa di Puglia, et l'on connaît de nombreuses œuvres musulmanes «mineures» dans le Mezzogiorno, mais aussi en Italie centrale (le Latium, les Marches, la Toscane). Enfin, le travail accompli par les traducteurs, parmi lesquels se distingue un lettré mystérieux, Constantin l'Africain, révèle à la culture latine les résultats obtenus par la médecine et la pharmacologie jusqu'à la seconde moitié du XIe siècle, c'est-à-dire avant que le grand courant de la science arabe ne gagne toute l'Europe à partir de l'Espagne. Quand cette route sera ouverte, la science et la philosophie arabe (outre des notions d'eschatologie et de piété populaire musulmane, ainsi qu'il a été démontré) franchiront les Pyrénées et se diffuseront en France et en Italie. Il est très net, en tous les cas, que l'essentiel, et le meilleur, de ce qui parvient en Italie après l'an mille n'arrive pas directement de l'Orient arabe, mais de cette tête de pont culturelle qu'est devenue la péninsule ibérique.

Les éléments linguistiques arabes qui entrent alors dans la langue italienne constituent un bon exemple du type d'influence qu'exercent ces liaisons avec la civilisation de l'Italie du Moyen Age. Ce sujet a surtout intéressé des amateurs et ce n'est que tout récemment qu'on l'a traité de façon approfondie, avec la rigueur scientifique qui s'imposait. L'examen systématique de ce matériel linguistique se fonde, selon G.B. Pellegrini, le chercheur le plus qualifié dans ce domaine, à l'heure actuelle, «sur les échanges commerciaux, le vocabulaire de la douane et des produits importés du Maghreb et de l'Orient». Des mots tels que *dogana* (douane, du diwan, le conseil), *magazzino maona* (société commerciale) ou *moatra* (une sorte de prêt avec intérêt), des noms de monnaie (*tari*), de mesurer (*rubbio*), de récipients (*caraffa*, carafe, *giara*, jarre, *ziro*), d'étoffes et de vêtements (*giubba*, tunique, jupe, *caffetano*, caftan, *borzacchino*) comptent parmi les exemples les plus souvent cités. A ce noyau s'ajoutent des termes qui se rapportent à des secteurs bien différents: les sciences, dont l'astronomie, l'astrologie, les mathématiques, la chimie, la pharmacologie et la médecine, les techniques artistiques et la philosophie. La diversité et l'abondance de ces emprunts de vocabulaire, qui correspondent pour une bonne part à la vie matérielle et spirituelle méditerranéenne, ne peuvent être rattachées aux activités de pillage effectuées dans le Mezzogiorno par des Arabes qui ne venaient pas tous de Sicile. On ne saurait donc considérer tous ces emprunts comme ayant une origine arabo-sicilienne. Par leur double courant de termes savants et d'éléments relatifs au commerce et à la vie quotidienne, ils correspondent bien aux aspects principaux des relations musulmanes et italiennes en Méditerranée: des rapports scientifiques, livresques, d'une part et, de l'autre, ceux de l'univers des activités pratiques, tous deux riches de résultats, même si leur retentissement et leur qualité ne peuvent être comparés au succès de la rencontre arabo-andalouse.

C'est donc dans la péninsule ibérique que se développent les relations les plus brillantes et les plus fécondes entre l'Islam et la civilisation européenne naissante. Là, plus qu'en aucun autre pays méditerranéen, l'établissement des Arabes et la prédominance de leur foi ont le temps et le moyen de s'infiltrer dans la structure ethnique, sociale et culturelle qui les a précédés et qui sera profondément modifiée quand ils se retireront, au bout de sept siècles. Si leur passage en mer Egée, n'a été qu'un épisode fugitif, leur installation en Sicile, une parenthèse dans le cours de l'histoire gréco-latine de l'île, en Espagne, la composante arabe va devenir l'un des éléments fondamentaux de l'apparence et du destin du pays; son influence se fera sentir bien au-delà de la simple présence de l'Islam sur son sol. La conscience et l'évaluation de cette composante constituent un chapitre de l'historiographie espagnole moderne. Si deux des principaux chercheurs contemporains, A. Castro et C. Sánchez Albornoz, soutiennent, semble-t-il, des thèses opposées (positive, pour le premier, non sans de considérables réserves, et négative, au fond, pour le second) au sujet du tournant que représente l'occupation arabe dans l'histoire de l'Espagne, leurs positions contradictoires soulignent mieux encore l'importance capitale de cette période dans le développement de leur pays. Selon Castro, qui considère l'ère wisigothique comme étrangère et importune dans l'authentique tradition ibérique, la nation espagnole est née de la rencontre des Arabes (et des juifs) avec l'élément indigène, et l'histoire, les coutumes, la psychologie et la foi de la future Espagne en ont été entièrement conditionnées, qu'elles en aient résulté ou qu'elles aient correspondu à une réaction contre elle. Sánchez Albornoz estime au contraire que les Arabes et l'Islam ont représenté un facteur de troubles, nuisible pour l'essentiel, qui a détourné l'Espagne de l'évolution de l'héritage romain menée à bien par les autres nations néo-latines, et qui a donné au caractère espagnol quelques-unes de ses particularités les plus négatives (le fanatisme religieux et l'intolérance, le pouvoir excessif accordé à l'Eglise, l'absolutisme et l'isolement du reste de l'Europe), particularités demeurées sensibles jusqu'à une période toute récente. Néanmoins, que l'on considère l'influence arabo-islamique en Espagne comme positive ou négative, naturelle ou intruse, ces deux thèses opposées lui reconnaissent une portée et un rôle décisifs dans la vie du pays et même dans celle de toute l'Europe occidentale.

Au temps de leur splendeur, les Arabes d'Espagne ont d'ailleurs été conscients de la nature et de l'intérêt de leur présence sur le sol andalou, aussi ont-ils cherché à en dresser le bilan. Ce dernier a bien entendu eu pour arrière-plan et termes de comparaison les autres régions où se développait la civilisation musulmane et non, comme nous le faisons, le reste de l'Europe chrétienne. L'«Eloge de l'Islam espagnol», selon le titre que donne García Gomez à la célébration (*risala*) de l'Andalousie par ash-Shaqundi (XIIIe s.), contient cependant des éléments valides pour le second rapprochement, ce qui confère une autre valeur au contenu polémico-rhétorique de cet élégant petit ouvrage. On y voit en effet mis en relief la puissance passée du califat omayyade, avec la guerre sainte conduite sans relâche contre les infidèles; le splendide mécénat culturel des Reyes de Taifas (les souverains des petits royaumes créés lors de la disparition du Califat de Cordoue); la prodigieuse floraison littéraire et le raffinement des cours; la richesse économique du pays et l'habile mise en valeur de ses ressources agricoles, l'un des principaux titres de gloire de la domination arabe en Espagne; l'imposante production scientifique, enfin, au sujet de laquelle l'auteur oublie de mentionner ce qui en constitue, à nos yeux, le premier mérite, c'est-à-dire la conservation et la propagation de la science antique, même s'il souligne à juste titre la réputation acquise par des représentants tels qu'Ibn Hazm, Ibn Zuhr et Averroès. Ash-Shaqundi brosse son remarquable tableau à une époque où l'Islam arabe est déjà entré en déclin et où le pays va connaître la Reconquête chrétienne, après la tutelle berbère. L'auteur meurt en effet à Séville, en 1232, seize ans avant que Ferdinand III ne reprenne la région à l'Islam. Cet éloge ressemble donc davantage à une évocation de ce qui est en train de disparaître qu'à une évocation du futur. Mais avant de nous préoccuper de l'avenir, des échos ou des réactions de l'héritage arabe en Espagne, lorsque la présence de l'Islam ne s'y fera plus sentir, il nous faut évoquer ce que cette région du monde représente alors: la propagation extrême de l'arabisme en Occident, qui bénéficie d'un climat de tolérance relative et d'osmose culturelle pour se greffer sur les vestiges de la latinité ibérique, à peine touchée par la domination wisigothique, et sur le christianisme occidental. Plus tard, après le XIIIe siècle, au cours duquel on assiste à la déstabilisation de l'Islam sur une grande partie de la péninsule, se déroulera encore le long épilogue de son ultime bastion de Grenade. Viendront enfin la croix sur l'Alhambra et la lente agonie des hispano-moresques, jusqu'à l'expulsion de ces derniers, en 1609.

On tient ici pour connues les grandes lignes de l'*histoire événementielle* de toute cette période, aussi nous contenterons-nous de souligner deux ou trois points qui permettent de mieux évaluer la présence arabo-islamique dans cette partie de l'Europe occidentale. On notera tout d'abord le caractère rapide et complet de la conquête d'al-Andalus, au cours de laquelle les premiers envahisseurs, conduits par Tariq e Musa, ont atteint en trois ans à peine les limites septentrionales de l'implantation permanente des Arabes, même s'il leur est arrivé de les franchir par la suite et d'effectuer des incursions au-delà des monts Cantabriques. Mais si cette zone de l'extrême Nord est touchée par les Arabes, ils ne la tiendront jamais, aussi la frontière entre l'Espagne musulmane et chrétienne passe-t-elle beaucoup plus au Sud, entre le Douro et l'Ebre, avant qu'elle ne soit peu à peu repoussée, au XIe siècle, au moment de la *Reconquista*. Est-ce par intention délibérée, par nécessité ou par hasard que les Arabes se sont contentés de frontières aussi précaires et n'ont pas pris le contrôle total de la péninsule? La même question se repose au sujet de la poursuite de leur offensive et de leur expansion en Europe, au-delà des Pyrénées, tout d'abord en France (Roussillon et Septimanie, Provence et Dauphiné), puis au-delà des Alpes, en Suisse et en Italie du Nord. Il semble que les Arabes aient eu besoin d'autre chose que de leur puissance militaire et démographique pour transformer ces incursions en conquêtes et que le risque encouru par un trop grand étirement de leurs lignes de communication terrestres à partir des bases d'Ibérie et d'Afrique les ait empêchés d'élaborer un plan d'expansion ultérieure. Celle-ci a été laissée à l'initiative des groupes de pillards, qui ont manqué de renforts et d'approvisionnement pour se maintenir sur les terres qu'ils avaient razziées. Dans ce contexte, Cavadonga et Poitiers doivent être considérées comme les déferlements ultimes de la vague qui a conduit les Arabes, au début du IXe siècle, à abandonner aux royaumes chrétiens les territoires au-delà du Douro et de l'Ebre (Asturie et Léon, Navarre et Catalogne).

Entre ces limites, au cours des IXe et Xe siècles se crée le grand Etat omayyade, la plus importante formation politique du temps chez les Arabes d'Occident et celle qui va constituer un facteur d'équilibre décisif en Méditerranée. Après avoir renoncé de façon plus ou moins consciente à s'engager à fond au-delà des monts Cantabriques et des Pyrénées, les Omayyades d'Espagne limitent leurs objectifs, en politique étrangère, à la lutte pour l'hégémonie sur les côtes d'Afrique et à la domination de la mer; ils se contentent donc de jouer leur rôle d'avant-poste musulman en face de la chrétienté et de livrer une guerre chronique de type *djihad*, leur impérialisme ne visant qu'à occuper les terres gagnées à l'Islam. Le long duel maritime qui les oppose aux Fatimides d'Egypte est l'un des aspects saillants de la politique des Omayyades, qui recherchent en outre des accords et des alliances avec Byzance, en Méditerranée orientale, afin de lutter contre leur ennemi commun, les 'Abbâssides. Tous ces grands projets s'effondrent quand éclate la crise interne du califat de Cordoue, survenue au début du XIe siècle, peu de temps après que celui-ci ait connu sa période de plus grand prestige. Dès lors, l'axe de la puissance islamique en Occident se déplace de l'Espagne à l'Afrique. Les empires qui s'y créent, ceux des Almoravides et des Almohades, occupent et soumettent à leur contrôle l'Andalousie, qui avait rêvé, un temps, de s'emparer de la côte africaine. Une fois disparue l'éphémère thalassocratie omayyade, l'Andalousie islamique est réduite à poursuivre, rôle plus modeste, une guerre sainte de piraterie en Méditerranée occidentale (les expéditions de Mudjâhid al-Amirî aux Baléares et en Sardaigne s'expliquent ainsi), où elle affronte les Républiques maritimes italiennes. Plus tard, à la fin du Moyen Age, les rapports politiques et militaires entre l'Islam et la chrétienté, dans cette partie de la Méditerranée, se réduisent à des affrontements locaux entre les Républiques de la mer tyrrhénienne (auxquelles s'ajoute, au XIIe siècle, le royaume normand de Sicile) et les dynasties musulmanes de la côte nord-africaine (Zirides, Almohades et successeurs), cependant qu'à l'intérieur de la péninsule ibérique, l'élan de l'Islam faiblit devant l'accentuation de la pression chrétienne. Du XIIIe au XVe siècle, la longue survivance du royaume de Grenade devient un problème interne de l'Espagne chrétienne, et ce poste avancé de l'Islam arabe en Europe se bat avec ténacité, mais livre sans espoir une ultime bataille.

Au cours d'une aussi longue période et sur une aire que correspond aux trois-quarts de la péninsule, on ne s'étonne pas que l'Islam et l'Arabisme aient pris profondément racine; mais comme sur le territoire plus restreint de la Sicile, ni la foi, ni la race, ni la langue des conquérants ne sont parvenues à supplanter tout à fait celles des vaincus et c'est justement de cette coexistence et des mariages mixtes que dérive le caractère composite, d'une richesse extraordinaire, de la civilisation arabe en Espagne. Du point de vue ethnique, plusieurs vagues d'Arabes et de Berbères se sont déversées sur al-Andalus, au cours du VIIIe siècle, mais elles ne se sont pas isolées, aussi se sont-elles fondues dans la masse de la population wisigothique et ibéro-latine. Leur pureté ethnique (et il s'agissait déjà de deux races mêlées, l'arabe et la berbère) s'est si vite perdue que l'aspect physique de certains princes de la dynastie omayyade, selon les descriptions des chroniqueurs, était déjà éloigné du type pur: les sangs latin, germain et nordique ont fusionné avec les sangs africains et arabes pour donner un type métissé, aux traits orientaux, africains ou européens. La religion que ces envahisseurs introduisent dans la péninsule s'y répand comme dans tous les territoires touchés par leur diaspora et y prédomine bientôt, sans devenir exclusive. A côté de l'Islam des conquérants et des indigènes qui se sont rangés à leurs côtés (les *muwalladín*), le christianisme, qui en Espagne a déjà à son actif de grandes réalisations religieuses et littéraires, des rites, des écrivains, des saints qui lui sont propres, se voit toléré par les vainqueurs et subsiste en position d'infériorité, mais avec un statut tout à fait légal. Cet élément chrétien s'arabise dans la langue et la culture, et une expression arabe (*mustà riba*, mozarabe, c'est-à-dire assimilé aux Arabes) désigne les natifs d'Espagne demeurés fidèles à la croyance de leurs pères sous la domination musulmane, mais devenus arabophones ou, tout au moins, bilingues. Ce bilinguisme ou même ce polylinguisme constitue un autre aspect caractéristique de l'Espagne arabe. On sait aujourd'hui que l'arabe de la classe dominante, sous la forme pure de la langue classique écrite et sous sa variante dialectale parlée, a coexisté tout du long avec le latin plus ou moins barbare de l'Eglise et des documents officiels établis entre chrétiens, de même qu'avec les idiomes romans à peine nés. Cette diversité linguistique est bien attestée dès les premiers siècles de l'occupation arabe et cette documentation ne cesse de croître, comme nous le verrons. Sur le plan culturel, la supériorité des dominations étrangères successives s'affirme très vite et le latin appauvri de la péninsule s'incline, admiratif, devant la science, la littérature et la poésie des conquérants. On connaît bien, à ce sujet, un témoignage du IXe siècle, celui d'Alvaro de Cordoue. Il y déplore la mode arabisante, établie par les intellectuels chrétiens de son temps, la passion avec laquelle ces derniers étudient la production littéraire arabe, au détriment de l'Ecriture sainte et des auteurs latins. Cette somme de connaissances provient en grande partie de l'Orient, à la suite de l'épanouissement, aux IXe et Xe siècles, de la grande culture 'abbâsside en Iraq, dont l'Espagne musulmane est tributaire sur le plan littéraire, bien qu'elle soit son adversaire dans le domaine politique.

Peu de temps après, on voit d'ailleurs apparaître des réalisations littéraires spécifiquement maghrébines, puis andalouses et ce sont elles qui sont recueillies, puis transposées avec tant d'intérêt par le milieu roman.

La présence arabe dans la péninsule exerce une influence linguistique profonde, surtout sur le vocabulaire, et c'est la trace la plus évidente qui en subsiste encore aujourd'hui. On la relève à propos des aspects les plus divers de l'existence, de l'agriculture, des arts et métiers, du commerce, de l'administration, de la guerre et de la science. Relevant du vocabulaire de la religion, de l'administration et de l'artisanat, on trouve des mots tels que *mezquita, almirante, alcalde, alguací, almojarife, zalmedina, zabazoque, almotacén, alfaquí* (en arabe, *al-faih*), *alfaqui* (en arabe, *al-hakím*), *alhagib, alatat, alcahuete*, etc. La terminologie militaire, très répandue étant donné l'état de guerre endémique avec les chrétiens, comprend *aceifa, algarada, adalid, arrez, alcaide, rehen, atalaya, alarde, rebate, alcazar, alcazaba, añafil, alfaraz, jinete, almofre, adarga*; certains de ces mots, archaïques, sont tombés en désuétude, mais d'autres se maintiennent. Le commerce nous vaut *aduana, almacen, tarifa, zoco, almoneda, atijara.* Aux poids, mesures et monnaies appartiennent *arroba, cahíz, fanega, almud, adarme, arrelde, ceca, maravedi* et *letical*, en particulier. Les noms de minéraux et de produits arabes, tels que *azogue, albayalde, marfil, alcanfor, alkohol, annofaz, rejalgar, algalia, almizque, aceche* sont fréquents. Le sont aussi des types de vêtements ou d'étoffes d'origine orientale, comme *aljuba, albornoz, zaraguelles, alquinal*, sans oublier le nom du tailleur, *alfayate.* Les désignations arabes abondent surtout en agriculture et à propos de l'irrigation (*acequia, noria, azud, aljibe, alberca, arcaduz, aceña, tahona, almazara, almunia*). On en retrouve une partie en Sicile, ce qui témoigne du haut niveau technique atteint dans ce secteur de l'activité humaine par les conquérants et de l'importance primordiale de l'exploitation de la terre dans la vie économique et sociale de ces régions. On rencontre aussi, en espagnol, une abondance de plantes, de fruits et de légumes d'origine arabe, parmi lesquels *alcachofa, arroz, naranja, limón, azafrán, azucar, aceite, toronja, berengena, albricoque, arrayán, azucena, alhucema, adelfa.*

Le règne animal compte l'*adive*, l'*alcotán*, l'*alforre* et l'*alacrán.* Les ustensiles et les objets domestiques nous valent *jarra, taza, alcuza, alcolla, alfombra, alifafe, almadraque, azote, alhaja*, et ainsi de suite. La terminologie relative à l'habitation et aux techniques de construction est également d'une richesse particulière: *aldea, arrabal, barrio, albanil, alarife, alfoz, azotea, alcoba, zaguán, azulejo, adobe* et les doublets. Les appellations de jeux (*aljedrez*) et d'instruments de musique (*laúd, atabal, adofe*) nous offrent un aperçu sur les aspects agréables de la vie de cour. L'un des apports linguistiques les plus considérables est celui de la toponymie ibérique, dans laquelle entrent encore souvent, aujourd'hui, des éléments arabes: il s'agit, en général, de composés de termes arabes courants, dont *qal'a, wadi, manzil, qasr, rabad, rabita*, aisément reconnaissables, même pour le profane, dans des noms de lieux tels que Alcala, Alcolea, Calatayud, Calatrava, Guadalquivir, Guadarrama, Alcazar, Arrabal, Rabida et autres. Dans certains cas, les mutations phonétiques et sémantiques sont moins faciles à percevoir pour qui n'est pas familiarisé avec le vocabulaire arabe et les règles de la phonétique ibéro-arabe, établies de manière scientifique par Lopez et Steiger. En bref, à côté de l'ouvrage classique de Dozy et d'Engelmann sur les termes arabes entrés dans la langue ibérique, Asín a pu consacrer un petit livre aux toponymes arabo-espagnols, dans lequel il explique plus de mille noms de lieux et en cite plusieurs centaines dont le sens demeure incertain. N'oublions pas, à côté de dérivations lexicales directes, les calques sémantiques et phraséologiques, dans lesquels la morphologie arabe paraît transposée dans la langue romane en reproduisant le processus mental qui se trouvait à l'origine de l'image. Un exemple typique, même s'il n'est pas forcément exact, serait celui du fameux terme *hidalgo*; selon une proposition d'étymologie arabe, il remonterait à l'expression *ibn* (c'est-à-dire *sahib*) *mal*, avec le sens de «homme aisé, homme riche». Castro propose d'autres exemples, parmi lesquels celui de *poridad*, que l'on peut rattacher, sur le plan sémantique, à l'arabe *ikhlas*, avec le sens de «secret, confidence, intégrité», et celui de *verguenza*, qui reflète une nuance sémantique de l'arabe *'ar*. Mais il s'agit là d'un domaine de conjectures très délicates, où il devient difficile de tirer des conclusions avec une certitude absolue.

Castro, l'historien espagnol qui sans être arabisant a recherché avec le plus de minutie, voire à l'excès, les moindres traces d'influence arabe dans son pays, a examiné toute une série de phénomènes se rapportant à la vie matérielle et spirituelle, aux coutumes et à la foi religieuse, sur lesquels l'Islam a exercé une action: depuis les bains publics, encore répandus dans l'Espagne chrétienne jusqu'au XIIIe siècle, avant d'être interdits pour des motifs moraux et religieux, jusqu'à la toilette rituelle des défunts; du voile des femmes à l'habitude de s'asseoir par terre, sur des tapis et des coussins; des formules de courtoisie et d'hospitalité, considérées aujourd'hui comme caractéristiques de l'Espagne (telles que demander à ses invités de considérer sa maison comme la leur, offrir aux autres ce que l'on mange, le baise-main), des formules de bienvenue et de vœux dans lesquelles on invoque le nom de Dieu, celles pour demander l'aumône ou excuser un refus, jusqu'à la tenace habitude de se vêtir à la moresque, surtout conservée par les femmes et encore attestée dans les plus hauts cercles de la société durant une bonne partie du XVe siècle, à une époque où la *Reconquista* est déjà presque achevée. Tous ces éléments semblent constituer une mosaïque, où il apparaît que l'Espagne demeure longtemps fidèle aux modes et aux mœurs arabes. Nous évoquerons plus loin les influences littéraires, mais quittant les aspects extérieurs de la vie sociale et de ses habitudes, nous allons à présent pénétrer dans les replis de l'âme individuelle et collective, afin d'aborder le rôle joué par l'Islam sur ce qu'était et ce que demeure le christianisme espagnol, son adversaire direct dans la péninsule: tout d'abord vaincu et soumis, puis engagé dans le long duel qui lui permet de retrouver ses forces, ce dernier finit par triompher à son tour, mais porte désormais les stigmates de la foi rivale.

Que le catholicisme espagnol représente un genre de christianisme *sui generis* est un fait admis, indépendamment du rôle qu'il a été amené à jouer dans la lutte contre l'Islam. D'un autre côté, si l'on reconnaît, avec Castro, que «l'histoire de l'Espagne est essentiellement celle d'une foi et d'une sensibilité religieuse, en même temps que de la grandeur, de la misère et de la paralysie qui en découlent», on se doit de considérer la longue *Auseinandersetzung*, la confrontation de cette foi avec sa rivale, comme un élément fondamental de sa formation et de son évolution. La position centrale qu'occupe la foi dans l'esprit de l'Espagnol, tant sur le plan individuel que social, n'a de comparable que celle de l'Islam dans celui du musulman et dans la société où il vit. Cette position centrale a des conséquences analogues pour les deux confessions. On qualifie de théocentrique le point de vue de l'*homo islamicus*, mais il en est de même pour celui de l'*homo hispanicus* (avant les révolutions modernes, bien entendu). Si ce dernier est né au contact du premier et par contraste avec lui, il faut à nouveau suivre Castro et voir dans la foi ultramontaine, qui s'est dressée en riposte héroïque à une autre foi hostile, l'axe de l'histoire hispanique et tout ce qu'elle exprime de positif, d'original et de grand. D'autres spécialistes, dont Sánchez Albornoz, conviennent de la justesse de cette conception à propos du rapport de causalité entre l'Islam et l'histoire de l'Espagne, même si ce chercheur apprécie les faits de façon différente. Evoquons, à présent, un certain nombre de manifestations de cet état de choses.

L'apôtre Jacques et son sanctuaire de Galice tiennent la première place dans le christianisme espagnol du Moyen Age. Nous ignorons s'il existe des traces de son culte qui soient antérieures à l'invasion islamique, mais il est certain qu'il lui doit sa vitalité, car elle lui a donné l'aspect d'un palladium, d'un bouclier de la foi chrétienne. De même que l'on s'était tourné vers les Dioscures, dans la Rome antique, on voit alors en Espagne le compagnon du Seigneur, monté sur un blanc destrier, guider les fidèles à la victoire, et sa cathédrale, élevée dans l'angle Nord-Ouest de la péninsule, devient le symbole de la résistance chrétienne pour les musulmans eux-mêmes. Il est possible que Castro ait un peu forcé son intuition lorsqu'il avance que la figure de l'apôtre et la fonction qu'elle a sans doute tenu dans l'élaboration de la religiosité espagnole, au Moyen Age, ont peut-être servi de contrepoids, de façon plus ou moins consciente, à celle du Prophète pour les musulmans. Le besoin qu'éprouvent les hommes et les peuples «imaginatifs» de préférer à n'importe quel concept théologique un objet concret de vénération et de culte rend plausible et même probable le parallélisme et même l'interdépendance de ces phénomènes. Ce qui est plus vraisemblable encore, sinon certain, à notre avis, c'est l'influence qu'a eue l'idée et la pratique islamique de la *djihad* et l'organisation de piété guerrière correspondante, auxquelles se rattachent les institutions des *ribat*, puis, plus tard, le nom et le mouvement des Almoravides, sur certains aspects de la «guerre sainte» chrétienne et la création des ordres de chevalerie de Santiago, de Calatrava et d'Alcantara, qui vont devenir célèbres dans les annales de la Reconquête. Si l'on passe du choc des armées à la contemplation mystique, l'influence du soufisme musulman sur la tradition mystique, devenue illustre, des catholiques espagnols n'a plus rien d'une hypothèse aventureuse d'amateur; c'est un phénomène qu'illustre avec une rigueur toute scientifique un spécialiste du renom d'Asín. Le christianisme espagnol prend en effet à la foi ennemie des idées, des institutions, des états d'âme. Son goût inné de l'intolérance et son incessante tendance à l'intégralisme peuvent être rapprochés de l'absorption de courants comparables par l'Islam, sans oublier cependant que ce dernier réserve aux «religions de l'Ecriture», le christianisme et le judaïsme, une place bien définie et protégée par la loi, même si elle est subordonnée. L'Etat islamique ne fera montre d'un rigorisme persécuteur qu'en période de tension. De son côté, la foi chrétienne, une fois victorieuse, va passer de façon aussi rapide que logique à l'intolérance envers les autres lois, puis aux persécutions qui marquent la déplorable histoire religieuse de l'Espagne, du XVIIe au XIXe siècle et même davantage.

Cependant, si l'Islam exerce sur le destin de l'Espagne une influence peu positive, le jugement que l'on porte sur son rôle culturel, littéraire et artistique, du Moyen Age à l'époque moderne, est tout différent. Ce qu'il laisse en héritage à l'Espagne, il le donne, en réalité, à toute l'Europe, qui en fera l'une des composantes enrichissantes de sa civilisation.

En littérature, sur laquelle nous insisterons davantage pour des raisons de compétence, la civilisation arabe entre surtout en rapport avec l'Occident européen dans deux domaines: la poésie lyrique et le roman. La poésie pré-islamique, ce fleuron d'accès difficile de la civilisation arabe, échappe tout à fait à l'Europe médiévale. Il est douteux qu'elle ait fait partie du patrimoine culturel de l'arabisme, qui jouissait, dès le IXe siècle, de tant de prestige auprès de la société mozarabe, selon le célèbre témoignage d'Alvaro, cité plus haut. Au Xe siècle, on voit cependant se développer dans les lettres arabes les germes d'un contact linguistique et culturel avec le monde roman. A une date que nul ne pourra plus préciser, un poète dont on connaît tout de même le nom (Mohammed de Cabra) propose, en Andalousie, une nouveauté métrique, la *muwàshshaha* ou poésie strophique, qui est tout à fait inconnue en Orient, mais grâce à laquelle l'Espagne et le Maghreb vont s'illustrer et dont ils s'enorgueilliront. Cette forme poétique, écrite dans une langue littéraire parfaite, qui donnera à une époque et dans des circonstances inconnues, le *zagial*, la composition strophique en arabe vulgaire à laquelle excellera Ibn Quzman, représente la grande nouveauté de la poésie arabo-andalouse. Elle va déclencher, puis alimenter la *querelle* des lettrés sur «la poésie arabe et la poésie européenne». Il ne s'agit plus seulement là des hypothèses apodictiques qu'émet Barbieri, au XVIe siècle, et qui seront reprises au XVIIIe par Andrès et Tiraboschi au sujet de la rime chez les Arabes et les Provençaux, avant de l'être par les poètes d'Espagne, de France et d'Italie. Ce qui est alors en question, c'est toute la métrique de la plus ancienne poésie lyrique d'Europe en langue vulgaire, calquée, selon la thèse «arabe», sur cette métrique strophique d'Andalousie. De Ribera à Menendez Pidal, de Le Gentil à Li Gotti et de Garcia Gómez à Stern, la querelle se prolonge en échanges passionnés d'affirmations, de négations et de différenciations entre les plus éminents arabisants, spécialistes de l'Espagne, et les philologues romanistes. Et tandis que ceux-ci bataillent à propos de l'origine arabe, parallèle ou indépendante de la rime et de la strophe dans les premières poésies lyriques romanes, on fait une découverte: entre la fin des années quarante et les années cinquante, Stern et Garcia Gómez s'aperçoivent qu'il existe au sein de la poésie arabo-andalouse (et hébraïque d'Andalousie qui l'imite) des finales hybrides, arabes et proto-romanes ou entièrement proto-romanes, les *kharge*. Des perspectives s'ouvrent donc à tous ceux qui s'intéressent aux rapports entre l'arabisme et la Romanie: après avoir été considérés comme les inventeurs absolus, les pères, sur le plan formel, de la rime et de la strophe romane, les Arabes (c'est-à-dire les prosateurs et les poètes écrivant en arabe) ne sont plus tenus que pour les débiteurs et les assimilateurs d'une poésie iberique exaltant l'amour, qui remonterait à une haute Antiquité et ne serait plus autrement attestée (les fameuses *Kharge* ont presque toujours un théme amoureux et corrispondent à des confidences ou à des lamentations féminines au sujet de l'être aimé; ce sont des sortes de *cantigas de amigo* avant la lettre, qui se rattachent à la poésie d'amour ou de louange arabe). C'est ainsi qu'est née la définition, proposée par Garcia Gómez, de cette coexistence poétique arabo-romane sur le sol ibérique: un patrimoine de thèmes et de règles, cultivé et élaboré, qui représente une forme d'héritage commun aux Arabes et aux Mozarabes et qui a été transmis par les uns et par les autres au reste de la Romanie.

Précisons, à présent, les conclusions qui nous semblent les plus acceptables à propos de ces théories, si controversées. Même si l'on tient compte de toutes les réserves, distinctions et précisions de Stern (un chercheur de génie, trop tôt disparu, à qui cette étude doit beaucoup, mais qui, de manière paradoxale, est intervenu pour modérer l'ardeur des partisans de la «thèse arabe» à propos des premiers rapports arabo-romans, en soutenant qu'il fallait plutôt les envisager comme une polygenèse de phénomènes comparables), on ne peut négliger le facteur chronologique. Or, celui-ci montre que la première poésie arabo-romane d'Andalousie est antérieure de plusieurs décennies, voire de tout un siècle, à la poésie strophique la plus ancienne qui soit attestée en Espagne (poésie castillane et galicienne), en Provence, en France et en Italie. La priorité chronologique n'implique pas nécessairement la dépendance, mais elle constitue un indice qu'il ne serait pas raisonnable, à notre avis, de repousser. Que la strophe *zejelesca* arabe (puisqu'on l'appelle ainsi désormais, même si, à strictement parler, la grande innovation métrique se trouve déjà dans la *muwashshaha*, mère du *zagial*, et que celle-ci, pense-t-on, aboutisse à la *khargia*, en roman), qui représente le système strophique commun à la *muwashshaha* et au *zagial* (le plan de ce dernier étant peu différent de celui de la précédente), a donc elle-même servi de modèle, dans la péninsule ibérique, à des formes poétiques ultérieures, telles que le *villancico* et la *cantiga*, puis, au-delà des Pyrénées, aux chansons des troubadours, à la *lauda* franciscaine, à la plus ancienne forme de poésie en langue d'oïl, est une probabilité, qui ressemble beaucoup, pour nous, à une certitude. Il nous paraît, et nous ne sommes pas les seuls, que la transmission s'est effectuée par l'intermédiaire de la tradition orale. Roncaglia pense surtout aux juifs, voyageurs et marchands, mais aussi aux jongleurs, ces *colporteurs* de musique et de chant, qui ont pu faire connaître les auteurs de *muwashshahàt* arabes ou hébraïques d'Andalousie à Guillaume IX de Poitiers, à Marcabru et aux autres troubadours provençaux; grâce à eux, cette nouveauté se serait répandue de part et d'autre des Alpes, selon les formes recueillies et analysées, il y a quarante ans, par Menendez Pidal. La thèse de ce dernier demeure encore valable, pour l'essentiel, à condition de la préciser et de la limiter: toute la production poétique des trouvères et troubadours et toutes les laudes italiennes ne correspondent que dans certains cas à l'une ou l'autre des multiples combinaisons métriques «zéjelesques». Il est toutefois évident que dans ce cas, c'est le principe qui compte et qu'il laisse le champ libre aux combinaisons et variantes les plus diverses. Il demeure toutefois un élément fondamental, impossible à prouver, mais très vraisemblable, à savoir que les Arabes d'Andalousie, en tirant peut-être parti d'une poésie proto-romane à peine éclose et perdue depuis, ont offert à la péninsule, puis au reste de la Romanie, des éléments formels qui s'y sont ensuite enracinés et y ont connu un admirable épanouissement.

Ceci nous amène à préciser notre pensée sur un autre aspect du problème, celui du contenu, qui se trouve trop souvent confondu avec celui de la forme. Quand on s'engage sur la voie du modèle arabe, on passe volontiers de la probable influence structurelle (rimes et vers), fondée sur un fait auditif, à la matière que recourent ces formes métriques, aux idées et non plus à la manière dont elles s'expriment dans la poésie, arabe et romane, des débuts du second millénaire. Et nous conseillons là de progresser avec prudence. La *muwashshaha* andalouse, et de façon plus générale maghrébine, est un chant de louange et d'amour, cependant que les *kharge* bilingues, si évocatrices, se rapportent uniquement à l'amour; le *zagial* reprend les mêmes thèmes en langue vernaculaire, mais souligne beaucoup plus (chez Ibn Quzman, en tous les cas) l'élément réaliste, polémique, personnel. L'«amour courtois» languide, spiritualisé, des troubadours est plutôt présent chez les Arabes dans la poésie de forme classique, par exemple dans *Le collier de la colombe* d'Ibn Hazm (XIe siècle) et dans toute la poésie «unissonans» (construite sur les mêmes rimes) de son temps, que sous cette forme populaire ou qui s'inspire des goûts populaires. Pour supposer que les thèmes aient pu franchir les Pyrénées en écho secondaire de la poésie strophique, il faudrait pouvoir placer côte à côte les principaux courants de la poésie lyrique arabo-andalouse, dont Pérès a entrepris l'analyse dans son vaste répertoire. On se rendrait ainsi compte à quel point les sujets de la poésie amoureuse de l'Orient musulman ont été repris ou non dans la péninsule ibérique. Il ne s'agit pas seulement, ici, de se limiter à un catalogue des schèmes rythmiques ou strophiques, mais de rechercher les concepts et les images (l'amour platonique ou *'udhrita*, chanté au IXe siècle, à Bagdad, par le poète 'abbâsside 'Abbas ibn al-Ahnaf et par toute une école de poètes érotiques arabes), en présence d'états d'âme convenus et stylisés. Pour les comprendre, il est cependant indispensable de posséder une bonne connaissance linguistique directe des modèles. Avait-on une telle science, autour de l'an mille ou peu après, au-delà des Pyrénées? Nous en doutons, aussi écartons-nous fermement cette hypothèse. Ceci rend d'ailleurs assez sceptique au sujet de la transmission conceptuelle du monde arabe au monde roman, que tant d'auteurs associent de manière hâtive à un possible passage métrique et strophique. On observe, en outre, comment ce dernier se propage et s'adapte aux contenus les plus divers, au-delà des Pyrénées, au chant d'amour des troubadours comme à la laude pénitentielle franciscaine, c'est-à-dire qu'il s'explique aisément par un changement, avant tout formel, de motifs et de rythmes. Si cette modification conceptuelle présuppose non seulement une totale intelligence linguistique, mais encore des affinités d'esprit, de conditions sociales, des correspondances matérielles et spirituelles, en somme, il paraît difficile d'imaginer qu'elles aient pu exister entre des univers aussi différents que l'Espagne arabo-andalouse, la Provence et l'Espagne d'après l'an mille, sans compter l'Italie des XIIe et XIIIe siècles. De même que dans le domaine très débattu des croyances musulmanes en l'au-delà, dont on peut admettre qu'elles ont pénétré en Occident et jusque dans la Toscane du XIVe siècle et, à ce propos, le *Livre de l'Echelle*, dans ses traductions alphonsines, nous a montré quel en pouvait être le moyen linguistique de transmission, de même, pour tout le problème de l'amour courtois devons-nous attendre la preuve que les auteurs de traités et les poètes d'amour arabo-andalous (et l'un d'eux n'était autre que l'austère théologien Ibn Hazm) étaient accessibles au reste de la Romanie, dans l'original ou en traductions. En attendant, on a le choix entre parler dans le vide ou se prêter à de tristes manipulations des textes, comme l'a tenté Lévi-Provençal, qui a cherché à rendre en arabe scatologique un passage énigmatique de Guillaume de Poitiers, ainsi que tous ceux qui ont bizarrement voulu expliquer par l'arabe certains des vers de Dante, dont ceux consacrés à Nemrod et à Pluton.

Pour conclure, la thèse arabe nous semble donc acceptable, surtout sous l'aspect métrique et formel, sans sous-estimer le moins du monde l'attrait de la poésie arabo-hispanique de type non classique pour autant. Celle-ci est en effet formée d'éléments du vocabulaire roman très variés (tant dans la *muwàshshaha* que dans le *zagial*) ou de *kharge* bilingues (qui n'apparaissaient, jusqu'alors, que dans les seules *muwashshahàt*), où l'on admire l'éclat d'une *bokella hamra* (une petite bouche rouge) et où une jeune fille implore, *no me tangas habibi, al-ghilala rakhisa* («ne me touche pas, ami, mon corsage est léger»). On assiste là à la combinaison charmante de deux langues très diverses, dont l'une appartient à une tradition littéraire déjà ancienne et raffinée, tandis que l'autre, en train de naître, est promise à un long et glorieux avenir. Cette hybridation locale repose sur des documents d'une authenticité indiscutable, mais aller de l'avant serait se condamner à procéder par hypothèses et s'aventurer en terrain peu fiable. Voilà pourquoi nous préférons nous arrêter à ce point, après avoir exploré les limites de notre adhésion à cette théorie, qui n'est plus aussi totale qu'elle l'était au début de nos recherches, précisément pour tenir compte des doutes exprimés par Stern.

A l'extrémité de l'Europe occidentale, donc, la poésie arabe sous sa forme strophique, faible ruisseau parmi les affluents de son imposant cours classique, paraît s'être mêlée dès l'origine à la poésie européenne naissante. L'élément arabe est devenu ensuite la *matière* des développements ultérieurs de la littérature castillane et du splendide foisonnement des *romances* (les *romances fronterizos*); il est demeuré dans le sang et l'âme ibérique, à en croire Damaso Alonso, qui a pu montrer les liens thématiques et techniques qui rattachent la poésie arabo-andalouse de l'anthologie d'al-Màghribi (le *Rayat al-muharrizin*), toute classique, celle-là, et traduite en espagnol par García Gómez, au gongorisme. L'Espagne apparaît donc comme le grand lieu de rencontre et d'enrichissement de deux mondes spirituels, arabo-islamique et européen. Pour l'autre point de jonction, la Sicile, nous avons déjà souligné combien son rôle était plus problématique dans le domaine littéraire, étant donné le manque absolu de poésie strophique et de langue populaire arabo-sicule. Il a été proposé de reconnaître les échos de métaphores poétiques orientales dans le chant populaire sicilien, mais cette opinion paraît discutable.

Entre ces deux «îles» (*giazire*, en arabe) d'Andalousie et de Sicile, on fait donc le tour, documents ou hypothèses plus incertaines à l'appui, de l'influence directe de la poésie arabe médiévale sur l'Europe contemporaine, du Xe au XIIIe siècle. A la fin du Moyen Age, cependant, ce contact diminue d'intensité et l'âme européenne, qui devient plus adulte, plus consciente de soi, ignore ou repousse, dans la poésie comme dans d'autres domaines, le monde arabo-musulman, trop différent du sien. A cet égard, l'attitude négative de Pétrarque est tout à fait éloquente: il revendique une certaine connaissance de la poésie arabe, parvenue à lui Dieu sait comment, mais il la considère comme «molle, languide, privée de vigueur» et la juge mauvaise au bout du compte. Il n'y a pas lieu ici d'examiner de quelle poésie arabe il veut bien parler, par quel moyen il a été amené à la connaître et à porter son jugement. L'essentiel est de constater que du XIVe au XVIIIe siècle, la poésie arabe (pour ne pas parler des autres poésies islamiques) ne parvient plus à se faire accepter en Occident. Il faudra attendre le siècle des Lumières et le Romantisme pour qu'elle nous soit rapportée avec les «voix des peuples», chères à Herder, Goethe et Victor Hugo.

A la différence de la poésie, la prose arabe, par ses origines et pour une bonne partie de son développement tout à fait autochtone, paraît avoir souvent revêtu de sa forme linguistique un matériel d'origine étrangère, au cours de sa longue et féconde évolution. Ce matériel est persan et indien, le plus souvent, mais il ne se propagera que sous sa forme arabe, en Occident, où il sera reçu avec enthousiasme, puis remanié et imité. Les Arabes ne manquent pourtant pas d'une prose qui leur soit propre, depuis l'époque la plus antique, mais elle se distingue mal de l'histoire et se présente d'ailleurs comme des récits historiques, car elle évoque la geste guerrière de l'époque païenne, les qualités et les défauts de leurs héros, ainsi que les hauts faits de ces derniers. Sur le plan quantitatif, toutefois, ce courant original demeure inférieur à l'imposant capital de textes romancés, de fables, d'ensembles de préceptes, dû au Proche- et au Moyen-Orient de l'Antiquité, qui s'est répandu en Europe et y a été apprécié sous sa forme arabe. Ceci dit, rappelons en quelques lignes ce passage d'une région à l'autre et la prolifération des matériaux, pour qui la rédaction arabe a représenté une phase essentielle de transmission.

Commençons naturellement par l'Espagne, demeurée en grande partie arabe durant cinq siècles et où les musulmans se maintiennent deux siècles de plus, dans leur royaume de Grenade. Pour se limiter au destin de la forme narrative, à l'intérieur du grand phénomène de médiation culturelle auquel l'arabisme donne sa première impulsion dans la péninsule ibérique, il faut souligner le rôle actif du judaïsme dans la réception et l'élaboration du matériel apporté par les Arabes, qu'il enrichit de ses propres expériences et de sa *forma mentis*. C'est à un juif converti du XIIe siècle, Pierre Alphonse, auparavant le rabin Mosè Sefardita, que l'on doit le premier écho hispanique d'une œuvre peut-être composée en arabe, mais dont on ne connaît que la version latine. Il s'agit d'un élégant petit livre de fabliaux, la *Disciplina clericalis* («Instructions pour les clercs ou les personnes du monde»), dans lequel les conseils et les *exempla* sont pris à de multiples sources de provenance orientale arabisée: des «Dits des philosophes antiques», fixés au IXe siècle par Hunain ibn Ishaq, aux contes présentés au Xe siècle par l'Egyptien Mubashshir ibn Fatik, dans son *Mukhtar al-hikam* (qui donnera par la suite, en Espagne, la version des *Bocados de oro*), et aux grands recueils en prose de Sindbàd et de *Kalila et Dimna*, auxquels s'ajouteront, plus tard, les *Mille et une nuits*.

Avec ces heureuses compilations de prose orientale, toutes trois de lointaine origine indienne, mais qui ont acquis la citoyenneté dans la littérature mondiale, grâce à leur transcription dans cette langue et à leur propagation, nous sommes en présence du fond commun que constitue le grand nombre de textes gnomiques et narratifs du Moyen Age. Le roman du sage Sindbàd (à ne pas confondre avec son homonyme, le marin protagoniste des Voyages, qui seront inclus par la suite dans les *Mille et une nuits*) est un classique du thème de la misogynie, où dans un groupe de courtes histoires, on illustre ce que l'on appellera, dans une version alphonsine postérieure, *Los enganos y asamientos de las mujeres*; et les «Sept sages» des contes misogynes, auxquels la Phèdre orientale oppose d'autres histoires, afin de calomnier le jeune prince dont elle est la marâtre, vont s'appeler soit les *Sept sages*, soit les *Sept sages de Rome*. Quant à *Kalila et Dimna*, la forme arabe du *Pancatantra* indien, il parvient en Occident dans la classique version, en moyen perse, d'Ibn al-Muqaffa' (VIIIe siècle), traduite en hébreu par le rabbin Joël, puis en latin par Jean de Capoue (*Directorium humanae vitae*), qui passera en castillan, puis en français et en italien. Pour les *Mille et une nuits*, sur lesquelles nous reviendrons par la suite, l'Espagne arabo-judaïque apporte sa contribution avec le récit de la sage donzelle Tawaddud (qui devient Théodore, en castillan), même si le destin et la diffusion du recueil intégral demeurent obscurs, au cours du Moyen Age. Il faut toutefois voir dans cette histoire l'origine du très célèbre apologue des trois anneaux, dont la première formulation se trouve dans un récit arabo-judaïque du XIIe siècle, qui ne nous est pas parvenu, mais dont la substance est passée dans des textes hébraïques d'Espagne plus tardifs et dans les fameuses versions italiennes du *Novellino* et du *Décaméron*.

Après Pierre Alphonse, le précurseur, s'ouvre la grande époque des traductions alphonsines du XIIIe siècle, puis au XIVe siècle, celle du *Conde Lucanor*, de

Juan Manuel, avec son utilisation d'éléments orientaux, suivie, au XVIe siècle, par les *Patrañas* de Timoneda, qui emploie également du matériel oriental, transposé par la version italienne. Dans ce rapide survol de la prose arabe passée dans la littérature castillane, il ne faut pas oublier le célèbre personnage du *Philosophus autodidactus*, Hay ibn Yaqzan, dû à Ibn Tufail; il a déjà été fait allusion aux correspondances existant entre ce roman et le prologue du *Criticón* de Gracián, mais un autre texte arabe, découvert par García Gómez, leur a sans doute servi de source commune, car il aborde sous une forme narrative le thème de l'instruction de l'homme par lui-même, ce qui rejoint chez le célèbre philosophe arabe, la découverte, par la voie rationnelle, de la divinité. Ainsi, avec Pierre Alphonse, Juan Manuel, Timoneda et Gracián, l'Espagne chrétienne a reçu et mis à profit l'héritage narratif que lui a transmis l'arabisme et qui a été élaboré sur son sol durant les siècles féconds de la domination musulmane: cet héritage passe sans aucun doute au-delà des Pyrénées, où il enrichit la prose du reste de la Romanie, en commençant par la France et l'Italie. De son enracinement et de son épanouissement dans ce dernier pays, on retrouve les traces principales, des origines de la Renaissance jusqu'à sa pleine gloire, puis, par un phénomène parallèle à ce qui se produit pour la poésie, l'intérêt qu'on lui porte se généralise dans toute l'Europe moderne.

Il nous manque encore une étude moderne approfondie sur l'importance et la qualité de l'élément oriental, arabe en particulier, au moment où débute la prose italienne. Le cycle de Saladin et des croisades en général, dont se sert déjà Novellino et qui pourrait paraître arabe, a en réalité des sources occidentales et montre le grand sultan tel que l'Ouest se le représente, une image qui ne correspond qu'en partie à la réalité historique. Le thème des trois anneaux, qui sera un jour repris par Lessing, est au contraire arabo-judaïque, ainsi que nous l'avons souligné, et l'Espagne arabe, plus que l'Orient latin, paraît être le moyen de transmission de beaucoup d'autres matériaux orientaux, qui pénètrent dans les textes italiens, souvent après être passés par les versions françaises. Tel est le cas de la *Storia dei Sette Savi*, un dérivé du roman de Sindbàd, qui nous est parvenu grâce à une double rédaction du XIIIe siècle, dont l'une découle directement du *Roman de Sept sages de Rome*, où les sept vizirs de l'original se changent en sept sages de la Rome antique, une Rome de fantaisie, qui sert de toile de fond à ce pur produit de la littérature morale et romancée de l'Orient. Le succès extraordinaire de ce texte, en Orient et en Occident, aurait été impossible sans la version arabe (anonyme) du IXe siècle, étape fondamentale de la propagation du cycle indo-persan.

Boccace fait appel, lui aussi, à des éléments d'origine orientale, proche ou lointaine, et dans le *Décaméron*, à côté d'évocations de la légende de Saladin (I,3; X,9), il situé, non sans anachronismes et déformations onomastiques, la scène de certaines de ses histoires dans le Maghreb musulman (*Alatiel*, II,7; *Gerbino et le roi de Tunis*, IV,4; *Costanza à Tunis*, V,2), où l'on relève çà et là l'écho d'événements historiques. L'humaniste ne savait sans doute que bien peu d'arabe, s'il le connaissait du tout, et de même que son grand ami Pétrarque, il ne s'est jamais prononcé sur les questions arabes. Pour toute la période qui va du XIVe au XVIe siècle, le problème des sources ne se trouve donc pas au niveau des auteurs célèbres, mais à celui d'un flux obscur et persistant de matériaux romancés et de fables, qui vient directement de l'arabe ou bien se voit transmis à l'Occident au moyen de cette langue et qui continue à s'infiltrer durant deux siècles, comme il a commencé à le faire au XIIIe, dans toutes les littératures romanes. Le cycle de *Kalıla et Dimna*, apparenté à celui de Sindbàd, connaît une fortune analogue dans l'Italie de la Renaissance. La version la plus citée, celle de Firenzuola (*Prima veste del discorso degli animali*, 1548) n'en est qu'une imitation partielle, qui tait ses sources, donne un cadre purement italien aux fables et ne peut être considéré que comme un lointain écho du modèle oriental. Dans ses petits textes, intitulés *Moral filosofia, tratta dagli antichi filosofi* et *Trattati diversi di Sendebar indiano*, tous deux de 1552, A.F. Doni suit de façon plus reconnaissable, en dépit de la citation erronée du nom de Sindbàd, la trame de *Kalıla*, y compris la mission en Inde du Persan Burzoès, après avoir coiffé le tout d'un résumé assez exact de l'histoire du passage de l'œuvre d'Orient en Occident. Du troisième cycle narratif, les *Mille et une nuits*, le plus célèbre, ne sera révélé dans son ensemble en Europe qu'au début du XVIIIe siècle. L'Italie connaît certains passages dès les siècles précédents: ainsi, l'histoire qui lui sert de cadre, grossièrement misogyne (un des éléments les plus anciens de tout le recueil, que l'on retrouve dans l'historiette de Joconde, au chant XVIII du *Roland furieux*, et même dès l'un des textes les moins scabreux de Sercambi († 1424), dont l'action se situe au temps du roi Manfred. Rajna estime que la source directe de Sercambi et de l'Arioste est une version occidentale, et que ni l'un, ni l'autre n'en ont eu connaissance sous sa forme ou dans sa langue originale. Enfin, il y a au moins une autre histoire des *Mille et une nuits*, celle d'Omar an-Nu'man et de la princesse Budur, qui a servi de modèle à un court poème italien du XVe siècle (*Ottinello et Giulia*), avant d'être reprise dans la prose italienne (Sabatino degli Arienti), espagnole (Timoneda) et française (*La belle Maguelonne*).

Dans tous les cas que nous venons de citer, on est en présence d'un passage de matière, qui transcende toutes les formes de langue et de style afin de s'adapter plus ou moins bien aux conditions qu'on lui offre ailleurs. La forme linguistique et stylistique que nous pouvons vérifier, dans presque tous les cas, sur les originaux arabes, parmi ceux qui ont été conservés et qui constituent souvent la version arabe d'une tradition plus ancienne et de provenance plus lointaine, se soustrait à toute confrontation possible. La recherche de dépendances simplement formelles, tentée par Grunebaum à partir des *Mille et une nuits* et des modèles hellénistiques qui ont contribué à leur création, sort donc de notre bilan, car celui-ci se limite à constater les passages attestés ou vraisemblables, sur le plan du contenu, et à en suivre les ramifications à travers les époques et les étapes.

Toujours à propos de l'Italie, mentionnons ici quelques autres résultats des recherches entreprises par Cerulli, à qui revient de droit la première place dans ce domaine, aujourd'hui. Il faut à nouveau évoquer, dans le *Roland furieux*, l'héroïque piège que tend Isabelle à Rodomont pour défendre sa vertu. Rajna, en son temps, l'a rapproché d'un épisode du *Del re Uxoria*, dû à l'humaniste Francesco Barbaro (au début du XVe siècle), et a révélé son assez longue histoire: le thème remonte, en passant par des sources byzantines, arabes, chrétiennes et musulmanes, à un récit grec de la conquête de Jérusalem par les Perses, en 614, au cours de laquelle une pieuse vierge use de l'expédient d'un prétendu remède qui la rendrait invulnérable et la soustrairait aux violences des vainqueurs. La langue arabe sert là, comme souvent, de médiateur et pourtant, ainsi que l'a montré Levi Della Vida, elle constitue un indispensable trait d'union, car, au sein de l'Islam, l'histoire a pris des couleurs typiquement musulmanes. Un autre passage du matériel examiné par Cerulli concerne le thème romanesque du souffle du roi et de la punition du calomniateur, jeté dans la fournaise, où l'on est en présence d'une chaîne de témoignages: dans le monde arabe, elle débute par des auteurs de littérature légère, tels qu'Ibn Abi Hàgiala (1356) ou al-Ibshaihi (1430), tandis qu'à l'autre extrémité, on trouve une nouvelle des *Ecatonmiti*, de l'Italien Giraldi Cinzio, et une *patraña*, une histoire imaginaire de Timoneda. Mentionnons enfin le cycle des Miracles de Marie, qui a fait un curieux aller et retour entre l'Occident et l'Orient: il s'agit d'un recueil d'édifiantes anecdotes mariales, qui s'est constitué en français au XIIe siècle, a été traduit en arabe dans l'Orient latin au cours de la seconde moitié du XIIIe siècle, de l'arabe en éthiopien au XVe siècle, puis est reparu dans une version italienne du même siècle (*Libro dei miracoli di Maria*) et est passé enfin dans la prose du XVIe siècle. Cerulli signale un autre exemple de «voyage de retour» vers son lieu d'origine: il s'agit d'un second texte de Timoneda (*La bourse perdue et la femme enceinte*) qui, puisé par l'auteur à des sources italiennes de la Renaissance, remonte, à travers elles, à l'Espagne moresque, c'est-à-dire à la *Disciplina clericalis* et à ses sources arabes.

Pour ce genre, comme pour la poésie, une ère nouvelle s'ouvre au XVIIIe siècle, au moment de la prise de conscience de l'Occident à l'égard du monde oriental. La curiosité scientifique et le goût cosmopolite du siècle des Lumières incitent en effet l'Europe à reconsidérer son attitude à l'égard de l'Islam et des autres civilisations de l'Orient. La redécouverte du roman arabe, que le Moyen Age et la Renaissance avaient accueillie et utilisée sans conscience historique réfléchie, s'achève, au seuil de l'époque moderne, avec l'aide de Galland et la légion de ses successeurs ou émules, par la recherche et la révélation à l'Occident de l'ensemble de la littérature arabe. Les *Mille et une nuits*, présentées comme un tout, déchaînent les enthousiasmes, ce qui nous paraît aujourd'hui excessif, et la culture européenne se passionne pour les trésors narratifs de l'Orient. La philologie et le folklore retracent les diverses étapes du grand recueil, depuis la version primitive, indo-persane, à celle dite «'abbâsside» ou d'Haroun ar-Rashid avant d'aborder la version égyptienne, plus tardive et peut-être même contemporaine du recueil définitif, qui date du XVe siècle. Arabes par la langue, les *Mille et une nuits* ne le sont qu'en partie pour l'inspiration, qui remonte, dans sa tradition la plus ancienne, au fond narratif indo-européen. Les distinctions que nous faisons, aujourd'hui, n'ont cependant pas été accessibles aux hommes du XVIIIe et du début du XIXe siècle, qui ont vu dans cette œuvre l'illustration la plus caractéristique et la plus élevée de la prose arabo-musulmane.

Si l'on abandonne le domaine littéraire pour passer à celui des sciences et de la philosophie, il faut reconnaître que la civilisation arabe d'Espagne a eu un autre grand mérite, celui de transmettre ce que l'Islam d'Orient avait élaboré à partir des connaissances de l'Antiquité. Même s'il est exagéré d'attribuer à la seule intervention arabe la retransmission à l'Occident du legs intellectuel grec dans ce domaine (étant donné qu'il nous est parfois parvenu par la voie directe de Byzance, qui a précédé et non suivi, comme on le prétend, la voie arabe dans de tels cas), on ne peut nier qu'au temps du déclin politique des Arabes d'Espagne, l'héritage scientifique qu'ils ont transmis à l'Occident a pris des proportions toujours plus importantes. Au cours des XIIe et XIIIe siècles, Barcelone, Tolède et Séville, toutes trois déjà libérées ou en train de se libérer de la domination de l'Islam, ont été les centres d'une intense activité de la part des traducteurs juifs, espagnols ou chrétiens, originaires d'autres pays européens. Ils avaient pour objectif d'exhumer les trésors de la science grecque arabisée, c'est-à-dire du grand mouvement culturel qui avait eu lieu en Orient, dans l'Iraq 'abbâsside des VIIIe au Xe siècle, où une grande partie de la science et de la philosophie hellénistique avait été assimilée, en particulier grâce à l'aide des Syriens. A cette période de passage de la culture grecque à l'Islam, au cours du haut Moyen Age, fait donc pendant un transfert analogue de la civilisation islamique à la civilisation chrétienne occidentale, grâce au travail de ces traducteurs en terre d'Espagne. Ce passage est souvent le fruit de la collaboration entre un juif ou un musulman converti, qui transpose un texte arabe en langue romane, et un lettré chrétien, espagnol ou étranger, qui transcrit en latin cette première version littérale. Il est cependant possible, quelquefois, que l'expérience linguistique acquise dans ces conditions permette au traducteur chrétien de travailler directement à partir de la version ou de l'adaptation arabe. Au milieu du XIIe siècle environ, un groupe de traducteurs de Tolède se distingue sous le patronage de l'archevêque don Raimundo (1130-50). A côté du Tolédan Marc, ce groupe compte dans ses rangs deux traducteurs célèbres, Dominique Gundisalvi et Jean de Séville, qui illustrent parfaitement le type de collaboration auquel il a été fait allusion plus haut, et parmi les étrangers, Robert de Rétines, Abélard de Bath, Albert et Daniel Morlay, Michele Scoto, Ermano Dalmata, ainsi qu'un éminent Lombard, Gerardo da Cremona. Grâce au travail de ces hommes et, un siècle plus tard, à celui d'un groupe du même genre, rassemblé à Séville autour du roi Alphonse X (1252-84), les œuvres d'Hippocrate, d'Euclide, de Ptolémée, de Galien et d'autres hommes de sciences grecs, connues par les versions ou les remaniements d'al-Khuwarizmi, al-Battani, al-Farghani, Avicenne, ar-Razi, al-Bitrugi, az-Zarqali, ont été révélées à l'Occident. La science «arabe», qui dérive de façon plus ou moins exacte de celle de l'époque classique ou de l'Antiquité tardive, envahit et enrichit alors l'Europe de la fin du Moyen Age. Durant tous ces siècles, comme le prouve a réaction de Pétrarque à l'égard de l'autorité «arabe», elle imprègne la médecine, ainsi que l'astrologie et l'astronomie, où les Arabes étaient considérés jusqu'alors comme des maîtres absolus. En même temps que la science, la philosophie antique pénètre en Occident par l'intermédiaire de l'Espagne arabe, étant donné l'étroite symbiose dans laquelle vivent ces deux branches de la connaissance, à l'époque. Les traducteurs juifs et chrétiens jouent un rôle, bien que secondaire, dans le passage en Occident de certaines composantes de l'*Organon* d'Aristote, ainsi que dans celui des œuvres néo-platoniciennes, grâce aux relations de lettrés tels qu'al-Kindi, al-Farabi, Avicenne et al-Ghazali. L'Espagne arabe déjà déclinante donne à l'aristotélisme musulman son représentant le plus illustre: Averroès (1126-98), dont les théories, en partie incomprises, vont constituer un chapitre entier de la philosophie médiévale latine. En se référant aux œuvres du grand philosophe cordouan, ash-Shaqundi prétend qu'Averroès a désavoué ses propres livres de philosophie lorsqu'il s'est rendu compte à quel point cette science était mal vue en Andalousie et dépréciée par ses maîtres, les Almohades. Cette remarque, qu'il ne faut pas prendre, bien entendu, pour argent comptant, reflète cependant l'extrême effort fourni par la pensée spéculative musulmane pour réconcilier le rationalisme philosophique et l'orthodoxie, en même temps que son échec dans le camp islamique, où l'œuvre d'Averroès va demeurer lettre morte. Le relief qu'elle a acquis par la suite dans la pensée occidentale est due aux traducteurs et commentateurs juifs et chrétiens, qui l'ont propagée avec plus ou moins de fidélité dans la culture latine. Il faut préciser ici qu'Averroès n'a pas renié la foi musulmane (pas plus qu'il n'a nié la foi chrétienne), ainsi que le prétendent certains partisans de l'averroïsme ou ses adversaires. Il a cru en la possibilité d'une réconciliation entre la raison et la foi sur deux plans différents, non convergents, ce qui a été déformé en Occident dans la présentation d'une théorie de la double vérité. Bien qu'il ait conservé la foi, il a senti hautement la nécessité et la dignité de la spéculation rationnelle et les a défendues contre les attaques mystiques et fidéistes de cet autre grand docteur de la foi qu'était al-Ghazali. Sa voix a donc été la dernière grande voix à exprimer la pensée musulmane d'Occident et, si l'Orient l'a ignorée, elle a trouvé un écho, altéré mais profond, dans l'Occident chrétien.

On ne peut terminer ce rapide survol des influences de l'Islam sur l'Europe occidentale (où n'a pas été abordé, en raison de l'incompétence de l'auteur, le rôle primordial de son influence artistique en architecture, en décoration et dans les arts mineurs), sans mentionner une branche secondaire de la littérature, qui a acquis un grand renom à la suite de débats violents auxquels elle a été mêlée: le domaine de l'eschatologie. Un livre célèbre d'Asín sur l'eschatologie musulmane dans la *Divine Comédie* a posé le problème dans les années 1920 et déclenché une polémique. Après avoir souligné les analogies et les correspondances, Asín y énumère en effet ce qui, à son avis, constitue des dérivations, dans la structure et dans un grand nombre de détails, entre les éléments de la vision ou de la représentation eschatologique islamique et le poème de Dante. Repoussée, tout d'abord, sous prétexte de l'absence d'indices suffisants pour établir un éventuel lien entre les deux (tant de la part de nationalistes irrités que de celle de théoriciens qui l'interprétaient mal), la thèse d'Asín a été depuis corroborée en partie, mais modifiée dans une proportion plus grande encore, à la suite de la publication, en 1948, de la double version du *Livre de l'Echelle* en vieux français et en latin. Il s'agit là d'un texte espagnol rédigé en arabe, dont l'original et la première version eschatologique en castillan sont perdus, mais qui s'est conservé grâce aux deux versions mentionnées ci-dessus, dues à Bonaventura da Siena, formé lui aussi dans le climat fécond de la cour alphonsine. La connaissance de cette œuvre arabe, dont le cadre et le niveau sont populaires, car elle n'appartient pas à une littérature de lettrés, à laquelle Asín a tenté de la rattacher, se trouve attestée par une citation du *Dittamondo* de Fazio degli Uberti, écrit en Toscane, au milieu du XIVᵉ siècle. Rien ne prouve que Dante l'ait connue, mais cela reste possible. Il faut cependant préciser, ainsi que l'a fait Cerulli avec beaucoup d'autorité et de finesse, qu'une éventuelle connaissance d'éléments de l'eschatologie musulmane par Dante peut tout au plus avoir été un facteur accessoire à la genèse de sa vision, par rapport à la prédominance de l'inspiration biblico-chrétienne, et qu'elle n'a pu en aucun cas influencer son jugement esthétique. Cette conclusion, qui s'impose après tant de débats enflammés et pas toujours compétents, n'enlève rien à l'importance historico-culturelle des contacts établis entre ce courant de piété islamique et l'imagination ou l'apologétique chrétiennes, au Moyen Age et au début de la Renaissance, ainsi que l'ont souligné les travaux d'Asín et, dans une plus large mesure, ceux de Cerulli. Dans le vaste domaine des influences et des croisements dont cette étude s'est efforcé de faire la synthèse, la preuve de l'existence de telles communications témoigne en faveur de l'intérêt des relations qui ont uni l'Islam et l'Occident médiéval.

Bibliographie

Sur le problème général des rapports entre l'Islam et l'Europe du haut Moyen Age, l'ouvrage d'Henri Pirenne, *Mahomet et Charlemagne*, Bruxelles, 1937, possède désormais une bibliographie considérable, qui lui est propre. La thèse contraire connaît son expression la plus aboutie avec l'étude de M. Lombard, *L'or musulman au Moyen Age*, dans *Annales*, 1947. Sur les Arabes en Méditerranée, lire A. Lewis, *Naval Power and Trade in the Mediterranean 500-1100*, Princeton, 1951, et E. Eickhoff, *Seerkrieg und Seepolitik zwischen Islam und Abendland*, Berlin, 1966. Sur l'Islam et Byzance, voir A. Vasiliev, *Byzance et les Arabes*, Bruxelles, 1935-1968 (traduit du russe et mis à jour). Sur la Sicile et l'Italie, consulter M. Amari, *Storia dei Musulmani di Sicilia*, 2ᵉ éd., Catane, 1933-38; F. Gabrieli-U. Scerrato, *Gli Arabi in Italia*, Milan, 1979. Sur les Arabes en Espagne, outre l'ouvrage classique de Dozy (*Histoire des Musulmans d'Espagne*, 1860), lire E. Lévi-Provençal, *Histoire de l'Espagne musulmane*, Paris, 1950-53 (jusqu'à la fin de la période omayyade); A. Castro, *La realidad historica de España*, Mexico, 1954; C. Sanchez Albornoz, *España. un enigma historico*, Buenos Aires, 1962; *España y el Islam*, dans *Revista de Occidente*, XIX, 1929, et *El Islam de España y el Occidente*, dans *Settimane di studio del Centro italiano di Spoleto*, XII, 1965. Sur le legs linguistique des Arabes à l'Occident, voir l'ouvrage fondamental de G.B. Pellegrini, *Gli arabismi nelle lingue neolatine*, Brescia, 1972.

Sur les rapports littéraires, on trouvera une vue d'ensemble de la poésie dans l'ouvrage de F. Gabrieli, *La poesia araba e le letterature occidentali*, dans *Storia e civiltà musulmana*, Naples, 1974. Pour acquérir une connaissance plus détaillée de la «thèse arabe», on lira R. Menendez, Pidal, *Poesia arabe y poesia europea*, Madrid, 1941; E. Ligotti, *La tesi araba sulle origini della lirica romanza*, Florence, 1955, et les études de E. Cerulli, E. García Gómez, A. Roncaglia dans *Oriente e Occidente nel Medio Evo* (Convegno Volta de l'Académie des Lincei), Rome, 1957; S. Stern, *Les chansons mozarabes*, Palerme, 1953, et son ouvrage posthume, *Hispano-Arabic strophic poetry*, Oxford, 1974 (qui comprend un essai critique, intitulé *Existe-t-il des rapports littéraires entre le monde islamique et l'Europe occidentale, au haut Moyen Age?*); enfin, E. García Gómez, *Los jarchas romances de la serie arabe en su marco*, Madrid, 1965, 1975. Et sur le point de vue arabisant, on consultera G. Schoeler, *Die hispano-arabische Strophendichtung. Entstehung und Beziehung zur Troubadour-Lyrik*, dans *Actes du 8ᵉ Congrès de l'Union Européenne des Arabisants et Islamisants*, Aix-en-Provence, 1976. Sur le point de vue roman, on verra A. Roncaglia, *Gli Arabi e le origini della lirica neolatina*, dans le cahier *L'Islam* de la série «I problemi di Ulisse», Florence, 1977. A propos de l'influence possible des Arabes sur le chant populaire sicilien, voir A. Pagliaro, dans *Poesia giullaresca e poesia popolare*, Bari, 1958.

A propos de la prose, pour laquelle il manque une étude d'ensemble, voir l'introduction d'E. Hermes à sa traduction de Pierre Alphonse, *Die Kunst vernünftig zu leben* (la *Disciplina clericalis*), Zurich, 1970, et du même auteur, *Die drei Ringe. Aus der Frühzeit der Novelle*, Göttingen, 1964, ainsi que l'analyse antérieure de M. Penna, *La parabola dei tre anelli e la tolleranza nel Medioevo*, Turin, 1953.

Sur le sujet de Sindbad, on lira avec intérêt les *Ricerche sul Libro di Sindibad*, de D. Comparetti, Milan, 1869 (trad. angl., Londres, 1882), qui sont encore valables. Pour l'épisode de l'Isabella de l'*Orlando furioso*, voir G. Levi Della Vida, *Fonti arabe della Isabella ariosteca*, dans *Aneddoti e svaghi arabi e non arabi*, Milan-Naples, 1959; et E. Cerulli, dans *Orientalia*, XV, 1946. Toujours de cet auteur, *Il Patrañuelo di J. Timoneda e l'elemento arabo nella novella italiana e spagnola del Rinascimento*, dans Memorie dei Lincei, ser. 8, VII, 1955. Sur les *Mille et une nuits*, voir l'introduction de F. Gabrieli à la traduction italienne, Turin, 1948, qui a connu plusieurs réimpressions; aussi, M. Gebhardt, *The art of story-telling*, Leyde, 1963.

Sur la traduction des travaux philosophiques et scientifiques arabes, effectuée en Espagne, voir F. Wüstenfeld, *Die Uebersetzungen arabisher Werke in das Lateinische*, dans *Abhandlungen d. Göttinger Gesellschaft d. Wissenschaften*, XXII, 1877; R. Lemay, *Dans l'Espagne du XIIᵉ siècle: les traductions de l'arabe au latin*, dans *Annales*, XVIII, 1963. Enfin, sur l'eschatologie musulmane et la *Comédie* de Dante, voir M. Asín Palacios, *La escatologia musulmana en La Divina Comedia*, Madrid, 1920, 1943; puis E. Cerulli, *Il "Libro della Scala" e la questione delle fonti arabo-spagnole della Divina Commedia*, Cité du Vatican, 1949; id. *Nuove ricerche sul Libro della Scala e la conoscenza dell'Islam in Occidente*, Cité du Vatican, 1972

L'Empire de Charlemagne

Heiko Steuer

DE THÉODORIC LE GRAND À CHARLEMAGNE

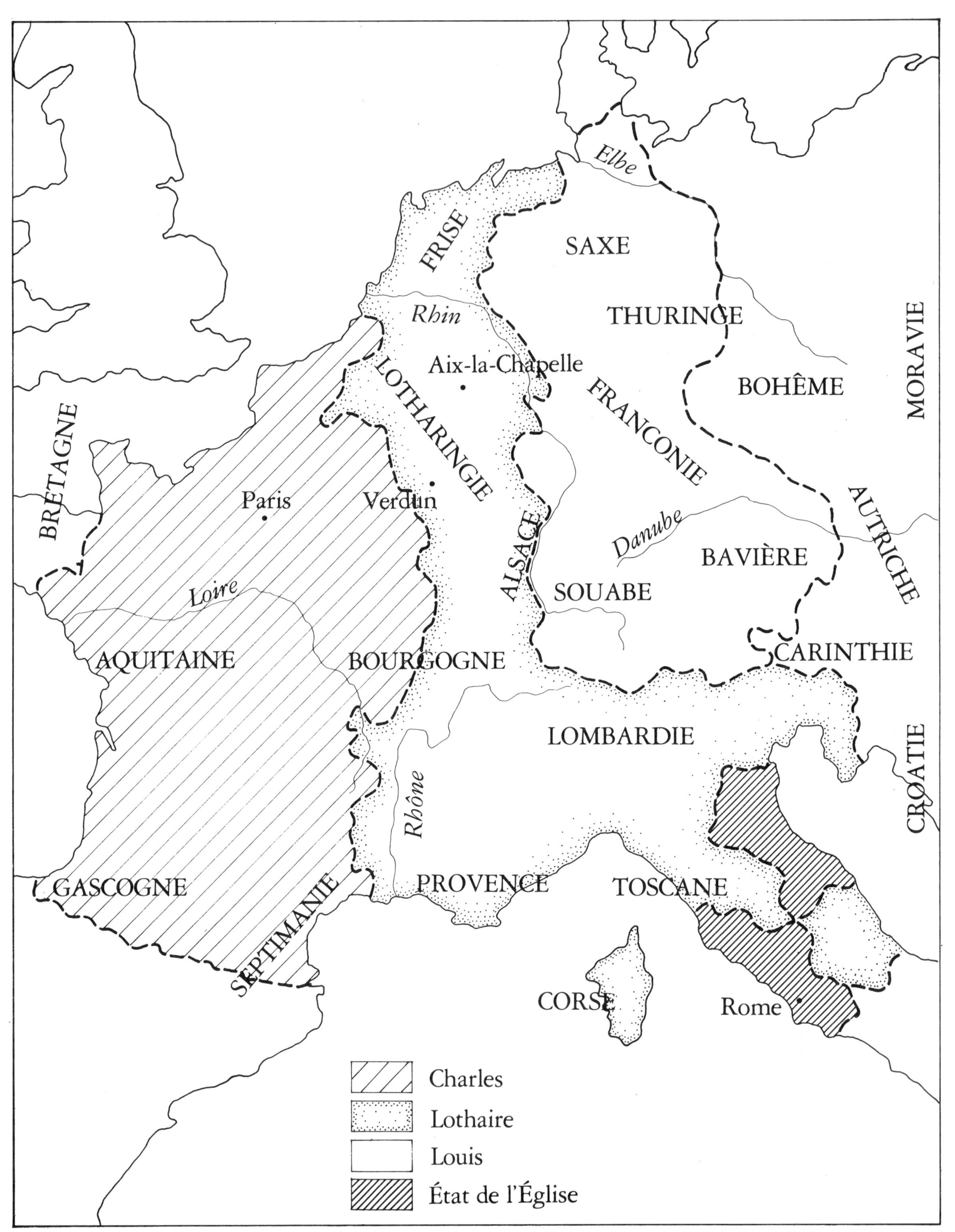

Le démembrement de L'Empire de Charlemagne à la suite du Traité de Verdun (843)

Thèses diverses sur l'histoire économique et sociale

L'histoire est soumise à des révisions continuelles. Quand on se met à considérer le présent sous un angle nouveau, on ne jette plus le même regard sur les événements du passé. Des controverses subsistent quant à l'interprétation de leur déroulement, mais les thèses formulées avec le plus de rigueur stimulent les discussions entre chercheurs et favorisent la compréhension de l'époque dont ils débattent. Henri Pirenne est l'un des grands historiens qui ont su élaborer de telles théories et leur fournir des fondements solides. La période qui sépare le monde antique des débuts du Moyen Age demeure l'une des plus difficiles à appréhender et les opinions des spécialistes à son sujet restent très divisées. Il est vrai que le déclin d'une grande civilisation exerce toujours une fascination particulière sur l'homme du XXe siècle.

La société de transition dont parle P. Anderson dans un ouvrage intitulé *Passages from Antiquity to Feudalism* et publié en 1974, ainsi que son organisation durant cette période se caractérisent par l'incertitude que marquent les contemporains eux-mêmes à propos de l'harmonisation des structures entre elles: dans une lettre d'«Etat», Théodoric le Grand assure à l'empereur byzantin Anastase: «Notre règne est une imitation du vôtre, une copie d'un bon modèle, une reproduction de l'unique empire; plus nous vous suivons étroitement et plus nous précédons les autres peuples». A ses yeux, l'empire romain continue donc à vivre et lui-même se considère comme le représentant de l'empereur en Occident. Or, Salvien de Marseille écrit, avant lui, que l'empire romain est déjà mort ou tout au moins agonisant. On se demande donc à quoi souhaite se rattacher Charlemagne et quelles sont ses motivations, quand, en 801, après s'être fait couronner empereur à Rome, il donne l'ordre de transférer la statue de Théodoric de Ravenne à Aix-la-Chapelle. Entend-il souligner ainsi la tradition de la structure germanique de l'empire, comme l'affirme H. Löwe dans son essai *Von Theodorich dem Grossen zu Karl dem Grossen. Das Werden des Abendlandes im Geschichtsbild des frühen Mittelalters* (1951)? Ou n'est-ce pas plutôt, pour lui, une façon de reprendre le rôle de «fonctionnaire» que remplissait Théodoric à la tête de la hiérarchie de l'empire romain, qui persiste, ainsi que le soutient, avec des arguments tout aussi convaincants, K. Hauck dans une étude de 1967, *Von einer spätantiken Randkultur zum karolingischen Europa*? Il faut convenir que les contemporains de Charlemagne se sont interrogés eux aussi sur l'objectif à atteindre: fallait-il choisir comme un but élevé de perpétuer l'empire romain ou bien fonder un nouvel empire sur des bases chrétiennes?

On s'interrogeait donc déjà en ce temps-là sur le passage de la civilisation antique à la société médiévale: était-ce un phénomène de continuité ou représentait-il, au contraire, une rupture? En s'appuyant sur une documentation tirée de sources littéraires, l'historien autrichien A. Dopsch a défendu avec force, dans son œuvre monumentale *Die wirtschaftlichen und sozialen Grundlagen der europäischen Kulturentwicklung aus der Zeit von Caesar bis auf Karl dem Grossen* (1918-1920), la thèse du processus de continuité accompagné d'une mutation constante et graduelle, cependant qu'en 1948, H. Aubin donnait à son analyse le titre significatif de *Von Absterben antikes Lebens im Frühmittelalter*, c'est-à-dire du dépérissement de la vie antique au début du Moyen Age.

Et si l'on penche pour la rupture, les discussions redoublent de vigueur pour préciser le moment où elle s'est produite. Les Germains l'ont-ils provoquée par le désordre de leurs migrations et la création de royaumes sur le territoire de l'empire romain d'Occident, au Vᵉ siècle? Ou bien est-elle due, selon la thèse formulée par Henri Pirenne, aux conquêtes arabes des VIIᵉ et VIIIᵉ siècles en Méditerranée occidentale, qui ont provoqué le démantèlement des structures socio-économiques antiques? Charlemagne et ses entreprises ne s'expliquent pas sans l'existence de Mahomet. Voilà, en quelques mots, le concept fondamental de Pirenne. Cette théorie a fait l'objet d'amples débats et l'on estime aujourd'hui que Mahomet et l'Empire islamique, d'une part, Charlemagne et son Empire, de l'autre, n'ont pu jouer de rôle qu'à la suite de la chute de Rome, de l'écroulement de la civilisation antique. Une révision continuelle des témoignages que laisse la tradition permet, par un simple déplacement du centre de gravité, de formuler l'une ou l'autre thèse étant donné que les documents demeurent rares et parfois même très insuffisants. Au cours des dernières décennies, soit depuis les travaux de Pirenne, l'inclusion de données archéologiques a fourni un riche matériel documentaire et cette source d'un type nouveau permet de répondre aux questions qui se posent de façon claire et sans équivoque, à partir de faits réels.

C'est d'ailleurs sur de telles données que se fonde le présent exposé, car il est rédigé par un archéologue qui s'appuie sur des résultats de fouilles pour étudier le développement de l'économie et de la société.

On voit ainsi se dessiner une nouvelle thèse, soutenue également pas les témoignages des sources littéraires: la question posée à propos du siècle où il faut rechercher la rupture qui s'est opérée entre l'Antiquité et le Moyen Age semble l'avoir été de manière unilatérale. Il existe plutôt deux phases distinctes d'évolution; tout d'abord, la crise de l'Empire romain, survenue aux IIIᵉ et IVᵉ siècles, qui a pour conséquence la germanisation du monde antique, et ensuite la fondation, au VIIIᵉ siècle, de l'Etat carolingien par laquelle débute l'histoire de la féodalité proprement dite. Entre ces deux pôles s'écoule un demi-millénaire qui est trop demeuré dans l'ombre, jusqu'à présent. Dans toutes les régions qu'occupait l'empire romain d'Occident, l'économie et l'ordre social représentent une alternative aux civilisations antique et médiévale; elles ont une existence légitime qui leur est propre. Il faut cependant souligner que les hommes d'alors n'ont pas, bien entendu, oublié le passé et qu'ils en tiennent compte.

Structure d'un ordre social de rechange

Pour caractériser la particularité de la structure sociale de ces siècles et souligner quelles ont été les forces qui l'ont dominée, Georges Duby a intitulé *Guerriers et Paysans* l'ouvrage qu'il a consacré à l'économie et à la société du temps de Charlemagne et du haut Moyen Age. Le nouveau genre d'existence qui se développe à la fin de l'Antiquité et au début du Moyen Age est celui des guerriers qui se fixent dans les campagnes de l'Empire germanique; or, cette forme de vie a été adoptée par la majeure partie des Germains à des époques très antérieures à l'établissement de la grande civilisation romaine et elle se trouve bien attestée hors de l'Empire.

La façon dont apparaît ce mode de vie détermine la période à laquelle s'opèrent les transformations décisives; elle est mise en évidence, de manière toute nouvelle, par l'implantation du monachisme et de l'économie conventuelle, qui s'effectue à partir du début du Vᵉ siècle dans le monde occidental et s'y répand rapidement. Moines et guerriers vivant en communautés indépendantes donnent sa forme à cette société. Les cités et les Etats qui constituaient la base de la civilisation romaine et même encore celle du haut Moyen Age, disparaissent ou se réduisent à une structure rudimentaire. Le commerce ne subsiste que sous la forme d'échanges de biens de luxe sur de grandes distances et sert les hommes parvenus au sommet de la hiérarchie de la société, car il complète les productions artisanales liées à leurs domaines. L'administration, le système fiscal et les organismes chargés du maintien de l'ordre, «de type police», demeurent très sommaires. La possession de la terre, une escorte (*Gefolgschaft*), des guerriers à leur solde qui disposent d'un patrimoine, la noblesse de la naissance, la valeur militaire et une aura personnelle, telles sont les bases du pouvoir des rois germaniques et de leurs grands seigneurs.

A cela s'ajoute, au bout d'un certain temps, un facteur décisif dont les causes demeurent obscures mais dont on comprend les grandes lignes, à savoir un fort recul démographique, à la fois dans les cités en déclin et dans les campagnes, dans les provinces septentrionales de l'empire romain, comme en Italie et en Grèce.

Nous nous proposons d'établir ici un cadre un peu plus précis que ne l'ont fourni alors les diverses réalités et les conceptions de l'existence.

En 476, Odoacre, de la tribu des Skires, chef d'un important contingent mercenaire, dépose le jeune empereur romain Romulus Augustule et sous sa pression, le sénat déclare que l'Occident n'a plus besoin d'un véritable empereur. En l'an 800, Charlemagne se fait couronner empereur à Rome et son sceau porte désormais l'inscription «Renovatio Romani Imperii». Ces deux dates délimitent une période durant laquelle une douzaine de générations se succèdent, cependant que l'histoire européenne trouve une solution originale et marque, semble-t-il, un temps d'arrêt dans son développement «logique, conséquent» pour lui préférer une autre voie. La route qui mène de l'Etat classique à la société féodale ne suit pas une ligne droite, mais s'interrompt avant de reprendre, et le passage de l'un à l'autre s'effectue selon un parcours imprévu.

Si l'on veut bien admettre que l'on trouve des traces de modes de vie alternatifs dès avant 476 et longtemps après 800, en comprenant la phase de développement qui mène à une autre forme d'existence, la consolidation de cette dernière durant trois siècles et l'influence qu'elle continue à exercer sur la période suivante, on comprendra mieux ce qui a pu se produire durant la moitié du premier millénaire.

Les hommes — et pas seulement les Germains — choisissent un autre genre de civilisation. Ils ne veulent plus de l'Etat très développé et très organisé, qui exerce un pouvoir coercitif dans l'Antiquité tardive, refusent la vie urbaine et abandonnent les cités. Durant plus de cinq cents ans, ce qui nous semble l'unique forme d'existence concevable, celle de la ville, disparaît. Il faudra attendre Charlemagne pour que soit repris le modèle ancien de l'empire romain et que l'Etat soit rénové. Cet empereur crée en effet les conditions d'un nouvel essor, tout d'abord hésitant, de la cité qui, au Nord des Alpes par exemple, ne reprendra son rôle antique qu'au Xe siècle, sous la dynastie ottonienne.

Le solide système étatisé, qui s'appuie sur le droit et l'administration, est abandonné pour le cadre plus restreint des campagnes où s'installent colons, guerriers et moines. Ce mode d'existence a en contrepartie un recul inéluctable dans les connaissances techniques, car beaucoup d'usages se perdent. En revanche il s'opère ainsi que nous allons le voir, des développements dans d'autres domaines.

La cité antique a donc vécu. En dépit de toutes les réformes entreprises sous Dioclétien et Constantin, elle n'est plus en mesure de résoudre les problèmes économiques et sociaux. Et l'on s'en éloigne au moment où les Barbares, dont l'ordre social est celui de l'Europe d'avant les Romains, pénètrent dans l'empire. Ils n'ont pas l'intention de la détruire, mais sont à la recherche d'un monde qui ne redeviendra plus jamais ce qu'il était, malgré toutes les tentatives de leurs rois.

La rencontre entre l'organisation sociale au sein de la cité, les conceptions individualistes des chefs germaniques et les idées révolutionnaires du christianisme favorisent l'émergence d'une civilisation très différente, qui affirme son droit à une existence personnelle et ne représente pas simplement une première démarche vers ce que sera l'Europe médiévale.

On se rend très bien compte de la pause qui s'effectue lorsqu'on examine les objets d'usage domestique. Si l'on en juge par la quantité et la qualité de la vaisselle en métal ou en verre d'une maison aisée ou riche, le niveau de vie de l'époque romaine ne sera retrouvé que mille ans plus tard, en Europe centrale. Il faut en effet attendre le XIIIe siècle pour que les artisans des villes ou la noblesse des châteaux forts disposent d'accessoires comparables à ceux qui étaient employés par les Romains, tels que vaisselle de bronze, service en argent, récipients et gobelets de verre ou ustensiles métalliques. Entre le début et la fin du Moyen Age, la quantité d'ustensiles domestiques en métal passe de quelques kilos à plus de cinquante et même jusqu'à cent kilos pour un groupe familial, ce qui nous renseigne sur la lenteur d'évolution du phénomène. Le luxe que représentent l'eau courante et le chauffage central, naturel pour les Romains, ne redeviendra accessible qu'au haut Moyen Age. La culture de la cour médiévale se développe dans les châteaux, à la campagne, et ne reviendra au premier plan dans la ville que beaucoup plus tard.

L'existence des rois germaniques ne diffère pas de celle que menaient les «princes» protohistoriques de leurs peuples, mille ans auparavant. L'essentiel de leur conception de la vie nous est familier, grâce au mobilier précieux retrouvé dans leurs tombes: armes de haute qualité, décorées à l'aide de métaux nobles, vaisselle coûteuse, broche pour le banquet, instrument de musique pour le poète-chanteur qui déclame les sagas héroïques et riches ornements personnels. Tous ces éléments, présents dans les sépultures des «princes» germaniques de l'Europe centrale, occidentale et septentrionale, ont d'ailleurs également été déposés dans les tombes des «princes» de l'âge du Bronze ou du Fer.

Les régions de peuplement germanique intense qui ont fait partie, jadis de l'empire romain se caractérisent par la surprenante richesse des sépultures, où les armes tiennent la première place, à la différence de ce que l'on trouve chez les Romains. Quand apparaissent, sous les premiers rois francs, Childéric et Clovis, les grands cimetières où s'alignent les sarcophages (*Reihengräber*), cette coutume funéraire devient, comme à l'époque protohistorique, typique des territoires de l'Empire franc, bien qu'elle exerce une influence sur l'Italie et sur l'Espagne. Les archéologues qualifient cette période de «civilisation des cimetières à rangées», car nous devons aux usages funéraires la connaissance de la plupart des types d'expression historico-culturelle.

On a peine à imaginer plus grand contraste que celui formé par les colons romains, liés à la terre par la force de la loi et ne connaissant ni le choix de la profession, ni liberté de mouvement, et les guerriers germaniques qui suivent leur seigneur ou leur chef de bande par libre décision et se sentent chez eux dans toute l'Europe. La liberté et l'individualisme deviennent donc les caractéristiques de ce temps. La société s'appuie sur l'économie rurale et le troc. Les grandes familles s'établissent sur leurs terres et subsistent de manière indépendante, de même que les communautés monastiques. Ces groupes sociaux n'ont besoin ni des autres, ni de l'urbanisme. Le guerrier s'équipe seul et emporte partout les armes que ne lui fournit aucune administration militaire. Il subvient à ses besoins et décide de répondre ou non au recrutement militaire. Aucune politique de défense de l'ordre public n'a encore vu le jour. Le vol, l'assassinat et autres délits sont punis et expiés de façon indépendante. Bien plus tard, le pouvoir central franc énoncera des conventions légales, des normes qui ne seront respectées que par tel ou tel de leurs groupes, ceux des Wisigoths, des Alamans ou des Francs proprement dits, conventions codifiées par les ordonnances que promulgue chacun de ces groupes ethniques.

La culture antique et le latin perdent toujours plus de leur importance. L'architecture en pierre et l'art monumental disparaissent. Le puissant mausolée de Théodoric, à Ravenne, en constitue le dernier exemple, puisqu'ils ne renaîtront qu'au moment de la construction des palais de Charlemagne, dont ceux d'Ingelheim et d'Aix-la-Chapelle. Par contre, la technique de la forge des armes progresse, ainsi que le travail de l'or pour les ornements personnels.

Selon W. von Steinen, «Le déclin de la culture occidentale apparaît de diverses manières dans les témoignages et plus encore dans l'absence de témoignages de la période située entre le VIe et le milieu du VIIIe siècle... Du point de vue de la linguistique, les auteurs et les documents du temps offrent tout au plus un hybride confus et médiocre, qui se situe entre le latin du bas-empire et la langue vulgaire alors parlée (langue romane rustique ou germanique); il s'agit donc d'un langage dans lequel on n'a pas écrit auparavant et qui n'est pas non plus populaire. Les écoles se raréfient en Italie, dans l'Espagne wisigothique et, plus encore, en France... Les œuvres d'art que nous connaissons nous semblent grossières, maladroites, imprégnées de superstition...». Cet auteur démontre pourtant que l'idéal demeure en tout celui de l'Antiquité et que lui-même ne saisit pas l'indépendance, l'autonomie d'une époque dont les valeurs sont bien différentes. Au lieu d'une stèle funéraire sculptée avec art, à laquelle aspirent vainement ceux qui souhaitent sauvegarder le mode de vie antique, d'autres préfèrent créer des formes ornementales élaborées sur certaines parties des armes et des plaques de ceinture, ce que l'on qualifie de décor germanique à motifs animaliers et qui exige la maîtrise du thème et de sa signification, en même temps que des divers matériaux associés. Il importe d'attirer le regard sur ce qui est considéré alors comme primordial.

Les communautés monastiques qui se développent à partir de la fin du IVe siècle et au début du Ve siècle marquent, elles aussi, le choix d'un mode d'existence individuel, même si l'on est en présence, dans ce cas, de petits groupes qui entendent vivre pour eux-mêmes et pour Dieu. Ermitages et abbayes s'implantent en pleine campagne, dans l'isolement. Seuls, les ordres qui se créeront au haut Moyen Age regagneront les villes.

A l'Etat tel que l'a façonné l'empire, qui comprend tous les hommes, l'unité des pays entourant la Méditerranée, la concentration humaine dans les cités, se substitue la décision de l'individu; les campagnes reflètent encore la tendance à mener une vie à l'écart. H. Aubin affirme d'ailleurs que «la société ne tend plus vers le service et le maintien d'un Etat hautement structuré comme l'était l'empire romain» et elle n'aspire pas encore à l'organisation bien réglée qui va caractériser le règne médiéval des Carolingiens.

Colons, guerriers et moines mènent leur existence comme ils l'entendent et donnent ainsi son cadre à cette époque, au-delà des différences régionales et des survivances de l'Antiquité. On pourrait même parler à cet égard d'une résolution révolutionnaire en faveur de l'individualisme, de l'indépendance et même de l'isolement.

Le cloître attire les habitants de la Romanie, membres de l'aristocratie sénatoriale gauloise, mais également, dès le VIe siècle, un pourcentage non négligeable de Barbares. Le VIe siècle voit d'ailleurs se multiplier les monastères, en particulier, en Gaule. D'aucuns estiment à 50 000 les hommes et les femmes qui adoptent alors la condition monastique, un chiffre qui acquiert tout son poids si on le compare à celui des 80 000 Vandales, tout un peuple dont une grande partie est armée, qui passent en Afrique, guidés par Genséric, en 429, vieillards et enfants, guerriers et esclaves. Après une longue période de stabilité et un regroupement avec d'autres Germains, le nombre des Francs atteint entre 500 000 et 800 000 hommes. Les territoires où sont établis les royaumes germaniques et qui ont fait partie de l'empire romain comptent sans doute entre 2 et 4 millions d'habitants.

L'un des caractères particuliers de cette période tient en effet à la faiblesse de la population. L'Europe occidentale s'est appauvrie en hommes. L'écart, par rapport à ce qu'elle comptait quelques temps auparavant, ne cesse de s'accroître. Des études particulières menées au sujet de la Rhénanie romaine et sur les zones situées au nord de Rome montrent que des régions défrichées et pleinement exploitées du point de vue agricole, au temps des Romains, disparaissent sous les bois et les broussailles. Les quatre cinquièmes des campagnes se trouvent ainsi abandonnés. Les régions où les Romains étaient établis ne seront à nouveau défrichées qu'au cours de l'intense colonisation du haut Moyen Age. Il semble que jusqu'au VIIe-VIIIe siècle, la population de l'Europe n'ait cessé de diminuer, puis soit restée longtemps faible avant de connaître une croissance rapide.

La chute de Rome est peut-être en partie due à ce manque d'hommes. Ce ne sont pas les Germains qui chassent les habitants de la Romanie et les poussent à se concentrer dans le sud, sur les rivages méditerranéens; en réalité, la population diminue là aussi. Il est difficile de comprendre ce phénomène. Les épidémies de peste, qui se succèdent, y jouent sans doute un rôle, mais n'expliquent pas à elles seules l'abaissement du niveau de vie et le changement de mode d'existence. La peste du haut Moyen Age n'a pu, elle non plus, avoir de telles conséquences.

La conception de l'Etat et du royaume a changé de façon radicale. L'idée abstraite de l'Etat romain, avec la citoyenneté et le territoire, est abandonnée et l'on privilégie le lien personnel rattachant l'individu à un seigneur reconnu comme tel, qui promet protection et assure la subsistance en échange d'une aide armée. Ces relations particulières remplacent celles qui étaient établies entre les hommes et l'Etat; elles reposent sur un accord, sans qu'il y ait dépendance à l'égard d'un territoire. Le royaume germanique est relativement mobile: il se situe là où s'arrêtent le roi et sa suite d'hommes en armes, aujourd'hui en France, demain en Espagne ou encore en Afrique. Le roi est itinérant et ne règne pas depuis une résidence fixe. Cet état de fait se maintient sous les rois mérovingiens, carolingiens et du haut Moyen Age.

On considère comme une entité historique l'époque qui s'ouvre avec Théodoric et s'achève avec Charlemagne, parce que la civilisation romaine s'efface au cours du IVe-Ve siècle, que nombre de ses caractéristiques sont abandonnées petit à petit et qu'elle atteint son point le plus bas au cours du VIIIe siècle. Henri Pirenne en rend responsable la conquête islamique de la Méditerranée, ainsi que la dissolution des liens commerciaux et culturels, mais nous estimons que la disparition de nombreux éléments de la culture classique est due à un processus interne. La nouvelle société n'a besoin ni de l'Etat, ni de la cité, ni d'une architecture de prestige, ni de marchands, ni de réseau commercial. La demande de certains objets de luxe faiblit et les connaissances techniques qui se rattachent à leur production se perdent. Ainsi, les récipients en verre connaissent une régression constante sur les plans de la qualité et de la quantité. Au début de l'époque mérovingienne, la qualité du verre demeure proche de celle produite chez les Romains. A la fin de cette période et au début de l'époque carolingienne, la qualité faiblit énormément, la gamme typologique se réduit à quelques modèles de verres à boire et le volume de la production semble des plus restreints. D'autre part, les verres à boire d'époque carolingienne nous sont surtout connus grâce aux tombes de quelques riches habitants de la Scandinavie et, à l'état de fragments, en provenance du bourg de Dorestad, sur le Bas-Rhin. Le verre n'est plus produit par la suite et il faut attendre le XIIIe siècle pour que la fabrication reprenne au Nord des Alpes, au point de constituer une tradition spécifique.

Les fortifications construites jusqu'au bas empire, ultimes bastions élevés sur le Rhin et le Danube, ne jouent plus aucun rôle. Les centres du pouvoir, les palais mérovingiens, sont de grandes entreprises rurales, des entreprises seigneuriales parfois défendues par des palissades, mais qui ne soutiennent pas la comparaison avec les places fortes des Romains. Les murailles fortifiées ne s'élèvent à nouveau que sous les Carolingiens, même si les cités antiques sont encore debout. Ces dernières servent surtout de carrières de pierre, mais parfois, un évêque s'établit à l'intérieur de l'une de leurs enceintes, qui ressemblent désormais à un vêtement devenu trop grand.

La civilisation romaine, qui s'est muée en une société d'organisation plus primitive au fur et à mesure des conquêtes, se désagrège et laisse des formes d'existence plus anciennes regagner du terrain. La reprise, au VIIIe siècle, de l'importance de la ville, du commerce et même de l'architecture constitue l'amorce d'une évolution civilisatrice, après un long temps d'arrêt. On se tourne alors consciemment vers l'exemple de l'Antiquité. Les *palatia* de Charlemagne sont des palais au sens où on l'entendait chez les Romains. Les décorations des églises du VIIIe siècle et l'ornementation en stuc sur la paroi d'entrée du «tempietto» de l'église Santa Maria in Valle de Cividale constituent, pour l'Italie septentrionale, un parallèle à la rénovation carolingienne, ainsi que certains auteurs l'ont montré de façon convaincante (C. Cecchelli, G. Panazza, A. Peroni).

Le commerce qui reprend à partir du VIIIe siècle ne concerne plus seulement les objets de luxe, mais aussi les meules, la céramique, les ustensiles de verre ou de fer. Il se développe grâce à l'utilisation pragmatique des sources de matières premières, afin de répondre aux besoins des grands établissements ou des villes nouvelles, qui sont tout à la fois centres de production et de consommation, cependant que le nombre d'habitants augmente et leur mobilité s'accroît. Toutefois, une société «moderne» dont le système économique est en expansion, dont la population prend plus d'importance et se trouve sous la menace extérieure constante des Vikings, des Avars, puis des Magyars, ne peut continuer à vivre dans les mêmes conditions que la société ouverte et itinérante de l'époque des migrations, car il lui faut adopter un système qui comprenne une organisation centrale et donc qui se réfère à la grande civilisation romaine pour un certain nombre de ses structures. On a noté que le noyau de l'Empire franc n'avait cessé de se déplacer vers le Nord-Est. C'est là que se créent, en effet, les centres de décision du pouvoir et de l'économie. Alors qu'une interruption se produisait dans le commerce méditerranéen et que l'ouverture d'une voie commerciale se précisait entre les régions septentrionales et l'Orient, on a considéré que l'une des causes de ce mouvement tenait à la concentration des biens patrimoniaux des Carolingiens dans cette région, l'Austrasie. Avant eux, Clovis avait déjà établi le noyau de son royaume dans le Nord, entre Soissons et Paris, après avoir battu dans cette région Syagrius, un général qu'il considérait comme un «roi des Romains», et dont il incorpora les biens dans son propre domaine royal.

Les résultats que l'archéologie ne cesse d'obtenir nous fournissent également d'autres arguments. Le degré de civilisation et les structures sociales de toutes les régions occupées précédemment par les Barbares ou les Germains, jusqu'à la Scandinavie et aux territoires conquis, sont, pour l'essentiel, très comparables. Le niveau technique de la production agricole et le volume des échanges commerciaux à longue distance ne se différencient guère entre les régions qui ont appartenu un temps au territoire de l'empire romain et les contrées plus éloignées de l'Europe centrale ou de la Scandinavie. Dans un monde très homogène, où la manière de vivre et l'économie demeurent celles des Germains ou des Barbares, dont les modes d'existence sont identiques, les territoires où ils se fixent ne présentent aucune exception et les structures politiques entraînant la formation de royaumes ne se mettent en place que dans certaines parties de quelques régions, alors que, sous Charlemagne, on reviendra à une intense concentration politique.

Il est certain qu'on ne saurait attribuer au Nord un avantage dans le domaine des méthodes de production agricole par rapport à celles pratiquées dans les territoires du centre du royaume franc, car une telle conception s'opposerait au point de vue admis jusqu'ici, mais on est en mesure de documenter l'identité de la situation pour toutes ces régions. Jan Dhondt, par exemple, estime que la supériorité du Nord dans le domaine économique est l'une des causes des expéditions vikings; qui commencent à la fin du VIIIe siècle; cette supériorité aurait conduit à un surpeuplement, d'où les incursions expansionnistes des Vikings.

La classe dominante des peuples du Rhin, de l'Angleterre ou de la Suède a le même genre de vie au VIe siècle, ainsi que l'attestent les sépultures dont le contenu nous paraît très semblable.

La transformation des territoires de l'empire romain et l'adaptation à une existence de type pré-romain commencent à s'effectuer dès la fin du Ve siècle partout où l'occupation germanique est intense, y compris dans de nombreuses régions de l'Italie et de l'Espagne. Dans ces secteurs, ainsi que sur la côte méditerranéenne de la France, le mode de vie antique subsiste plus longtemps.

Le déplacement vers le Nord du centre des royaumes mérovingien-carolingien s'opère donc sur cette toile de fond. A l'intérieur d'un grand territoire où tous vivent de la même manière, ce centre est installé dans une position nettement plus favorable, sans que la distance qui le sépare des anciens noyaux économiques du Sud s'accroisse trop. Des rapports suprarégionaux se créent à partir de lui et un réseau de voies commerciales se constitue vers l'Ouest, le centre et le Nord de l'Europe. Le Rhin et la rive méridionale de la mer du Nord redeviennent un axe important pour les échanges. De là, la route qui gagne la Suède ou la Russie, puis se dirige vers le Levant islamique, n'est pas plus longue que l'antique voie maritime vers l'Orient, à travers la Méditerranée.

La période historique qui sépare Théodoric de Charlemagne se fonde sur une structure sociale particulière que l'on considère comme une société ouverte, sans subdivisions rigides de condition ou de classe. A l'intérieur de cette société, les limites sont perméables, que les hommes soient libres ou non. La noblesse de naissance cède le pas à une aristocratie nouvelle, qui se voit appeler dans l'entourage du roi en fonction de services rendus ou pour des mérites personnels. La création du royaume carolingien s'accompagnera, par contre, de la formation d'une tout autre société, fermée et divisée en classes, celle-là, que dominent la noblesse et ses privilèges héréditaires. Très vite, on ne sera plus en présence que de nobles et de subordonnés: l'époque des structures ouvertes aura pris fin.

100. Cividale del Friuli, musée National. Autel de Ratchis: l'Adoration des Mages

RMARENTVRV
PLANAM
TINTERRELIQVAS

101. Cividale del Friuli, Tempietto lombard. Détail d'une sainte dans la galerie supérieure
102. Cividale del Friuli, musée National. Baptistère de Callixte. Détail des bas-reliefs: symbole de saint Jean l'évangéliste

Aux pages suivantes
103. Monza, Trésor du Duomo. Croix votive d'Agilulf en or, pierres précieuses et perles
104. Rome, musée du haut Moyen Age. Epée avec pommeau en anneau, provenant de la nécropole de Nocera Umbra
105. Trezzo sull'Adda. Bague-sceau de Rodchis, en or massif, provenant de la tombe n. 2

106. Brescia, musée de San Salvatore. Fragment de transenne: paon entouré d'entrelacs
107. Florence, musée National du Bargello. Plaquette représentant le roi Agilulf trônant, provenant de Valdinievole

108. Paris, Bibliothèque nationale. Fibule lombarde provenant de Capoue
109. Oxford, Ashmolean Museum. Fibule lombarde provenant de Bénévent

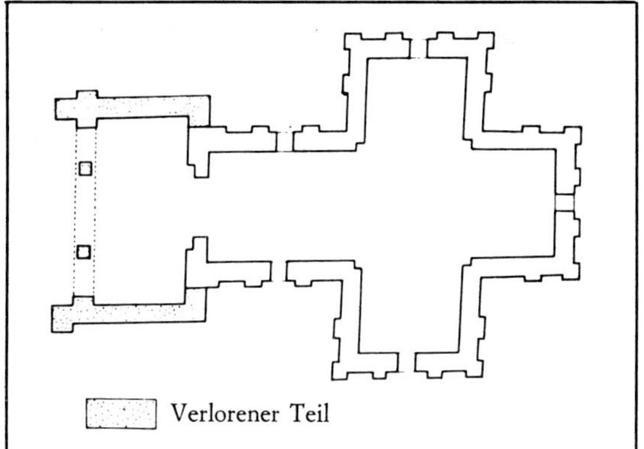

110. Ravenne, mausolée de Galla Placidia
111. Ravenne, mausolée de Galla Placidia. Plan

112 Ravenne, palais de Théodoric. Façade
113. Ravenne, palais de Théodoric. Mur de droite

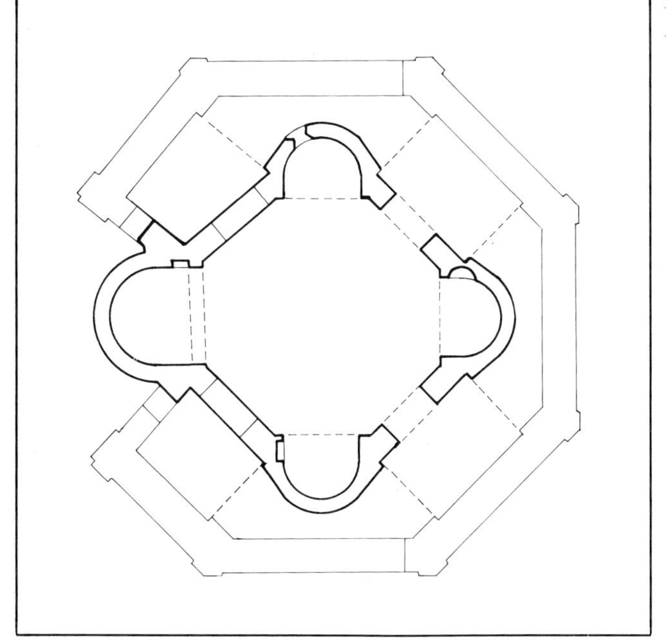

114. Ravenne, baptistère des Ariens
115. Ravenne, baptistère des Ariens. Plan

116. Ravenne, mausolée de Théodoric
117. Ravenne, mausolée de Théodoric. L'intérieur de la coupole monolithique

118. Ravenne, Saint-Apollinaire-le-Neuf. Vue de l'intérieur

119. Ravenne, Saint-Apollinarie-le-Neuf. Détail des mosaïques du mur de droite de la nef centrale

PALA TIVM

+SERVUS
XPIAGNELLUSEPISCHUNCPYRGUM
FECIT

120. Ravenne, cathédrale. Chaire

Aux pages suivantes
124. Santa Maria de Naranco. Cour Est.
En bas à gauche, copie de l'autel
125. Santa Maria de Naranco. Détail des bas-reliefs de la cour Est
126. Santa Maria de Naranco. Médaillon
127. Santa Maria de Naranco. Chapiteau
128. Santa Maria de Naranco. L'autel, conservé aujourd'hui au musée Archéologique d'Oviedo

121. Santa Maria de Naranco, Espagne. Façade Nord-Ouest de l'église
122. Santa Maria de Naranco. Façade Sud-Est de l'église
123. Santa Maria de Naranco. Plan

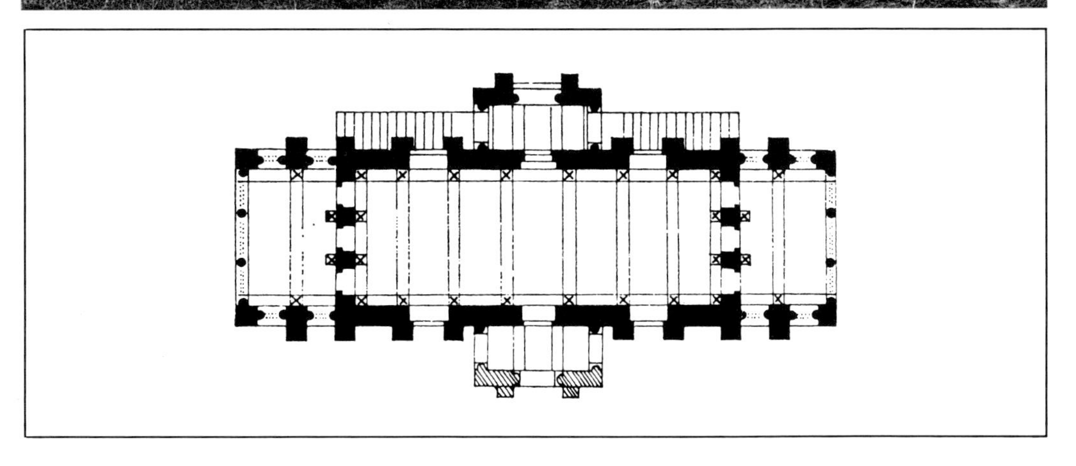

129. San Juan de Banos. L'église vue du Sud-Ouest
130. San Juan de Banos. Portail Ouest
131. San Juan de Banos. Fronton
132. San Juan de Banos. Plan
133. San Juan de Banos. Fenêtre ajourée
134. San Juan de Banos. L'intérieur vue du Sud de la nef

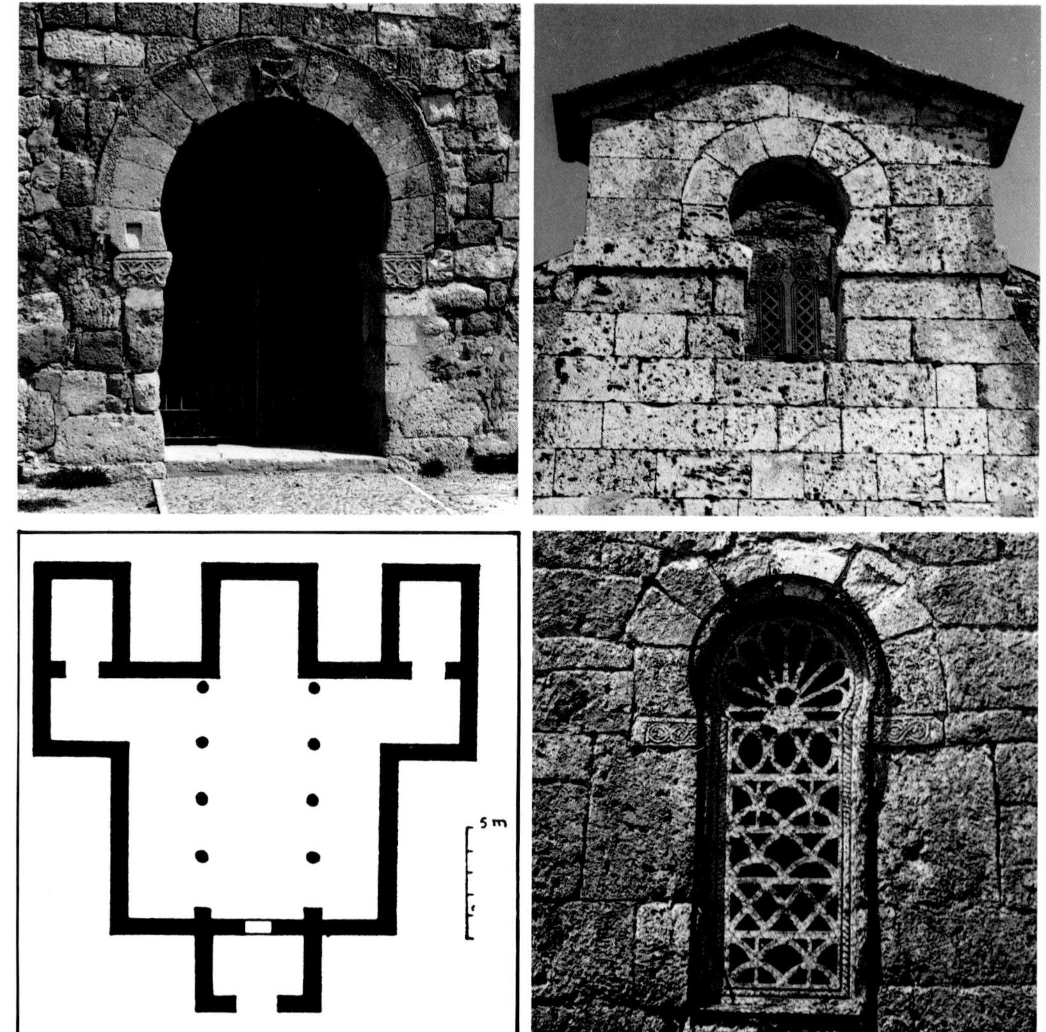

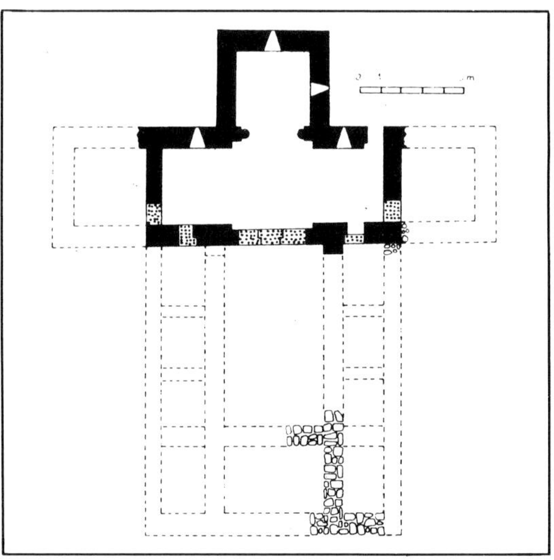

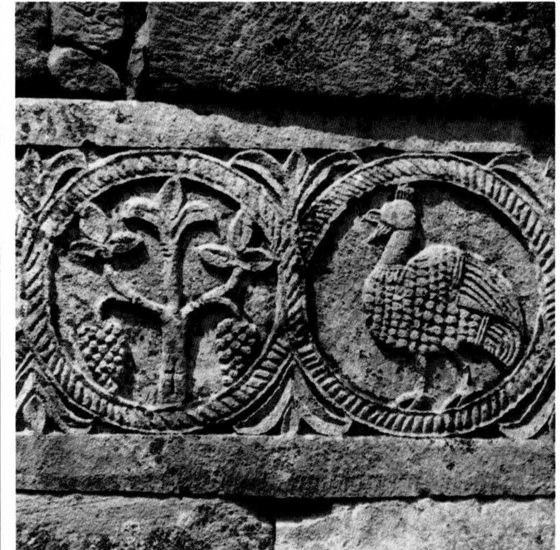

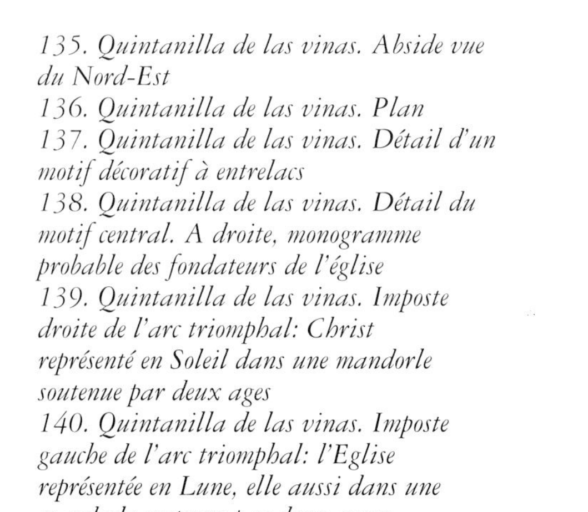

135. Quintanilla de las vinas. Abside vue du Nord-Est
136. Quintanilla de las vinas. Plan
137. Quintanilla de las vinas. Détail d'un motif décoratif à entrelacs
138. Quintanilla de las vinas. Détail du motif central. A droite, monogramme probable des fondateurs de l'église
139. Quintanilla de las vinas. Imposte droite de l'arc triomphal: Christ représenté en Soleil dans une mandorle soutenue par deux ages
140. Quintanilla de las vinas. Imposte gauche de l'arc triomphal: l'Eglise représentée en Lune, elle aussi dans une mandorle soutenue par deux anges

141. Quintanilla de las vinas. Bas-relief de l'abside: Christ flanqué de deux anges: au-dessus, deux apôtres ou évangélistes
142. Quintanilla de las vinas. Détail du mur Sud de l'abside

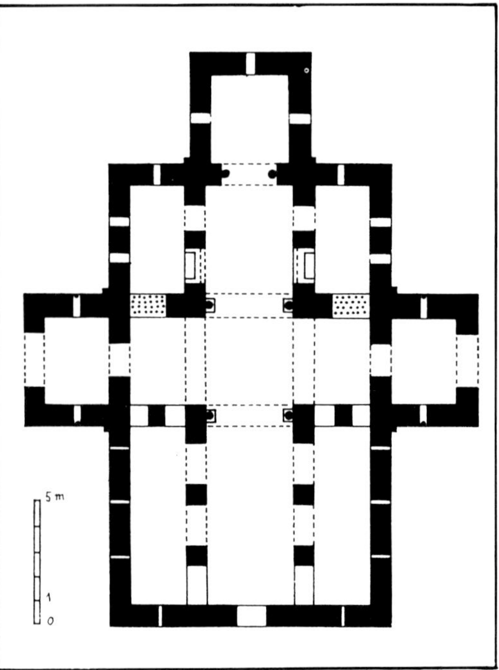

143. San Pedro de la nave. L'église vue du Sud-Est
144. San Pedro de la nave. Plan
145. San Pedro de la nave. Détail du chapiteau situé dans l'angle Nord-Est de la nef: l'apôtre Thomas
146. San Pedro de la nave. Détail du chapiteau précédent: l'apôtre Philippe
147. San Pedro de la nave. Chapiteau avec décors géométriques et végétaux
148. San Pedro de la nave. Chapiteau orné d'oiseaux becquetant du raisin

Le cadre chronologique et politique

La formation d'un monde nouveau sur le territoire de l'empire romain d'Occident se reflète surtout dans les diverses phases de la création des royaumes germaniques. Mahomet et Charlemagne ne se conçoivent bien, en effet, que comme le résultat des possibilités de développement ouvertes par la chute de Rome. Lors d'une première vague d'invasion, les Germains proposent une alternative possible et ce n'est qu'au cours d'une seconde vague d'invasion, à partir des VIIe et VIIIe siècles, que les Arabes déclenchent le mouvement islamique.

La première phase du changement qui s'opère dans le monde méditerranéen commence par les premières attaques des Francs et des Alamans sur les terres de l'empire, au cours de la première moitié du IIIe siècle et par l'établissement des fédérés sur le même territoire et se termine par l'attribution de hautes charges administratives et militaires aux Germains, à la fin du IVe siècle. Le rayon d'action va de brèves opérations de bandes de pillards à des conflits armés, décisifs sur le plan politique, qui voient plusieurs tribus se regrouper contre les forces de l'empire, ainsi que le font les Wisigoths lors de la bataille d'Andrinople, en 378, au cours de laquelle ils s'emparent de l'empereur Valens.

La seconde phase est caractérisée par les premières créations de royaumes sur le territoire romain. Elle s'achève par la déposition (476) du dernier empereur romain d'Occident, Romulus Augustule, par un chef militaire germain, Odoacre, un Skire de haut rang. Des armées d'escorte et des groupes de tribus soutiennent ces affrontements avec Rome et les facteurs déterminants de ce comportement semblent être la recherche d'une certaine sécurité et l'obtention de moyens de subsistance pour les groupes nomades: les uns parviennent à leurs fins quand ils s'établissent, les autres, quand ils lèvent des tributs importants. L'insertion dans l'organisation impériale romaine, liée à l'accomplissement de devoirs militaires, constitue l'objectif final. Voilà comment apparaissent le royaume ostrogoth de la Pannonie (456/7-473), le royaume burgonde sur le territoire qui deviendra plus tard la Bourgogne (443-534), le royaume wisigoth autour de Toulouse (418-507), le royaume des Suèves dans le Nord-Ouest de l'Espagne (409-585) et celui des Vandales en Afrique septentrionale (429-534).

La formation de royaumes n'est pas encore tout à fait réalisée par les tribus franques, même si, par exemple, en 470, le roi des Francs Ripuaires, Sigebert, fonde un royaume assez solide dans la région de Cologne. D'autres Francs de haut rang guerroient encore avec leurs troupes à l'intérieur de la structure de l'Etat romain, ainsi que le font le général et «roi» Childéric ou le Franc Arbogast. Ce dernier gouverne la Gaule avec le titre de *comes*, depuis Trèves. Quant à Childéric, général romain et chef de fédérés, il combat en tant qu'allié aux côtés du *magister militum* Egidius contre les Wisigoths, puis il s'allie à Syagrius, le fils d'Egidius, qui établit autour de Soissons l'ultime «royaume romain». L'armée des fédérés qui opère en Italie proclame Odoacre roi. Ce dernier dépose alors l'empereur Romulus Augustule et enfin, après quelques hésitations, se fait reconnaître par Byzance comme *patricius* et vicaire de l'empereur en Occident.

La troisième phase correspond aux tentatives faites par les rois germains pour former de grands royaumes et exercer la suprématie sur leurs rivaux, sans pour autant remettre en question la structure de l'Empire car le souverain du moment gouverne toujours en qualité de représentant de l'empereur de Constantinople.

Les Vandales font irruption en Méditerranée, occupent les grandes îles et débarquent en Sicile. Leur royaume sera détruit lors de la reconquête entreprise par Justinien, en 534. Le roi wisigoth Euric († 484) obtient pour son royaume de Toulouse, qui va jusqu'à la Loire, le Rhône et la Durance, la reconnaissance d'Odoacre, représentant de l'empereur, ce qui, d'une certaine manière, équivaut à une renonciation à la Gaule de la part de l'empire romain. De nouvelles tentatives d'expansion, qui l'entraînent peut-être même en direction de l'Italie, seront abandonnées après sa mort et bientôt, la menace que représentera le Franc Clovis se renforcera à tel point que tout désir d'extension deviendra irréalisable. En 507, Clovis élimine le royaume wisigoth et s'approprie la plus grande partie du trésor de son souverain. Le royaume wisigoth d'Espagne durera plus longtemps (507-711), mais il sera conquis par les Arabes. Les initiatives politiques et militaires de Théodoric le Grand se caractérisent par des tendances nettement impérialistes et après l'assassinat d'Odoacre (493), il est proclamé roi de l'armée des Goths, puis fonde un royaume ostrogoth en Italie et dans une partie de l'Illyrie. A son tour, il demande à l'empereur romain d'Orient de le reconnaître comme son premier représentant dans l'Occident latin, ce qui lui est accordé comme cela l'avait été à Odoacre avant lui et comme cela le sera pour Clovis, roi des Francs, aussitôt après lui. Le royaume ostrogoth sera définitivement anéanti en 553 par un général de Justinien. Les Lombards profitent très vite du vide ainsi créé (568) et il faudra attendre Charlemagne pour que leur royaume soit conquis, en 774.

En France, grâce à la conquête du «royaume romain» de Syagrius (486 ou 487), Clovis se crée une base pour mener à bien son projet impérial et l'élargit avec intelligence; il élimine ses concurrents de souche mérovingienne et conquiert les royaumes voisins. Quand il domine le royaume wisigoth de Toulouse, en 507, il a déjà accaparé le territoire des Alamans, qui n'avaient pas constitué de royaume organisé. Sa conversion au catholicisme, en 496, représente un tournant décisif, car elle lui confère une supériorité idéologique sur les Wisigoths, Burgondes et Ostrogoths, qui sont ariens, ainsi que sur les Vandales. En fait, le roi franc s'assure une relation privilégiée avec l'empereur et de bons rapports avec les sénateurs gallo-romains. Sa victoire sur les Wisigoths constitue pour la classe dominante une libération de l'hérésie arienne; l'empereur Anastase lui envoie les insignes royaux et le nomme consul honoraire. En 482, l'évêque Rémi lui a écrit de Reims: «Recevez de vives félicitations pour vous être chargé de l'administration de la Belgique seconde». C'est donc de manière délibérée que Clovis et ses successeurs mérovingiens deviennent les lieutenants de l'empereur catholique en Occident et adoptent le cérémonial des représentants impériaux.

En effet après la mort de Clovis (511), ceux qui lui succèdent poursuivent avec succès sa politique d'expansion. Ils acquièrent d'autres territoires dans le Sud de la France, dont le royaume des Burgondes, incorporé en 532/34, puis soumettent les royaumes germaniques qui viennent de se créer en dehors de l'empire romain, dont le royaume de Thuringe, en 531, et celui des Baiuwari (Bavarois), en 535.

On arrive ainsi à une quatrième phase et donc à la suprématie du royaume franc sur les autres royaumes germaniques, ceux des Wisigoths, des Lombards et les sept royaumes britanniques, nés entre-temps. La culture et même les aspirations économiques de ce royaume exercent leur influence sur les terres d'origine des Francs, ainsi que sur les territoires non encore organisés en Etats de Saxonie, de Danemark et de Suède, donnant ainsi naissance à une œcuménie germanique.

La cinquième phase du développement historique débute par la montée sur le trône de la seconde dynastie franque, celle des Carolingiens. En effet, c'est alors que s'effectue la séparation avec l'empire romain byzantin. En 754, le pape attribue le titre de *patricius romanorum* à Pépin, Carloman et Charles, au lieu de le donner à l'empereur. Le couronnement de Charlemagne, à Rome (800), marque la fin de cette période. Il existe désormais deux chefs suprêmes de l'Occident chrétien, bien que Charles n'aspire qu'à une équivalence de pouvoir avec l'empereur byzantin et non à la suprématie. Dans le même temps, pourtant, il opère un rapprochement sensible avec les traditions germaniques et le transfert de la statue équestre de Théodoric à Aix-la-Chapelle paraît souligner les efforts accomplis de façon indépendante par les groupes de Germains dans la formation de nouveaux rapports de domination, qui contrebalancent l'idéologie de la continuation, sous d'autres apparences, de l'empire romain. L'annexion des territoires des Lombards, au Sud, et la conquête des pays saxons, poursuivie avec opiniâtreté, vont agrandir le royaume par la suite, cependant que la destruction portée dans les terres que dominaient les Avars éloigne la menace des envahisseurs venus d'Orient et accroît de façon sensible le trésor royal.

Ce n'est pas sans raison que l'on subdivise en diverses phases le processus dynamique de la formation des royaumes germaniques, durant l'époque qui va de Théodoric le Grand à Charlemagne. Celles-ci permettent de reconnaître comment, derrière un tel processus, on suppose l'existence de structures presque régulières, qui conduisent à des transformations du même ordre dans des situations comparables. C'est sous Charlemagne aussi que commencent les expéditions vikings contre l'Occident, puisque l'on estime le plus souvent qu'elles débutent par l'attaque portée contre le monastère de Lindisfarne. Comme au premier temps des migrations germaniques, il s'agit d'abord d'opérations de razzia à l'intérieur d'un royaume où de brèves incursions permettent de rapporter du butin. Par la suite, les pillards se changent en groupes importants de guerriers armés, qui occupent quelque temps des zones entières et auxquels il faut payer tribut pour qu'ils se tiennent tranquilles. Vient ensuite la formation de royaumes, sur le territoire de l'empire franc des Carolingiens ou en Angleterre, puis l'institution monarchique est adoptée à son tour dans les pays d'origine des Vikings. L'acceptation de la foi nouvelle par le roi danois Harald, qui déclare, pour légitimer son pouvoir, sur la grande pierre runique de sa résidence de Jellinge, qu'il a réuni les pays du Danemark et de la Norvège et qu'il y a introduit le christianisme, représente un geste d'une importance égale à celui de la conversion de Clovis. Si, par de nombreux aspects le règne d'Harald ressemble à celui de Clovis, on pourra aussi rapprocher l'empire de Charlemagne à celui que constitue, pour quelques décennies, Canut le Grand, lorsqu'il réunit le Danemark, la Norvège et l'Angleterre, de part et d'autre de la mer du Nord.

La manière dont se forment ces royaumes, qui se succèdent l'un à l'autre selon une dynamique interne, et celle dont se créent pour l'institution du royaume des Francs une structure sociale et un mode de vie propres, les détachent de façon plus décisive du fond désormais incertain et brumeux que représente l'empire romain.

Un autre style de vie
Royaume et escorte, trésor royal et guerriers.

Les rois germaniques se présentent comme des chefs de bandes de pillards, de troupes armées composées de guerriers recrutés dans leur tribu, mais aussi de mercenaires qui prêtent leurs services pour les garder ou les escorter. Au lieu d'une orientation des carrières vers l'exercice de fonctions précises, c'est le rapport avec le chef de guerre que l'on considère alors comme la base de tout pouvoir. Elu à la tête d'une bande de pillards, d'un groupe de soldats, général d'une troupe mercenaire au service des Romains, roi d'une armée ou souverain d'un royaume correspondant à un territoire précis, telles sont les différentes étapes parcourues chez les Germains. Le passage qualificatif à l'état de roi prévoyant, sur le plan politique, et couronné de succès dans ses entreprises s'effectue en dernier ressort et suppose une grande force de caractère.

Le pouvoir d'un roi germanique comme Théodoric ou Clovis se fonde sur de nombreux éléments. En premier lieu, il faut être d'origine noble. Il est indispensable aussi de disposer d'une solide escorte, la plus importante possible, de posséder un trésor et de vastes terres pour s'assurer des bases et payer ses soldats. Aux fins de représentation, le roi se choisit une «capitale» et un lieu de sépulture pour sa famille, afin de rendre visible la tradition du droit à l'autorité. Toutes ces conditions font que l'on ne peut aspirer à la souveraineté si l'on ne jouit pas d'un grand prestige et l'on ne remporte pas de succès, assortis d'un riche butin, dans la lutte ou dans la guerre.

Les rois des Francs sont tous apparentés. Ainsi, un roitelet tel que le Franc Ripuaire Sigebert, de Cologne, est parent du Mérovingien Clovis, comme le souligne Grégoire de Tours qui s'appuie sur des sources annalistiques. Ils appartiennent au groupe familial le plus caractéristique des Francs, celui des Mérovingiens. Et c'est sur cette lignée que chacun d'eux fonde son droit à l'obtention d'un royaume. Leur étroite parenté ne les empêche pas de prendre des positions contrastées, ainsi qu'en témoigne la politique conduite durant toute l'époque mérovingienne, une situation que l'on retrouve d'ailleurs chez les autres peuples et familles royales. La concurrence à l'intérieur d'une même famille constitue même la menace décisive: un homme venu de l'extérieur qui voudrait usurper le pouvoir ne serait pas en mesure d'assurer son autorité, étant donné son origine.

Sous Théodoric Ier (511-533), Munderic, qui tente de s'en emparer, prétend être le fils de Clotaire Ier ou de Gundobald et s'invente des liens de parenté avec la maison royale. Tout roi exerce un pouvoir direct grâce aux hommes de sa suite, qu'il nourrit, arme et paye. L'époque des migrations est, à vrai dire, une succession d'expéditions de ces escortes. L'empereur Julien, par exemple, éprouve de graves difficultés militaires près de Cologne, devant une troupe qui ne compte pas plus de 600 hommes; en 355, en effet, Julien, qui sera fait empereur un peu plus tard (361-363), au moment où Cologne est conquise et livrée aux flammes par les Francs, est envoyé à la tête de l'armée des provinces gauloises et germaniques pour repousser ou fixer en colonies les bandes de pillards francs ou alamans, qui sillonnent la région. Ammien Marcellin décrit l'une de ces armées de guerriers d'escorte en ces termes: «Dans sa marche vers Reims, en passant par Cologne et Iuliacum, le *magister equitum* Sévère se battit contre de très fortes troupes de Francs. Avec quelque 600 hommes armés à la légère... celles-ci dévastèrent une zone que ne protégeaient pas les garnisons. Profitant de cette occasion favorable, elles poussèrent l'audace jusqu'au crime, car elles désiraient obtenir un riche butin». L'armée des Francs occupait deux places fortes établies sur des hauteurs rocheuses, abandonnées depuis longtemps et tombant en ruines. Julien assiégea cette troupe durant deux mois avant de l'emporter et de faire prisonniers les survivants.

Après avoir vaincu les Alamans, le roi Clovis et sa suite, qui constituait le noyau de son armée, c'est-à-dire 5 000 soldats environ (les sources en mentionnent tantôt 3 000 tantôt 6 000), demandèrent le baptême. Le nombre de la suite dépendait de la force de personnalité de son chef, mais aussi des possibilités financières de ce dernier, de l'importance de son trésor. Pour que celui-ci soit toujours bien rempli, le roi avait besoin d'une suite nombreuse; s'il voulait conserver ces «dévoués», il lui fallait de l'or en abondance. Ils étaient donc enfermés dans cette situation et la forme d'organisation sociale de leur peuple faisait de la guerre une nécessité constante et le moteur des migrations.

Théodoric le Grand occupe Singidunum (Belgrade) avec 6 000 hommes, soit le tiers de la tribu des frères Amales, Valamer, Théodemer et Vidimer. Ainsi estime-t-on que les Ostrogoths de la Pannonie disposaient d'une force militaire d'environ 18 000 soldats. Par la suite, aux hommes de son armée établis en Italie, Théodoric donnera 5 sous d'or par an, que chaque soldat viendra toucher à Ravenne, ce qui souligne le comportement «personnalisé» de ce roi qui maintient ainsi un lien direct avec chacun de ses subordonnés. Avec un sou d'or, on peut alors acheter soixante mesures de froment ou trente d'huile. La paye de cinq sous correspond donc à l'entretien de huit à dix personnes durant une année. Nous ne savons pas cependant combien d'hommes comptait cette armée, ni le montant de l'ensemble des frais qu'il fallait envisager pour une année. S'il avait 10 000 hommes, Théodoric devait payer 50 000 sous d'or par an, ce qui équivaut à prélever 227,5 kg d'or sur le trésor royal, puisqu'un sous pèse 4,55 g.

Le trésor et la suite d'hommes armés sont donc les deux éléments essentiels pour qu'un roi germanique puisse gouverner. L'accroissement graduel du pouvoir de Clovis est lié directement à la conquête de nouveaux trésors. Clovis, qui siège à Paris, dresse Clodéric contre son père Sigebert, roi des Ripuaires, qui réside à Cologne et qui a été son allié contre les Alamans, à la bataille de Zülpich. Sigebert sera assassiné pendant son sommeil par des meurtriers appointés, au cours d'une battue sur des monts couverts de hautes futaies. Clodéric annonce alors à Clovis: mon père est mort, son royaume et ses trésors m'appartiennent. Mais Clovis élimine le parricide, se rend à Cologne et se fait admettre par l'armée de Sigebert, qui l'acclame et le reconnaît comme roi. Grégoire de Tours commentera plus tard: «C'est ainsi qu'il s'appropria le royaume et les trésors de Sigebert». Pour les guerriers francs, ce comportement n'est ni déloyal, ni répréhensible, en ce sens que Sigebert, devenu boîteux, ne pouvait plus monter à cheval ni mener ses guerriers au combat. Il lui fallait donc s'effacer. Mais, à vrai dire, Clovis avait déjà trempé dans la disparition d'autres rois francs, ses rivaux, et tout d'abord dans celle du roi des Suèves, Chararic, et de son fils. Il s'en était emparé par ruse, avait coupé leurs longs cheveux, signe distinctif des Francs de rang royal, puis les avait fait ordonner prêtres. Tous deux ayant juré de se venger dès que leurs cheveux auraient repoussé, Clovis exigea leur suppression. Grégoire de Tours commente à nouveau: «Après leur mort, il hérita de leur royaume, de leur trésor et de leur peuple (regnum, thesaurus, populus)». Ragnacaire, qui règne à Cambrai, sera son prochain adversaire. La vie dissolue que mène ce roi franc suscite l'inquiétude des membres de sa suite et lui attire des critiques, car il accepte les gratifications de ses hommes, sans leur remettre des dons en retour. Pour les dresser contre Ragnacaire, Clovis leur envoie des bracelets et des ceinturons en or falsifié, en réalité du bronze doré. Il soudoie donc avec son trésor les leudes de l'adversaire. Il ne s'agit pas là de corruption, mais d'un meilleur paiement. Et quand les «traîtres» s'aperçoivent que les ornements sont simplement dorés, il leur déclare: «Il est juste que reçoive de l'or faux celui qui livre le seigneur à la suite duquel il appartient». Et Grégoire de Tours de conclure son récit par ces mots: «Une fois qu'ils eurent été tués (un frère de Ragnacaire avait disparu par la même occasion), Clovis prit possession de leur royaume et de tous leurs trésors».

Plus le royaume conquis est étendu et plus le trésor est imposant. Quand Clovis est vainqueur, près de Poitiers (507), du roi des Wisigoths, Alaric II, qui régnait depuis Toulouse mais est tué au cours de cette bataille, il s'approprie une part importante de son trésor. Théodoric le Grand intervient alors pour sauver l'essentiel du trésor royal de son gendre, ce qui permettra aux Wisigoths de créer un nouveau royaume, plus au Sud. Clovis offre une partie de ce qu'il s'est approprié à l'église de Poitiers, ce qui est d'autant plus compréhensible que le trésor comporte des objets liturgiques. Quand le trésor du roi wisigoth Amalaric, petit-fils de Théodoric, tombera entre les mains des Francs et de leur roi Childebert Ier (531-32), parmi les objets qu'il renferme, on dénombrera une grande croix en or, de trente à soixante calices, quinze patènes et vingt évangéliaires précieux.

A la suite des victoires qu'il remporte sur les Avars (795-96), Charlemagne conquiert un butin extraordinaire. Selon les témoignages, il faut quinze chars tirés par deux attelages de bœufs pour le transporter. Ainsi que le souligne Eginhard, son biographe, l'empereur envoya une partie de ces richesses aux grands de son royaume, aux églises et au Souverain pontife. Le roi des Avars avait amassé une fortune considérable, puisqu'au VIIe siècle, l'empereur de Byzance lui payait encore un tribut annuel de 120 000 sous d'or.

Les trésors des rois germaniques regroupent toutes leurs possessions de valeur et leur permettent de se procurer des compagnons. Il s'agit de monnaies d'or, de métaux précieux sous toutes les formes, de bijoux, de vaisselle, d'objets liturgiques, mais aussi d'étoffes, de vêtements précieux, de mobilier de luxe, de reliquaires et de livres. Les guerriers reçoivent en cadeau du roi des bracelets d'or, des armes somptueuses et des chevaux aux superbes harnachements. Si l'on cherche à évaluer de tels trésors, il faut partir de l'unité de base du système monétaire du temps, le sou d'or de la fin de l'empire romain, qui pèse environ 4,55 g. Un sou suffit à acheter des vivres pour une année, quatre ou cinq constituent la solde annuelle d'un guerrier. Les frais d'entretien s'élèvent à six ou sept sous par an. On a déjà souligné que Théodoric remettait cinq sous par an à ses soldats. Selon la Loi ripuaire du VIIe siècle, une disposition légale des Francs Ripuaires plus proche de nous, l'éventail des prix est le suivant: un casque vaut six sous, une épée et son fourreau, sept, un bouclier et une lance, deux, un bon cheval de selle, environ dix, une vache, deux. Un équipement militaire complet, épée, lance et bouclier, vaut donc neuf sous, soit presque cinq vaches, mais aussi le double de la paye annuelle d'un soldat et plus que les frais d'entretien de toute une année.

Les chiffres donnés correspondent à des maxima

et fournissent simplement des ordres de grandeur. Les quelque cent monnaies d'or de la tombe du roi franc Childéric († 481) permettaient d'équiper un petit groupe de dix guerriers, sa garde personnelle. A l'intérieur de la tombe royale de Sutton Hoo, dans l'Est de l'Angleterre, on a trouvé un fermoir de ceinture en or, qui pesait plus de 400 grammes. Avec ce fermoir, on aurait également pu équiper et entretenir dix guerriers, soit des gardes du corps. Dans certaines sépultures comme celle d'une femme fortunée, découverte sous la cathédrale de Cologne, on a mis au jour de pesants bracelets d'or. L'un d'eux pèse 66 grammes et correspond donc à 15 sous. Une bague équivaut à un équipement militaire complet, épée, lance, bouclier et cheval. Ces indications ne se rapportent qu'à certaines pièces des tombes princières, car les armes et les ornements provenant des cimetières à rangées ont beaucoup moins de valeur. Pour prendre un exemple, le contenu de la nécropole franque de Köln-Müngersdorf, où l'on a retrouvé cent cinquante tombes creusées sur près de deux siècles, valait entre 250 et 300 sous d'or, soit simplement le double ou le triple du fermoir de Sutton Hoo.

D'autre part, les objets provenant de tombes luxueuses ne représentent qu'une partie négligeable des biens d'une famille riche. Le trésor d'un roi comprend, outre sa part de butin, des dons, des tributs, l'équivalent des impôts, péages ou amendes et les recettes de la frappe de la monnaie. Il correspond donc, en plus important, au patrimoine d'un Germain de haut rang et peut fournir un mobilier princier pour de nombreuses tombes. C'est d'ailleurs ce que l'on vérifie d'une manière indirecte, puisque le roi fait don aux guerriers de sa suite d'or, d'armes d'apparat et de chevaux, et que l'on retrouve ses cadeaux dans les sépultures. On explique ainsi la présence, dans de nombreuses tombes, d'épées, de boucliers et de harnachements d'une facture assez voisine. Tous ces objets proviendraient des ateliers royaux. Si l'on rassemblait le contenu des tombes «riches» du temps d'un roi germanique donné, on aurait une idée assez juste de l'importance de son trésor. Au moment où le roi Childebert prend pour héritier Théodebert, il lui donne, par anticipation, une petite partie de son trésor, dont six épées, six casques et six équipements militaires, ce qui suffit pour un petit groupe de gardes du corps et correspond au contenu de six tombes, dites «princières». La tradition écrite nous informe aussi, bien que de façon partielle, sur les regroupements de trésors et leur valeur quantitative. Grégoire de Tours mentionne l'envoi, par l'empereur Tibère Constantin (578-582) au roi des Francs, Chilpéric, de médaillons d'or dont chacun devait peser une livre, c'est-à-dire 72 sous d'or. Dans les biens de ce roi franc, on compte aussi un bassin d'or, rehaussé de pierres précieuses, qui devait peser 500 livres romaines, ce qui correspondrait à 36 400 sous, une quantité d'or suffisante pour équiper 1 000 guerriers, soit une armée. Pour renoncer à assiéger Rome, Alaric reçoit près de 5 000 livres d'or et 30 000 livres d'argent. L'empereur Maurice, de Byzance, paye aux Francs, ses alliés contre les Lombards, 50 000 sous, qui pèsent plus de 225 kg d'or. Il faut ajouter que les seigneurs francs possèdent en propre des trésors pour entretenir leur suite personnelle. Un général franc, auquel on donne dans les textes le nom de Mummolus et qui perdra la vie au cours de luttes d'influence pour la prise du pouvoir, laisse un trésor de 250 livres d'argent, 30 livres d'or et 15 grands plats d'argent, pesant chacun près de 170 livres. Ces richesses seront incorporées à celles du royaume. Dans la tombe de Sutton Hoo, découverte dans le Suffolk, en Angleterre, on a retrouvé un service de dix coupes d'argent entassées, pesant chacune 300 g environ, un autre plat d'argent, dit plat d'Anastase, pesant 5,64 kg et un plat à anses, orné d'une tête de femme, pesant 2,246 kg, soit en tout, plus de 10 kg d'argent, sous forme de vaisselle.

Dans le grand trésor de Pietroassa, datant de la fin du IVe siècle, découvert en 1837 et dont une partie seulement est conservée aujourd'hui dans les musées, on a découvert une patère en or de 56 cm de diamètre, qui pesait 7,13 kg, déjà divisée en quatre parties pour en faire don aux membres de l'escorte. On peut encore citer d'autres chiffres: la boucle de ceinture en or de la tombe de Sutton Hoo pèse 414,6 g (ce qui équivaut à 100 sous, en chiffres ronds), le bracelet d'or de la tombe du roi Childéric, 300 g (66 sous), auquel s'ajoutent des pièces de monnaie, une centaine de sous. Dans la seconde tombe princière d'Apahida (qui date de 450 environ), en Roumanie, on a retrouvé près de 3 kg d'or, c'est-à-dire l'équivalent de 650 à 700 sous. Lors de la fameuse trouvaille de Domagnano, dans la république de Saint-Marin, les objets d'ornement, les fibules en forme d'aigle ou de cigale, les boucles d'oreille et la bague pesaient ensemble 250 g, c'est-à-dire 44 sous. Un trésor n'est pas seulement constitué d'or et d'argent. Alaric, par exemple, fut également payé en nature pour lever le siège de Rome. Outre les métaux précieux, il reçut 4 000 vestes en soie et 3 000 peaux pourpres.

L'un des chiffres les plus élevés dont il est fait mention est celui des 200 000 sous d'or que le roi Dagobert aurait reçu des Wisigoths. Ceci correspondrait à 910 kg d'or, soit près d'une tonne. Ces chiffres sont sans doute un peu exagérés, mais l'examen des divers témoignages permet de conclure que l'on se procurait du métal noble en grande quantité, y compris pour battre monnaie. Cette constatation prend toute son importance quand on considère la situation économique en général.

Outre leur trésor, les rois germaniques appuient leur pouvoir sur la possession de terres. Quand Clovis conquiert l'ultime royaume «romain» de la Gaule, celui de Syagrius, il s'approprie ce territoire public et assure ainsi pour toujours une base économique à sa dynastie dans la région de Paris et de Soissons. Il dispose également d'autres terres qui lui permettent d'entretenir une certaine escorte. Le patrimoine d'un roi comprend donc une part importante de biens fonciers. On sait que les Arabes auraient garanti aux héritiers du dernier roi wisigoth la propriété de 3 000 domaines. Par ailleurs, les Germains, les Wisigoths et les Ostrogoths se fixent en adoptant la coutume romaine de l'*hospitalitas*. Ces nouveaux seigneurs obtiennent ainsi un tiers des habitations et des terrains de leurs co-propriétaires romains. Les Germains de haut rang partagent la propriété de Romains riches, ceux de moindre condition, celle de Romains plus modestes. Le roi se réserve les terres d'empire et devient ainsi le plus gros propriétaire foncier de la région. Il ne faut pas oublier que de grandes superficies, dont l'importance économique n'est pas négligeable, se trouvent alors en friche parce que leurs propriétaires les ont abandonnées depuis un certain temps. Nous reviendrons plus loin sur ce recul de l'occupation des sols. D'autre part, dans le Sud de la France, certains sénateurs romains disposent de territoires incroyablement vastes, que l'on trouve qualifiés de «biens royaux», dans les écrits contemporains. Il leur est donc possible d'enrôler des armées privées de plusieurs milliers d'hommes, une escorte qui vaut bien celle des grands seigneurs germains. L'analogie des bases de la vie des uns et des autres ne manque pas de surprendre.

En conclusion, un roi germanique doit avoir une capitale, une résidence, même s'il se déplace sans cesse sur son domaine, accompagné de toute la cour: sa suite, quelques conseillers et fonctionnaires, le trésor royal et la chapelle. Théodoric s'installe à Ravenne, où il fait construire; le roi wisigoth Léovigild fonde sa propre cité résidentielle, Recopolis, ainsi nommée en l'honneur de son fils, qui ne comprend que le *palatium* et l'église de la cour.

Au début, les rois choisissent souvent des édifices romains représentatifs, tel le prétoire de Cologne qu'occupe Sigebert, le roi local des Francs. Ce solide édifice en pierre permet d'abriter le trésor de façon relativement sûre. Après la subdivision du royaume franc, les quatre rois prendront pour capitales Paris, Soissons, Reims et Orléans. Les faibles distances qui séparent ces villes les unes des autres facilitent un contrôle réciproque. Les guerriers de leurs escortes s'installent autour de chacune des «capitales», de façon à pouvoir être regroupés rapidement. Le royaume se trouve toujours là où le trésor et la suite sont rassemblés, c'est-à-dire le plus souvent dans une ville comportant un *palatium*. Si le roi est tué et son trésor transporté ailleurs, comme ce sera le cas pour Alaric II et pour Sigebert de Cologne, entre autres exemples cités, le royaume se trouvera lui aussi déplacé, d'une certaine manière, puisqu'on l'incorporera à un autre. L'ancien siège du gouvernement perdra alors très vite son caractère de capitale.

Un dernier aspect qu'il convient de considérer parmi tous les éléments constitutifs de la base du pouvoir et de l'expression de la puissance d'un roi germanique, c'est la prévision d'un tombeau pour la famille royale, à l'intérieur d'une église importante. Si le mausolée de Théodoric, à Ravenne, reflète encore l'influence des architectes de l'Antiquité tardive, avec ses dimensions impériales, les églises destinées à la sépulture des premiers souverains germaniques qui se sont fait baptiser soulignent la légitimité de leur autorité, à travers le lien qui les rattache au christianisme. Aux chambres funéraires qui paraissent somptueuses par rapport aux usages indigènes, telle celle de Childéric élevée par Clovis à Tournai ou bien le cénotaphe de Redwald, le roi de l'Est-Anglie, dressé à Sutton Hoo, on voit très vite se substituer des sépultures dans l'église de la dynastie, ce qui n'exclut pas, d'ailleurs, un déploiement de richesses dans les accessoires, comme le montrent ceux du tombeau de la reine Arnegonde à Saint-Denis, ou celle de la dame de haut rang dont la tombe a été retrouvée sous la cathédrale de Cologne. K.H. Krüger, qui a étudié les églises où ont été enterrés les Francs, les Anglo-Saxons et les Lombards jusqu'au milieu du VIIIe siècle, fait une distinction entre les sépultures royales et les sépultures dynastiques. Il existe au moins neuf tombes dans le cimetière royal de Saint-Germain-des-Prés, et davantage dans le tombeau des rois du Kent, en l'église Saint-Augustin de Canterbury. L'église Sainte-Geneviève, où se trouve le tombeau royal de Clovis, Saint-Denis, la basilique des dynasties franques, ou encore San Salvatore de Pavie, qui abrite les Lombards, comprennent donc des sépultures dynastiques, qui soulignent la continuité du pouvoir royal. L'importance et la signification symbolique des églises où l'on ménage des tombeaux se trouvent rehaussées à partir du moment où l'on y transporte les reliques de grands saints. Entre le mausolée de Théodoric, cet édifice monumental de type impérial, les églises où l'on prévoit des tombeaux et la cathédrale d'Aix-la-Chapelle, où l'on place la tombe de Charlemagne dans la chapelle palatine, s'établit un courant qui va du simple caractère de représentation, dont le sens est politique, à l'approfondissement du fait religieux. A la différence de Théodoric, d'ailleurs, Charlemagne n'avait pris aucune disposition et c'est à sa mort seulement qu'il a été décidé de l'ensevelir dans l'église qu'il avait construite et financée.

Un témoignage contemporain de Théodoric, celui de l'Anonyme valésien, nous rapporte les décisions prises par ce roi en ces termes: «Il se fit construire un tombeau en pierre de taille, une œuvre de grande portée, et envoya chercher un bloc énorme pour en couronner le faîte». Il s'agit d'un bloc de calcaire d'Istrie, d'un poids de 470 tonnes, qui coiffe l'édifice, signe évident de la volonté de l'empereur d'inscrire son propre tombeau dans la suite de ceux des empereurs de l'Antiquité ou de leurs mausolées et de manifester, par là, sa revendication du rôle impérial. Quand Charlemagne transportera à Aix-la-Chapelle la statue équestre de ce même Théodoric, il demandera aussi que l'on déplace les colonnes en marbre du «palais» de ce roi, afin d'en orner les arcades supérieures de l'octogone de sa chapelle palatine. Celle-ci devient ainsi un mausolée, mais elle renferme aussi le trône de l'empereur et bientôt, son tombeau, jouant à la fois un rôle d'église royale et d'église d'Etat, c'est-à-dire d'église principale de l'empire romain rénové. En bref, elle légitime la souveraineté de Charlemagne et celle de ses successeurs, même lointains, parmi lesquels Otton Ier le Grand.

Coutumes funéraires: de la tombe somptueuse à l'église abritant des tombeaux

Ce qui pousse de grands souverains tels que Théodoric ou Charlemagne à bâtir un mausolée ou une église qui abritera leur tombeau incite les personnages influents de leur royaume à les imiter.

Au cours des migrations, les Germains ont conservé les coutumes funéraires de leurs pays d'origine. Ils ensevelissent donc leurs morts avec des offrandes, des vêtements et des ornements. Divers détails de certains de ces usages ne seront adoptés qu'en cours de route. Ceci concerne surtout les armes. Cette transformation de l'enterrement permet de reconnaître l'influence exercée par les habitudes des populations indigènes des pays occupés. Si l'on identifie, au début, dans les nécropoles, les Vandales, les Ostrogoths ou les Wisigoths par rapport aux habitants locaux, encore majoritaires, grâce à leur mobilier, leurs vêtements et leurs ornements, par la suite, on ne les distingue plus. Les Francs, par contre, acquièrent un usage singulier, caractérisé par le dépôt dans leur tombe, entre autres, des pièces de leur équipement militaire. Ils vont influencer à leur tour des groupes d'origines diverses qui vivent dans leur voisinage, à savoir les Thuringiens, les Alamans et les Bavarois; les populations anglo-saxonnes, puis une partie des Scandinaves seront ensuite touchés à leur tour et, tout à la fin, les Saxons. Les premières tombes contenant des armes, qui datent des IVe et Ve siècles et ont été dégagées dans le Nord-Ouest de la France et dans le Nord de l'Allemagne, sont attribuées aux groupes germaniques qui se sont établis, en tant que *laeti* ou *fœderati*, sur le territoire de l'empire romain, grâce à des habitudes particulières et aux formes caractéristiques des ornements. Les possessions personnelles, dont les armes, le révèlent au-delà de la mort, car elles affirment la conception particulière de la liberté et de l'indépendance qu'entretiennent ces guerriers, alors que le soldat romain reçoit son équipement de l'Etat et doit le lui rendre, au moment où il est mis à la retraite. Le Germain emporte partout ses armes avec lui, tandis qu'en temps normal, le Romain est désarmé. Ceci reflète des vues diamétralement opposées sur l'existence, ainsi qu'une différence de structures étatique et sociale.

Les coutumes funéraires des Francs, qui nous renseignent sur la civilisation des cimetières à rangées et le milieu culturel de leurs occupants, apparaissent au moment où leur puissance s'affirme et où leur royaume s'étend. Les rois et les militaires de haut rang de cette société en donnent l'exemple car, pour exprimer leur condition sociale, ils adoptent le culte funéraire de type guerrier où, à côté des armes, la richesse figure sous toutes ses formes. Le tombeau fastueux, élevé par les parents, devient un symbole de statut et impressionne ceux qui assistent à la cérémonie, sans que personne semble très concerné par l'idée de l'au-delà. En effet, l'ensevelissement avec des armes, ainsi que divers autres aspects de ces rites funéraires, remontent à l'époque des migrations et ont été repris aux Huns et aux Goths, pour les exemples que l'on connaît dans les régions orientales ou en Russie méridionale.

Le tombeau de Childéric, roi des Francs, mérite que l'on s'y arrête tout d'abord. Parmi ses objets mobiliers, on relève la présence d'une longue épée, la «spathe», somptueusement décorée d'or et d'almandin (une variété de grenat), un long glaive portant le même décor, le «sax», un fermoir de ceinturon en or, une lance et une hache de jet, la «francisque», un autre (*Zwiebelknopffibel*) ornement de ceinture en or, une fibule en oignon, signe distinctif des hauts fonctionnaires romains, une bague-sceau gravée de l'inscription CHILDERICI REGIS, une bague d'or lisse, un pesant bracelet en or, des fibules en or pour les chaussures, qui semblent également avoir fait partie du costume de cérémonie des hauts fonctionnaires romains, un sac avec des ornements en or et en almandin, qui contient plus de 100 pièces d'or et plus de 200 pièces d'argent. En outre, des harnais de chevaux portent de nombreuses garnitures d'or et d'almandin, dont plus de 300 boucles en forme de singes. On est frappé par le voisinage de ces armes précieuses et de ces harnais richement ornés avec les signes caractéristiques du milieu culturel romain. Childéric est à la fois un roi germanique, un chef de guerre et un général romain.

Des sépultures analogues sont très répandues dans l'Europe germanique du temps. Il a été fait allusion aux deux tombes princières d'Apahida, en Roumanie, qui se situent dans la zone de peuplement des Gépides et contiennent un mobilier comparable: des fibules en or rehaussé d'almandin, des rênes aux riches garnitures, un pesant bracelet et une fibule en forme d'oignon. Dans la première de ces tombes, on a trouvé deux broches d'argent représentant des scènes dionysiaques et un décor végétal, sans doute de fabrication byzantine. Dans la seconde, on a découvert une coupe en verre à bord doré et, aux pieds du défunt, un coffre en fer qui contenait trois filets de mors, le harnais d'un cheval et une selle, tandis qu'un autre filet de mors, lui aussi décoré d'or, avait été déposé dans la partie supérieure de la tombe, avec les garnitures de brides. Des armes, des harnais somptueux et des gobelets en poterie étaient disposés autour du défunt. Une bague portant le nom d'Omharius et ornée d'une croix semble indiquer que la première tombe était la sépulture d'un chrétien.

Dans ces tombes, on relève à la fois des influences orientales, qui s'exercent sur les armes et les brides, et romano-byzantines, sur la vaisselle et les fibules en forme d'oignon. On connaît aussi des sépultures analogues en Thuringe (Grossörner-Momeck) et en Rhénanie franque; une fibule d'Aileberg, près de Rüdern, en Allemagne septentrionale, témoigne de l'existence de cet usage jusque dans les territoires alamans.

De cette période datent également des riches tombes qui renferment des épées à lame large et poignée décorée d'or, les spathes. Elles vont constituer l'une des caractéristiques des générations suivantes, jusqu'au début du VIe siècle. Durant la phase qui lui succède, on reconnaît les guerriers de grade élevé à la présence de spathe dont la poignée est faite de pesants anneaux d'or, dont deux sont en partie entrelacés (*Ringknaufspathas*). Les porteurs de cette arme se distinguent des autres Germains. On la retrouve dans toute l'Europe, de l'Italie à la Scandinavie et, du point de vue chronologique, elle est présente jusqu'au VIIe siècle. Il existe des représentations contemporaines de guerriers porteurs d'épées de ce type qui sont souvent placés à la tête d'un groupe de soldats; aussi est-il probable qu'elles caractérisent les officiers de haut rang de l'escorte royale et soient offertes par le souverain. Ces représentations figuratives sont sculptées en plaques, puis pressées sur un fourreau d'épée (Gutenstein, en Allemagne méridionale) ou sur des casques (à Sutton Hoo, en Angleterre, ainsi qu'à Valsgärde et à Torslunda, en Suède centrale). Les casques, dont le nombre connu ne dépasse pas la vingtaine, distinguent les chefs militaires de très haut rang; ces armes à caractère défensif, apparentées à des couronnes et utilisées comme éléments de parade, sont également remises ou prêtées par les princes qui prennent la tête de l'armée. Le groupe des casques à agrafe (*Spangenhelme*) provient de l'Italie ostrogothe, peut-être d'ateliers byzantins et s'orne de symboles chrétiens; il sera ensuite largement diffusé, tant du point de vue chronologique que topographique, grâce à des donations ou des successions.

A côté de l'or, des armes et des harnachements, les Germains de haut rang adoptent aussi le style de vie de la cour, ce que reflètent, dans leur mobilier funéraire, des objets utilisés lors des banquets, dont des broches, des gobelets, des pichets et des coupes d'argent ou de bronze, voire des verres.

Les coupes en argent, les cruches et les plats en bronze, ainsi que les verres ont assez souvent été créés dans l'Antiquité, mais on en importe aussi de Byzance. Dans le palais du roi ou la grande salle de la demeure du guerrier, d'autres éléments complètent le décor dressé pour le banquet et les sources littéraires nous les décrivent, mais en général, ils ne se sont pas conservés, aussi ne figurent-ils que rarement dans la documentation archéologique. Il s'agit surtout d'étoffes, de vêtements, de tissages précieux et de meubles, tels que les sièges bas ou les chaises à haut dossier.

La richesse et l'importance de ce mobilier varient selon qu'il est déposé dans les tombes royales et celles des chefs militaires ou dans celles de colons qui vivent en pleine campagne, mais il comporte le même type d'objets. On trouve aussi des bijoux, des armes et de la vaisselle de grande valeur à l'intérieur de sépultures aménagées dans des régions reculées. Le mode de vie demeure très comparable, même si l'ensemble des biens est d'un niveau plus modeste. Il va caractériser la civilisation des cimetières à rangées jusqu'à l'abandon du dépôt de mobilier funéraire dans les tombes, un usage qui se perd, d'Ouest en Est, dans le royaume franc, entre la fin du VIIe siècle et le VIIIe siècle.

La christianisation de la majeure partie des populations germaniques n'empêche pas le dépôt d'offrandes plus ou moins précieuses. Au contraire, les *Reihengräber* ne se multiplient qu'à partir du début du Ve siècle, alors que Clovis et son armée se sont convertis, et l'adaptation de ce type d'inhumation semble être caractéristique des Francs, même si elle correspond surtout à une manière de vivre. Tous les guerriers ensevelis de façon princière et toutes les dames nobles du royaume franc sont chrétiens. La bague de la tombe de la dame gépide d'Apahida, les casques, les objets de la riche dame dont la tombe a été dégagée sous la cathédrale de Cologne portent la croix ou d'autres symboles chrétiens et les sources écrites concernant la reine Arnegonde, ensevelie avec de très beaux bijoux, nous renseignent également sur son appartenance à la religion chrétienne. Professer cette foi n'interdit donc pas de témoigner de son mode de vie, qui s'exprime au-delà de la mort par la possession d'armes, de précieux équipements de cheval, d'objets servant à la chasse ou au banquet, et pour les femmes, par celle de bijoux de grande valeur. Même si les Germains orientaux, les Ostrogoths, voire les Wisigoths n'adoptent pas l'usage d'emporter des armes dans la tombe, ils ne se distinguent pas, pour le reste, des autres peuples germaniques. Aux abords du mausolée de Théodoric, on a retrouvé, au siècle dernier, de précieux éléments métalliques, considérés un temps comme correspondant à des éléments de la cuirasse d'Odoacre et qualifiés de tels, mais qui en fait sont, des garnitures de selle en or et almandin, comparables à celles découvertes dans les tombes du prince d'Apahida et des guerriers de haut rang de Krefeld-Gellep, dans le Bas-Rhin. On souligne l'origine noble des femmes en déposant près d'elles un char pour le voyage, ainsi que le montre celui découvert dans la tombe d'Erfurt-Gispersleben, en Thuringe.

Les connaissances dont nous disposons sur la conception de l'existence et la façon de vivre selon la position sociale des populations germaniques proviennent moins des témoignages littéraires que des résultats obtenus par les archéologues, au cours des dernières décennies. Ce sont eux qui nous présentent de façon directe les marques de ces comportements anciens.

Ainsi, quand le roi wisigoth Alaric meurt l'année où il a conquis Rome (410), son armée l'ensevelit dans le lit du fleuve Busento, dont elle détourne le cours. C'est là une coutume funéraire que les Goths ont apporté de leurs territoires d'origine, en Russie méridionale. Selon Jordanès, l'historien des Goths, on creuse une tombe, où l'on dépose Alaric «avec de nombreux trésors», dont nous n'avons retrouvé nulle trace. La tombe de Childéric a été découverte en 1653 et la première tombe d'Apahida, en 1889, mais la majeure partie des sépultures n'a fait l'objet de fouilles que depuis quelques années et cela, grâce à des recherches menées de façon scientifique. La seconde tombe d'Apahida a été mise au jour en 1968, celle de la reine Arnegonde en 1959, les tombeaux de la cathédrale de Cologne en 1959 aussi, la riche tombe de Krefeld-Gellep en 1962, celle du seigneur franc de Morken, dans le Bas-Rhin en 1955, la tombe princière de Beckum en 1959-1962, la sépulture d'une Thuringienne, à Erfurt-Gispersleben en 1978.

La tombe à navire de Sutton Hoo a été fouillée dès 1939, mais les résultats des recherches ne sont connus que depuis quelques années. Les excavations pratiquées dans toutes les nécropoles des régions occupées par les divers peuples germaniques et les publications à leur sujet, qui permettent l'analyse de l'histoire sociale, économique et culturelle de ces périodes, n'auraient pas été possibles avant la Seconde Guerre mondiale. Grâce à ces travaux, on se rend compte à quel point les influences romaines ont agi sur les coutumes des Germains de haut rang. Une fibule en forme d'oignon, signe distinctif des hautes fonctions romaines, est portée par de grands personnages barbares ou à demi romains, tels que Stilicon, *magister militum* vandale de l'empire d'Occident (assassiné à Ravenne en 408); des fibules de même type ont également été remises au guerrier de la tombe d'Apahida, à Childéric et à un prince ostrogoth, enterré à Reggio Emilia. Durant toute la seconde moitié du Ve siècle et le début du VIe, ce genre de fibule en or demeure le signe distinctif des chefs de guerre, dont beaucoup sont en même temps officiers supérieurs romains. Chez les Germains, un bracelet en or d'un poids d'au moins 200 g marque le rang social et figure souvent dans les mêmes sépultures.

Le prince ou le noble de haut rang germanique est un guerrier, un cavalier et un chasseur qui aime les banquets et les chants héroïques, puisqu'on a trouvé des lyres dans de nombreuses tombes, telle celle de Sutton Hoo. Il dispose de trésors en or, de pierres précieuses et apprécie les ustensiles et la vaisselle de luxe. Les armes, les poteries, les bijoux ne marquent pas seulement la possession de richesses, ils définissent la place que l'on occupe alors dans la société et reflètent la façon dont on vit.

Nombre de biens coûteux ont été acquis au cours de conquêtes et ont fait partie d'un butin ou d'un tribut, avant d'être redistribués par les chefs aux membres de leur suite. D'autres ont été façonnés à la cour du roi ou sur le domaine du seigneur; d'autres encore ont été apportés de loin par des marchands. Nous reviendrons sur ce point, mais pour prendre un exemple, l'almandin (grenat), une pierre semi-précieuse, provient de l'Orient et de l'Afrique septentrionale — où l'on a identifié des ateliers; il a été importé pour les artisans des territoires germanisés, afin d'assurer la décoration des armes, des ornements personnels et des harnais de chevaux. Les étoffes et la vaisselle de bronze d'époque copte sont importées d'Egypte ou de Syrie, ce qui témoigne en faveur d'un courant d'échanges sur de grandes distances. Les sépultures — 100 000 en chiffre rond — datant des siècles qui séparent Théodoric de Charlemagne et ayant fait l'objet de fouilles jusqu'à aujourd'hui, en apportent la preuve.

Le nombre de chaque catégorie d'objets constitue indirectement un critère de sa valeur. Il existe environ deux douzaines d'exemplaires de casques en bronze doré et les spathes à poignée d'or ou à poignée en anneaux ne dépassent pas non plus ce nombre, même si l'on en connaît aussi bien à Nocera Umbra, en Italie, qu'à Valstenarum, en Suède, au début du VIIe siècle. Par contre, on a découvert plusieurs centaines de pièces de vaisselle en bronze et l'almandin est présent dans des milliers de tombes.

Si, au début, une tombe somptueuse fait partie intégrante du style de vie de celui qui se pose en modèle dans la haute société et sert à mettre en évidence son rang et son importance, quand cette coutume est abandonnée, elle l'est en premier lieu par les familles royales. L'objet précieux demeure dans le trésor ou il en est fait donation à l'Eglise. Au lieu d'un tombeau placé à l'écart, on élève une église où l'on se fait enterrer et en établissant ce lien avec le patrimoine spirituel chrétien, on justifie la prétention à l'autorité et donc, la dynastie. Par contre, les nouveaux nobles qui entendent témoigner de l'obtention d'un autre statut pour services rendus au roi et les guerriers élevés à un rang supérieur suivent l'usage pour eux-mêmes, puis pour leur famille et se font préparer des tombeaux somptueux. De là dérive la présence généralisée de sépultures luxueuses dans les campagnes, en particulier sur les lieux où se fixent ceux à qui des actions d'éclat, sur le plan militaire, confèrent une condition plus élevée ou qui reçoivent des terres en échange de leur appui. On observe justement ce phénomène dans le royaume franc oriental. Dans la mesure où la position nouvellement acquise par certaines familles se stabilise, celles-ci renoncent à leur tour à l'usage de la sépulture somptueuse et imitent l'exemple du roi pour ériger, sur le territoire restreint où elles exercent le pouvoir, les églises où elles se feront ensevelir. Au bout de quelque temps, la classe, nombreuse, des guerriers et des colons libres est à son tour à même de mettre en évidence son indépendance aux yeux de ses voisins, par le biais de l'usage funéraire toujours plus répandu et de faire disparaître sous la terre les biens de sa famille. Au début de l'ère carolingienne, le bouleversement de l'ordre social fera perdre à ces hommes leur liberté. Ils renonceront donc à cet usage funéraire et n'enseveliront plus les leurs aux côtés de leurs ancêtres, mais les transporteront à l'église de leur noble seigneur. Ainsi prendra fin une coutume funéraire et, par la même occasion, un mode de vie autonome.

A partir de l'an 600 environ, on peut documenter la construction d'églises chez les Francs et les Alamans, même en dehors du territoire de l'empire romain, bien qu'il s'agisse au début de simples bâtisses en bois. Très vite, on voit cependant apparaître des fondations en pierre, puis, au bout de quelque temps, on élève le bâtiment en pierre jusqu'à la charpente. Et partout où subsiste la tradition romaine, ces petites églises sont entièrement construites en pierre. Il n'est pas rare d'y trouver les sépultures des nobles qui les ont élevées. Une nouvelle conception se trouve ainsi admise, après l'abandon de la tombe germanique somptueuse.

Après la disparition de la vie urbaine: la grande propriété terrienne et le nouveau mode de vie dans les campagnes

Le guerrier germanique qui n'appartient pas à la petite garde personnelle du roi vit à la campagne. Ainsi que le souligne un auteur de l'époque des migrations, il n'aime pas les villes. Il est en effet habitué à un autre genre d'existence et, d'ailleurs, les villes se dépeuplent, perdent de leur importance et n'ont plus d'attrait; en outre, si les ruines représentent une source de matériaux, elles constituent alors un lieu de résidence peu agréable. Les Germains préfèrent ne pas occuper non plus les *villae* romaines, soit parce qu'elles sont encore habitées par ceux qui parlent la «lingua romana» et sur les terres desquels on les a établis, soit parce que les bâtiments ne sont plus entretenus et que la reconstruction n'entre pas dans les coutumes des bâtisseurs germains.

L'exploration archéologique des sites d'implantation de la population de l'époque est encore rare. Toutefois, dans les régions où ont été entreprises des fouilles assez approfondies, sur le territoire des Alamans, en Allemagne méridionale, chez les Francs et dans certaines zones périphériques, telles celles occupées par les Saxons ou les peuples danois, on découvre un genre d'habitat assez homogène, ce que corroborent les rares citations de la documentation écrite. Au Nord des Alpes, les guerriers germains, leur famille et leur escorte — jusqu'à cinquante personnes — occupent un grand domaine. Ils y élèvent plusieurs constructions en bois, clayonnage et argile. Sur ce domaine, on élève donc une grande bâtisse centrale, longue d'au moins 30 m, où vit la famille, et une étable annexe, pour mettre à l'abri le gros bétail. A côté de ces grandes maisons, on bâtit des cabanes de

2x3 ou 3x4 m, dont le plancher est creusé au-dessous du niveau du sol, pour le tissage, les fours, les forges et autres ateliers. On aménage aussi des entrepôts pour les grains. L'ensemble s'abrite derrière une palissade qui le sépare du domaine voisin. En fait, plusieurs complexes ruraux de ce genre constituent un habitat comparable à celui d'un village, coupé par des chemins et dont les terres sont subdivisées par des clôtures. Il nous paraît toutefois curieux que ces ensembles de constructions et même les villages ne durent pas plus d'une trentaine d'années. Ils sont tour à tour abandonnés, puis reconstruits un peu plus loin, avec parfois quelques variations. Ceci se répète à tel point qu'entre le IVe-Ve siècle et le VIIIe-IXe siècle, un village germanique se constitue d'un grand nombre d'implantations isolées les unes des autres, qui se succèdent en s'éloignant dans telle ou telle direction et finissent parfois par se superposer à d'anciennes. Il est difficile de s'expliquer la raison de déplacements aussi fréquents. Il est vraisemblable que les constructions dont les poteaux, peu enfoncés dans le sol, pourrissent facilement, ne subsistent pas très longtemps ou bien que les insectes nuisibles et les déchets s'y accumulent trop. Les maladies, les épidémies, les croyances superstitieuses et même d'autres motifs peuvent également jouer un rôle. Une chose est certaine, ces grandes «halles», où siège le seigneur, sont confortables, bien aménagées et spacieuses.

Pour l'époque mérovingienne ou protocarolingienne, des fouilles récentes ont permis de dégager le site de Kirchheim, près de Munich; sur les territoires des Saxons, on connaît le site de Warendorf, qui date du VIe au IXe siècle; pour les IVe-Ve siècles, on a publié les résultats de recherches sur les sites de Wijster, aux Pays-Bas, de Flögeln et de Kr. Wesermünde, en Basse-Saxe et de Vorbasse, dans le sud du Jutland, dont les plans sont assez significatifs. Il apparaît clairement, en effet, que toutes les implantations n'ont pas eu les mêmes dimensions et n'ont pas possédé le même nombre de têtes de bétail; de plus, les différences qui les séparent vont s'accentuer au cours des ans. La prééminence acquise par un noble local ou la domination de toute une aristocratie terrienne se reflètent avec d'autant plus de netteté dans ces plans de villages que sur les terres des propriétés les plus étendues, on observe des traces d'activité artisanale. Le travail du fer dans des petites forges ou même la fusion du métal à l'état naturel tiennent l'une des premières places dans l'artisanat exercé sur les grands domaines.

Les habitats de ce genre ont fait l'objet d'un nombre encore insuffisant de fouilles sur le territoire du royaume franc du temps des Mérovingiens. On en connaît toutefois deux en Belgique, l'un, à Brebières, dans le Pas-de-Calais, et l'autre à Huy, dans la province de Lüttich, qui fournissent des indications sur l'activité artisanale des domaines où se constituaient des villages. Certains secteurs du site d'Huy ont un caractère artisanal: on y trouve des fours de potiers, des restes d'os ayant servi à fabriquer des peignes et des fragments de moules à fibules ansées franques. Nous reviendrons sur ces aspects quand nous traiterons des premières formes de la cité médiévale.

Les plans des villages que l'archéologie révèle ne fournissent, bien entendu, aucune information sur la position sociale des habitants ou sur les dimensions de leurs terres. Si le colon ou le guerrier libre disposent sans doute d'une grande ferme, certains nobles possèdent des propriétés plus importantes, parfois situées l'une à côté de l'autre, dans un unique village, mais plus souvent dans une région plus vaste, qui leur sert de «base». Le roi et ses administrateurs, les *comites*, possèdent un grand nombre de domaines qui, disséminés à travers le royaume ou une province comme les mailles d'un filet, rendent possible la vie itinérante du souverain. La possession de terres, groupées ou éparpillées, est à l'origine de la grande propriété terrienne et constitue le fondement de l'économie, c'est-à-dire celui du pouvoir pour le roi ou les membres de la haute noblesse qui abandonnent, par la suite, la gestion de ces biens à leur entourage d'hommes libres ou non libres. La forme de dépendance des colons évoluera d'ailleurs au cours de la formation de l'état féodal du Moyen Age, mais la vie des paysans, de la noblesse et des responsables politiques demeurera, pour l'essentiel, inchangée.

C'est d'ailleurs sur le mode de vie que les fouilles archéologiques des grands sites d'âge mérovingien ou protocarolingien nous renseignent le mieux. Dans les pays méditerranéens, les façons de vivre et le système économique germaniques, qui dominent dans le royaume franc et constituent un remaniement des traditions de l'Antiquité, ne sont appliqués qu'en partie et durant quelques décennies seulement. Le climat et le milieu, ainsi que la présence d'un très petit nombre de Germains par rapport à l'ensemble de la population incitent très vite les Francs à adopter les formes d'existence méditerranéennes, si bien que la recherche archéologique éprouve des difficultés à retrouver les traces de leur présence. Toutefois, l'installation hors de la cité sur de grands domaines demeure une constante fondamentale chez les Ostrogoths, les Wisigoths et même les Lombards.

Du paganisme au christianisme. Le décor animalier germanique et la symbolique chrétienne

Les fouilles archéologiques de tombes représentatives de toutes les populations germaniques entreprises dans la partie de l'Europe que recouvrait l'empire romain, ainsi qu'à l'Est de celle-ci, ont mis au jour des ornements, des armes et d'autres objets décorés selon une structure complexe de motifs géométriques simples et de figures animales ou humaines étroitement entrelacées. Ce décor à partir de silhouettes d'animaux se développe au IVe-Ve siècle et se poursuit, à divers degrés ou selon différentes phases, jusqu'à la fin de la Romanie. Il domine toutes les formes de l'artisanat chez les Germains, les techniques les plus variées de l'orfèvrerie l'adoptent, ainsi sans doute que celles du bois, qui ne nous sont pas parvenues. On l'applique sur les armes, en particulier sur la poignée et le pommeau des épées, les plaques de garniture et les ceinturons, ainsi que sur les ornements manufacturés, dont les fibules ansées, ou encore sur des objets d'usage courant, tels que cruches, coupes et autres. Grâce à ce style, l'expérience artisanale des Germains se différencie nettement de celle des Romains, même si certaines influences de l'industrie dite de «l'art mineur» roman, telles celles de la région orientale qu'occupent les peuples de la Russie et celle des Sassanides iraniens, dont l'intérêt pour les couleurs est remarquable, encouragent l'emploi de pierres précieuses ou semi-précieuses, puisque dans toute cette joaillerie cloisonnée, le grenat voisine avec l'or.

On se demande encore dans quelle mesure il faut tenter de reconnaître les concepts de la religion germanique dans ce décor animalier. De nos jours, cependant, il paraît préférable de ne plus opposer et ornement animalier à la symbolique chrétienne. En effet, chez presque tous les peuples germaniques, la classe supérieure s'est très vite convertie au christianisme, la plupart étant touchée par l'arianisme, tandis que les Francs choisissaient le catholicisme. Ce sont les membres de cette partie de la société qui font travailler les artisans, qui ont commandé les ouvrages et donc décidé du contenu de l'art figuré. Il existe sans doute une part de confusion des conceptions et donc des symboles, païens et chrétiens; mais, en général, là où se développe le décor animalier, le christianisme représente l'idéologie dominante. Il est hors de doute que le contenu symbolique de l'art roman du haut Moyen Age soit chrétien, ainsi qu'en témoignent, par exemple, les motifs des chapiteaux, où l'on reconnaît des animaux ou des êtres fantastiques, souvent disposés de façon symétrique. Aussi faut-il chercher dans l'ornementation à thème animalier de l'époque des migrations et de la période mérovingienne le patrimoine conceptuel chrétien ou, tout du moins, une transformation chrétienne de symboles anciens. Le décor animalier des premiers livres chrétiens dus aux enlumineurs irlandais et anglo-saxons le prouve assez.

Les illustrations du présent ouvrage, qui se rapportent à l'ornementation des objets et aux arts mineurs des Germains nous en offrent d'autres exemples. On y a joint des pièces qui portent des motifs chrétiens fondamentaux, dont la croix, ainsi que des objets liturgiques, pour lesquels on a repris le décor animalier germanique.

La plaque de fermeture du sac (une bourse?) retrouvé dans la tombe de Sutton Hoo présente par deux fois le motif d'un homme assailli par deux êtres monstrueux. S'il s'agit de loups, il faut rattacher l'objet au décor des plaques retrouvées en Suède, en Angleterre et dans le Sud de l'Allemagne, où des hommes luttent contre des guerriers à tête de loup. Il est difficile de rattacher les concepts chrétiens à ce type de représentations, caractéristiques de régions plus septentrionales. S'il s'agit de lions, par contre, il devient possible d'établir un rapport entre cette plaque et des boucles de ceintures burgondes évoquant Daniel dans la fosse aux lions, qui ont certainement appartenu à des ecclésiastiques.

Le décor animalier germanique se trouve lié de façon probante à la foi chrétienne dès que l'on bâtit les premières églises. L'hypogée-martyrium de Mellebaude, à Poitiers, qui date du VIIe siècle, présente un riche décor en bas-relief sur les marches et les colonnettes d'encadrement de la porte. Sur les marches, les silhouettes d'animaux entrelacés se répètent, en particulier celles de trois serpents, que l'on retrouve sur les stalles d'une église de Metz. De la même époque environ, on connaît des représentations similaires dans une région où les traditions de la fin de l'Antiquité n'ont jamais pu s'exercer. La stèle du cavalier de Hornhausen, trouvée à Kr. Oschersleben, près de Halle, sur la Saale, et des fragments d'autres pierres du même type, présentent, en champlevé, un cavalier armé d'un bouclier, d'une lance et d'une épée, avec deux serpents entrelacés sous les pieds. Ce motif relève de ce que l'on appelle le second style animalier, ce qui permet de le dater du début du VIIe siècle. Ces fragments ont été retrouvés dans une nécropole, mais selon l'interprétation convaincante de K. Böhner, ils ont sans doute appartenu aux stalles d'une église élevée dans ce cimetière.

Ce guerrier n'est pas le dieu Odin à cheval, comme on l'a cru, mais un saint chrétien, même s'il est possible d'établir des rapports entre ce travail et le décor pratiqué en Scandinavie, en particulier à Vendel. On retrouve donc ici une unité stylistique, qui permet de reconnaître, dans le royaume chrétien des Francs comme dans les pays scandinaves encore païens, une conception artistique comparable et une possibilité de confrontation, nées d'un mode de vie et de conceptions sur l'existence semblables. Quand il parle de culture nobiliaire suprarégionale, dont l'autorité s'affirme sans tenir compte des idées religieuses, c'est sur ce contexte que s'appuie K. Hanck. Il est toutefois possible de fournir diverses interprétations à propos de motifs voisins, selon que l'influence exercée sur le lieu de réalisation est tantôt due à l'Antiquité tardive, tantôt aux Germains christianisés ou encore païens et Hanck les précise, d'ailleurs, dans de nombreuses études qui demeurent fondamentales. Les armes destinées à l'aristocratie, c'est-à-dire les épées et les casques surtout, s'ornent alors de motifs de guerre ou de lutte et les hommes qui les portent appartiennent au même milieu, tant dans le centre de l'Angleterre que dans celui de la Suède ou le Sud de l'Allemagne. Ainsi voit-on un guerrier armé d'une lance sur un pendentif circulaire, à Pliezhausen, en Allemagne méridionale, sur le casque du prince du cénotaphe de Sutton Hoo, sur les casques suédois des tombes 7 et 8 et Valsgärde, ainsi que sur ceux de la tombe I, de Vendel, tous datables du VIIe siècle. Des guerriers à tête de loup apparaissent, au second plan, sur la plaque appliquée au fourreau de l'épée de Gutenstein, en Allemagne méridionale et sur une bractéate du casque de Torslunda, en Suède. Un homme ou un guerrier armé, flanqué de deux lions ou deux ours, figure sur des plaques de Torslunda, sur le casque de la tombe 7 de Valsgärde et sur le sac de la sépulture de Sutton Hoo. Des processions de guerriers, portant des casques couronnés de sangliers, apparaissent sur une plaque de Torslunda, dans la tombe 7 de Valsgärde et dans la tombe XIV de Vendel. Des danseurs coiffés de casques couronnés de deux serpents apparaissent sur les plaques des casques de Sutton Hoo, de Torslunda, de Valsgärde 7, ainsi que sur d'autres pièces archéologiques anglaises (Finglesham) ou suédoises (colline orientale de la vieille Uppsala, Ekhammar, près de Stockholm). Il serait facile de multiplier les exemples de groupes de motifs qui témoignent de liens établis sur de grandes distances, puisque tous ceux que nous venons de citer datent du VIIe siècle.

Les casques, symboles de souveraineté et armes défensives ont souvent été décorés de symboles religieux, on l'a vu avec les casques à agrafe (*Spangenhelme*) provenant des ateliers ostrogoths italiens; mais la découverte récente d'un autre casque, à York, que l'on date du VIIIe siècle d'après le décor animalier, le confirme, alors que ceux d'Italie datent du temps de Théodoric. Le modèle d'York porte l'inscription chrétienne suivante: IN. NOMINE. DNI. IHU. SCS. D. (?) ET. OMNIBVS. DECEMVS. AMEN. OSHERE. XPI.

La culture aristocratique suprarégionale, qui concerne les régions aboutissant à la mer du Nord et à la mer Baltique, au mode de vie et à l'économie comparables, joue un rôle dans le déplacement vers le Nord-Est du royaume franc, sous les Carolingiens, car celui-ci se rapproche ainsi du «centre» du groupe des royaumes germaniques. Les affinités qui apparaissent dans le choix des motifs décoratifs des arts mineurs et des armes le démontrent, ainsi que le fait, de manière indirecte, la diffusion des épées à poignée en anneaux, correspondant au recrutement, très répandu, d'un certain type d'escorte. Nous verrons par la suite que tout cela s'appuie également sur de solides bases économiques.

L'origine de la société médiévale
La nouvelle formation de centres commerciaux et de villes, au Moyen Age

Si la civilisation urbaine est caractéristique du monde d'aujourd'hui, elle existait déjà au Moyen Age et, d'ailleurs, le fondement de l'empire romain n'était autre que les cités.

En partant de ces données, il nous est difficile de comprendre pourquoi, durant plusieurs siècles, les cités n'ont plus joué aucun rôle dans l'histoire de l'Occident. On a longtemps supposé que la ville avait connu un développement continu, entre l'Antiquité et le Moyen Age, et tant les sources écrites que les témoignages archéologiques ont paru le prouver. Toutefois, les techniques de fouilles modernes nous permettent de dire que les choses ne se sont pas déroulées ainsi. Théodoric le Grand connaissait encore les villes, mais elles n'étaient déjà plus que l'ombre d'elles-mêmes. Charlemagne pensait encore régner sur des villes, mais ces agglomérations d'un peuple d'artisans et de commerçants, fixées sur une hauteur rocheuse ou à ses pieds, quand elles ne s'abritent pas auprès d'un siège épiscopal, ne sont encore que les signes précurseurs de la renaissance d'une civilisation urbaine.

Rome, capitale de l'empire romain, puis de la papauté, connaît, elle aussi, le déclin. A l'époque de son plus grand rayonnement, elle comptait 1 000 000 d'habitants, selon G. Rickaman, ou 1 200 000, si l'on en croit R.P. Duncan-Jones. En l'an 452, R. Hodges et D. Whitehouse estiment qu'elle en abrite encore 400 000. Pour les années 523-527, ces mêmes auteurs s'appuient sur les indications de Cassiodore et jugent qu'elle en a beaucoup perdu. Entre le VIe et le IXe siècle, les Romains ne sont plus que 10 000. Au Xe siècle, d'après J.G. Russel, leur nombre remonte à 30 000.

Ferdinand Grégorovius (1821-1891) brosse un tableau frappant de la ville ancienne ainsi abandonnée: «Mais au début du Ve siècle, toutes ces sublimes constructions architecturales des Romains ne sont plus que splendeur morte: des pierres privées de vie, abandonnées, cachées, négligées et dépréciées. Entré en possession de l'énorme cité, le christianisme est incapable, par son concept même, d'incorporer dans sa nouvelle vie l'héritage démesuré de ceux qui l'ont fondée». Ainsi voyait-on la situation, à la fin du XIXe siècle. De nos jours, on sait que le christianisme a totalement changé la cité, l'a privée de ses monuments et a créé un paysage d'églises et de couvents. Un entassement d'édifices religieux sur un espace restreint, telle est la forme que prend désormais ce grand site.

Grégorovius décrit également Rome à la fin de la domination ostrogothe, en 553: «Le palais impérial, dont l'essentiel des structures n'est pas encore détruit, constitue un énorme labyrinthe de salles et de cours, de temples et de milliers de chambres richement décorées d'œuvres d'art, dont les murs s'ornent du marbre le plus précieux et se tendent de draperies à trame dorée, mais n'étant pas entretenu, il ne sera bientôt plus qu'une citadelle morte. Le *dux* byzantin vit seul dans certaines parties du palatium... Les théâtres et le *Circus maximus*, où avaient lieu les courses de char, le plus aimé, l'ultime divertissement des Romains, ne résonnent plus du bruit des fêtes, puisqu'ils sont désormais remplis de décombres et de cendres».

Dans une lointaine capitale provinciale du Bas-Rhin, Cologne (*Colonia Claudia Ara Agrippiniensis*), la situation n'est guère plus brillante. Si à l'époque de sa splendeur la ville s'étendait sur 98 ha, à l'intérieur d'une muraille rectangulaire de près d'un kilomètre de long et comptait 40 000 habitants, ce chiffre ne cesse de décroître. Vers 440-450, Salvien écrit en effet à son sujet: «Il n'y a plus de spectacles, même là où, jadis, ils étaient fréquents. On ne donne plus de représentations à Mayence. La ville est ruinée et démolie. On n'en donne pas non plus à Cologne, qui est pleine d'ennemis» (De gub. Dei 6,39). Depuis des années, les Francs occupent le territoire qui dépendait de Cologne. De l'époque romaine, subsistent les vestiges des temples et des édifices publics, les maisons s'écroulent et sont envahies par les mauvaises herbes. A la place de la civilisation urbaine antique, on voit naître là encore une forte concentration d'églises et de couvents, au milieu du secteur couvert de grandes propriétés latifondiaires, où se sont fixés les Francs. En 725, le chroniqueur de la vie de Charlemagne décrit Campodunum (Kempten im Allgäu) en ces termes: c'est une «belle ville, mais totalement dévastée et désertée». En 973, un voyageur arabe, Ibrahim ibn Jacub, décrira d'ailleurs Mayence comme «une ville très grande, dont une partie seulement est habitée, tandis que le reste n'est plus que terre cultivée».

Si la civilisation urbaine disparaît dans les régions soumises aux attaques continuelles des Germains, elle est affectée aussi dans tout l'ancien empire romain d'Occident, puisque la population ne cesse d'y diminuer. Et dans les campagnes, la situation n'est pas meilleure. Lorsque le danger se précise, au cours des expéditions migratoires des Germains, la population des villes s'accroît pour une brève période, à la suite de l'abandon des campagnes. Mais sur tout le territoire, le nombre d'hommes décroît.

R. Hodges et D. Whitehouse le démontrent pour les environs de Rome, au Nord de cette ville, pour l'Etrurie et même pour les Balkans. Avant eux, H. Hinz et W. Janssen avaient entrepris des recherches comparables pour l'hinterland de Cologne.

Dès le IIIe siècle, le repeuplement des grandes villes commence à s'opérer. Il se trouve lié à l'abandon de latifundia et de nombreuses exploitations, une tendance qui se précise au IVe siècle. En 356, le futur empereur Julien (361-363) fait construire, en sa qualité de commandant militaire, une flotte de 600 bateaux sur le Rhin, afin d'aller chercher des céréales en Angleterre et d'approvisionner les grandes villes rhénanes, dont Cologne. De vastes territoires des environs de cette ville se dépeuplent déjà; toute production agricole finit même par cesser dans les petites vallées fertiles. Les domaines inhabités se couvrent de bois ou si des guerriers-colons francs en cultivent les champs, ils n'habitent pas les vieux édifices de pierre. Durant l'époque post-romaine et franque, dans la région du Sud de Cologne, plus de la moitié des campagnes habitées autrefois disparaît sous la forêt et il faudra attendre le haut Moyen Age, c'est-à-dire le XIIe et le XIIIe siècles, pour que le nombre des villages et leurs dimensions retrouvent l'importance qu'ils avaient du temps du peuplement romain, un millénaire auparavant. Pour le territoire situé au Nord de Rome, il se produit une régression constante de l'habitat rural, entre le IIe et le VIe siècle, aussi ne sera-t-il plus, à un moment donné, que le cinquième de ce qu'il était. Ainsi qu'en témoignent les céramiques et autres pièces archéologiques datées de ces siècles, les anciens sites occupés se réduisent, puis sont abandonnés, au bout d'un certain temps. Des petites places fortes s'élèvent alors sur les hauteurs et ce qui subsiste de la population s'y rassemble. Puisqu'il se généralise, ce recul n'est pas seulement dû aux événements belliqueux, dont l'effet ne devient sensible que de façon ponctuelle, en particulier la venue d'Alaric et des Wisigoths, en 410, ou la guerre qui oppose les Ostrogoths et les Byzantins, au VIe siècle. L'empire romain d'Orient n'est pas épargné, en effet. En Grèce, par exemple, les données archéologiques montrent une diminution de l'habitat et une régression parallèle des cités. Il n'est pas possible d'examiner en détail, ici, les causes de cette baisse démographique surprenante. Les guerres et les épidémies ne suffisent pas à l'expliquer et elle semble bien dériver d'un changement général de style de vie. Les villes ne constituent plus un centre nécessaire à la structure économique d'une société dont la population se raréfie. Les hommes sont mieux à même de subvenir à leurs besoins de manière autonome sur la base d'une économie rurale, lorsqu'ils occupent, plus ou moins bien, les terres où ils se fixent. Ce mode de vie a d'ailleurs toujours été celui des Germains.

L'empire romain a été, au contraire, couvert de cités. La *civitas*, constituée par la ville, bien construite, et les campagnes qui l'entourent, où les familles aisées s'installent sur leurs terres, a pour voisines d'autres *civitates*, sur lesquelles s'élèvent parfois aussi des centres d'habitation mineurs, les bourgs ou *vici*.

Les territoires occupés par les Germains, organisés d'ailleurs de façon toute différente sur le plan politique, puisque les liens personnels y occupent la première place, se caractérisent par l'existence de grands domaines seigneuriaux et de villages, le tout disséminé au sein des forêts ou dans d'autres milieux naturels. Ils sont dépourvus de concentrations urbaines. L'établissement des Germains sur les zones habitées, dans l'Antiquité, au-delà des confins de l'empire, et celui qui s'est produit par la suite sur les terres impériales s'effectuent sur le même modèle. La structure de ce peuplement ressemble à celle d'une section du territoire rural d'une *civitas*: le grand domaine y prédomine. Chez les Romains, c'est la *villa* d'un sénateur ou d'un personnage de haut rang et, chez les Germains, le siège de la puissance des grands seigneurs et des chefs de guerre.

De même que les *villae* romaines, ces domaines favorisent le développement d'une industrie, à côté de la production agricole. Artisans et ouvriers s'y regroupent pour travailler dans des ateliers. Des aristocrates, des chefs militaires, bref, les membres de la classe dominante, sont donc également des entrepreneurs, car ces activités ont davantage d'intérêt pour eux que les sous-produits agricoles. Jusqu'à l'époque carolingienne, ces derniers sont d'ailleurs difficiles à obtenir, étant donné les moyens d'alors. Les armes, les ornements, les ustensiles et les objets en céramique sont par contre fabriqués en un lieu, puis répartis.

L'archéologue V. Milojčić a entrepris des fouilles sur le Rund Berg, près d'Urach, dans le Wurtemberg, en Allemagne du Sud. Il s'agit de l'un des «habitats perchés» alamans, qui a été occupé de la fin du IIIe siècle au début du VIe siècle, avant d'être sans doute détruit par les Francs. Sur un plateau de 200 m de long sur 50 m de large, une palissade, à laquelle a succédé un muret, séparait la zone fortifiée, de 40x80 m, de celle qui ne l'était pas et dont la superficie équivalait à 40x120 m. De grandes bâtisses en bois avaient été élevées pour le seigneur, cependant que des cabanes en rondins et des aménagements troglodytiques servaient d'ateliers. Sur le secteur noble, ainsi qu'on le voit également en plaine, le logis du seigneur du moment était davantage entouré d'éléments destinés à sa représentation que d'ouvrages fortifiés. Mais ce qui surprend le plus, c'est la présence de forges pour le travail du fer et de l'argent. L'arrière-pays vient donc se fournir chez les gros propriétaires terriens en outils, ustensiles et éléments décoratifs, mais ces centres fabriquent aussi des objets de luxe, dont les ornements en métaux précieux pour les commercialiser sur de plus longues distances.

Sur les territoires des Alamans et des Francs, on connaît l'existence d'un assez grand nombre d'établissements de ce genre, dont certains ont déjà été explorés en partie. A leur époque, ils ont un peu joué le rôle que tenaient les cités auparavant. En deçà et en delà des Alpes, l'artisanat et le commerce se concentrent dans des petits habitats d'altitude, qui datent de la fin de l'époque romaine: Teurnia en Carinthie, le Lorenzberg près de Breisach, sur le Rhin, le Rund Berg près d'Urach, le Glauberg, le Gelbe Bürg, le Lochenstein (tous ces villages étant situés en Allemagne méridionale), ainsi que le Petersberg, près de Bonn, en Rhénanie. Le plus souvent, les habitations, très simples, sont en bois et les ateliers sont construits à part. L'importance de ces villages est moindre que celle des plus modestes bourgs de l'empire romain.

Sur la zone littorale de l'Allemagne septentrionale, W. Haarnagel a effectué des fouilles sur presque toute la superficie du site de Feddersen Wierde; établi sur une colline artificielle et pour un horizon chronologique donné, il a dégagé quelque vingt-cinq grandes entreprises rurales. Entre le IIe et le IVe siècle, l'une d'elles s'est développée et est devenue la demeure d'un noble, qui possédait un important cheptel et des ateliers annexes pour le travail du fer et la fusion du métal brut. La structure fondamentale du domaine qui abrite des artisans existe donc déjà tout au début de la période des migrations.

On estime aussi que les habitats seigneuriaux implantés dans le voisinage des tombes princières de la fin du IIIe siècle, de type Hassleben-Leuna en Thuringe, s'accompagnaient d'entreprises artisanales. En 1984, en effet, il est apparu que les modèles de vases en céramique de ces tombes, tournés avec soin, n'étaient connus qu'en ce lieu. Ils avaient donc dû être réalisés dans les ateliers locaux, sous influence romaine ou même par des artisans d'origine romaine. Quoi qu'il en soit, on s'aperçoit, tant sur le site de Feddersen Wierde que sur celui du Rund Berg, qu'une caste seigneuriale s'est détachée du reste de la population, avec le temps. Si, au fil des ans, l'habitat comportant des entreprises artisanales de la petite colline artificielle proche de la mer du Nord se distingue toujours plus des autres sites d'occupation, au IVe siècle, les ateliers du Rund Berg sont encore disséminés sur tout le plateau et il faut attendre le Ve siècle pour voir une famille noble y dominer les autres, se retirer derrière une modeste fortification et regrouper les artisans à l'avant du plateau rocheux.

On est donc en mesure d'affirmer que l'histoire de la cité romaine prend fin à partir du IVe-Ve siècle. Le futur développement urbain s'amorce à cette époque, mais il va s'écouler un demi-millénaire avant que n'apparaissent les villes médiévales proprement dites. Le site d'occupation de l'île d'Helgö, dans le lac Mälar (en Suède centrale), montre que le phénomène se déroule de manière analogue dans toutes les régions européennes situées hors de l'empire romain et que certains liens se créent entre ces petits centres économiques grâce au commerce à longue distance. A partir de 1954, W. Holmqvist a dirigé des fouilles sur le site de ce centre artisanal, découvert de manière fortuite et à propos duquel on ne disposait d'aucun témoignage écrit. Quelques groupes de bâtiments, placés sous une roche un peu fortifiée, à proximité d'une aire portuaire bien abritée d'une rive du Mälar, ont permis de retrouver une quantité de restes de production artisanale, des fourneaux de fusion, des creusets et, surtout, des centaines de moules pour de splendides objets d'ornement. Ce lieu a connu un essor économique particulier au VIe-VIIe siècle et ses créations ornementales ont été exportées dans toutes les régions voisines de la Baltique, ainsi que vers la Norvège, mais dès le IVe-Ve siècle, des rapports ont été établis avec l'empire romain d'Occident, ainsi que le montrent les monnaies d'or et les fragments de verre dégagés. Ces liens commerciaux sont ensuite documentés jusqu'aux environs de l'an 800, comme l'attestent une monnaie frisonne en argent (sceatta) pour l'Occident, un Bouddha pour l'Orient, et des monnaies arabes. Nous reviendrons plus loin sur la signification et l'importance du réseau commercial sur longue distance auquel Hellgö appartient, car il annonce déjà les rapports qui deviendront courants au temps des Vikings. Nous nous contentons donc ici de souligner le rôle de ce centre artisanal, qui semble travailler sur commande et sous le contrôle direct du premier royaume suédois. L'archéologie n'a pu encore nous éclairer sur la forme et l'organisation des implantations de ce type en Occident, au VIe-VIIe siècle, bien que nous ayons déjà fait allusion, plus haut, aux centres belges de Brebières et Huy.

Si les concentrations artisanales, qui sont également les bases d'échanges à longue distance et se trouvent placées sous le contrôle de l'«aristocratie», correspondent à une première phase de l'histoire de l'habitat avant de déboucher sur la création de cités, la seconde phase se dessine déjà de façon plus claire, même si l'on reconnaît encore la différence fondamentale qui la distingue de ce que l'on estime, en général, caractéristique de la ville. Une «forteresse» a été construite à Büraburg, près de Fritzlar, en Hesse, sur la ligne défensive établie à l'époque carolingienne et qui correspond à une frontière nord-orientale du royaume franc. Des fouilles menées par N. Wand, entre 1967 et 1973, nous éclairent sur l'organisation interne de cette place, alors siège épiscopal de saint Boniface. En 741 ou 742, en effet, Boniface installe en ce lieu l'évêché de la Hesse du Nord. Quand Charlemagne se trouve immobilisé avec son armée en Italie, au cours de la guerre qu'il mène contre les Lombards en 773, les Saxons en profitent pour envahir le royaume franc (774) et assiègent Büraburg. Les fortifications, de puissantes murailles liées avec du mortier et plusieurs fois renforcées, englobent une superficie de 340 m sur 300, soit 8 ha environ. Elles sont complétées par des ouvrages avancés et de nombreux fossés. Des constructions du type casemates, comportant deux pièces de 3 m de large sur 7,50 m de long, s'adossent à la muraille qui s'étend sur 1 100 m. Bien que l'on ne dispose pas d'une documentation complète, on calcule que l'enceinte protégeait 300 de ces constructions, auxquelles s'ajoutaient de nombreux édifices plus importants, élevés sur le plateau rocheux de la citadelle, ainsi que des locaux aménagés sous les ouvrages avancés. Entre la fin du VIIe siècle et les environs de l'an 800, cette place a abrité un grand nombre d'habitants: des soldats, qui exerçaient également diverses activités artisanales, et des civils qui menaient une existence «proto-urbaine».

Souvent cité par les sources littéraires pour sa fonction de centre commercial le plus important du royaume carolingien, Dorestad (Duursted), un port de l'embouchure du Rhin (Pays-Bas), laisse une impression toute différente. Après les fouilles célèbres, dirigées en ce lieu par J.H. Holwerda dans les années vingt, qui ont conduit à la définition d'un modèle de cité commerciale protomédiévale figurant aujourd'hui dans les manuels, les recherches entreprises par W.A. van Es, entre 1967 et 1972, ont permis d'en brosser un tableau très différent. Les données historiques et numismatiques attestent l'existence de ce lieu dès le VIIe siècle, puisque l'on a trouvé des coins frappés par le monétaire Madelinus, qui portaient la légende Dorestad. Le site du premier habitat n'est toutefois pas connu. Le centre commercial, actif entre le VIIIe et le Xe siècle, a fait l'objet de fouilles extensives, aussi a-t-il été possible de reconstituer ses diverses phases de développement avec l'aide de la dendrochronologie. A

149. Marseille, basilique Saint-Victor. Une des colonnes de la crypte d'époque mérovingienne
150. Venasque, baptistère. Colonne mérovingienne avec fût et chapiteau carrés
151. Cologne, musée. Pierre avec inscription évoquant les guerres entre Francs et Barbares le long du limes *(Ve siècle)*

152. Grenoble, musée Dauphinois. Heaume de Vézenonce (VIe siècle) en fer et cuir

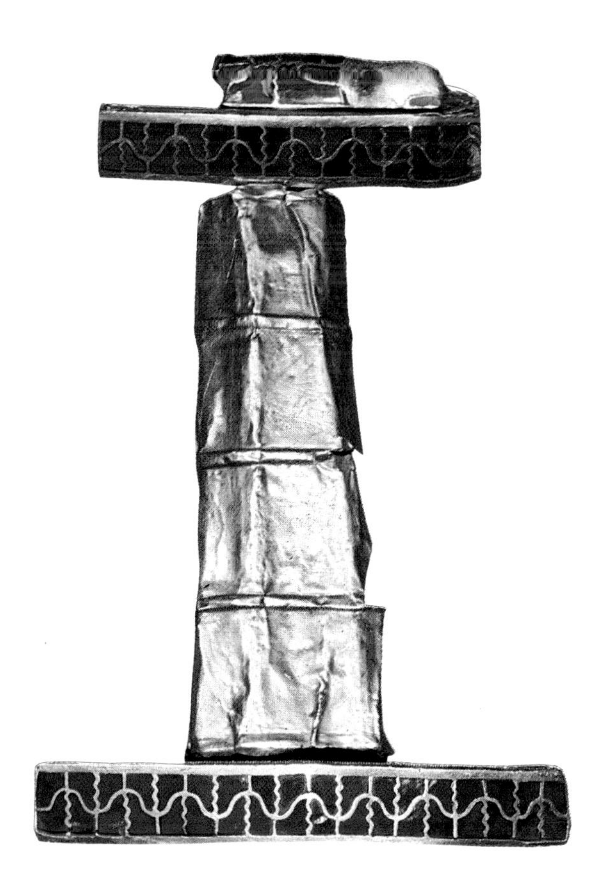

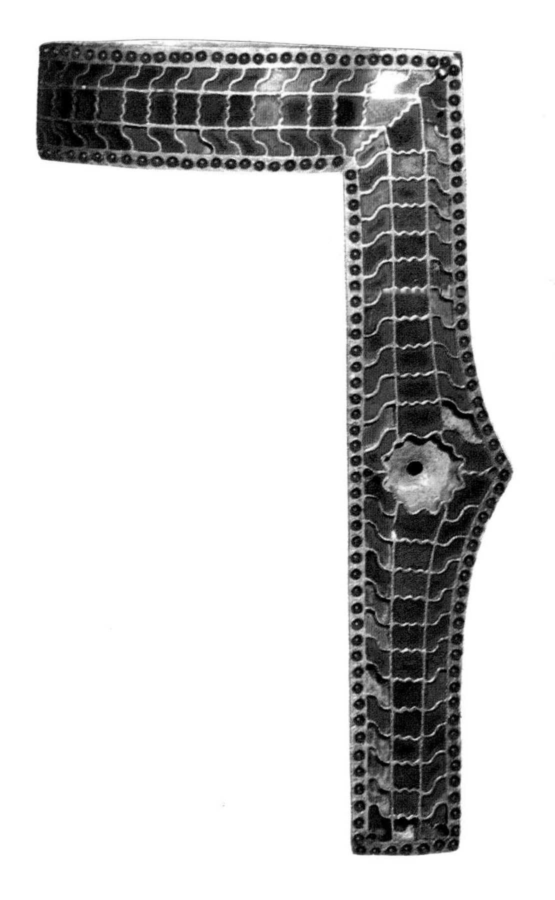

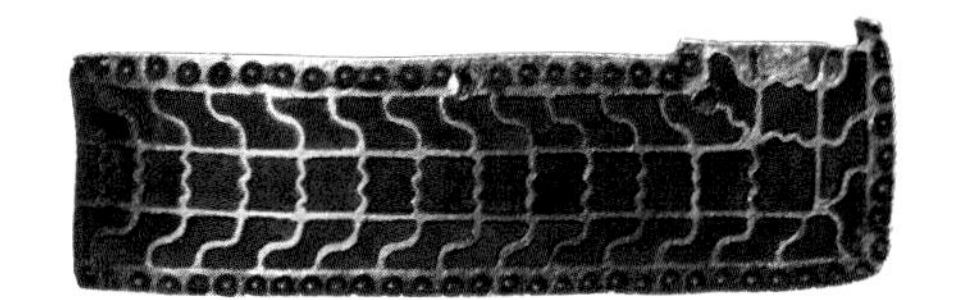

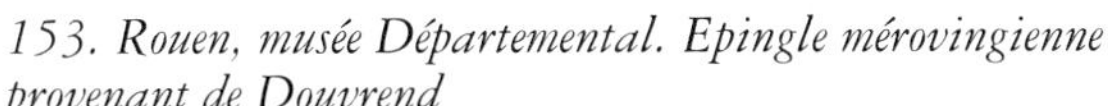

153. Rouen, musée Départemental. Epingle mérovingienne provenant de Douvrend
154. Rouen, musée Départemental. Fibule mérovingienne provenant de Douvrend
155. Paris, Bibliothèque nationale, Cabinet des médailles. Eléments de décoration d'une épée, provenant du trésor du roi Childéric Ier

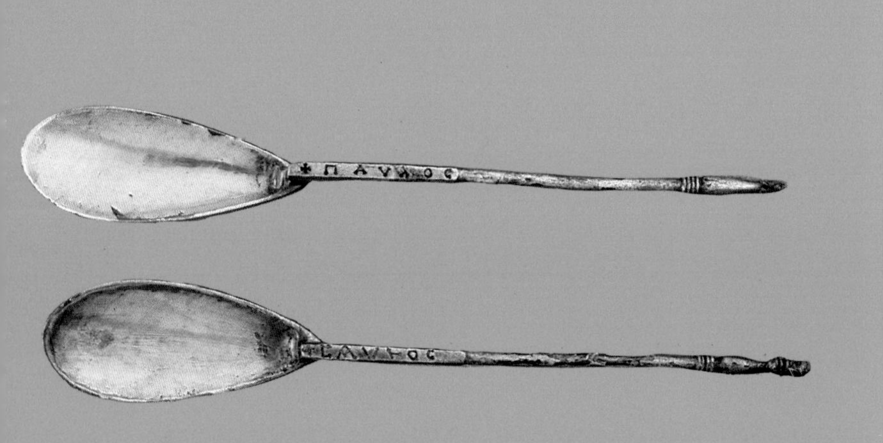

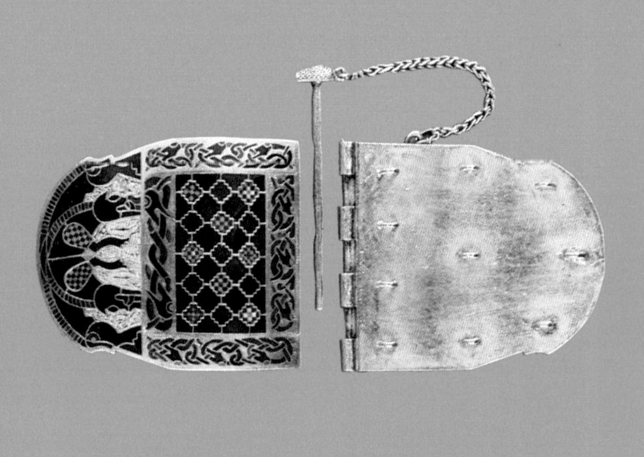

156. Londres, British Museum, trésor de Sutton Hoo. Plat d'argent d'origine méditerranéenne
157. Londres, British Museum, trésor de Sutton Hoo. Deux petites cuillères, l'une gravée du nom SAULOS. Objets probablement rattachés à des rites chrétiens
158. Londres, British Museum. Trésor de Sutton Hoo. Fermoir d'épaule
159. Londres, British Museum, trésor de Sutton Hoo. Heaume et masque en fer, bronze et argent

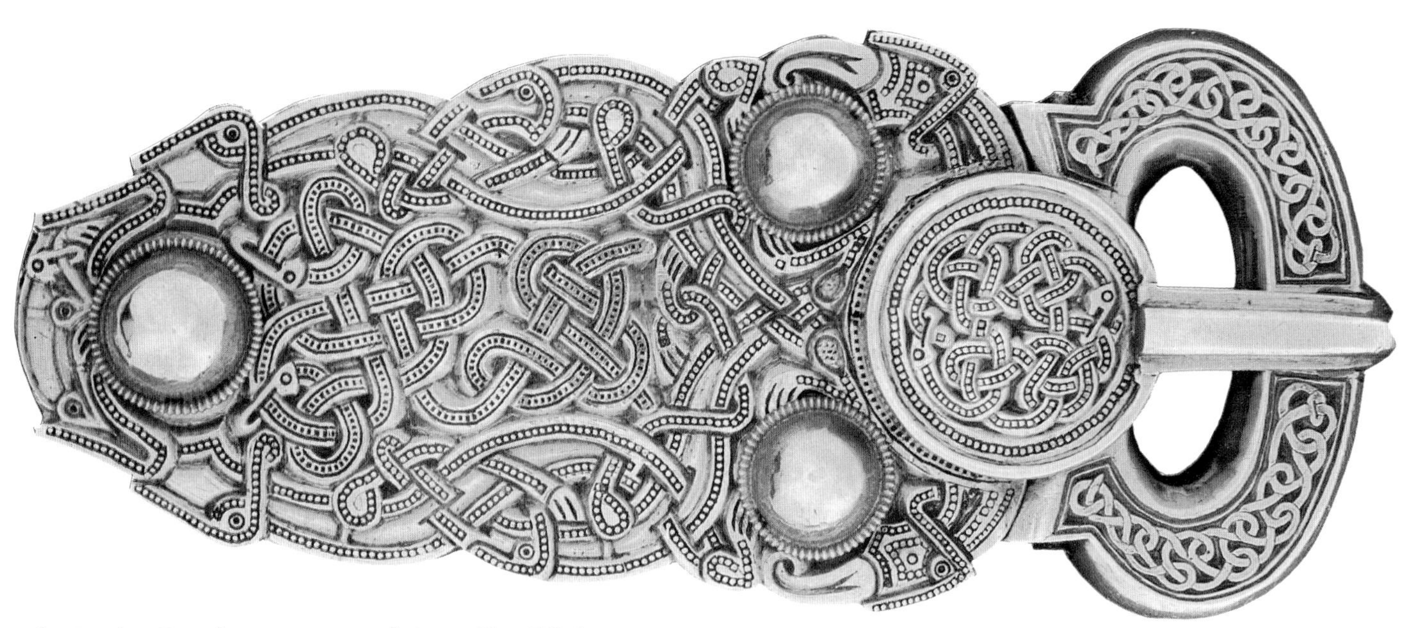

160. Londres, British Museum, trésor de Sutton Hoo. Fibule en or

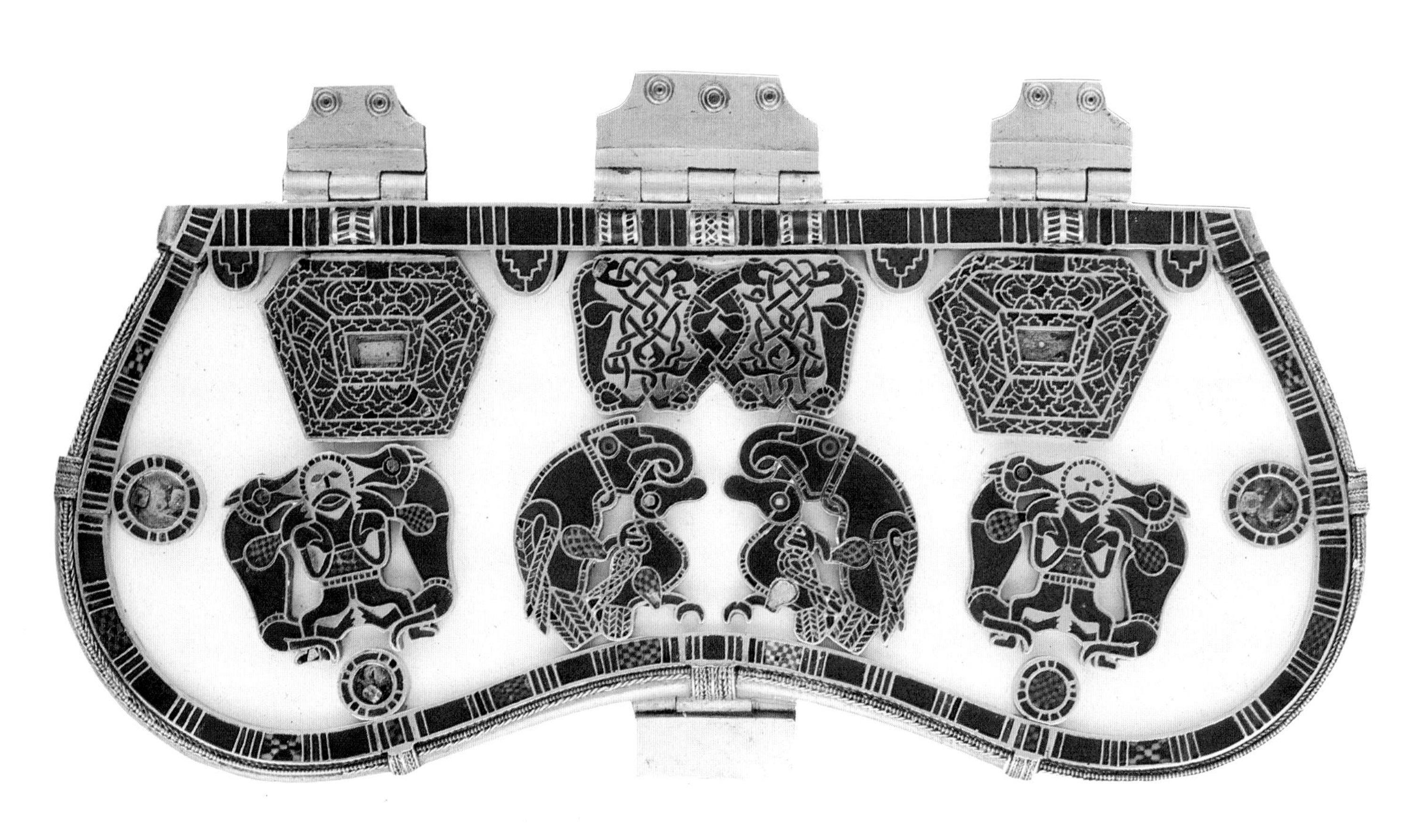

161. Londres, British Museum, trésor de Sutton Hoo. Bourse décorée

162. Poitiers, Bibliothèque municipale, Ms. 17: Evangéliaire de la Sainte Croix de Poitiers (Amiens, VIIIe siècle), fol. 31. Le Christ et les quatre évangélistes

LVX · VITA ·

ZWH

MATTHEUS ·

IOHANNES ·

LUCAS ·

MARCUS ·

MEMENTO ME
I DNE DS CUM
VENERIS IN
REGNO TUO ·

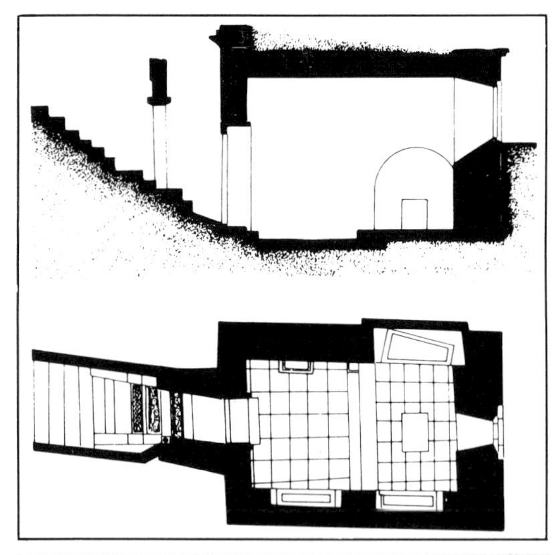

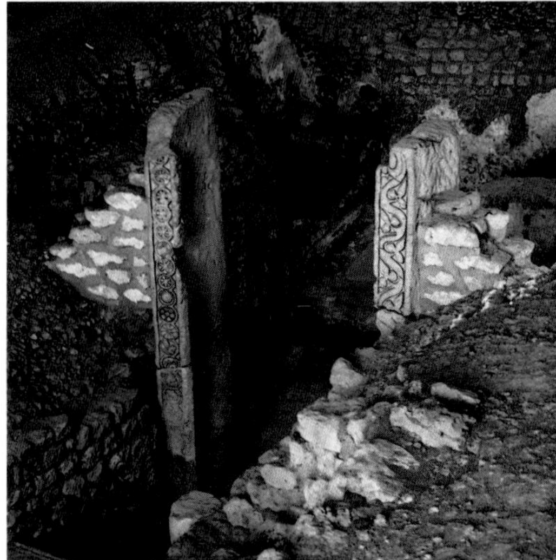

163. Poitiers, Hypogée des Dunes. Plan et élévation
164. Poitiers, Hypogée des Dunes. L'entrée
165. Poitiers, Hypogée des Dunes. Bas-relief avec anges
166. Poitiers, Hypogée des Dunes. Marches sculptées de l'escalier d'accès
167. Poitiers, Hypogée des Dunes. Bas-relief avec évangélistes

168. Poitiers, Hypogée des Dunes. Bas-relief avec les deux larrons

169. Poitiers, couvent de la Sainte-Croix. Lutrin en bois de sainte Radegonde
170. Jouarre, crypte de l'abbaye. Sarcophage de sainte Théodechilde
171. Jouarre, crypte de l'abbaye. Sarcophage de saint Agilbert

172. Jouarre, crypte de l'abbaye. Sarcophage de saint Agilbert, détail

173. Auxerre, Saint-Germain. Crypte

174. Germigny-des-Prés. Oratoire de Théodulf vue de l'Est
175. Germigny-des-Prés. Intérieur de l'oratoire
176. Germigny-des-Prés. Mosaïque de la cuvette de l'abside

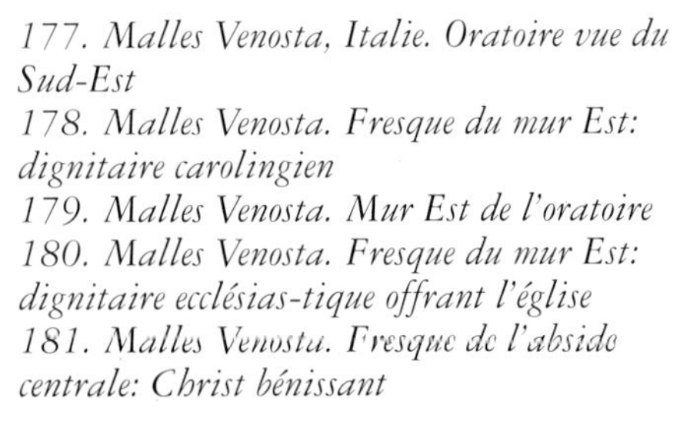

177. Malles Venosta, Italie. Oratoire vue du Sud-Est
178. Malles Venosta. Fresque du mur Est: dignitaire carolingien
179. Malles Venosta. Mur Est de l'oratoire
180. Malles Venosta. Fresque du mur Est: dignitaire ecclésias-tique offrant l'église
181. Malles Venosta. Fresque de l'abside centrale: Christ bénissant

182. Lorsch. L'ancien palais impérial

183. Paris, Bibliothèque nationale, Cabinet des médailles. Diptyque d'Anastase

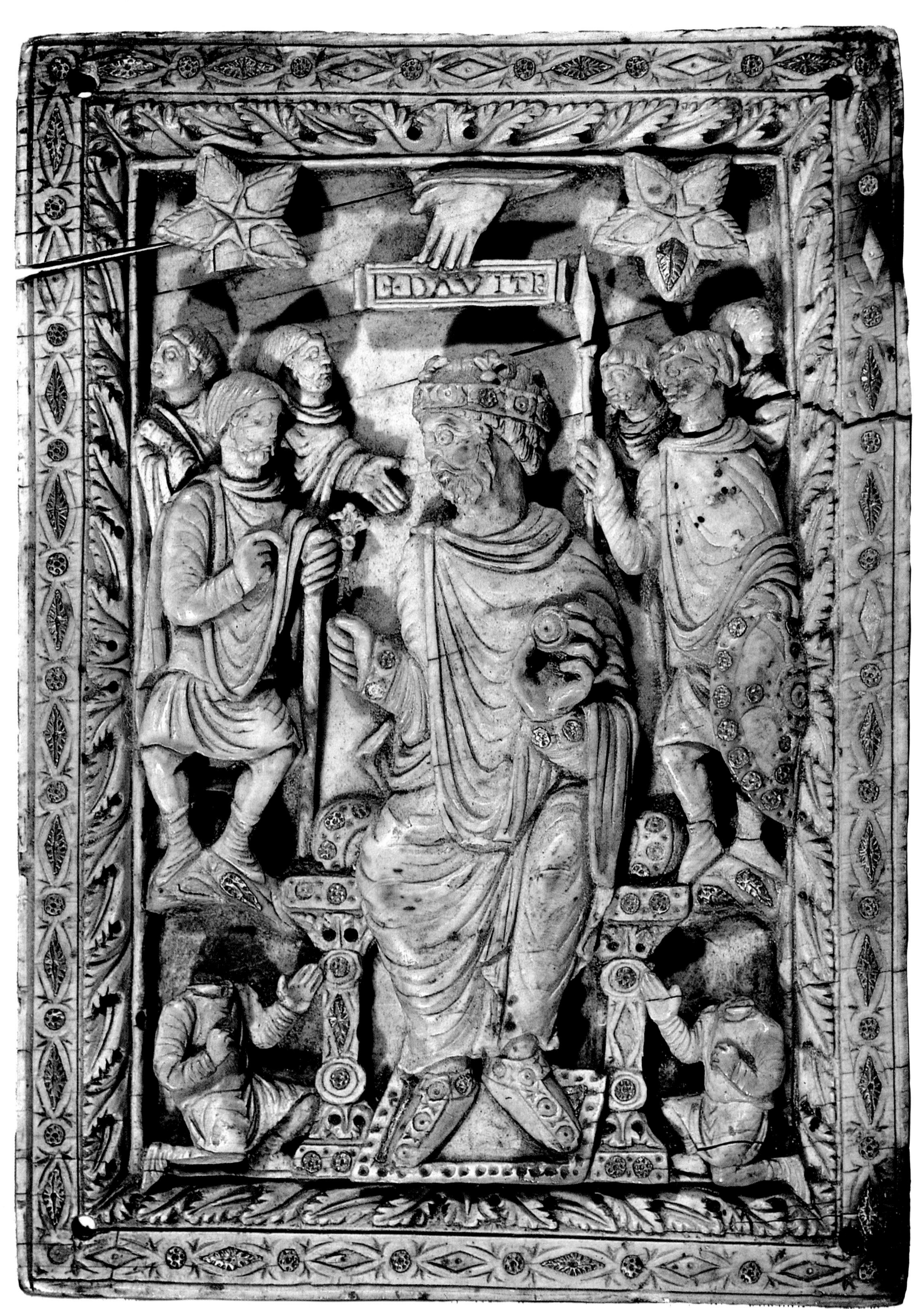

184. Florence, musée National du Bargello. Relief en or et ivoire représentant le roi David

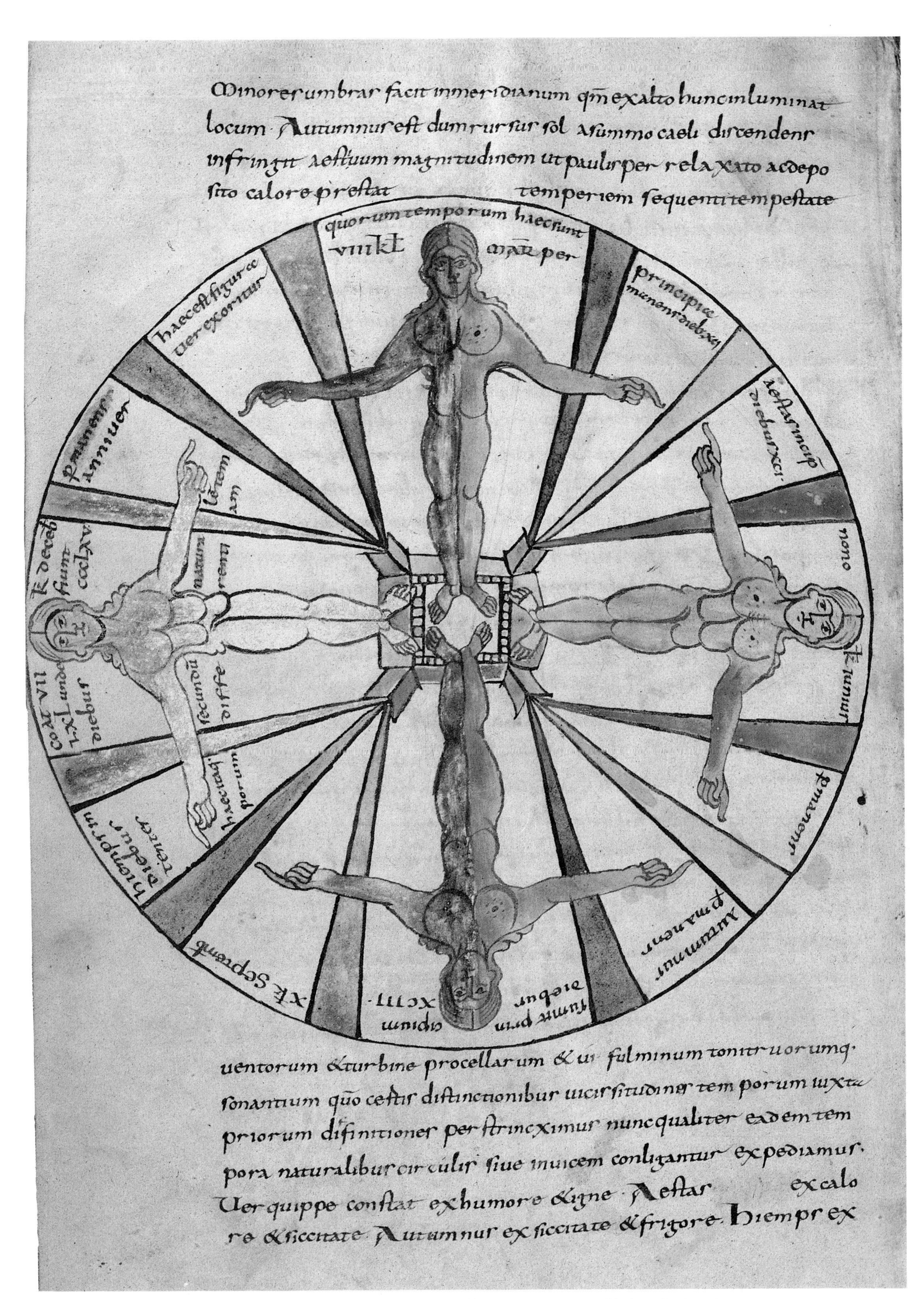

185. *Laon, Bibliothèque municipale, Ms. 422: Isidore de Séville,* De natura rerum, *fol. 6v: calendrier des saisons et des mois*

186. Amiens, Bibliothèque municipale, Ms. 18: Psautier de Corbie, *fol. 1v: lettre ornée*

187. *Paris, Louvre. Epée dite de Charlemagne*

188. *Paris, Louvre. Statuette de Charlemagne en bronze*

189. Saint-Maurice, Suisse, trésor de l'abbaye. Aiguière dite de Charlemagne

l'époque carolingienne, Dorestad s'étend sur plus d'un kilomètre et même peut-être deux, le long du fleuve. La zone habitée couvre de 200 à 500 m, si bien que l'établissement commercial des environs de l'an 800 devait occuper une superficie de plus de 200 ha. Ce qui caractérise ce port, ce sont les travaux de consolidation des rives du fleuve pour favoriser l'approche des bateaux, puis, avec le temps, comme le Rhin se retirait, la construction de pontons de plus de cent mètres de long, les uns à côté des autres. Ces pontons aboutissent, sur la terre ferme, à des groupes de constructions comprenant une grande maison, des entrepôts en rondins et de loin en loin, des annexes sous forme de caves et de puits. L'ensemble est entouré d'une palissade. Les maisons sont importantes, puisqu'elles mesurent environ 7 m de large sur 30 m de long, et leurs façades avant et arrière s'incurvent légèrement vers l'extérieur. Les maisons «en forme de navire» du centre commercial de Dorestad sont donc implantées de la même manière et construites selon les mêmes techniques que les grandes habitations des établissements ruraux contemporains, tels ceux de Warendorf en Westphalie, ou de Vorbasse dans le Jutland qui a fait l'objet de fouilles approfondies, ces dernières années. On est en présence, semble-t-il, d'un établissement rural, dont les édifices se répartissent le long d'une rue, sur trois ou quatre rangs de profondeur et où les habitants ont investi, chose inhabituelle, dans la construction de pontons pour navires, ce qui lui permet de jouer un rôle de comptoir où l'on charge, décharge et entrepose des marchandises. Il constitue donc une étape dans le développement de la cité médiévale. A côté du roi, de nombreux propriétaires fonciers, grands personnages laïcs ou fondations religieuses ont sans doute possédé un entrepôt à Dorestad où ils ont fait porter les produits de leurs domaines, dont le vin, le fer, des surplus agricoles, des tissus et des objets manufacturés en fer. De ce lieu, tout pouvait être commercialisé à longue distance. A Dorestad même, on relève les traces de diverses activités artisanales, telles que tissage, fer forgé, fonderie de métaux bruts et de fer, travail de l'ambre, fabrication de peignes et autres objets en os, tonnellerie, verrerie et on y trouvait certainement des arsenaux.

Il faut rapprocher de ce centre d'autres sites protourbains d'âge carolingien, dont Hamvih, près de Southampton en Angleterre, Ribe au Danemark, Paris en France, et Haithabu (Hedeby), en Allemagne septentrionale où des fouilles partielles ont donné des résultats analogues.

En dépit de la concentration des ateliers, rares sont encore les différences qui séparent les centres ruraux contemporains, si l'on excepte les pontons pour donner accès aux navires et autres aménagements portuaires. Seules, des distinctions quantitatives séparent Dorestad des autres habitats du même genre. On relève toutefois aussi une différence qualitative: 90% des débris de céramique trouvés sur ce site ont été importés des environs de Cologne, en Rhénanie, alors que partout ailleurs les poteries sont réalisées dans la région immédiate de l'établissement ou sur les lieux mêmes. On en conclut que cette place commerciale du royaume carolingien a été un centre de distribution, où l'on venait chercher des biens de consommation et des ustensiles. A côté de la céramique, par exemple, on remarque la présence de meules de basalte, qui viennent de Mayen (Coblence), dans le massif d'Eifel, et qui servent au broyage domestique des céréales.

Le caractère protourbain est mis en évidence par la faible densité des constructions, encore très séparées les unes des autres, ce qui explique la grande extension du site. On se rapproche de la conception de la cité, à partir du moment où la zone d'occupation se trouve découpée avec grand soin en parcelles, ainsi que le montrent les fouilles archéologiques de sites tels qu'Hamvih ou Haithabu. Dans leur phase initiale, ces places commerciales, qui ouvrent la route de l'Angleterre pour Hamvih, et de la Scandinavie pour Haithabu, sont construites comme des villages à vocation agricole. Haithabu s'étend le long du Noore, un bras du Schlei, et Hamvih, le long d'une rivière. Durant la seconde moitié du VIIIe siècle, ce comptoir couvre une superficie de 46 ha puis, en dépit de l'accroissement démographique, il se resserre et s'entoure de fortifications.

Cette troisième phase de développement d'un centre proto urbain se précise au début du IXe et du Xe siècle. On y voit la division précise en parcelles, la diminution de superficie des propriétés et, surtout, la construction d'habitations plus petites, séparées par un réseau de rues. Les maisons «urbaines» n'ont plus une finalité économico-agricole, mais servent uniquement à la production artisanale ou au dépôt des marchandises et au logement des commerçants. Le nombre des parcelles augmente et, avec elles, celui des habitants d'un certain type de site. Les sépultures, et à Haithabu, on en compte 12 000 en l'espace de deux siècles, permettent d'évaluer le nombre des résidents: le village comptait quelque 1 000 habitants sur une superficie de 24 ha. Le rôle que jouait Dorestad, pour l'Occident, est repris par des villes comme Tiel. Haithabu ne connaît un essor véritable qu'au Xe siècle et à Birka, dans le Nord de la Scandinavie, un centre artisanal se substitue à un habitat protourbain.

On ignore encore comment se présentent, au sein du royaume franc en formation ainsi qu'en Italie et en

Espagne, les centres du pouvoir et les vieilles cités datant de l'époque romaine qui commencent à renaître. On sait toutefois que Paris ou Cologne ne sont pas plus importantes qu'Haithabu et qu'aux IXe-Xe siècles, on y trouve tout au plus quelques milliers d'habitants. Pour Cologne, la forteresse, le palais de l'archevêque et les faubourgs ne dépassent pas 24 ha. Il faut se souvenir qu'en de tels lieux, suivant une tradition ecclésiastique instaurée à Rome, les noyaux de peuplement se renforcent auprès des églises et des couvents; ceci vaut autant pour Cologne que pour Paris. Le centre que choisissent les rois mérovingiens ou carolingiens comme siège de leur pouvoir échappe encore au processus de développement qui caractérise les premières places commerciales, avant leur transformation en cités. Les rois itinérants vivent avec leur escorte, l'appareil administratif, le trésor et les gardes du corps, dans des *palatia*, ces grands domaines qu'ils occupent au fur et à mesure de leurs déplacements, ainsi qu'il apparaît, entre autres, dans la frappe de la monnaie. Les *palatia* mérovingiens n'ont pas encore fait l'objet de fouilles. Toutefois, ils diffèrent sans doute peu des grandes propriétés seigneuriales, sur lesquelles les archéologues ont effectué diverses recherches. Par contre, l'église élevée dans le voisinage immédiat du *palatium* est le premier édifice que l'on bâtit en pierre, depuis l'Antiquité. Sous Charlemagne, enfin, le *palatium* devient à son tour une superbe construction de pierre, comme l'étaient les palais antiques; il constitue l'élément visible de la rénovation carolingienne, ainsi qu'Ingelheim et Aix-la-Chapelle en apportent la preuve. Ces *palatia* se voient élevés au cœur d'une forte concentration de propriétés foncières afin que le ravitaillement en soit assuré. Outre un caractère de représentation, ils en prennent aussi un de défense. Dans le royaume wisigoth, Recopolis, la résidence et «cité» du roi Léovigild dont l'existence est attestée en 578, a également fait l'objet de recherches archéologiques qui ont simplement porté sur le palais dominant la vallée et sur l'église annexe, réunis par un édifice selon un plan que l'on retrouvera dans les palais du haut Moyen Age.

Retournons aux comptoirs commerciaux et au rôle qu'ils ont joué dans la frappe de la monnaie. En effet, cette dernière définit de façon directe la structure et l'ampleur du commerce du règne de Théodoric à celui de Charlemagne et cela, d'autant plus qu'il se produit alors un certain nombre de changements décisifs dans ce domaine.

Déjà, l'économie du Bas-Empire avait connu des tentatives répétées de réforme du système monétaire. Au temps de Dioclétien et de ses adjoints, Auguste et César, on se remet à tailler des monnaies d'or, pour la première fois depuis un demi-millénaire, ce qui constitue une indication de valeur et marque bien la position prédominante de ce métal dans le système monétaire, même si l'on procède à une réévaluation parallèle de la monnaie d'argent. Les réformes monétaires par lesquelles on tente de surmonter les crises économiques prennent fin avec l'empereur Constantin qui établit, en 317, pour compléter son action de reconstruction et de remise en ordre, le rapport des valeurs: il prend l'or pour étalon et crée le *solidus* dont il fixe le poids réglementaire à 4,55 g, soit 1/72 de livre. Après la chute de l'empire romain d'Occident, la frappe de la monnaie est suspendue sur tout son territoire, mais longtemps les pièces d'or, d'argent et de bronze de l'Antiquité demeurent utilisées à côté des monnaies de l'empire romain d'Orient. Les rois germaniques copient le système de l'Etat romain et se limitent, reflet de la situation économique, à l'émission et à l'imitation du sou d'or ou d'une pièce qui correspond au tiers de sa valeur, le *triens* ou *tremissis*, alors qu'ils font rarement battre monnaie et jamais de pièces de bronze. Pour les relations économiques quotidiennes, on est revenu au troc. En fait, ainsi que nous en avons fourni quelques exemples plus haut, les pièces d'or ont acquis une valeur trop élevée. Elles servent à des fins de propagande et font surtout l'objet d'une thésaurisation.

Les Ostrogoths et les Vandales qui, les premiers, émettent, de nouvelles monnaies, reprennent la tradition antique. On connaît chez les Vikings 79 monnaies parmi lesquelles nous sont parvenus 3 461 trientes; les Lombards battent également des trientes d'or sur le modèle byzantin, mais leurs pièces se distinguent par un bord d'une largeur exceptionnelle. Un de leurs rois, Aripert Ier (653-664), a été le premier à faire inscrire son nom sur ses pièces. Chez les Francs, cette initiative revient, pour les pièces d'or, à Théodebert Ier (534-548) et un historien du temps, Procope, la signale comme un exemple de présomption inhabituelle. L'un des sous de ce roi porte même son nom germanique. L'abandon du privilège impérial ne se précise que lentement dans ce domaine et, à côté des multiples monnaies métalliques, on voit encore dominer dans les trouvailles monétaires les pièces d'imitation romano-orientale. Au début du VIe siècle, on utilise divers types de sous, des monnaies d'imitation et des fausses pièces, qui connaissent de grandes variations de poids. Pour éviter la confusion et juger de la valeur des pièces, le trébuchet devient l'instrument de pesage indispensable pour les commerçants et ceux entre les mains desquels passent des pièces d'or. Grâce à cette balance et à une pierre de touche, tous s'efforcent d'en mesurer le poids et d'en estimer la proportion réelle en or. A l'intérieur des sépultures du VIe et du VIIe siècle, on remarque souvent la présence d'un trébuchet ou d'une pierre de touche parmi le mobilier. Dans les royaumes germaniques et, en particulier, chez les Francs, ce qui subsiste de monnaie d'Etat disparaît à son tour. En France, on bat très vite des pièces d'or au nom des évêques, des sites de peuplement («cité»), de puissances locales, voire de monétaires, si bien que la situation devient chaotique. On taille des pièces à la cour itinérante du roi, mais aussi dans tous les endroits où un grand seigneur peut disposer d'or. Si l'on se fonde sur les découvertes, on distingue les frappes de plus de 1 500 monétaires et l'on trouve nommés, en chiffres ronds, 900 lieux de frappe qui vont du *castrum* et du *fundus* à la *civitas*, ce qui représente près de 2 000 noms, alors que les sources littéraires de l'époque mérovingienne ne nous signalent que trois monétaires. L'imprécision du poids, la faiblesse du titre des différents types de tremisses, les légendes illisibles que ne comprennent même pas les monétaires, l'écriture spéculaire, tout cela nous renseigne sur le relâchement du pouvoir politique, la perte du droit exclusif de battre monnaie de la part des monarques et le rôle accessoire du système monétaire qui ne crée plus que des valeurs élevées, incitant donc à accumuler des trésors.

La diffusion et, par conséquent, le nombre de régions où les monnaies d'époque mérovingienne sont d'un emploi courant nous sont confirmés par la carte des provenances de toutes les pièces d'or retrouvées à l'intérieur de la tombe royale de Sutton Hoo, en Angleterre.

Au système monétaire devenu barbare correspond la dévaluation constante des pièces qui s'allègent en or, au fur et à mesure de l'augmentation de la proportion d'alliage d'argent ou de cuivre. Les trébuchets finissent d'ailleurs par devenir inutiles, car il devient impossible de préciser le titre réel, même de manière approximative.

La rareté des contrôles et le besoin en pièces de petite dénomination comptent au nombre des causes de la transformation des rapports de valeur, au moyen de réformes qu'il faut bien qualifier de radicales. Certains voient aussi d'autres motifs à cette modification, parmi lesquels le rapport défavorable entre l'or et l'argent sous l'influence de l'Orient byzantin, puis arabe, la rareté des mines d'or en Occident ou le déséquilibre de la balance commerciale. Il n'est pas possible d'analyser ici, en détail, tout ce qui a pu jouer un rôle dominant. On franchit toutefois une étape décisive sous les premiers Carolingiens au moment où l'on passe d'un système basé sur la monnaie d'or à un autre fondé sur l'argent, et où on rétablit la frappe de deniers d'argent d'un poids régulier et le prélèvement de la part du souverain. A une époque voisine, les rois anglais passent à leur tour à la monnaie d'argent et frappent des petites pièces d'un poids d'1,2 g environ, que l'on qualifie de sceattae. Les Frisons adoptent ce système et battent à leur tour, des sceattae. Le Nord-Est germanique se libère ainsi, semble-t-il tout d'abord, du modèle byzantin qui domine sur le continent et cela, pas seulement à l'époque carolingienne, ni pour répondre aux limitations apportées au commerce par les Arabes. Bien qu'elles soient émises en Angleterre, les scéattas deviennent une monnaie internationale à base d'argent qui se diffuse dans tout le royaume franc et de façon évidente dans les pays proches de la Baltique, où elle reflète les nouvelles structures du commerce à longue distance, ainsi que nous l'apprennent en premier lieu les fouilles archéologiques. Les premières pièces du type de la scéatta datent des environs de 680 et, vers 700, on les taille dans la région de la Hollande et de la Frise où elles constituent une valeur de référence jusqu'à la fin du VIIIe siècle, époque où la réforme carolingienne s'instaure. Il convient de souligner qu'au cours d'une seconde phase de la frappe des scéattas, durant la première moitié du VIIIe siècle, on distingue divers centres régionaux, qui correspondent aux secteurs économiques et aux rapports commerciaux particuliers, où les ateliers sont en opposition les uns avec les autres. Si les premières scéattas anglaises paraissent être de frappe royale, émises par l'un ou l'autre des royaumes de l'heptarchie — les sept royaumes anglais, d'autres peuvent être rattachées à des comptoirs tels qu'Hamvih ou Londres et trois catégories proviennent du continent, les scéattas à runes de la Frise, celle de Stachelschwein et celles de Wondan-Monster, toutes considérées comme ayant une importance suprarégionale. Frappées en grand nombre, on les utilise des Pyrénées à la Baltique, de l'Angleterre septentrionale à la Méditerranée. Si les scéattas de Stachelschwein se répandent sur tout le territoire du royaume carolingien, en particulier au Sud, on rencontre celles du type Wondan-Monster dans la région du fossé rhénan et dans son prolongement, tant au Nord qu'à l'Est, jusqu'à la Baltique, cependant que les scéattas à runes frisonnes ont surtout cours de la Rhénanie à la Frise, mais aussi en France, en particulier en Aquitaine. «Le commerce aquitain emploie les scéattas à runes frisonnes, tandis qu'en Rhénanie prédominent... les scéattas de Stachelschwein et que le commerce nord-oriental utilise surtout les scéattas de Wondan-Monster», affirme J. Callmer, qui s'est intéressé de manière approfondie à ces monnaies. Ce qui n'a pas encore été résolu, par contre, c'est le problème des organisations commerciales cachées derrière tous ces échanges et la manière dont le droit de battre monnaie se rattache aux courants commerciaux dominants.

Dans le royaume franc, les premières monnaies

d'argent, de pesants deniers, apparaissent vers 640-645: elles font une impression très différente de celle des très légères monnaies d'argent qui proviennent des cimetières à rangées des VIe et VIIe siècle, dont on a mis au jour des exemples, en particulier dans la riche tombe d'un enfant creusée sous la cathédrale de Cologne. Les nouveaux deniers ont environ le même poids que les tremisses d'or du temps, c'est-à-dire entre 1,20 et 1,40 g, alors que les pièces d'argent légères ne dépassaient pas 0,08 g, soit le poids approximatif des scéattas. Il est évident que le commerce recherche alors la bonne monnaie d'argent. Les Carolingiens en tiendront d'ailleurs compte lorsqu'ils voudront créer une monnaie d'un poids et d'un type défini. En 755 Pépin le Bref (751-768) promulgue un édit, à Vernon-sur-Seine, par lequel il faudra tailler 264 deniers dans une livre d'argent, dont douze reviendront au monétaire qui les façonne. Sur les 252 deniers que reçoit le seigneur qui bat monnaie, une autre douzaine restera, de droit, en sa possession. Le droit de frappe demeure toutefois décentralisé. Du temps de Pépin, on connaît l'existence de plus de trente-sept ateliers. D'autre part, le poids des deniers ne cesse de diminuer jusqu'à la fin du règne de Charlemagne et l'empereur doit prendre de nombreuses ordonnances pour que la population accepte sa monnaie. En juin 794, après que Charles ait fixé sa résidence à Aix-la-Chapelle, il fait procéder à une réorganisation fondamentale du système des valeurs. On émet un sou d'or impérial d'un poids de 4,55 g qui concurrence celui de l'empereur byzantin. Toutefois, les nouveaux deniers d'argent portant le monogramme de l'empereur continuent à former la base du système monétaire. Le passage au monométallisme d'argent, dans lequel l'or ne joue plus aucun rôle de métal monnayable et n'en tiendra plus durant quatre cents ans, se trouve établi de façon définitive par l'édit de Pîtres de Charles le Chauve, en 864: à une livre d'or correspondent désormais dix livres d'argent, alors que le rapport de valeur des époques précédentes était de 1 pour 14,5.

Dans la réalité, on s'aperçoit du passage de la monnaie d'or à celle d'argent en examinant, par exemple, les frappes de l'importante place commerciale de Dorestad, sur le Rhin. Les trientes mérovingiens qui y ont été taillés font l'objet de nouvelles frappes après la conquête du comptoir par les Frisons, mais ils contiennent toujours moins d'or et davantage d'argent, si bien qu'ils deviennent entièrement en argent.

Le capitulaire de Mantoue, qui date de 784, interdit d'accepter des monnaies anciennes et au synode de Francfort, en 794, on promulgue une fois encore la nouvelle loi monétaire précisant qu'en tout lieu, en toute «cité», en tout centre commercial, chacun devra accepter les nouveaux deniers. Par le capitulaire de 805, on voit enfin décider que la frappe n'aura plus lieu qu'au palais du roi.

En l'an 800, année de son couronnement, Charles fait battre de nouvelles pièces de faible valeur sur lesquelles il est représenté en buste, dans l'esprit de la renaissance carolingienne. L'empereur porte la couronne de lauriers et la légende «Christiana religio». Un temple, c'est-à-dire une église, figure sur la pile. Charlemagne entend donc être considéré comme le chef de la chrétienté. Ainsi, après une interruption de plusieurs siècles, on assiste à une «renovatio imperii» jusque dans le domaine de la monnaie puisque l'empereur se réserve le droit de l'émettre.

Le problème de l'approvisionnement en matières premières, en métaux surtout, donne une idée intéressante de la structure socio-économique des pays germaniques. Grâce aux nombreux mobiliers laissés par la civilisation des cimetières à rangées, on se rend compte qu'il est sans doute facile alors de se procurer du fer, pour la production des armes, des métaux précieux et des alliages de cuivre, puisque l'on admet cette véritable saignée sociale que constitue l'enterrement du patrimoine populaire.

L'approvisionnement s'effectue de trois manières: grâce à la poursuite de l'exploitation de nombreuses mines romaines dont l'équipement est très complexe; par l'importation, à la suite d'échanges commerciaux, de donations, de tributs ou de prises de butin; par le pillage des villes de l'Antiquité, qui tombent en ruines, ou des sépultures romaines. L'importation des matières premières et la récupération des métaux dépendent des conditions du moment; avec le temps, elles diminuent probablement car on assiste à une hausse du prix des métaux. Il ne reste plus que l'extraction et l'élaboration des minerais pour se procurer de façon régulière les quantités de matières premières nécessaires.

La documentation concernant l'exploitation continue des mines, après la fin de l'empire romain, est toutefois assez rare et les méthodes générales de production changent très peu, ce qui montre que la situation ancienne ne se maintient sûrement pas. Dès la fin de l'empire romain, l'Etat ne supervise plus l'exploitation des mines ni la transformation des minerais. Or, on connaît peu de tentatives royales d'exploitation des mines existantes ou d'ouvertures de nouvelles. Comme dans beaucoup d'autres branches de l'artisanat et de l'industrie, parmi lesquelles la céramique et la vitrerie, la production se déplace et abandonne les centres urbains en décadence pour ne plus relever que de la compétence de l'entreprise seigneuriale. Or, celle-ci fait rarement produire plus qu'il n'est nécessaire.

Ces dernières années, R. Sprandel a analysé sur ce point les sources écrites entre 500 et 900, qui concernent les provinces devenues par la suite royaumes germaniques ainsi que les autres territoires occupés par les Germains. Les complexes miniers comprenant des galeries, des wagonnets, une alimentation en eau et en air, n'ont été exploités de façon continue qu'en quelques endroits et peut-être même uniquement en Espagne, sous les Wisigoths. La mine de type primitif, avec des petites fosses et des affaissements de terrain, lors de l'écroulement des galeries, a peut-être été maintenue quand elle dépendait de grands domaines ou des entreprises seigneuriales, mais pour éclairer cet aspect des choses, il nous manque, là encore, des informations, soit qu'elles proviennent de sources écrites, soit que l'archéologie nous les apporte, étant donné l'état actuel des recherches.

Sur le territoire de l'empire romain d'Occident, on en arrive cependant à la situation qui dominait auparavant en Allemagne. En dehors de l'empire romain, en effet, il n'existait pas de mines en Europe, à l'exception de la région de Lysa-Góra, en Pologne, où l'on sait qu'une mine de fer avec galeries et travaux souterrains était en activité. On a pensé que des spécialistes et des mineurs romains y travaillaient.

On ne sait cependant si le haut niveau atteint sous les Germains des premiers siècles dans l'extraction du fer, qui s'exerçait en milieu rural, a été conservé par la suite. En effet, même à propos des vallées alpines et de la Dalmatie, sur lesquelles nous possédons des témoignages datant de la domination ostrogothe (on connaît l'existence, par exemple, d'un *comes* «ad ordinationem ferrariarum»), la documentation s'interrompt. Il en est de même pour les autres provinces de l'empire de l'epoque. Le fer, souvent de bonne qualité, continue à être présent, puisqu'on le trouve souvent en quantité sous forme d'armes. En réalité, il n'est pas étonnant qu'il ne soit plus mentionné, car il devient de règle, pour son extraction sur les sites artisanaux mentionnés plus haut, de construire un fourneau pour l'élaboration des métaux et cette transformation peut n'avoir trouvé aucun écho dans les écrits parce qu'elle ne s'accompagne pas d'obligations tributaires. Or, ceci devient le cas à partir de l'époque carolingienne. Dans le capitulaire de Villis, on trouve citées des mines de fer pour la fin du VIIIe siècle. Ainsi, pour les vallées alpines de l'Italie du Nord, on voit mentionner des tributs relatifs à divers domaines de la couronne, de même que le nombre de fourneaux pour lesquels il faut payer une contribution. Pour les territoires de la Gaule antique, les registres des tributs de l'abbaye de Saint-Germain-des-Prés, de Saint-Rémy de Reims, etc., nous apportent des précisions correspondantes. Elles prouvent cependant que si les formes de production de l'époque romaine ont disparu, il existe une continuité dans les conditions d'extraction et de transformation qui ne sont plus spécifiques des territoires de l'ancien empire romain, mais qui correspondent à une exploitation sur une faible échelle, en milieu rural, relevant d'une abbaye ou d'une entreprise seigneuriale. Pour les anciennes provinces romaines, le fer et le plomb sont sans doute aussi récupérés dans les ruines des édifices monumentaux ou des ouvrages défensifs.

Le plomb est employé en grande quantité pour la couverture des toits d'églises, et des *palatia*, et pour la fabrication de moules, dans les industries décoratives. Le plomb fond facilement et si on le trouve dans la nature à l'état de sulfure, il se présente souvent en alliage avec de l'argent. On peut l'extraire en le chauffant dans les simples fours des petites installations domestiques.

En Espagne, il semble qu'on ait continué à exploiter certaines mines dont on extrayait la galène, le principal minerai de plomb, par exemple, près de Linarès, et que les Wisigoths aient trouvé là une source d'argent. Toutefois, nous ne possédons pas, dans ce cas non plus, des documents qui nous renseignent sur la continuité d'une activité souterraine. Enfin, même dans ce pays, la plupart des mines romaines ne sera plus exploitée par la suite et l'on possède des témoignages relatifs à l'importation de métaux précieux, y compris l'argent.

En Italie, Théodoric le Grand entreprend l'exploitation d'une mine d'or et d'argent en Calabre, mais il ne cherche pas à développer le rendement des mines de l'Antiquité. En 527, son conseiller Cassiodore écrit sur son ordre à un administrateur domanial pour lui prescrire d'effectuer des recherches et de s'assurer s'il existe ou non de l'or et de l'argent sur ses terres, ainsi que le penserait un *artifex* local.

En Gaule, on sait que l'activité minière se poursuit pour ce qui est du plomb et de l'argent, en particulier sur le territoire de Melle, au sud de Poitiers. Les *Gesta Dagoberti*, du IXe siècle, précisent au chapitre XI que le roi Dagobert (623-638/9) a offert à l'abbaye de Saint-Denis, pour le toit de son église, le plomb qui lui revient comme tribut métallique tous les deux ans, c'est-à-dire 8 000 livres. La *Guerra Gotica* de Procope mentionne l'extraction de l'or: le roi franc Théodebert Ier (534-548), ainsi que l'écrit un témoin oculaire, fait frapper des monnaies avec de l'or extrait de mines gauloises.

Sur le territoire de Limoges et dans les Cévennes, on continue l'exploitation des mines d'or antiques. Il semble, d'autre part, que les mines d'étain anglaises soient demeurées ouvertes, mais en partie seulement. En effet, des sources littéraires du VIIe siècle mentionnent une exportation d'étain.

A l'époque franque, le plomb d'Angleterre est importé en grande quantité sur le continent.

Même pour les provinces germaniques voisines du Rhin, nous ne disposons pas d'une documentation convaincante sur la poursuite de l'activité minière ou sur sa reprise précoce.

Sprandel d'ailleurs le souligne: «Il n'existe ni indications archéologiques, ni sources littéraires antérieures à l'an 900 concernant l'extraction des métaux précieux ou bruts dans la zone européenne extérieure à l'empire romain».

A la fin du Xe siècle, d'ailleurs, un abbé de Tegernsee écrit encore à un destinataire non identifié: «Nous te prions de nous envoyer un peu de cuivre, d'étain et de plomb; en effet, dans notre pays, il est impossible de s'en procurer nulle part, à quelque prix que ce soit».

Entre 500 et 900, les mines de l'Antiquité et la petite production dispersée contribuent, dans une mesure fort modeste, à l'extraction des matières premières, en particulier à celle des métaux précieux et bruts. Un changement se produit, que nous ne pouvons quantifier avec précision, sous les souverains ottoniens du Xe siècle avec l'ouverture des mines d'argent du Rammelsberg, dans le massif du Harz, et peut-être aussi dans la région de Fribourg, au Sud de la Forêt-Noire, où débute l'extraction en grand de l'argent et du plomb.

Au Nord des Alpes, l'exploitation de mines de fer, avec des fosses ayant jusqu'à huit mètres de profondeur, commence à partir du IXe-Xe siècle. Un document de Louis le Pieux, falsifié au Xe siècle, mentionne l'existence d'une mine de plomb sur les terres du *fiscus* dont l'empereur a fait don à l'abbaye de Reims.

La structure économique et, partant, la production décentralisée sur les grandes propriétés foncières ont pour but l'autonomie d'approvisionnement et non la fourniture d'excédents en vue d'une commercialisation; en outre, les sources dont nous disposons ne nous informent que de manière concise sur les matières premières.

L'adoption de l'argent comme métal-étalon par les Carolingiens, de même que par les royaumes d'Angleterre sous forme de la sceatta, se fonde sur leurs disponibilités en argent et non sur une transformation du système commercial et des paiements, système qui rend d'usage courant les pièces d'une valeur plus modeste que les pièces d'or. Le problème qui se pose alors est celui de la provenance de cet argent. Les calculs portant sur le nombre de types de monnaies et sur la durée de leur utilisation indiquent qu'au VIIIe et au IXe siècle, des quantités extraordinaires de pièces d'argent ont circulé tant en Angleterre que sur le continent. Les trésors d'argent des régions septentrionales et orientales, nombreux au IXe siècle et très disséminés, le confirment. A partir de cette période, au Nord et à l'Est des confins du royaume franco-carolingien, en Scandinavie et dans les pays slaves de la Baltique, on voit s'instaurer un système de valeur qui a pour base l'argent en mesures pondérales bien définies; des balances de précision et des poids vérifiés et contrôlés sont désormais employés avec régularité dans les opérations de paiement pour peser les monnaies des pays islamiques, d'Angleterre, des royaumes franco-carolingien et germaniques, ainsi que les ornements et les lingots répartis en tailles. On ne compte plus les trouvailles où pullulent les pièces d'argent.

En Occident, le système de valeur se fonde sur l'argent monétarisé: à partir d'une livre d'argent, on taille un nombre déterminé de pièces. Les différences de poids ne joueront plus, par la suite, qu'un rôle secondaire pour certains types de pièces. La frappe officielle, contrôlée par les autorités, garantira le contenu en argent.

Le grand nombre de pièces d'argent arabes présentes dans les trouvailles monétaires du Nord, à partir du VIIIe siècle, est à l'origine de la thèse suivante: à côté des échanges directs établis entre l'Occident et la région islamique en passant par le Nord, en même temps que se poursuivent ceux de la route maritime méditerranéenne, l'afflux d'argent qui arrive par cette voie serait à l'origine du passage de l'étalon-or à l'étalon-argent dans le système de valeur du royaume carolingien. L'argent nécessaire à cette transformation ne proviendrait pas de ressources minières, mais d'un déséquilibre de la balance commerciale, favorable à l'Ouest, par rapport au métal dévalué du Levant.

Selon Sture Bolin, l'absence de pièces arabes dans les pays occidentaux s'expliquerait par la fonte dans les régions frontalières de celles qui auraient pu y entrer. Cette hypothèse paraît plausible, car dans les territoires anglais ou carolingiens seules les monnaies occidentales avaient cours et étaient admises en paiement.

Hodges et Whitehouse voient dans la renaissance carolingienne et la reprise de la coûteuse construction en pierre des églises et des palais un processus dont le financement pose un problème, étant donné l'état de l'économie tel que nous l'avons décrit jusqu'alors, c'est-à-dire orienté de manière constante vers un approvisionnement indépendant. Ils se l'expliquent par la réforme monétaire effectuée entre 793 et 794.

Le roi Offa de Mercie et le pape Léon III reprennent cette réforme qui donne à la monnaie plus d'importance et de fiabilité. Les deniers légers d'environ 1,3 g de l'époque mérovingienne, ramenés à la standardisation par équivalence avec des «grains d'orge», se trouvent supplantés par les deniers d'1,7 g qui correspondent à un autre type d'unités pondérales, fondé sur les «grains de blé».

Grierson, à qui l'on doit cette thèse, considère que l'ouverture de nouvelles mines de plomb et d'argent représente la source majeure de la production d'argent. Hodges et Whitehouse adhèrent, pour leur part, à la thèse de Bolin et estiment qu'il faut en chercher la véritable cause dans le système monétaire et pondéral contemporain des 'Abbâssides, dont l'argent arrive au royaume carolingien par la voie commerciale, toujours plus fréquentée, qui passe par la Baltique et la Russie.

Pour financer les ambitieux projets de la renaissance carolingienne et favoriser la reprise d'une vie urbaine et étatisée, les souverains occidentaux utilisent l'argent arabe qu'ils échangent contre des biens produits chez les propriétaires terriens, dans les abbayes ou les grandes entreprises seigneuriales, dont les ateliers royaux.

Les données archéologiques, dues en particulier aux fouilles des centres commerciaux, démontrent le volume extraordinaire du commerce entre les pays scandinaves et ceux de l'Orient, ainsi que le rôle d'agents de liaison joué par les peuples nordiques.

Il faut remarquer, toutefois, que les trésors d'argent des régions scandinaves, où abondent les pièces arabes mais aussi anglaises et germano-occidentales, prouvent que celles-ci ont atteint une condition économique qui limite l'investissement de l'argent importé et lui font préférer la thésaurisation, en tant que symbole du rang social. Dans cette optique, les trouvailles monétaires et les comptoirs du Nord constituent davantage le reflet que les prémisses d'une montée économique, productive et commerciale de l'Occident et de l'Orient. Si l'on fabrique, dans le royaume carolingien, de nombreux produits très demandés tels que les céramiques, les meules ou les armes, afin d'amasser l'argent que l'on obtiendra en paiement d'échanges effectués tant par le Nord que par d'autres routes, l'économie occidentale a dû être en mesure, par la suite, d'exploiter les régions minières connues depuis l'Antiquité ou bien d'ouvrir de nouvelles mines. La réorganisation du système de paiement et les réformes monétaires incitent à penser qu'entre autres progrès, on a dû atteindre un nouveau palier dans l'extraction et la transformation des minerais de métaux nobles, mais les sources littéraires ne jettent pas une lumière suffisante sur ce point et les recherches archéologiques ne nous éclairent pas davantage.

On a donc de bonnes raisons de croire que le passage à la monnaie d'argent correspond à un changement de la structure économique. En Europe, on n'obtient l'or qu'en quantité limitée dans les mines, alors que les gisements de plomb et d'argent sont plus nombreux et plus faciles à exploiter. Etant donné que les mines fournissent désormais assez d'argent, on peut choisir ce métal comme base du système monétaire et ceci, indépendamment de la monnaie d'or qui provient de l'Orient byzantin et protoarabe, mais aussi sans tenir compte de l'importation de l'argent oriental. A l'époque carolingienne et peut-être même à la fin de l'époque mérovingienne, on bénéficie d'une nette amélioration de la production des matières premières, en particulier de l'extraction des métaux.

Dès l'époque mérovingienne, en tous les cas, les gisements ont constitué une source d'approvisionnement décisive qui a incité à mettre à leur disposition un matériel suffisant, sans se soucier d'un éventuel épuisement total.

Pour les armes et les ornements de luxe, les artisans des royaumes germaniques emploient les matériaux les plus divers. A la création de ces royaumes, la quantité de métal précieux nécessaire a été couverte par les tributs et les butins, l'accaparement de trésors royaux étrangers et le versement de compensations. Les dons ont également joué un rôle inestimable, surtout pour les personnages de haut rang, ainsi que le démontre Grierson dans son intéressante contribution sur l'économie de l'époque. Néanmoins, tout cela ne représentait qu'une redistribution des matériaux existants et n'en augmentait pas la quantité totale. Or, la coutume funéraire pratiquée par la civilisation des cimetières à rangées, avec son emploi extensif de métal travaillé, conduit à une disparition constante de métaux nobles ou précieux que l'on enfouit ainsi avec diverses matières premières. L'évaluation de la quantité soustraite mérite d'être tentée. Si l'on part du fait que sur les territoires occupés par la civilisation des cimetières à rangées, dont font alors partie, en Europe centrale, les Francs, les Alamans, les Thuringiens et les Bavarois, puis en Europe du Sud les Wisigoths et les Ostrogoths, avant que leurs terres ne passent aux mains des Lombards, on peut compter que trois millions d'hommes ont été ensevelis de la sorte, au Nord des Alpes. Etant donné que l'usage s'est maintenu durant 200 ans — de 500 à 700 environ — sans oublier la faible espérance de vie du temps et le taux de mortalité correspondant, on doit avoir creusé entre 25 et 30 millions de tombes durant ces deux siècles, bien que les fouilles n'aient porté, au maximum, que sur 120 000 d'entre elles. La perte en «patrimoine national», en armes et objets d'ornementation est énorme, même si certains défunts ont été enterrés avec des mobiliers modestes. Pour doter toutes ces tombes d'offrandes conformes au rang de ceux que l'on y déposait, les tributs de Byzance ou les trésors des voisins n'ont pas dû suffire. Même si 10% seulement des nobles dames mérovingiennes ont emporté dans leur tombeau des fibules en métal précieux ou en bronze, dont la moitié peut-être comportaient de l'argent, en estimant à 50 g le poids d'un tel bijou, il aurait fallu employer près de 37 500 kg de ce métal. Pour les seuls mobiliers funéraires, il fallait donc pouvoir disposer d'environ 180 kg d'argent par an. La vaisselle d'argent du Bas-Empire, retrouvée dans la tombe d'un roi anglo-saxon, à Sutton Hoo, pèse 10 kg, ce qui suffit pour fabriquer 100 à 200 paires de fibules. Le bracelet d'or de la tombe de la femme enterrée sous la cathédrale de Cologne pèse 66 g et correspond, pour un rapport or/argent de 1 à 10, à 660 g d'argent environ, soit 13 paires de fibules.

Or, si les guerriers germaniques ne reçoivent pas de façon directe une part de butin ou de tribut, il leur faut chercher d'autres sources d'approvisionnement afin de fournir les artisans. Beaucoup ont déjà à leur disposition des produits de récupération, trouvés sur les sites occupés dans l'Antiquité ou dans les nécropoles romaines. Une cité telle que Cologne, par exemple, qui a abrité entre 20 000 et 40 000 hommes à une certaine époque, offre à un nombre d'habitants désormais bien inférieur des ruines de toutes tailles et une foule de tombes. Des matériaux de construction provenant de villes romaines telles que Xanten, dans le Bas-Rhin, par exemple, ont encore été vendus à l'époque moderne et ont été disponibles de tous temps. Si les Germains n'ont que faire des pierres, ils récupèrent d'autres matériaux, dont le fer, le plomb et le bronze, souvent utilisés pour fixer les blocs de pierre ou dans le revêtement des monuments. Les métaux sont donc prélevés de manière systématique et retravaillés. Les nécropoles romaines renferment des ressources plus inépuisables encore. Après trois siècles d'occupation romaine, une ville de 20 000 à 40 000 habitants abrite environ 150 000 sépultures. Dès l'époque classique, de nombreux morts étaient ensevelis avec un mobilier funéraire comportant des objets de valeur, dont de la vaisselle en céramique et en verre. Il est donc plus simple pour les Germains de récupérer les objets de luxe de ces tombes et d'utiliser la vaisselle de bronze ou de verre pour leur table plutôt que de l'acheter à prix élevé, à la suite d'échanges avec Byzance ou avec des centres artisanaux contemporains. Les tombes sont pillées de manière systématique, car elles appartiennent à un peuple étranger, vaincu à présent. Le «commerce» des biens provenant de ruines et de sépultures antiques devient sans doute florissant, si l'on en croit le nombre d'objets retrouvés dans les tombes des Francs et les allusions à leur sujet dans la tradition écrite. Des formules de rituels ou bénédictions, dont on sait qu'elles datent du VIIIe siècle, mentionnent la reconversion à de nouvelles fonctions de récipients anciens. On y voit énumérées la «benedictio vasorum veterum» (des vases antiques) et la «benedictio super vasa reperta in antiquis locis» (des vases retrouvés sur des sites antiques). Les restes de sites «païens», qu'il s'agisse de ruines de murailles et d'habitations ou bien de cimetières, sont considérés comme hantés par le démon et impurs. Il faut donc les faire bénir avant de les réutiliser dans la vie ecclésiastique et laïque. Comme l'on ne renonce pas aux objets de valeur, on en passe par ces conditions. La fréquence des formules de bénédiction encore transcrites au VIIIe siècle atteste la poursuite des opérations de récupération à cette époque tardive.

Les déprédations concernent surtout les tombes des Romains et, rarement, celles des premiers Germains. Toutefois, à partir du VIIe siècle, ces dernières ne sont plus épargnées. Ainsi que nous le verrons, à présent, les pillards n'ont plus les mêmes raisons d'opérer comme ils le font.

Les dispositions prises par Théodoric le Grand au sujet de l'ouverture d'un certain nombre de tombes pour y rechercher l'or et l'argent, puis la remise à l'administration des métaux précieux ainsi exhumés, correspondaient à une opération particulière, limitée dans le temps et lancée à un moment où il fallait se procurer très vite de quoi payer une guerre contre les Francs et les Burgondes. Cette décision jette toutefois une lumière significative sur l'évaluation des mobiliers funéraires. On y lit: «Il est sage et nécessaire de récupérer pour l'usage des hommes des trésors cachés sous la terre et de ne pas laisser aux morts la propriété d'objets qui peuvent être utiles aux vivants, car si ces objets demeurent enterrés, ils sont perdus pour nous et ne pourront être non plus utilisés, à l'avenir, par les défunts... Nous te donnons donc l'ordre formel de te rendre avec des témoins officiels en tels lieux où, selon la rumeur publique, de nombreux trésors se trouvent enterrés et si, grâce à tes recherches, on découvre de l'or et de l'argent, tu les placeras sous séquestre comme biens publics, mais tu veilleras à ce que les ossements des morts ne soient pas touchés, parce que nous ne voulons pas voir profaner les tombes sous prétexte d'y faire des acquisitions. Les tombeaux continueront à couvrir les cendres, les colonnes et les marbres à les décorer, mais l'on ne conservera pas aux morts leurs trésors, car ces derniers comprennent des objets utiles à la vie. L'or sera soustrait à bon droit des tombes dont nul n'est plus propriétaire. En effet, il est presque coupable de laisser en possession des morts, qui le recèlent de façon inutile, ce qui peut contribuer au soutien des vivants. Ce n'est pas de l'avidité que de s'approprier des choses dont nul propriétaire ne regrettera la perte». Voilà donc un texte qui interdit la profanation des tombes, mais autorise la recherche et la réutilisation d'objets déposés dans les sépultures, à la condition que celles-ci n'appartiennent plus à personne. Dans ces limites, les nécropoles romaines et leurs tombeaux offrent aux Germains une bonne source de matières premières.

Dans la tombe princière de Krefeld-Gellep, dans le Bas-Rhin, on a trouvé une broche en bronze et deux verres romains, datables du IVe siècle, soit deux siècles de plus que les armes splendides et le harnais qui les accompagnaient. La dame noble ensevelie sous la cathédrale de Cologne avait, elle aussi, des objets antiques auprès d'elle et portait une belle bague romaine, qui avait été rétrécie pour s'adapter à son doigt. Les pierres romaines, précieuses ou non, ornent souvent les bagues et les fibules à disque de l'époque franque. Ainsi, le seigneur de la tombe princière de Krefeld portait l'une de ces pierres, enchâssée dans une monture précieuse. Au passage, il faut remarquer que le célèbre orfèvre Benvenuto Cellini (1500-1571) reprendra l'exemple des Germains durant la Renaissance et qu'il réemploiera des pièces anciennes dans certaines de ses œuvres. Il écrira dans son autobiographie: «Je m'étais lié d'amitié avec quelques chercheurs (d'antiquités), qui surveillaient les paysans lombards venus à Rome, en saison, pour piocher les vignes. Lorsqu'ils retournaient la terre, ils trouvaient toujours des médailles antiques, des agates, des prases, des calcédoines, des camées... Les chercheurs obtenaient ces objets des laboureurs pour quelques sous; et moi... je rachetais aux chercheurs pour un certain nombre d'écus d'or... ces choses... sans leur dire le grand bénéfice que j'en tirais... ni de l'accueil favorable que me réservaient, en outre, tous les cardinaux de la ville.»

La simple céramique du Bas-Empire, en particulier les plats et les petites cruches, passent des tombes romaines à l'usage quotidien des Francs, puis à leurs sépultures. Pourquoi ces derniers auraient-ils produit de la céramique, si les fouilles leur en procuraient en suffisance? Il est manifeste qu'ils tenaient le même raisonnement pour le verre. Il n'est pas rare non plus de retrouver dans les tombes germaniques des cuillères en argent de l'Antiquité tardive, qui portent souvent des inscriptions romaines et qui ont suivi le même chemin. Enfin, les monnaies, les dés, les clés, les perles colorées et les boucles d'oreille des Romains figurent aussi dans les mobiliers francs. Les nécropoles romaines de Rhénanie nous éclairent de façon particulière sur les procédés employés par les chercheurs de trésors francs. Dans cette région, en effet, ils ont vidé les sarcophages romains et les ont repris pour leurs propres morts. Et tout ce qu'ils ont rencontré au cours de cette opération a été réemployé. Les Francs n'ont pas éprouvé le besoin de s'installer dans les cités romaines, mais ils se sont servi de ce qu'ils y ont rencontré. Si l'on examine de grands édifices classiques tels que la Porta Nigra de Trêves, on remarque les nombreux trous laissés par les crampons que l'on a enlevés pour récupérer du fer ou du plomb. Une construction de telles dimensions a sans doute fourni une quantité appréciable de matières premières: il a ainsi été possible de forger plusieurs dizaines d'armes et de recueillir presque tout le plomb nécessaire à la couverture du toit d'une église.

La simplification de la structure économique de l'époque qui va de Théodoric à Charlemagne se reflète d'ailleurs de façon directe dans la diminution des branches d'activité spécialisée que recouvrent les termes génériques d'*artifex* ou de *faber*. Une loi, promulguée en 337 au nom de Constantin et intitulée «De excusationibus artificum» (sur l'exemption des taxes des *artifices*), désigne 35 groupes professionnels, alors que le latin comprend des centaines de termes de métier pour distinguer les diverses qualifications, ainsi que le montre la liste établie par H. von Petrikovits.

Une étude analogue, entreprise par D. Claude sur les sources mérovingiennes, donne un nombre de professions très inférieur, même si la loi impériale ne prend en compte que les occupations d'utilité publique. En Orient, par contre, un papyrus provenant de la petite ville égyptienne d'Oxyrhynchos énumère encore plus de 90 catégories artisanales diverses, pour une période qui va du IVe au VIIe siècle.

Pour l'époque mérovingienne, on trouve cités, en Occident, les boulangers (*pistores*), les professions du bâtiment (*caementarii, architecti, structores*), les tailleurs de pierre (*lapidarii*), les meuniers (*molendinarius, molinarius*), les vitriers (*vitri factores, vitrarii*), les peintres (*pictores*), les fondeurs de cloches, les lainiers et les cardeurs (*lanarius, artifex lanarius*), les tailleurs, les forgerons (*fabri*), les orfèvres (*aurifex, faber aurifex*), les orfèvres d'argent (*argentarii*), les monnayeurs (*monetarii*), les menuisiers (*faber lignarius, lignorum artifex*), les charretiers ou les charpentiers (*carpentarii*), et pour les métiers de l'agriculture, les jardiniers ou maraîchers (*ortolanus, hortulanus*), les vachers (*vaccarii*), les bergers (*pastor ovium, verbecarii*), les porchers (*custos suillae, custodes porcorum, porcarii*), les palefreniers du roi (*custodes jumentorum fiscalium*) et les vignerons. Si l'on veut bien considérer qu'un certain nombre de ces activités, en particulier celles qui se rattachent à la construction, semblent employées de façon limitée dans toutes les régions romanes, surtout dans le Sud, la liste se raccourcit.

Les archéologues nous révèlent par contre l'existence d'autres métiers dont les sources ne font pas mention: les fabricants de peignes et d'objets en os, les tourneurs, les tonneliers, les potiers, ainsi que les armuriers, en particulier les spécialistes du décor des armes, s'ils n'entrent pas toutefois dans la catégorie des *argentarii* ou des *aurifices*.

Cette réduction des branches de l'artisanat s'explique par la disparition d'un nombre considérable de types de travaux; il s'agit peut-être d'une lacune dans la documentation qui nous est parvenue, mais plus vraisemblablement d'une complète réorganisation sociale des hommes de cette condition. Si, à l'époque romaine, on exerçait surtout ces métiers en ville et dans une proportion plus modeste sur les latifundia, les *villae*, à l'époque mérovingienne l'artisanat se pratique dans les campagnes, puisqu'il s'insère dans l'organisation des grands biens ruraux, sur les terres du roi, de la noblesse et de l'Eglise. Il est vraisemblable qu'on ne rencontre plus d'artisans spécialisés, tels qu'on en connaissait dans l'Antiquité, sur ces domaines, mais que des hommes appartenant à la *familia* des grands propriétaires les exercent et produisent ce dont on a besoin autour d'eux. Cette «décadence» de l'artisanat spécialisé reflète celui de la cité; en effet, aucune société urbaine ne peut exister sans bouchers, boulangers, tailleurs, tanneurs, menuisiers ou tailleurs de pierre. L'autonomie croissante des grandes propriétés terriennes enlève toute justification à l'existence d'un artisanat indépendant. La majorité des artisans de l'époque mérovingienne n'est plus libre et les rares qui le sont encore ne subsistent que dans les campagnes fortement romanisées.

Dans la société franque, l'artisan, fort mal considéré, se range parmi les hommes de basse condition; les spécialistes ne sont pas mieux traités que les autres, puisque toute activité manuelle est déshonorante. De telles tâches ne s'accordent pas avec le mode de vie guerrier. Et ceci n'est pas démenti par les exceptions citées dans les sources, telle celle du roi mérovingien qui aime les travaux d'orfèvrerie ou celle de saint Eloi, l'orfèvre devenu évêque de Noyon. On oublie trop souvent, en effet, que l'or était thésaurisé, qu'il intéressait uniquement pour son poids, que le travail artistique n'ajoutait pas de valeur à ses dérivés aux yeux des contemporains, puisqu'en cas de besoin ils envoyaient les objets à la fonte. Seules, les bonnes épées dues aux armuriers ont toujours été reconnues comme des œuvres de prix et ont parfois atteint une renommée légendaire.

La dévaluation du travail artisanal par rapport à la place qu'il occupait dans le monde antique prend ses racines dans la culture nouvelle, aristocratique, de l'époque des Francs. Sur les milliers de sépultures masculines contenant un mobilier funéraire d'âge carolingien, qui ont été étudiées, très peu comprennent des œuvres artisanales. Le domaine de l'activité manuelle n'ayant aucun caractère représentatif, le défunt n'a pas la moindre intention de s'y livrer dans l'au-delà. Les armes et les bijoux jouent un tout autre rôle, car ils reflètent la conception aristocratique de l'existence que l'on a, à l'époque.

Dans l'Antiquité, les artisans se regroupaient en corporations, les *collegia*, mais dès la fin de l'empire romain d'Occident, l'obligation légale de formation de «communautés solidaires» a été abandonnée. La décadence des *collegia* s'accélère à vue d'œil au cours de la première moitié du Ve siècle. Il faut attendre l'époque carolingienne pour voir les guildes jouer un nouveau rôle de rassemblement social. On en trouve mention dans les sources du VIIIe-IXe siècle, mais il s'agit surtout d'associations d'entraide de marchands, cependant que d'autres nous documentent de façon indirecte sur les interdictions prononcées par le roi, à la fin du IXe siècle, contre ces petites sociétés jurées indépendantes.

Dès le IIIe siècle, on voit s'amorcer un lent mouvement de translation du centre de gravité de l'activité économique, qui passe de la cité à la campagne et aux grandes propriétés territoriales, au moment où s'accroît l'importance du secteur agricole. F.G. Maier nous parle d'un «passage graduel de la culture urbaine à la forme de vie domaniale». Les domaines attirent en effet de façon directe la population de type artisanal-industriel et produisent pour répondre aux besoins de la région, après les leurs, car «l'économie de la grande propriété doit pouvoir procurer un profit supplémentaire». Ainsi, la boucle est bouclée. Même en territoire germanique, à partir du IIIe siècle, on l'a vu, la structure de base est arrivée à la même situation.

A côté de ce cadre rigide, on rencontre bien entendu des exceptions, en particulier dans le Sud méditerranéen. Il a déjà été fait allusion aux mines dont l'exploitation se poursuit, mais il ne faut pas oublier les salines, ni l'industrie du bâtiment qui trouve le moyen de survivre grâce à l'architecture ecclésiastique naissante.

Tandis que l'on assiste à la simplification du secteur de la production artisanale, on constate une régression massive du commerce sous toutes ses formes. Le déclin des échanges à longue distance, sur lequel s'est beaucoup étendu Henri Pirenne, ne correspond pas seulement à une conséquence de l'invasion arabe du VIIe siècle, ainsi que l'historien belge s'est efforcé de le démontrer, mais débute au cours de la période de crise du IIIe siècle; le niveau du commerce demeure d'ailleurs inférieur à ce qu'il était auparavant, durant plusieurs siècles. D. Claude nous décrit ce processus de façon assez précise. A partir du IVe siècle, la capacité de chargement des bateaux diminue; à ce propos, on n'est pas en mesure de dire si cette réduction correspond au recul démographique général, qui incite à faire des transports moins importants et donc à restreindre le tonnage, ou bien si l'on a perdu les connaissances techniques nécessaires à la construction de grands bâtiments marchands. Si les dispositions du IIe siècle fixent encore les dimensions minimales des navires marchands à 50 000 modii, en 439, Théodose II choisit d'affecter aux transports d'Etat tous les bâtiments de plus de 2 000 modii, parce qu'il ne peut exiger la construction de bateaux plus grands. A partir du Ve siècle, les sources littéraires attestent l'accroissement toujours plus sensible du cabotage, tandis que les transports en haute mer diminuent, peut-être parce que les bateaux à voile plus petits sont devenus moins sûrs. Les bâtiments de plus de 70 tonneaux, voire de 200 ou 300, sont désormais exceptionnels et tous viennent de Méditerranée orientale. Le transport du bloc de pierre, d'un poids de 470 tonnes, qui va recouvrir le mausolée de Théodoric, représente sans doute le chargement le plus lourd que l'on puisse encore faire par mer.

Outre un équipage réduit, les bateaux peuvent emporter de 15 à 25 soldats; les 44 hommes embarqués sur les vaisseaux de Gelimer, roi des Vandales, se serrent sans doute et les 100 esclaves placés à bord d'un unique bateau, au VIIe siècle, voyagent sûrement entassés les uns sur les autres. Au Nord où les navires sont encore à rames, on manque de bateaux à voile bien adaptés. L'équipage très nombreux laisse peu de place pour des passagers ou des marchandises. Les navires qui prennent le large en mer du Nord ou sur la Baltique comptent au moins 24 rameurs, ainsi que le montre le modèle découvert à Utrecht; or, n'oublions pas que les barques romaines ou byzantines n'embarquent qu'un marchand et trois ou quatre marins pour la manoeuvre. Les bateaux de haute mer à lisse élevée, ayant une capacité de chargement plus considérable que celle des rapides drakkars de guerre vikings et un bordage plus résistant qui permet l'implantation d'un grand mât, ne seront construits dans le Nord qu'aux alentours du Xe siècle; en Méditerranée, les grands vaisseaux ne réapparaîtront qu'au XIe siècle. A cette époque, Venise ne dispose encore que de bateaux de faible tonnage, selon le désir de ses marchands. Sur les longues distances, on ne pratique donc que le commerce de biens de très faible poids.

Au cours des siècles qui séparent Théodoric de Charlemagne, la société européenne étant parvenue à vivre de façon presque indépendante, les échanges à distance ne concernent que les marchandises de luxe, introuvables chez soi. Le commerce du sel, qui s'est toujours maintenu sur les distances moyennes, va être mieux organisé. Grâce à des témoignages provenant d'Europe centrale, nous savons qu'au VIIIe-IXe siècle, il demeure lié aux grandes propriétés terriennes. Récolté sur les salines des grands domaines pour répondre aux nécessités internes, le sel est distribué à tous ceux qui y vivent de façon plus ou moins dispersée; en sens inverse, on répartit de la même manière la céramique qui provient d'un autre centre de production. Le papyrus, la soie et le brocart byzantin, venus d'Orient à bord des petits bateaux, sont les marchandises les plus recherchées. Arrivent par les mêmes routes jusqu'au royaume franc les récipients de bronze, les verres byzantins et l'almandin, un grenat utilisé en joaillerie. Dans ce royaume, la répartition des diverses pièces de vaisselle de bronze dans les mobiliers funéraires permet de dresser une carte des voies commerciales, qui traversent les Alpes ou longent la vallée du Rhône et poursuivent en direction du Nord, puis le long du Rhin, vers l'Angleterre.

A partir de l'Antiquité tardive, les biens de luxe sont en effet également commercialisés dans les régions septentrionales, ainsi que l'attestent les objets en verre et les armes. Le verre, d'autant plus précieux qu'il est fragile, y est exporté depuis le Bas-Empire et le demeure tout au long de la domination franque jusqu'à la période carolingienne. Le commerce de marchandises lourdes ne reprendra, par contre, qu'à cette époque, ainsi qu'en témoigne la présence, sur les sites archéologiques d'Angleterre, d'Allemagne centrale et du Danemark, des pesantes meules en basalte de Mayen. Si le commerce à longue distance des produits de luxe s'effectue désormais dans toute l'Europe, c'est également le résultat indirect de la diffusion des pièces d'or: au comptoir d'Helgö, en Suède centrale, on a en effet trouvé un vase de bronze de production italique, à côté de pièces d'or de la Monnaie ravennate de Théodoric.

Il est évident que les pièces d'or ont aussi pu parvenir chez les Germains et les populations nordiques sous forme de tribut, de butin et de donation. P. Grierson considère même que cet aspect des échanges et de la diffusion des objets de valeur représente un facteur décisif, bien plus important que le commerce de luxe. Des objets manufacturés aussi coûteux que les casques, les épées à poignée en anneau ou la vaisselle de bronze peuvent en effet être alors diffusés à travers l'Europe occidentale en tant que dons ou récompenses à des guerriers d'escorte.

Les sources écrites nous indiquent et les trouvailles archéologiques confirment que le commerce connaît, de même que bien d'autres secteurs économiques, une forte régression au IVe-Ve siècle, puis continue à exister de façon assez modeste avant de connaître une ascension constante au VIIIe siècle, sous les Carolingiens, au moment où renaissent aussi, par voie de conséquence, les cités.

La redécouverte de l'architecture en pierre. Palatia *et églises*

La pause liée à l'abandon de la civilisation et du mode de vie antiques, qui est apparue comme un «progrès» dans le processus historique, entre l'époque de Théodoric et celle de Charlemagne, est tout à fait sensible dans le domaine de l'architecture en pierre et de la construction monumentale. Il n'est pas dans notre propos de retracer le développement artistique entre l'Antiquité et le Moyen Age, auquel d'innombrables ouvrages d'histoire de l'art sont consacrés, mais de mettre en évidence les irrégularités, les anomalies qui accompagnent ce phénomène.

En Méditerranée, et ceci est surtout vrai pour l'Italie et le Sud de la France, les régions où le mode de vie se maintient comme auparavant sont beaucoup plus nombreuses que sur le territoire où s'établira l'empire carolingien. Quand on examine ce processus à partir de là, les différences ressortent de manière toute particulière.

Si, pour bâtir une simple église, on ne souhaite pas se limiter aux pierres sèches, selon la technique souvent appliquée d'élévation des murs sans ciment, mais que l'on envisage la construction d'un point de vue esthétique et que l'on cherche à obtenir un ensemble bien appareillé, il faut faire appel à un tailleur de pierre. Toutefois, depuis la chute de l'empire romain d'Occident, cette spécialisation artisanale est en voie de disparition. On s'en rend compte quand on examine les pierres tombales de l'époque. Dans les provinces septentrionales, les lapicides commencent à manquer de compétence dès l'époque romaine tardive. Les lettres des stèles funéraires de la région de Cologne sont formées avec maladresse et les lignes, grossièrement gravées dans la pierre. Cette négligence dans la rédaction des inscriptions commémoratives augmente encore sous les Germains. Si l'ornementation des objets métalliques est exécutée avec une précision relative, les inscriptions sont corrompues par l'influence barbare et les représentations humaines se limitent à des esquisses en quelques traits. La perte de l'écriture est mise en évidence, on l'a vu, par les légendes des monnaies que les graveurs ne sont plus capables de reproduire avec exactitude. Les artisans qui réalisent les boucles de ceinture ne maîtrisent plus non plus les graphies, sauf s'ils travaillent dans les ateliers des monastères et reproduisent des textes chrétiens, ainsi qu'on le constate sur des boucles retrouvées de part et d'autre du Jura, au Nord du territoire des Burgondes. La sculpture subsiste quand même toujours dans un contexte romain tardif et par la suite, dans celui de la Romanie, mais elle représente une tentative inutile de transmission des formes de vie antique. Il semble bien que les peuples germaniques ont refusé de façon consciente ce type de représentation.

L'architecture en pierre n'appartient pas au mode de vie germanique, voué jusqu'alors à la maison d'habitation en bois, aux fortifications et aux dispositifs techniques. Seule, l'Eglise reprend la tradition antique et construit les édifices du culte avec de la pierre. Mais même sur ce point, nous ne disposons que de très peu de renseignements à propos des siècles qui séparent Théodoric de Charlemagne. Dans ses écrits sur Charlemagne, E. Lehmann résume les choses en quelques mots: «Aucune basilique mérovingienne ne nous est parvenue et aucun ensemble de fondations d'une grande église mérovingienne n'a fait l'objet de fouilles. On ne connaît que des restes de fondations et des témoignages littéraires, des sources qui peuvent prendre, selon leur nature, toutes sortes de significations». Les souverains germaniques ont construit des églises de pierre en Italie, en Espagne et au cœur du royaume franc. On trouve d'impressionnants témoignages de l'architecture théodoricienne à Ravenne, dans l'église de S. Apollinare Nuovo, le palais impérial et le mausolée, qui s'inscrivent à la suite de la tradition antique et seront, par la suite, transformés par l'empereur byzantin. Dans le royaume wisigoth, Léovigild fait bâtir Recopolis, avec un *palatium* et une église. Du VIIe siècle, on connaît aussi des petites églises en pierre, dont San Juan de Baños, dans la province de Valence, fondée par Receswinthe en 661, ou encore San Pedro de la Nave, près de Zamora, qui a sans doute été commencée aux environs de l'an 700. Les colonnes ont été prises dans des édifices antiques avant d'être réutilisées, mais on les a coiffées de chapiteaux wisigoths, ainsi qu'on le voit à San Juan. Dans le royaume franc, le baptistère Saint-Jean de Poitiers existe depuis le IVe siècle, mais il a été restauré au VIIe. L'abbaye de Notre-Dame de Jouarre conserve d'impressionnants éléments architecturaux de l'époque mérovingienne. Les rois de cette époque faisaient construire des églises pour abriter leur hypogée, mais seul un très petit nombre nous est parvenu. A l'abbaye de Saint-Denis, les dalles des stalles s'apparentent à un type de gravure dont on connaît un exemple lointain dans la zone septentrionale du massif du Harz, celui des stèles de Hornhausen, ornées de cavaliers. On se souvient aussi de l'hypogée de l'abbé Mellebaude, à Poitiers, et de son décor animalier décrit plus haut. Les édifices romains se trouvent très souvent transformés en églises, quand ils ne fournissent pas des éléments pour embellir les lieux de culte. Il existe donc bien une architecture mérovingienne et des réalisations individuelles qui la complètent, visibles sur les chapiteaux, les stalles de chœur, les reliefs et la sculpture en ronde bosse. Tout cela est lié, cependant, à un petit nombre de centres où s'établit une tradition ecclésiastique ou nobiliaire. Les sarcophages ornés de motifs ou de silhouettes, déposés dans de nombreuses églises mérovingiennes, témoignent de ce travail de la pierre, exercé dans des milieus particuliers. Les ateliers d'Aquitaine et de Lotharingie se spécialisent, à partir du VIIe siècle, dans ce type de travaux et les exportent, tout comme l'on verra, sous les Carolingiens, transporter des meules qui facilitent la vie quotidienne depuis le massif d'Eifel; les Romains exploitaient déjà ces carrières et peut-être, bien que les recherches archéologiques ne puissent l'assurer, leur activité n'a-t-elle jamais cessé, même si elle a été plus modeste tout au long des siècles qui ont précédé l'ère carolingienne.

Les constructions coûteuses, en pierre, demeurent cependant l'exception jusqu'à la venue au pouvoir de Charlemagne. Les systèmes de fortifications, qui ne relèvent pas de l'Eglise, n'ont par exemple ni murs, ni portes. Les enceintes laissées par les Romains sont trop vastes pour les Mérovingiens; elles ne sont pas utilisées à des fins défensives et tombent en ruines. La guerre se déroule sous d'autres formes.

Avec Charlemagne, tout change. On voit apparaître, dans l'Est, pour s'opposer aux Saxons, des villages perchés sur des rochers, cernés de murailles, renforcés de tours et de portes en pierre. L'emploi de la pierre pour les ouvrages fortifiés redevient habituel. Quand Charlemagne établit son programme complexe de construction, que son biographe Eginhard loue bien haut, il le rattache aux formes architecturales antiques dont il s'inspire car il ne se contente plus seulement du réemploi d'éléments classiques. Dans la chapelle palatine, si les colonnes de porphyre ont été apportées de Ravenne, les grilles en bronze de la galerie sont des créations d'après des modèles antiques. La Torhalle de Lorsch correspond à un arc de triomphe et les chapiteaux de la partie décorée de la façade s'inspirent de l'antique, de même que les pierres incrustées en guise de mosaïques dans cette même façade. L'implantation des *palatia* d'Aix-la-Chapelle et d'Ingelheim s'effectue sur d'anciens palais romains dont le plan inspire les architectes, cependant que l'ornementation intérieure de la Torhalle et du *palatium* d'Ingelheim a la prétention de retrouver la qualité antique. Dans sa *Vita Caroli Magni*, Eginhard mentionne deux splendides palais que Charlemagne fait bâtir (inchoavit et palatia operis egregii), puis il cite Ingelheim et Nimègue. Dans une poésie dédiée à Louis le Pieux, Ermold le Noir vante les mérites du palais d'Ingelheim, en particulier deux cycles de décorations murales, dont on ne sait s'il s'agit de fresques ou de mosaïques, et les bâtiments qui comportent cent salles, mille portes et cent chambres. Il n'est pas certain que cet écrivain ait vu Ingelheim, mais il avait compris le caractère imposant du palais.

Eginhard nous dit, de son côté, que Charlemagne s'intéressait surtout aux églises: quand il rencontrait dans son royaume de vieilles églises délabrées, il ordonnait aux évêques et aux prêtres responsables de la région de les restaurer. De nombreuses lois, datant des années 794, 803, 807 et 813, se rapportent à la conservation ou à la reconstruction d'édifices anciens. Selon les listes établies par A. Mann (1965), on connaît pour tout le royaume carolingien jusqu'à l'accession au trône de Charlemagne, 1 151 grands bâtiments dont 285 cathédrales, 837 monastères et 29 *palatia* royaux. Durant le règne de Charlemagne, on construit, autant qu'on puisse le savoir, 313 bâtiments nouveaux dont 16 cathédrales, 232 monastères et 65 *palatia.* Tous les dix ans, on construit donc, sous Charlemagne, 50 monastères et 14 *palatia.* La majeure partie des églises, monastères ou *palatia* antérieurs étaient en bois et à charpente apparente. Toutefois, on commence à bâtir en pierre une part importante des églises, à une époque où les abbayes et les palais sont encore en bois. Il faut donc attendre Charlemagne pour voir édifier en pierre le *palatium.* Le site du monastère de Saint-Gall, qui est reconstruit vers 820, ne nous éclaire pas — d'où les nouvelles recherches entreprises — sur l'implantation d'une abbaye telle qu'elle s'est produite au cours des époques successives, avec des églises, un cloître et tous les bâtiments annexes destinés aux nombreuses activités artisanales, mais nous révèle comment l'on concevait alors les couvents. Des fouilles effectuées dans le secteur conventuel de Mittelzell, sur l'île de Reichenau du lac de Constance, indiquent qu'un ermitage a été érigé en cet endroit vers le milieu du VIIIe siècle et que, durant la première phase de construction, les bâtiments annexes et même le cloître ont été réalisés en bois.

Une brève addition permet de calculer les progrès obtenus sous Charlemagne dans le domaine du bâtiment. Pour le demi-siècle qu'a duré son règne, environ, les sources attestent la mise en route de plus de 300 constructions nouvelles, alors que les trois siècles séparant l'époque des migrations et la domination des Mérovingiens de son règne n'avaient laissé que 1 150 édifices: sur une période six fois plus longue, on n'avait donc construit que quatre fois plus que lui.

Charlemagne ne se contente pas, toutefois, de faire renaître de ses cendres l'architecture antique, d'offrir à l'Eglise un grand nombre de lieux de culte ou de fortifier des places. Il fait réaliser d'importants travaux d'intérêt pratique et économique. Eginhard mentionne la construction, à Mayence, d'un pont long de 500 pas sur le Rhin, soit à peu de distance du *palatium* d'Ingelheim. Il s'agit là du premier pont lancé sur le

Rhin depuis l'Antiquité et il est destiné à durer des siècles. Malheureusement, construit en bois, il brûlera un an avant la mort de Charlemagne et ne sera pas rebâti. L'empereur n'a pas encore envisagé de substituer la pierre au bois pour la construction des ponts. Si ce pont représente une expérience nouvelle, le projet de canal pour relier les systèmes fluviaux du Main et du Danube, la Fossa Carolina, en est une autre. Aujourd'hui encore, on relève dans les campagnes les traces des travaux entrepris dans ce but.

A l'époque carolingienne, l'architecture en pierre retrouve donc la place qu'elle occupait dans l'Antiquité. Le choix d'un retour aux formes d'édification classique constitue une renaissance qui s'accompagne d'un effort d'innovation, comme le montre, entre autres, la chapelle palatine d'Aix-la-Chapelle; durant son règne, on voit peu à peu se modifier les anciens concepts de la basilique, ce qui conduira à la mise en œuvre des «massifs occidentaux» monumentaux, avec leur crypte et leurs tours, dont l'église abbatiale de Corvey offre un exemple remarquable.

Le modèle proposé par Charlemagne a une profonde influence en Occident, mais il n'est pas le seul. Dans le Nord de l'Italie, on voit à Cividale, dans les reliefs réalisés sur le mur intérieur et au-dessus du portail du «tempietto» (Santa Maria in Valle), l'œuvre la plus remarquable, sans doute, de l'architecture ecclésiastique lombarde. Le «tempietto» date selon tout probabilité des environs de 750, c'est-à-dire qu'il est à peu près contemporain du développement architectural opéré dans le royaume franc des premiers Carolingiens. En Espagne, on voit apparaître dans le royaume des Asturies, une région que n'ont pas conquise les Arabes, une architecture particulière dont l'église Santa Maria de Naranco appartenant à l'origine au palais royal de Ramiro Ier (942-850) offre l'exemple. A Oviedo, capitale du roi Alphonse II (791-842), on édifie la superbe basilique de San Julian de los Prados.

A la frontière entre l'époque mérovingienne, avec sa conception particulière du monde, et l'époque carolingienne, qui annonce le Moyen Age, on trouve l'église S. Benedikt in Mals (dans le Sud du Tyrol) dont les fresques, datant du IXe siècle, représentent saint Benoît et un noble guerrier franc. Comme signe distinctif de son rang, ce guerrier — le donateur de l'église, peut-être — tient avec ses deux mains une épée à la verticale devant lui. Il est possible qu'il appartienne au groupe d'aristocrates carolingiens de l'entourage du roi, à moins qu'il ne soit membre de la famille impériale, ainsi que l'a suggéré récemment H. Wolfram. De toutes manières, cette fresque symbolise la caste guerrière, la seigneurie et l'indépendance.

De la société ouverte mérovingienne à l'état féodal carolingien hiérarchisé

Même s'il est chrétien, le guerrier de l'époque mérovingienne, épris d'indépendance, se fait enterrer avec ses armes car celles-ci définissent le rang qu'il occupe dans sa communauté et ce, avec d'autant plus de force que la liberté est menacée. A la fin de l'époque mérovingienne et durant l'établissement de la dynastie carolingienne, on voit s'opérer une mutation sociale qui conduit à l'abandon de la société ouverte pour adopter la hiérarchisation rigide de l'état féodal. Le nombre d'hommes libres diminue rapidement et il faut être noble pour occuper les premières places dans la société. La caste nobiliaire, fondée sur les avantages de la naissance, se développe donc. L'exploit militaire ou les services rendus au roi n'assurent plus l'accession à la noblesse: cette condition est désormais celle d'une caste qui se distingue toujours davantage du reste de la société. L'historien qui entend décrire ce phénomène s'appuie sur la tradition écrite; l'archéologue, pour sa part, constate d'autres conséquences de la transformation interne de la communauté.

A partir de la fin du VIe siècle et durant tout le VIIe siècle, on assiste au pillage sur une grande échelle des cimetières à rangées. Les déprédations affectent de 50% à 90% des tombes, selon les régions. On récupère les armes et surtout les objets ornementaux en métal précieux et les squelettes sont détruits. La situation n'est donc plus du tout celle qui avait amené Théodoric à recommander le prélèvement des métaux précieux dans les tombes, à condition de respecter le repos des morts. Si les Germains, et en particulier les Francs, s'étaient comportés en destructeurs des tombeaux des Romains, la spoliation des tombes franques prend un caractère criminel, car elles abritent les morts de leurs peuples. Et nous ne sommes pas en présence de l'entreprise d'obscurs pilleurs, qui chercheraient à s'enrichir en secret, à moindre frais. L'état des lieux donne souvent l'impression que le vol du mobilier des tombes est devenu un métier et qu'un grand nombre de personnes participe à d'étranges activités.

Le pillage des tombes s'effectue avec méthode, puisque les tombes des femmes sont ouvertes à hauteur de la poitrine, pour en extraire les bijoux, tandis que chez les hommes, ce sont les armes qui sont recherchées. La tradition écrite mentionne d'ailleurs cette absence de respect. Dans son *Histoire des Francs*, Grégoire de Tours raconte qu'un duc, Gunthram Boso, incite ses valets à dépouiller le cadavre d'un riche parent, enseveli avec de nombreux bijoux d'or à l'intérieur d'une église de Metz. Paul Diacre rapporte, de son côté, une anecdote du même genre dans son

Histoire des Lombards. Le duc Gisilberto, de Vérone, vole les trésors des tombeaux des rois lombards Rotharis et Alboïn. Cette pratique se répand au point que dans tous les codes germaniques, territoriaux ou tribaux, on lui consacre des paragraphes. Les sanctions prévues sont d'une sévérité exceptionnelle, mais les risques de fortes condamnations suffisent rarement à empêcher les délits. La *Loi ripuaire* précise dans ses deux rédactions du VIIe siècle: «Quiconque volera un cadavre avant qu'il ne soit enterré... sera puni d'une amende de 60 sous; quiconque osera déterrer un mort, sera puni d'une amende de 200 sous».

Ce sont là des peines graves; ailleurs, en d'autres temps, on prévoiera même la peine de mort pour ces délits. Si un Franc Ripuaire libre tue un autre Franc, il lui faut payer un *wergeld* («le prix de l'homme») de 600 sous à la famille de celui qu'il a tué. Puisqu'un sou pèse environ 4,55 g d'or, une amende de 200 sous correspond à près d'un kilo d'or. On se fait une idée d'ensemble des mesures punitives grâce à d'autres dispositions de cette loi qui citent la valeur des armes, des chevaux de selle et des vaches. La mise à sac d'une tombe est également évaluée à vingt chevaux de selle.

Les causes de cette pratique singulière, le vol des morts de son propre peuple, sont multiples. Les déprédations croissantes et l'abandon de l'usage d'ensevelir les morts avec des objets précieux sont des phénomènes parallèles qui ont peut-être des relations réciproques. On renonce aux cimetières et aux coutumes funéraires lorsque les transformations sociales et politiques connaissent une mutation profonde et il faut sans doute surtout rattacher l'abandon des nécropoles des *Reihengräber*, au VIIe siècle, à une plus grande diffusion du christianisme et à l'organisation en paroisses qui lui est liée, entraînant le transfert du lieu de sépulture. Par ailleurs, on dispose de documents archéologiques suffisants pour savoir que les Francs et les peuples germaniques qui les environnaient étaient christianisés depuis longtemps; or, ils n'avaient pas construit d'églises à proximité des cimetières à rangées. En outre, l'abandon d'une nécropole n'a jamais été motivé par le pillage des tombes. Même quand les Vikings de Scandinavie se sont convertis au christianisme, ils n'ont pas envisagé de dépouiller leurs ancêtres des objets précieux qui avaient été placés dans leurs tombes. Il faut donc chercher d'autres causes à cette déplorable habitude. On a prétendu que les Francs en étaient venus à la récupération des mobiliers funéraires par suite du manque de métaux rares. On peut souligner d'un côté que l'on ne manquait pas d'or à cette époque et de l'autre, que les disponibilités en métaux précieux s'étant raréfiées, les Francs auraient plutôt dû être conduits à renoncer à un usage funéraire qui entraînait la disparition de patrimoines entiers qu'à violer les tombeaux des générations précédentes.

Le dépouillement des morts, le mépris non déguisé à l'égard de leur repos, contre lesquels l'Eglise s'élève avec vigueur reflètent par conséquent une rupture avec le passé. Si l'époque des migrations germaniques et l'adoption de l'usage des cimetières à rangées sont liées à une transformation révolutionnaire des rapports sociaux entretenus jusque là, transformation qu'attestent également les sources écrites, la conception de l'existence et le genre de vie des descendants de ces peuples ont dû changer de manière décisive pour qu'ils renoncent à une telle coutume. Les documents écrits ne le reconnaissent pas avec autant de clarté, parce qu'il s'agit là de l'attitude de groupes de populations assez mal observés, dont l'expérience ne trouve pas d'écho dans les sources littéraires.

Un pillage de tombes qui prend de telles proportions suppose que les familles aient perdu le désir ou même le droit de garantir le repos de leurs ancêtres et d'honorer les morts sur leurs lieux de sépulture. Les rapports de parenté ont sans doute perdu de leur importance et ont été négligés ou même rompus. Les familles se sont peut-être éteintes, laissant les tombes sans propriétaires, ou bien ont été déplacées plus ou moins de force, ce qui ne leur a plus permis de fréquenter les cimetières.

Jusqu'à cette coupure dans la structure sociale du royaume franc, les objets retrouvés dans les tombes permettent de reconnaître l'appartenance aux diverses classes de la société. Les hommes de l'entourage du roi ou qui appartiennent aux couches sociales supérieures se distinguent par la possession d'épées de parade, de rênes précieuses et autres objets d'une richesse telle qu'ils ont sans doute été remis par un chef de guerre. D'autres morts sont ensevelis avec le simple mobilier funéraire du guerrier, c'est-à-dire de bonnes armes, tandis que les subordonnés, aux maigres possibilités économiques, n'emportent que quelques gages d'affection. Toutes les distinctions sociales se reflètent donc dans les cimetières à rangées. Mais à cette époque, les différences de rang correspondent à un pouvoir, une fortune, des capacités plus ou moins grandes. Les classes ou les castes n'existent pas encore. Elles se dessinent néanmoins, car la fin de la période caractérisée par l'ensevelissement en série correspond au terme du processus qui impose à une société ouverte une articulation hiérarchisée par classes. Les codes territoriaux ou tribaux des Germains nous décrivent une population structurée, qui va de la noblesse aux hommes libres et des hommes non libres aux esclaves. Ces écrits juridiques remontent tout ou plus au VIIe siècle et certains datent des débuts du VIIIe. D'autres sources écrites des VIIe et VIIIe siècles évoquent une population en majeure partie dépendante et une classe noble, limitée sur le plan numérique. Les premiers textes juridiques francs ne mentionnent pas cette noblesse, même si elle occupe déjà une position déterminée par le rang, sans que celle-ci soit fixée une fois pour toutes. Ce résultat de la consolidation des rapports politiques et sociaux dans le royaume franc est vérifiable. L'apparition de la noblesse en tant que classe privilégiée marque la fin de l'époque des migrations qui avaient brisé les dépendances sociales correspondant à la phase chronologique des cimetières à rangées (*Reihengräberfelder*). Les familles nobles ou libres, dont le statut juridique se voit désormais garanti, n'ont plus besoin d'exprimer leur rôle social par des coutumes funéraires tournées vers la représentation. Ceci n'a de sens que dans une société encore floue, où l'élévation par le rang correspond surtout à une conquête personnelle et peut-être rapidement perdue.

Des familles dépendantes, qui ne disposent plus librement de leur propriété, qui peuvent être transplantées ou séparées de leurs seigneurs nobles, ne sont plus en condition de prendre soin d'un cimetière durant plusieurs générations, ni d'ensevelir leurs morts avec des objets de valeur. Quand les tombes ne sont plus entretenues, les nouveaux seigneurs peuvent s'enrichir en récupérant le mobilier des morts dont descend leur groupe de dépendants, voire de leurs propres ascendants. Ce n'est pas en vain que l'on accuse très tôt des ducs d'avoir ordonné la violation de tombes, dans les sources littéraires du VIe siècle. C'est la noblesse rurale qui aura pris la responsabilité de violer des tombes. La destruction des nécropoles marque donc la fin d'une époque, au cours de laquelle, du début des migrations à la fondation de l'empire carolingien, les structures sociales sont demeurées ouvertes et le mode de vie a été distinct de celui de l'Antiquité; or, bien que l'époque carolingienne se réclame aussi de cette façon de vivre, elle adopte un autre type d'économie. Toute cette période correspond donc à une pause dans le développement conséquent, logique, orienté vers le progrès, qui va de l'Antiquité au Moyen Age, et ce temps de repos s'accompagne d'une tendance à adopter un genre d'existence différent, qui justifie ses propres réalisations.

Sommaire: Pirenne et les résultats de l'archéologie d'aujourd'hui

Pour l'époque qui va de Théodoric à Charlemagne, l'ouvrage d'Henri Pirenne, *Mahomet et Charlemagne*, est une pierre angulaire dressée sur la voie de la recherche historique. Depuis cinquante ans, les analyses qui la défendent, la complètent ou la critiquent ne cessent de se multiplier. Une partie des thèses de l'auteur demeure contestée et nous savons que certaines de ses affirmations sont erronées, mais d'autres conservent tout leur intérêt. A l'époque où Pirenne écrivait, il disposait de plus de sources traditionnelles écrites que de résultats de fouilles archéologiques. Il ne faut donc pas s'étonner si les recherches nous ont renseignés sur des points essentiels, après la mise au jour de nombreux témoignages matériels de cette époque et si, grâce à elles, les bases sur lesquelles Pirenne s'est appuyé pour tirer ses conclusions se sont un peu modifiées.

Pirenne a été le premier à souligner qu'une rupture décisive s'était produite au début de l'époque carolingienne. Toutefois, la route qui mène de l'Antiquité tardive à cette rupture, en passant par l'époque mérovingienne, et qu'il attribue à la conquête, par l'Islam, de la Méditerranée, n'est pas continue. Dès le IIIe-IVe siècle, une coupure aussi nette, provoquée par les Barbares incultes, est intervenue dans le cours de la vie du monde méditerranéen.

Grâce aux résultats archéologiques, on s'aperçoit donc que l'époque se distingue par deux temps forts entre lesquels se situe une phase indépendante d'évaluation, caractérisée par des conditions de vie qui lui sont propres, ainsi que par des rapports socio-économiques et culturels particuliers. On n'est donc pas en présence d'un monde qui connaîtrait une lente mutation, entre l'Antiquité et la domination carolingienne.

Le règne du gouvernement carolingien conclut cette période de civilisation hétérogène et reprend, dans une certaine mesure, le fil de l'histoire de l'Antiquité tardive. Si, sur le plan de la continuité, Pirenne qualifie de «normales» les conditions économiques de l'époque mérovingienne ainsi que les relations commerciales avec le Levant qui exporte du papyrus, de l'huile, des épices, des étoffes précieuses et des bijoux vers l'Occident, il a sans doute raison, bien qu'il ne se représente pas la situation de façon assez précise, car, en réalité le commerce a beaucoup baissé depuis l'âge d'or de l'empire romain et va demeurer à ce niveau. Le rôle des cités, qui ont commencé à perdre de leur importance dès la fin de l'Antiquité et qui ne transmettent plus de culture urbaine jusqu'à la fin de l'époque mérovingienne, le prouve à l'évidence. Le commerce n'existe que sous forme d'importation de biens de luxe sur de longues distances et le réseau de routes romaines a sans doute encore permis, au début, la circulation de toutes sortes de véhicules; ensuite, de Théodoric à Charlemagne, on se déplace surtout à cheval. L'Empire carolingien présente «le contraste le plus frappant avec le byzantin», parce qu'il est «purement terrien». Or, si cela était vrai lors de l'avènement de l'Empire, c'est à l'époque carolingienne que s'établissent à nouveau de façon durable le commerce extérieur et intérieur, la cité et une politique digne d'une grande puissance. L'introduction de la monnaie à base d'argent ne constitue pas un recul, mais la base sûre d'une économie en expansion. «Qu'est Clovis, en comparaison de Théodoric?» résume Pirenne. Clovis, pourtant, est bien plus proche de la tradition germanique et l'on voit se développer avec plus de soin une forme de vie différente, dans son royaume franc, tandis que Théodoric veut encore être considéré comme un Romain, porter le titre de *patricius* et représenter l'empereur de Constantinople. Si l'historien belge insiste à juste titre sur les côtés positifs du royaume mérovingien par rapport aux périodes historiques qui vont suivre, nous estimons encore plus que lui l'œuvre accomplie par ses souverains, pour ce qui concerne le cours de l'Histoire. Pirenne souligne que Charlemagne ne se contente plus, comme Théodoric, du titre de *patricius romanorum* et qu'il se pose en défenseur de la chrétienté occidentale. Toutefois, sans oublier l'héritage germanique des royaumes franc et goth, Charlemagne se tourne vers ce qui subsiste de Rome, de la chrétienté et de l'Etat. Ses efforts portent en effet sur la restauration de l'Etat et de la ville, de même que sur celle de l'autorité politique centralisée et sur la ransmission d'une idée porteuse de message, celle du christianisme.

Il s'emploie avec succès à diminuer l'influence de l'aristocratie terrienne dont les pouvoirs ont beaucoup augmenté depuis la mort de Dagobert Ier (639), qui a marqué le début de la décadence du royaume mérovingien. En ce temps s'était déjà manifesté le phénomène que Pirenne considère comme caractéristique de la seule ère carolingienne: «... toute une société tombe sous la dépendance des détenteurs du sol ou des détenteurs des justices, et le pouvoir public a pris ou prend de plus en plus un caractère privé». Ce phénomène, nous l'avons vu, se reflète dans l'abandon des coutumes funéraires qui, avec le dépôt d'un mobilier représentatif du style de vie, correspondent à l'expression de la société ouverte de l'époque mérovingienne. Lorsque celle-ci s'achève, on assiste au pillage des tombes et à la perte de la liberté. Pirenne a raison, cependant, lorsqu'il se demande: «Est-ce pour cela que Charles s'est encore efforcé de conserver la classe des hommes libres de petite condition?» Ils serviraient de contrepoids aux grands *possessores* qui vivent de manière indépendante sur leurs terres et n'ont pas besoin de roi. Mais cette tentative, si elle a eu lieu, n'a pas été couronnée de succès car «les grands domaines ont continué à s'étendre et la liberté à disparaître». Désormais, ce seront les grandes propriétés, par exemple celles des monastères et autres fondations religieuses, qui donneront une nouvelle impulsion à l'artisanat et au commerce.

En bref, au cours de la période qui sépare Théodoric de Charlemagne, sur les territoires qui seront ceux de l'Empire carolingien, vivent des hommes libres, colons et guerriers, qui disposent aussi des services d'une *familia* d'artisans et d'esclaves; artisans et colons libres disparaissent petit à petit— ainsi l'affirme l'historien Jacques Le Goff: les uns travaillent et les autres, les «oisifs», guerriers et clercs, prennent le pas sur eux. Ces derniers disposent d'un nombre suffisant de colons et d'artisans parmi leurs dépendants. Cela donne un nouvel élan à l'art figuratif, à l'économie rurale, au commerce et conduit, pour citer à nouveau Le Goff, à la renaissance carolingienne du travail.

Bibliographie

P.V. Addyman-N. Pearson-D. Tweddle, *The Coppergate helmet*, dans «Antiquity», 56 (1982), p. 189-194.

C. Amery, *Der Untergang der Stadt Passau*, Munich, 1975 (Science Fiction).

P. Anderson, *Passages from Antiquity to Feudalism*, Londres, 1974.

P. Anderson, *Von der Antike zum Feudalism. Spuren der übergangsgesellschaft*, Francfort, 1978.

H. Arbman, *Schweden und das karolingische Reich. Studien zu den Handelsverbindungen des 9. Jahrhunderts*, Stockholm, 1937.

H. Aubin, *Vom Absterben antiken Lebens im Frühmittelalter*, 1948. Repris dans P.E. Hübinger (Edit.), *Kulturbruch oder Kulturkontinuität im Übergang von der Antike zum Mittelalter*, Darmstadt, 1968 (Weger der Forschung, 201), p. 203-258.

J. Autenrieth (Edit.), *Ingelheim am Rhein. Forschungen und Studien zur Geschichte Ingelheims*, Stuttgart, 1964.

W.C. Bark, *Origins of the Medieval World*, New York, 1960.

M.W. Barley, *European Towns. Their Archaeology and Early History*, Londres-New York, 1977.

G. Behm-Blancke, *Gesellschaft und Kunst der Germanen. Die Thüringer und ihre Welt*, Berlin, 1973.

M. Bencard et coll., *Wikingerzeitliches Handwerk in Ribe, eine Übersicht*, dans «Acta Archaeologica», Copenhague 49 (1978), p. 113-138.

O. Bertolini, *I Germani. Migrazione e regni nell'Occidente già romano*, dans *Storia Universale*, III, 1, 1965.

V. Bierbrauer, *Frühgeschichtliche Akkulturationsprozesse in den germanischen Staaten am Mittelmeer (Westgoten, Ostrogoten, Langobarden) aus der Sicht des Archäologen*, dans *Centro Italiano di Studi sull'Alto Medioevo. Atti del VI Congresso Internazionale di Studi sull'Alto Medioevo*, Spolète, 1980, p. 89-105.

V. Bierbrauer, *Die ostgotischen Grab- und Schatzfunde in Italien (489-553 ap. J.-C.)*, Spolète, 1975 (Biblioteca degli «Studi Medievali», 7).

V. Bierbrauer, *Die ostgotischen Funde von Domagnano, Republik San Marino (Italien)*, dans «Germania», 51 (1973), p. 499-523.

Ch. Blindheim-B. Heyerdahl-Larsen-R.L. Tollnes, *Kaupang-funnene*, I, (Norske Oldfunn 11), Oslo, 1981.

A.E.R. Boak, *Menschenmangel und der Untergang Roms*, 1955. Repris dans *Der Untergang des römischen Reiches*, Darmstadt, 1970 (Wege der Forschung, 269), p. 348-367; commentaires de M.I. Finley dans le même volume, p. 368-395.

K. Böhner, *Die Reliefplatten von Hornhauser*, dans «Jahrbuch des Römisch-Germanischen Zentralmuseum Mainz», 23/24 (1976/77), p. 89-138.

G.P. Bognetti, *L'età longobarda*, 4 vol., 1966-1968.

Sture Bolin, *Mohammed, Charlemagne and Ruric*, dans «Scandinavian Economic History Review», 1 (1953), p. 5-39.

R. Bruce-Mitford et coll. (Edit.), *The Sutton Hoo Ship Burial*, I ss., Londres, 1975 ss.

J. Callmer, *Neufunde von Wodan-Monster-Sceattas aus dem Ostseebereich*, dans «Archäologisches Korrespondezblatt», 13 (1983), p. 507-511.

D. Claude, *Die Handwerker der Merowingerzeit nach den erzählenden und urkundlichen Quellen*, in *Das Handwerk* in *vor- und frühgeschichtlicher Zeit*, I (Edit. H. Jankuhn et coll.), Göttingen, 1981 (Abhandlungen der Akademie der Wissenschaften in Göttingen, Phil.-Hist. Klasse, série III, 122), p. 204-266.

D. Claude, *Geschichte der Westgoten*, Stuttgart-Berlin-Cologne-Mayence, 1970 (Urban-Taschenbücher, 128).

D. Claude, *Adel, Kirche und Königtum im Westgotenreich*, Sigmaringen, 1971 («Vorträge und Forschungen», vol. sp. 8).

R. Christlein, *Die Alamannen. Archäologie eines lebendigen Volkes*, Stuttgart, 1978.

P. Delogu, *Il regno longobardo*, dans *Storia d'Italia* I, 1980, p. 1-126.

J. Dondt, *Das frühe Mittelalter*, Francfort, 19 (Fischer Weltgeschichte, 10).

A. Dopsch, *Die wirtschaftlichen und sozialen Grundlangen der europäischen Kulturentwicklung aus der Zeit von Caesar bis auf Karl d. Gr.*, 2 vol., 1918-1920.

O. Doppelfeld-R. Pirling, *Fränkische Fürsten im Rheinland*, Dusseldorf, 1966.

G. Duby, *L'économie rurale et la vie des campagnes dans l'Occident médiéval*, I, Paris, 1962.

G. Duby, *Guerriers et paysans, VII-XIIe siècle. Premier essor de l'économie européenne*, Paris, 1973.

V.H. Elbern (Edit.), *Das Erste Jahrtausend. Kultur und Kunst im werdenden Abendland an Rhein und Ruhr*, 2 vol., Dusseldorf, 1964.

W. Ensslin, *Theoderich der Grosse*, Munich, 1947.

W.A. van Es-W.J.H. Verwers, *Excavations at Dorestad, I. The Harbour: Hoogstraat I*, Amersfoort, 1980 (Nederlands Oudheden, 9).

F.L. Ganshof, *Was ist das Lehnswesen?*, Darmstadt, 1961.

J. Le Goff, *Pour un autre Moyen Age*, Paris, 1977.

M. Grant, *Der Untergang des römischen Reiches*, Bergisch Gladbach, 1977.

F. Gregorovius, *Geschichte der Stadt Rom im Mittelalter*, 8 vol., Stuttgart, 1859-1873.

P. Grierson, *Commerce in the Dark Ages: a critique of the evidence*, dans «Transactions of the Royal Historical Society», série V, 9 (1959), p. 123-140.

P. Grierson, *Money and Coinage under Charlemagne*, dans *Karl der Grosse*, Dusseldorf, 1965, p. 501-536.

W. Haarnagel, *Die Grabung Feddersen Wierde. Methode, Hausbau, Siedlungs- und Wirtschaftsformen sowie Sozialstruktur. Die Ergebnisse der Ausgrabungen Feddersen Wierde*, 2 vol., Wiesbaden, 1979.

Handbuch der europäischen Geschichte, I (Edit. T. Schieder): *Europa im Wandel von der Antike zum Mittelalter*, Stuttgart, 1976 (2e éd., 1979).

K. Hauck, *Alemannische Denkmäler der vorschristlichen Adelskultur*, dans «Zeitschrift für Württembergische Landesgeschichte», 16 (1957), p. 1-40.

K. Hauck, *Von einer spätantiken Randkultur zum karolingischen Europa*, dans «Frühmittelalterliche Studien», 1 (1967), p. 3-93.

K. Hauck, *Die bildliche Wiedergabe von Götter- und Heldenwaffen im Norden seit der Völkerwanderungszeit*, dans *Arbeiten zur Frühmittelalterforschung*, I: *Wörter und Sachen im Lichte der Bezeichnungsforschung*, Berlin-New York, 1981, p. 168-269.

K. Hauck, *Zum zweiten Band der Sutton Hoo Edition*, dans «Frühmittelalterliche Studien», 16 (1982), p. 319-362.

J. Herrmann (Edit.), *Wikinger und Slawen. Zur Frühgeschichte der Ostseevölker*, Berlin, 1982.

H. Hinz, *Kreis Bergheim. Archäologische Funde und Denkmäler des Rheinlandes*, 2, 1969.

R. Hodges, *Dark Age Economics. The origins of towns and trade, AD 600-1000*, Londres, 1982.

R. Hodges-D. Whitehouse, *Mohammed, Charlemagne and the Origins of Europe. Archaeology and the Pirenne thesis*, Londres, 1983.

W. Holmqvist et coll. (Edit.), *Excavations at Hellgö*, I ss., Stockholm, 1961 ss.

P.E. Hübinger, *Bedeutung und Rolle des Islams beim Übergang vom Altertum zum Mittelalter*, Darmstadt, 1968 (Wege der Forschung, 202).

I problemi dell'Occidente nel secolo VIII, Spolète, 1973 (Settimane di Studio sull'Alto Medioevo, II).

H. Jankuhn, *Das Abendland und der Norden*, dans *Das Erste Jahrtausend. Kultur und Kunst im werdenden Abendland an Rhein und Ruhr*, II, Dusseldorf, 1964, p. 821-847.

H. Jankuhn, *Haithabu, ein Handelsplatz der Wikingerzeit*, Neumünster, 1963[4]; éd. augmentée, 1976[6].

H. Jankuhn-W. Schlesinger-H. Steuer (Edit.), *Vor- und Frühformen der europäischen Stadt im Mittelalter*, Ire et IIe parties, Göttingen, 1975[2] (Abhandlungen der Akademie der Wissenschaften in Göttingen, Phil-Hist. Klasse, série III, 83 et 84).

H. Jankuhn-N. Nehlsen-H. Roth (Edit.), *Zum Grabfrevel in vor- und frühgeschichtlicher Zeit. Untersuchungen zu Grabraub und "haugbrot" in Mittel- und Nordeuropa*, Göttingen, 1978 (Abhandlungen der Akademie der Wissenschaften in Göttingen, Phil-Hist. Klasse, série III, 113).

W. Janssen, *Zur Differenzierung des früh- und hochmittelalterlichen Siedlungsbildes im Rheinland*, dans *Die Stadt in der europäischen Geschichte, Festschrift E. Ennen*, 1972, p. 277.

W. Janssen, *Some Major Aspects of Frankish and Medieval Settlement in the Rhineland*, dans P.H. Sawyer (Edit.), *Medieval Settlement. Continuity and Change*, 1976, p. 41.

J. Jarnut, *Geschichte der Langobarden*, Stuttgart-Berlin-Cologne-Mayence, 1982 (Urban-Taschenbücher, 339).

G. Kossack, *Prunkgräber. Bemerkungen zu Eigenschaften und Aussagewert*, dans *Studien zur vor- and frühgeschichtlichen Archäologie, Festschrift*, Ire partie, Munich, 1974, p. 3-33.

Karl der Grosse, Lebenswerk und Nachleben, édité par W. Braungels et coll., 5 vol., Dusseldorf, 1966-1968.

G.G. Koenig, *Archäologische Zeugnisse westgotischer Präsenz im 5. Jahrhundert*, dans «Madrider Mitteilungen», 21 (1980), p. 220-247.

G.G. Koenig, *Die Westgoten*, dans H. Roth (Edit.), *Kunst der Völkerwanderungszeit*, dans Propyläen-Kunstgeschichte, Suppl. IV, Francfort-Berlin-Vienne, 1979.

G.G. Koenig, *Wandalische Grabfunde des 5 und 6. Jahrhunderts*, dans «Madrider Mitteilungen», 22 (1981), p. 299-360.

K.H. Krüger, *Königsgrabkirchen der Franken, Angelsachsen und Langobarden bis zur Mitte des 8. Jahrhunderts*, Munich, 1971.

E. Lehmann, *Die Architektur zur Zeit Karls des Grossen*, dans *Karl der Grosse, Lebenswerk und Nachleben*, II, Dusseldorf, 1965, 1967[3], p. 301-319.

H. Löwe, *Von Theoderich dem Grossen zu Karl dem Grossen. Das Werden des Abendlandes im Geschichtsbild des frühen Mittelalters*, dans «Deutsches Archiv zu Erforschung des Mittelalters», 9 (1952), p. 353-401.

H.P. L'Orange-H. Torp, *Il Tempietto longobardo di Cividale*, dans «Acta ad archaeologiam et artium historiam pertinentia. Institutum Romanum Norvegiae», VII, 1-3 (1977-1979).

F.G. Maier, *Die Verwandlung der Mittelmeerwelt*, Francfort, 1968 (Fischer Weltgeschichte, 9).

A. Mann, *Grossbauten vorkarlischer Zeit und aus der Epoche von Karl dem Grossen bis zu Lothar I*, dans *Karl der Grosse, Lebenswerk und Nachleben*, Dusseldorf, 1965, 1967[3], p. 320-322 et cartes.

S. Mazzarino, *La fine del mondo antico*, Milan, 1959.

W. Menghin, *Neue Inschriftenschwerter aus Süddeutschland und die Chronologie karolingischer Spathen auf dem Kontinent*, dans K. Splinder (Edit.) *Vorzeit zwischen Main und Donau*, Erlangen, 1980 (Erlanger Forschungen, série A, 26), p. 227-272.

D.M. Metcalf, *The prosperity of north-western Europe in the eighth and ninth centuries*, dans «Economic History Review», 20 (1967), p. 344-357.

V. Milojčić, *Der Runde Berg bei Urach. Ergebnisse der Untersuchungen von 1967 bis 1974*, dans *Ausgrabungen in Deutschland*, II, Mayence, 1975, p. 181-198.

K.F. Morrison, *Numismatics and Carolingian trade: a critique of the evidence*, dans «Speculum», 38 (1963), p. 61-73.

M. Müller-Wille J. Oldenstein, *Die ländliche Besiedlung des Umlandes vom Mainz in spätrömischer und frühmittelalterlicher Zeit*, dans «Bericht der Römisch-Germanischen Kommission», 62 (1981), p. 262-316.

H. Nehlsen, *Sklavenrecht zwischen Antike und Mittelalter. Germanisches und römisches Recht in den Rechtsaufzeichnungen*, I, Göttingen-Francfort-Zurich, 1972.

W. Op den Velde, *De in Nederland voorkomende sceatta's. Munt- en penningkunding nieuws*, dans «Numismatisch maandblad voor Nederland en Belgie», De Beldenaar, 1982 (maart. apr., 2), p. 40-52; 1982 (mai. juni, 3), p. 83-96.

Paris mérovingien, dans «Bulletin du Musée Carnavalet» (Ville de Paris, musée Carnavalet), 33, 1-2 (1980).

H. von Petrikovits, *Die Spezialisierung des römischen Handwerks*, dans H. Jankuhn et coll. (Edit.), *Das Handwerk in vor- und frühgeschichtlicher Zeit*, I, Göttingen, 1981 (Abhandlungen der Akademie der Wissenschaften in Göttingen, Phil.-Hist. Klasse, III série, 122), p. 63-132.

F. Prinz (Edit.), *Mönchtum und Gesellschaft im Frühmittelalter*, Darmstadt, 1976 (Wege der Forschung, 312).

K. Raddatz, *Reccopolis. Eine westgotische Stadt in Kastilien*, dans H. Jankuhn et coll. (Edit.), *Vor- und Früformen der europäischen Stadt im Mittelalter*, I, Göttingen, 1974^{2}, p. 152-162.

W. Raith, *Das verlassene Imperium. Über das Austeigen des römischen Volkes aus der Geschichte*, Berlin, 1982.

C. Rauch-H.J. Jacobi, *Die Ausgrabungen in der Königspfalz Ingelheim, 1909-1914*, Mayence, 1976.

Reallexikon der germanischen Altertumskunde, Berlin-New York, 1968^{2} ss., s.v. *Alemannen, Bajuwaren, Burgunder*.

P. Riché, *La vie quotidienne dans l'empire carolingien*, Paris, 1963.

S.E. Rigold, *The principal series of English sceattas*, dans «The British Numismatic Journal», 47 (1977), p. 21-30.

S.E. Rigold-D.M. Metcalf, *A checklist of English find on sceattas*, dans «The British Numismatic Journal», 47 (1977), p. 31-52.

H. Roth, *Handel und Gewerbe vom 6 bis 8. Jh. östlich des Rheins*, dans «Vierteljahrschrift für Sozial- und Wirtschaftsgeschichte», 58 (1971), p. 323-358.

H. Roth (Edit.), *Die Kunst der Völkerwanderungszeit*, dans *Propyläen-Kunstgeschichte*, Suppl. IV, Francfort-Berlin-Vienne, 1979.

K. Schietzel (Edit.), *Berichte über die Ausgrabungen in Haithabu*. Bericht 1-18, Neumünster, 1969-1984.

R. Sprandel, *Bergbau und Verhüttung im frühmittelalterlichen Europa*, dans *Artigianato e tecnica nella società dell'Alto Medioevo occidentale*, Spolète, 1971 (Settimana di Studio del Centro Italiano di Studi sull'Alto Medioevo, XVIII), p. 583-601.

W. von den Steinen, *Der Neubeginn*, dans *Karl der Grosse, Lebenswerk und Nachleben*, II, Dusseldorf, 1965, 1967^{3}, p. 9-27.

H. Steuer, *Die Franken in Köln. Aus der Kölner Stadtgeschichte*, Cologne, 1980.

H. Steuer, *Frühgeschichtliche Sozialstrukturen in Mitteleuropa*, Göttingen, 1982 (Abhandlungen der Akademie der Wissenschaften in Göttingen. Phil-Hist. Klasse, III série, 128).

H. Steuer, *L'industrie d'art à l'époque mérovingienne. Trésors romains-Trésors barbares. Une exposition des Musées d'Histoire de la ville de Cologne et du Crédit Communal de Belgique*, Bruxelles, 1979, p. 37-61; repris dans *Childéric - Clovis. 1 500e anniversaire, 482-1982*, Tournai, 1982, p. 181-202.

K.F. Stroheker, *Um die Grenze zwischen Antike und abendlandischem Mittelalter*, dans K.F. Stroheker, *Germanentum und Spätantike*, Zurich-Stuttgart, 1965, p. 275-308; première publication dans «Saeculum», 1 (1950), p. 433-465.

D. Talbot Rice (Edit.), *Morgen des Abendlandes. Von der Antike zum Mittelalter*, éd. angl., Londres, 1965; éd. all., Munich-Zurich, 1965.

Topografia urbana e vita cittadina sull'Alto Medioevo in Occidente, Spolète, 1974 (Settimane di studio del Centro Italiano di Studi sull'Alto Medioevo, XXI).

F. Vercauteren, *La vie urbaine entre Meuse et Loire, du VIe au IXe siècle*, dans *La città nell'Alto Medioevo*, Spolète, 1959 (Settimane di studio del Centro Italiano di Studi sull'Alto Medioevo, VI), p. 453-484.

A. Verhulst, *Der Handel im Merowingerreich*, dans «Antikvarisk Arkiv», Stockholm, 39 (1970), p. 2-54.

N. Wand, *Die Büraburg bei Fritzlar. Burg — «oppidum» — Bischofssitz in karolingischer Zeit*, Marburg, 1974 (Kasseler Beiträge zur Vor- und Frühgeschichte, 4).

R. Wenskus, *Stammesbildung und Verfassung. Das Werden der frümittelalterlichen gentes*, Cologne-Vienne, 1977^{2}.

J. Werner, *Fernhandel und Naturalwirtschaft im östlichen Merowingerreich nach archäologischen und numismatischen Zeugnissen*, Mayence, 1961 (Bericht der Römisch-Germanischen Kommission, 42), p. 307-346.

J. Werner, *Frankish Royal Tombs in the Cathedrals of Cologne and Saint-Denis*, dans «Antiquity», 38 (1964), p. 201-216.

D.M. Wilson, *The Northern World. The History and Heritage of Northern Europe, AD 400-1100*, Londres, 1980.

H. Wolfram, *Geschichte der Goten. Von den Anfängen bis zur Mitte des sechsten Jahrhunderts. Entwurf einer historischen Ethnographie*, Munich, 1979.

Table des illustrations en couleurs

36. Castelseprio, Santa Maria foris portas. L'église vue du Sud-Est (G. Costantino/Jaca Book)

37. Castelseprio, Santa Maria foris portas. Plan (d'après Degani)

38. Castelseprio, Santa Maria foris portas. Détail de la fresque de l'abside (G. Costantino/Jaca Book)

39. Castelseprio, Santa Maria foris portas. Détail de la fresque de l'abside: la Fuite en Egypte (G. Costantino/Archives Jaca Book)

40. Rome, Santa Maria Antiqua. Fresque du presbyterium: Vierge en Majesté et saints (Alinari)

41. Rome, catacombes de Commodille. Fresque représentant une Vierge à l'Enfant entourée des saints Adauctus, Félix et Luc (Scala)

42. Ravenne, Saint-Vital. Chapiteau ajouré (Scala)

43. Ravenne, Saint-Vital. Chapiteau byzantin de la tribune (Alinari)

44. Ravenne, Saint-Vital. Chapiteau byzantin de la tribune (Alinari)

45. Ravenne, Saint-Vital. Chapiteau byzantin de la loggia supérieure (Alinari)

46. Ravenne, Saint-Vital. Chapiteau byzantin de la tribune (Alinari)

47. 48. Poreč, basilique. Intérieur, deux chapiteaux byzantins (Alinari)

49. Ravenne, musée de l'Archevêché. Détail de la chaire de Maximien: les Noces de Cana (Scala)

50. Ravenne, musée de l'Archevêché. Chaire de Maximien (Scala)

51. Ravenne, musée de l'Archevêché. Détail de la chaire de Maximien: Joseph jeté dans le puits (Alinari)

52. Ravenne, Saint-François. Sarcophage grec en marbre du IVe siècle (Alinari)

53. Ravenne, musée National. Monument funéraire de l'exarque Isaac (VIIe siècle) (Alinari)

54. Rome, Bibliothèque vaticane. Fragment d'un tissu de soie avec l'Annonciation (Scala)

55. Rome, Bibliothèque vaticane. Fragment d'un tissu de soie avec une chasse au lion (Scala)

56. Ravenne, Saint-Vital. Transenne ajourée byzantine (Alinari)

57. Ravenne, Saint-Vital. Transenne ajourée byzantine (Alinari)

58. Istanbul, musée de l'Art turc islamique. Miniature: La rencontre de Mahomet avec un berger monothéiste (Scode/S. Ventimiglia)

59. Istanbul, Sainte-Sophie. L'abside (Giraudon)

60. Istanbul, Sainte-Sophie. La loggia du sultan (Giraudon)

61. Istanbul, Sainte-Sophie. Plan et élévation (d'après Schug-Wille)

62. Istanbul, Sainte-Sophie. Le *nimbar* (Giraudon)

63. Istanbul, Sainte-Sophie. Vue de l'intérieur (Giraudon)

64. Jérusalem, Coupole du Rocher. Vue de l'extérieur (Scala)

65. Jérusalem, Coupole du Rocher. Plan et élévation (d'après Dimand)

66. Jérusalem, Coupole du Rocher. L'intérieur de la coupole (Scala)

67. Khirbat al Mafiar (Israël). La salle du palais (Scala)

68. Jérusalem, Rockfeller Museum. Rosace en stuc avec petite tête de femme, provenant de Khirbat al Majfar (Scala)

69. Jérusalem, Rockfeller Museum. Figurine féminine en stuc polychrome, provenant de Khirbat al Majfar (Scala)

70. Khirbat al Majfar. Mosaïque du bain (Scala)

71. Kairouan (Tunisie). Grande Mosquée (Scode/S. Ventimiglia)

72. Kairouan. Cour de la Grande Mosquée (Archives Jaca Book)

73. Kairouan. Murs extérieurs de la Grande Mosquée (Scode/S. Ventimiglia)

74. Kairouan. Salle des prières de la Grande Mosquée (Archives Jaca Book)

75. Paris, Bibliothèque nationale, Ms. Arabe 5847, fol. 19: cavaliers musulmans (Bibliothèque nationale)

76. Paris, Bibliothèque nationale, Ms. Sup. Turc. 1907, fol. 49v: l'ascension de Mahomet (Bibliothèque nationale)

77. Cordoue. Ensemble de la Grande Mosquée (Scode/S. Ventimiglia)

78. Cordoue, Grande Mosquée. Façade Est (Oronoz)

79. Cordoue, Grande Mosquée. La coupole du *mihrab* (Oronoz)

80. Cordoue, Grande Mosquée. La nef d'Abd-al-Rahmân Ier (Oronoz)

81. Saragosse, Aljaferia. Intérieur de l'oratoire (Oronoz)

82. Saragosse, Aljaferia. Arc d'entrée (Oronoz)

83. Grenade, Alhambra. La cour des Lions vue du palais de Charles Quint (Oronoz)

84. Grenade, Alhambra. Une galerie de la cour des Lions (Oronoz)

85. Grenade, Alhambra. La coupole du pavillon Est de la cour des Lions (Oronoz)

86. Grenade, Alhambra. Détail du plafond de la salle des Rois: dames et cavaliers (Oronoz)

87. Grenade, Alhambra. Détail du plafond de la salle des Rois: les membres de la dynastie des Nasrides (Oronoz)

88. Grenade, Alhambra. Détail du plafond de la salle des Rois (Oronoz)

89. Grenade, Alhambra. La salle des Rois (Oronoz)

90. Tolède, Synagogue du Transit. Plafond (Oronoz)

91. Ravello, palais Ruffolo. La galerie centrale (Credito Italiano/Scheiwiller)

92. Lucera. Le château (Credito Italiano/Scheiwiller)

93. Amalfi. Le cloître du Paradis (Scala)

94. Palerme. La Cubula ou Piccola Cuba (Credito Italiano/Scheiwiller)

95. Palerme, La Cubula. Plan et élévation

96. Palerme, chapelle Palatine. Les mosaïques de la coupole et de l'abside (Scode/S. Ventimiglia)

97. Palerme, chapelle Palatine. Plan

98. Palerme, chapelle Palatine. Plafond en bois (Scala)

99. Pise, baptistère. Chapiteau du Xe siècle avec inscription arabe (Scala)

100. Cividale del Friuli, musée National. Autel de Ratchis: l'Adoration des Mages (G. Costantino)

101. Cividale del Friuli, Tempietto lombard. Détail d'une sainte dans la galerie supérieure (E. Ciol)

102. Cividale del Friuli, musée National. Baptistère de Callixte. Détail des bas-reliefs: symbole de saint Jean l'évangéliste (E. Ciol)

103. Monza, Trésor du Duomo. Croix votive d'Agilulf en or, pierres précieuses et perles (G. Costantino/Archives Jaca Book)

104. Rome, musée du haut Moyen Age. Epée avec pommeau en anneau, provenant de la nécropole de Nocera Umbra (G.D. Cormio)

105. Trezzo sull'Adda. Bague-sceau de Rodchis, en or massif, provenant de la tombe n. 2 (G. Costantino/Archives Jaca Book)

106. Brescia, musée de San Salvatore. Fragment de transenne: paon entouré d'entrelacs (G. Costantino/Archives Jaca Book)

107. Florence, musée National du Bargello. Plaquette représentant le roi Agilulf trônant, provenant de Valdinievole (Scala)

108. Paris, Bibliothèque nationale. Fibule lombarde provenant de Capoue (Photo Bibl. nat.)

109. Oxford, Ashmolean Museum. Fibule lombarde provenant de Bénévent (Photo Musée)

110. Ravenne, mausolée de Galla Placidia (Scala)

111. Ravenne, mausolée de Galla Placidia. Plan (d'après Parogalli)

112 Ravenne, palais de Théodoric. Façade (Scala)

113. Ravenne, palais de Théodoric. Mur de droite (Scala)

114. Ravenne, baptistère des Ariens (Scala)

115. Ravenne, baptistère des Ariens. Plan (d'après Verrone)

116. Ravenne, mausolée de Théodoric (Scala)

117. Ravenne, mausolée de Théodoric. L'intérieur de la coupole monolithique (Scala)

118. Ravenne, Saint-Apollinaire-le-Neuf. Vue de l'intérieur (Scala)

119. Ravenne, Saint-Apollinarie-le-Neuf. Détail des mosaïques du mur de droite de la nef centrale (Scala)

120. Ravenne, cathédrale. Chaire (Scala)

121. Santa Maria de Naranco, Espagne. Façade Nord-Ouest de l'église (Zodiaque)

122. Santa Maria de Naranco. Façade Sud-Est de l'église (Zodiaque)

123. Santa Maria de Naranco. Plan

124. Santa Maria de Naranco. Cour Est. En bas à gauche, copie de l'autel (Zodiaque)

125. Santa Maria de Naranco. Détail des bas-reliefs de la cour Est (Zodiaque)

126. Santa Maria de Naranco. Médaillon (Zodiaque)

127. Santa Maria de Naranco. Chapiteau (Zodiaque)

128. Santa Maria de Naranco. L'autel, conservé aujourd'hui au musée Archéologique d'Oviedo (Zodiaque)

129. San Juan de Banos. L'église vue du Sud-Ouest (Zodiaque)

130. San Juan de Banos. Portail Ouest (Zodiaque)

131. San Juan de Banos. Fronton (Zodiaque)

132. San Juan de Banos. Plan

133. San Juan de Banos. Fenêtre ajourée (Zodiaque)

134. San Juan de Banos. L'intérieur vue du Sud de la nef (Zodiaque)

135. Quintanilla de las vinas. Abside vue du Nord-Est (Zodiaque)

136. Quintanilla de las vinas. Plan

137. Quintanilla de las vinas. Détail d'un motif décoratif à entrelacs (Zodiaque)

138. Quintanilla de las vinas. Détail du motif central. A droite, monogramme probable des fondateurs de l'église (Zodiaque)

139. Quintanilla de las vinas. Imposte droite de l'arc triomphal: Christ représenté en Soleil dans une mandorle soutenue par deux anges (Zodiaque)

140. Quintanilla de las vinas. Imposte gauche de l'arc triomphal: l'Eglise représentée en Lune, elle aussi dans une mandorle soutenue par deux anges (Zodiaque)

141. Quintanilla de las vinas. Bas-relief de l'abside: Christ flanqué de deux anges: au-dessus, deux apôtres ou évangélistes (Zodiaque)

142. Quintanilla de las vinas. Détail du mur Sud de l'abside (Zodiaque)

143. San Pedro de la nave. L'église vue du Sud-Est (Zodiaque)

144. San Pedro de la nave. Plan

145. San Pedro de la nave. Détail du chapiteau situé dans l'angle Nord-Est de la nef: l'apôtre Thomas (Zodiaque)

146. San Pedro de la nave. Détail du chapiteau précédent: l'apôtre Philippe (Zodiaque)

ACHEVÉ D'IMPRIMER SUR LES PRESSES DE L'IMPRIMERIE:
GRAFICHE EDITORIALI PADANE - CREMONA (ITALY)
EN AVRIL 1995.
ISBN 2-84190-007-X
DEPÔT LEGAL 2ème TRIMESTRE 1995